# Student Quick Tips

Use this Student Quick Tips guide for a quick and easy start with McGraw-Hill Connect. You'll get valuable tips on registering, doing assignments, and accessing resources, as well as information about the support center hours.

## Getting Started

**TIP:** To get started in Connect, you will need the following:

- Your instructor's Connect Web Address

  Sample of Connect Web Address:
  http://www.mcgrawhillconnect.com/class/instructorname_section_name

- Connect Access Code

**TIP:** If you do not have an access code or have not yet secured your tuition funds, you can click "Free Trial" during registration. This trial will provide temporary Connect access (typically three weeks) and will remind you to purchase online access before the end of your trial.

## Registration and Sign In

1. Go to the Connect Web Address provided by your instructor
2. Click on **Register Now**
3. Enter your email address

**TIP:** If you already have a McGraw-Hill account, you will be asked for your password and will not be required to create a new account.

4. Enter a registration code or choose **Buy Online** to purchase access online

5. Follow the on-screen directions

**TIP:** Please choose your Security Question and Answer carefully. We will ask you for this information if you forget your password.

6. When registration is complete, click on **Go to Connect Now**

7. You are now ready to use **Connect**

## Trouble Logging In?

• Ensure you are using the same email address you used during registration

• If you have forgotten your password, click on the "Forgot Password?" link at your Instructor's Connect Course Web Address

• When logged into Connect, you can update your account information (e.g. email address, password, and security question/answer) by clicking on the *"My Account"* link located at the top-right corner

## Home (Assignments)

**TIP:** If you are unable to begin an assignment, verify the following:

• The assignment is available (start and due dates)

• That you have not exceeded the maximum number of attempts

• That you have not achieved a score of 100%

• If your assignment contains questions that require manual grading, you will not be able to begin your next attempt until your instructor has graded those questions

(Continued: **Home Assignments**)

> **TIP:** Based on the assignment policy settings established by your Instructor, you may encounter the following limitations when working on your assignment(s):

- Ability to Print Assignment

- Timed assignments – once you begin a "*timed assignment*," the timer will not stop by design

> **TIP:** "*Save & Exit*" vs. "*Submit*" button

- If you are unable to complete your assignment in one sitting, utilize the "*Save & Exit*" button to save your work and complete it at a later time

- Once you have completed your assignment, utilize the "*Submit*" button in order for your assignment to be graded

## Library

> **TIP:** The *Library* section of your Connect account provides shortcuts to various resources.

- If you purchased ConnectPlus, you will see an *eBook* link, which can also be accessed from the section information widget of the *Home* tab

- *Recorded Lectures* can be accessed if your instructor is using *Tegrity Campus* to capture lectures. You may also access recorded lectures when taking an assignment by clicking on the projector icon in the navigation bar

- Many McGraw-Hill textbooks offer additional resources such as narrated slides and additional problems, which are accessible through the *Student Resources* link

Mc Graw Hill
Connect
Learn
Succeed

# Reports

**TIP:** Once you submit your assignment, you can view your available results in the *Reports* tab.

- If you see a dash (-) as your score, your instructor has either delayed or restricted your ability to see the assignment feedback

- Your instructor has the ability to limit the amount of information (e.g. questions, answers, scores) you can view for each submitted assignment

# Need More Help?

**CONTACT US ONLINE**

Visit us at:

www.mcgrawhillconnect.com/support

Browse our support materials including tutorial videos and our searchable Connect knowledge base. If you cannot find an answer to your question, click on "Contact Us" button to send us an email.

**GIVE US A CALL**

Call us at:

1-800-331-5094

Our live support is available:

Mon-Thurs:   8 am – 11 pm CT
Friday:        8 am –  6  pm CT
Sunday:       6 pm – 11 pm CT

# DEUX MONDES
## A Communicative Approach

Tracy D. Terrell
Late, University of California, San Diego

Mary B. Rogers

Betsy J. Kerr
University of Minnesota, Minneapolis

Guy Spielmann
Georgetown University

Consultant: Françoise Santore
University of California, San Diego

University of Miami

Mc
Graw
Hill
Education

16  BRP BRP  20

ISBN-13: 978-1-259-12715-1
ISBN-10: 1-259-12715-X

*Learning Solutions Consultant: Kimberly Wollschlager*
*Project Manager: Megan Corbett*
*Cover Photo Credits:*
*87702904 – Hemera Technologies*
*87556099 – Hemera Technologies*
*87648435 – Jupiterimages*
*89678501 – Hemera Technologies*
*87766453 – Jupiterimages*
*155630983 – frederic prochasson*

# Contents

# CHAPITRE 1
# Ma famille et moi  45

# CHAPITRE 2
# La vie quotidienne et les loisirs  73

**CHAPITRE 3**
# En ville   99

**CHAPITRE 4**
# La maison et le quartier   129

## CHAPITRE 5
## Dans le passé 161

## CHAPITRE 6
## L'enfance et la jeunesse   191

## CHAPITRE 7
## À table! 221

## CHAPITRE 9
## L'enseignement, les carrières et l'avenir 279

# To the Instructor

Your students are changing. Technology is changing. The idea of the classroom is changing. Now, the way your students learn French is changing as well!

In preparation for this edition of *Deux mondes,* we conducted extensive research, employing a wide array of research tools including surveys, focus groups, and ethnographic studies to identify the key goals and challenges of the introductory French course. Not surprisingly, communication and cultural competence are top goals of the majority of instructors, while they are simultaneously faced with the challenges of fewer contact hours, budget cuts, and new course formats.

*Deux mondes,* Seventh Edition, continues to offer a truly communicative approach that supports functional proficiency while responding to these changing needs in new and exciting ways. As a direct result of our research, we created **Connect French, www.mhconnectfrench.com,** a powerful online learning platform that includes the ebook, the online *Cahier d'exercices,* an audio/video chat tool, and a brand-new video filmed in Provence, thereby offering a flexible solution for the evolving introductory French landscape.

Enhanced by these powerful new digital tools, *Deux mondes,* Seventh Edition:

* engages students in authentic culture that inspires them to communicate with confidence by providing them with the natural contexts they need to develop their language skills.
* provides tools for flexibility and easy online course administration.
* achieves consistent results across face-to-face, hybrid, and online course formats.

## Deux mondes *and the 5 Cs*

Firmly grounded in research on second-language learning, *Deux mondes* also supports the ACTFL National Standards, as outlined in the *Standards for Foreign Language Learning in the 21st Century,* 3rd edition. As presented in the Standards, the five Cs—Communication, Cultures, Connections, Comparisons, and Communities—serve as an outline of what students should know and be able to do as a result of their language study. *Deux mondes,* Seventh Edition, and **Connect French** provide a solid foundation for meeting those standards.

## Communication

*Deux mondes* emphasizes communication in meaningful contexts in the target language. Throughout the program, students listen to and read comprehensible French and have ample opportunities to use French in autograph, interview, information gap, role-play, writing, and other personalized activities that are theme-based, not grammar-driven.

Regardless of course format, in **Connect French** students can also take advantage of the audio and video live chat tool to communicate with their classmates online. Each chapter includes two chat activities: one proficiency-based *À vous de parler... en ligne!* activity that can be used as an end-of-chapter assessment and a second one that primarily utilizes French and Francophone websites as a basis for the students' conversations.

## Cultures

The brand new *Les Francophones sur le vif* readings and related video segments, filmed specifically for *Deux mondes,* feature contextualized interviews with a variety of native speakers of various ages, diverse origins, and occupational backgrounds. The participants are "real" French people, not actors, who allowed us to film them as they went about their business (at home, in the workplace, in the street, in stores, etc.). They talked to us in their own words about who they are and what they do in settings and situations that match our chapter themes. The unscripted, documentary style of the videos allows students to experience what native speakers actually sound and look like, enabling them to become comfortable with authentic language beyond their level of linguistic mastery. This is the key to developing functional proficiency in (rather than "knowledge" of) French. Related activities are found at the **Connect French** site.

Updated cultural readings called *À propos...* develop such themes as French and Francophone geography, history, and society and present various perspectives on the cultures of the French-speaking world. A new short reading feature, called *À la rencontre des arts*, highlights French and Francophone contributions to the arts: theater, poetry, literature, painting, photography, and music.

In addition, the *Dans le monde francophone* activities in the textbook, many of which are based on authentic materials, offer communicative practice.

In the *Cahier d'exercices*, the integration of the McGraw-Hill film *Le Chemin du retour,* with its intriguing mystery story, introduces another rich source of authentic language and culture that holds students' interest and draws them into discussion. Students are able to access both the activities and the film in **Connect French.**

## Connections

Chapter themes and activities encourage students to link their study of French with their personal lives and other subjects they are studying.

Activité 14  Dans le monde francophone:
Quelques faits du passé

Quel dessin correspond à chacun de ces faits historiques?

_____ **1.** Charlemagne a reçu sa couronne à Rome en l'an 800.
_____ **2.** Jeanne d'Arc a libéré la ville d'Orléans en 1429.
_____ **3.** Les Acadiens (Cajuns) sont arrivés en Louisiane entre 1764 et 1788.
_____ **4.** Le peuple de Paris a pris la Bastille le 14 juillet 1789.
_____ **5.** Napoléon a pris le titre d'empereur en 1804.
_____ **6.** Marie Curie a reçu le prix Nobel de physique en 1903 et le prix Nobel de chimie en 1911.
_____ **7.** Louis XVI et Marie-Antoinette ont été guillotinés en 1793.
_____ **8.** Le général de Gaulle est devenu président de la Vᵉ* République en 1959.

*cinquième

## Comparisons

Recurring features such as the updated _La langue en mouvement,_ the new _À propos..._ readings, as well as the _Dans le monde francophone_ activities, lead students to make comparisons between their world and that of French-speaking people.

### LA LANGUE EN MOUVEMENT

#### L'anglais et le français: les mots apparentés

Si vous parlez anglais, vous avez déjà un grand avantage pour apprendre le français. Selon les linguistes, plus que la moitié¹ des mots anglais ont des mots apparentés² en français. En voici des exemples: _bureau, théâtre, musée._ L'anglais est une langue germanique, mais le français est une des langues romanes (dérivées du latin). Alors, comment expliquer ce très grand nombre de mots communs? Il y a deux explications principales: (1) les deux langues ont exploité le latin comme source de nouveaux mots, et (2) après la défaite des Anglais par le duc de Normandie Guillaume le conquérant en 1066, le français a été la langue de l'élite britannique pendant trois cents ans. À la fin de cette longue période de bilinguisme, des milliers³ de mots français sont restés en anglais.

MISE EN PRATIQUE Regardez la liste de phrases de l'Activité 1 à la page 100. Soulignez tous les mots qui ont des mots apparentés en anglais. Combien en comptez-vous? Est-ce que le mot anglais a toujours approximativement le même sens que le mot français, ou est-ce qu'il y a des «faux amis»?

¹50 pour cent
²qui ont une origine commune
³multiples de 1000

## Communities

In **Connect French,** many of the _À vous de parler... en ligne!_ activities link out to French-speaking communities around the world. For example, students research "real world" topics such as the weather in a Francophone city, tourist sites in Paris, or an online French grocery store in preparation for a live chat with a classmate.

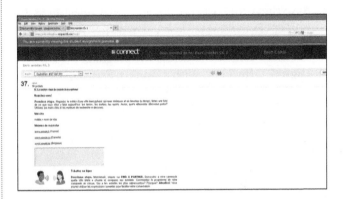

## Deux mondes and the Changing French Classroom

How does _Deux mondes_ help professors overcome the challenge of course administration and the emerging challenge of standard course outcomes across face-to-face, hybrid, and online sections?

## Tools for Easy Course Administration

The _Deux mondes_ program now provides online tools to reduce the amount of time and energy that instructors have to invest in administering their course. For instance:

- **Assignment Builder:** When creating assignments in **Connect French,** instructors can easily sort according to a variety of parameters that are important to their course in particular, such as skill, grammar structure, and vocabulary theme to be taught; time on task; activity type; and so on.
- _**Connect French** Reports:_ Instructors are able to pull administrative reports about student performance, and coordinators are able to integrate these reports across sections to see the performance of all students in their program.

## Standardization Across Course Formats

More departments are looking for ways to offer language instruction via hybrid or online sections. Given these trends, *Deux mondes* is uniquely designed to provide consistent outcomes, no matter which of these formats is used. It achieves this through the following:

- **Activities:** You can be assured that regardless of whether your section is taught online or face to face, all content is directly tied to course learning objectives to ensure consistency across the program.
- **Digital Offerings:** With **Connect French,** students have access in one central location to the ebook, the online *Cahier d'exercices,* the Audio Program, the *Les Francophones sur le vif* video and activities, and the *Le Chemin du retour* film. All this provides them with ample opportunity to engage at any time, in any place, with the rich cultural content of the program, regardless of the course format.
- **Grammar Tutorials:** Now available in **Connect French** are 17 grammar tutorials that feature a digital professor who explains key structures that students typically struggle with in the introductory French course. Each tutorial is followed by a brief assessment.

## The Deux mondes Program and New Features

### For Instructors and Students

- **Student Edition:** The full-color textbook contains vocabulary presentations and practice activities, grammar explanations and exercises, and helpful appendices. It is available in print and also as a digital ebook in **Connect French.**
- *Cahier d'exercices:* This combined workbook/laboratory manual contains both acquisition activities and practice activities for use outside the classroom. It also contains the activities for the film, *Le Chemin du retour.* The Answer Key at the end of the print *Cahier* allows students to correct many of the activities themselves. The *Cahier* activities and the related audio recordings are also accessible in **Connect French.** In the online version, many of the activities are auto-graded, giving students instant feedback. In addition, each chapter features two audio/video chat activities.

- **Listening Comprehension Program:** This audio program contains the reading selections from the *À propos...* and *À la rencontre des arts* feature boxes and the *À vous de lire* sections. These recordings are also available on the **Connect French** site and as a separate audio CD packaged with the Audio Program.
- **Audio Program:** Available on a set of audio CDs and on the **Connect French** site, this program contains pronunciation practice, listening comprehension texts, recorded dialogues, narratives, and, starting in Chapter 1, the *Rencontres* mini-series. The Audio Program also contains the recordings for the audio-based *Cahier* activities. In addition, this program offers a complete introduction to basic phonetics and pronunciation, with accompanying practice exercises and *dictées.* Packaged with the Audio Program is a separate audio CD containing the Listening Comprehension Program that accompanies the textbook.
- **Video Program:** The new video series *Les Francophones sur le vif* is available on DVD for students and instructors. The McGraw-Hill full-length feature film, *Le Chemin du retour,* new for the Sixth Edition *Cahier d'exercices,* is still available on DVD for use with the Seventh Edition, and can be ordered using the Sixth Edition ISBN: 0-07-332688-7. Both the video programs and their accompanying activities can also be accessed within **Connect French.**
- **Grammar Tutorials:** The 17 Grammar Tutorials are animated online grammar tutorials that allow students to brush up on a wide range of key grammar points on their own. They can be accessed within **Connect French.** The ebook and online *Cahier* both contain links to individual tutorials that relate to specific grammar points.

### For Instructors

With the exception of the Instructor's Edition, all of the following instructor resources are available within **Connect French.**

- **Instructor's Edition:** The Instructor's Edition of the main text contains marginal notes with suggestions for using and expanding most of the *Activités* and *Exercices* in the text. These notes also offer additional cultural information; teaching hints for using readings, photos, and realia; and tips on teaching selected grammar points.
- **Instructor's Manual:** This guide offers more detailed teaching suggestions and theoretical background on the Natural Approach, including a fully illustrated guided tour of the *Première étape* and *Chapitre 1* that provides detailed comments on the function and organization of the materials. A new chapter called *Using*

"*Les Francophones sur le vif*" provides suggestions for presenting the new readings and related video segments in class. Also included in the *Instructor's Manual* are two useful handouts (*Tips for Effective Learning* and *Getting Started with the Étapes*) that will introduce students to language learning in general and help orient them to the **Deux mondes** program.

- **Videoscript and Filmscript:** The *Videoscript* gives the instructor a print version of the spoken text in the new *Les Francophones sur le vif* video segments, while the *Filmscript* provides the print version of the dialogue from the movie *Le Chemin du retour*.
- **Instructor's Resource Kit:** This kit provides supplementary communicative activities, games, and other resources that correspond to the themes in the student text.
- **Testing Program with Audio CD:** This program offers a variety of test components emphasizing listening, speaking, reading, writing, vocabulary, and grammar. Available online as a Word document, this program gives instructors the ability to modify or adapt the tests to suit the particular needs of their class. The listening comprehension passages are available on the accompanying audio CD.
- **Audioscript:** This is a transcript of all the material recorded for the Audio Program.
- **PowerPoint Vocabulary Presentations:** This is a set of 50 art displays for vocabulary presentations, review, and class activities.

## New to This Edition

- **Connect French** (www.mhconnectfrench.com) is McGraw-Hill's powerful online learning platform that includes the ebook, the online *Cahier d'exercices*, an audio/video chat feature, all digital resources, a reporting feature, instructor's resources, and more.
- **Les Francophones sur le vif** textbook readings and related documentary-style video segments feature *real* French people, not actors, who are of different ages and backgrounds. In the video interviews, they use authentic language to talk about who they are and what they do, in settings and situations that match our chapter themes.
- **Grammar Tutorials** taught by an animated instructor focus on 17 key structure points that students typically struggle with in the introductory French course. Each tutorial is followed by a brief assessment.
- More **Activités** have been added to practice vocabulary and communication skills throughout the book and additonal **Exercices** have been provided to practice challenging grammar points such as the **passé composé** and direct and indirect object pronouns.
- **À la rencontre des arts** highlights the contributions of French and Francophone artists to the arts—theater, poetry, literature, painting, photography, and music.
- The **Pour résumer** activities (**À vous de parler, À vous de lire,** and **À vous d'écrire**) allow students to synthesize their knowledge and demonstrate their ability to use the chapter vocabulary and grammar communicatively.
- The **À vous de lire** section features six new authentic readings, in Chapters 1, 2, 3, 4, 8, and 13, including song lyrics, a blog page, and cartoon strips. All readings now include pre- and post-reading activities.
- The **La Francophonie en chansons** annotation in every chapter lists two or three songs that are related to the chapter themes. Suggestions for how to use songs in the classroom are in the *Instructor's Manual*.
- The **Langue en mouvement** feature has been updated and reformatted to include an application activity for every text.

# Acknowledgments

The authors would like to express their gratitude to the following members of the language-teaching profession whose valuable suggestions contributed to the preparation of this revised edition. The appearance of these names does not necessarily constitute an endorsement of *Deux mondes* or its methodology:

**Ball State University**
*Donald Gilman*

**Bronx Community College**
*Alicia Bralove Ramirez*

**Butler County Community College**
*Alphonse A. Rapa*

**Chapman University**
*John Boitano*
*Véronique Olivier*
*Catherine Reinhardt-Zacair*

**Cuesta College**
*Sally F. Girard*
*Susan Lloyd*

**Eckerd College**
*Christina Chabrier*

**Florida State University**
*James Tarpley*

**Indiana University Northwest**
*Nikki Kaltenbach Hollis*
*Belinda W. Potoma*

**Kent State University**
*Rebecca L. Chism*

**Liberty Institution**
*Dr. Sharon B. Hähnlen*

**Messiah College**
*Larry G. Wineland*

**Minneapolis Community and Technical College**
*Shirley Flittie*

**Normandale Community College**
*Catherine Pulling*

**Post University**
*Bonnie Odiorne*

**Santa Clara University**
*Nina Tanti*

**Springfield Technical Community College**
*Diana Henry*

**SUNY Potsdam**
*Mylene J. Catel*

**Tarrant County College**
*Floreen B. Henry*

**Texas Woman's University**
*Ninfa Nik*

**Trinity College**
*Karen Humphreys*

**University of Alabama**
*Isabelle Drewelow*

**University of Minnesota–Twin Cities**
*Jonathan Fulk*

**University of Scranton**
*Marzia Caporale*

**The University of Texas at Austin**
*Jane N. Lippmann*

**Waynesburg University**
*Marc Snyder*

Many people contributed their time and talents to the preparation of this edition. In particular, we want to thank our development editor Peggy Potter for thoughtful comments, hard work, and close attention to detail throughout the editing and production process of *Deux mondes,* Seventh edition. We also would like to thank Myrna Rochester, our copyeditor, and our proofreader, Marie Deer, for their sharp editorial eyes. We are especially grateful to Susan Blatty, our managing development editor, for her support and encouragement, for her innovative suggestions, and her extraordinary work in keeping a complicated project on track. Katie Crouch, our sponsoring editor, during the development phase of the project, has been generous with her time and contributions. We have benefited greatly from the professionalism of the production and design team at McGraw-Hill—Anne Fuzellier, Margaret Young, Preston Thomas, and Tandra Jorgensen—and the tremendous dedication of our project manager, Chris Schabow at The Left Coast Group. We also wish to acknowledge Veronica Oliva, our permissions editor, who went to great lengths to secure rights under difficult conditions. Many thanks are owed to our publisher, Katie Stevens, our editorial director, William Glass, and our editor in chief, Michael Ryan, for their support and enthusiasm for *Deux mondes.*

On a more personal note, we want to recognize Françoise Santore of the University of California, San Diego, who has read and commented on every edition of *Deux mondes,* as well as being a coauthor of the *Cahier d'exercices.* Her encouragement and her loyalty to the Natural Approach have always been an inspiration. We also want to thank Patricia Mougel, Director of French Instruction at the University of Minnesota. She has been a generous friend and ready consultant throughout the past four editions. She is also the author of *Rencontres,* the *feuilleton* which appears in each chapter of our audio program. We continue to acknowledge our debt to Tracy Terrell. Tracy loved French and *Deux mondes.* He was very much involved in its creation and very eager to make the Natural Approach interesting and accessible for French instructors. We believe that he would be delighted to know how many French students enjoy using *Deux mondes* today and would be very pleased with our new edition. Of course, we would also like to recognize our former publisher, Thalia Dorwick, for her support in the development of the *Deux mondes* program, and Eileen LeVan, editor for our second and fourth editions, for her insights and generous help in developing and, later, improving the materials.

Finally, we want to tell our families how grateful we are for their encouragement and even their sacrifices to our work. To our partners Ben Rogers and Robbie Steele, we say thank you. Your confidence and support have been much appreciated throughout this project.

# To the Student

## Getting to Know the Characters

You will get to know a number of characters in the **Deux mondes** textbook and *Cahier* and in other components of the program. They include people in North America and in France.

Madame Martin    Albert    Barbara    Daniel    Denise    Jacqueline    Louis

First you'll meet a group of young people from the University of Louisiana at New Orleans. They are students in Professor Anne Martin's 8:00 A.M. beginning French class: Albert Boucher, Barbara Denny, Daniel Moninger, Denise Allman, Jacqueline Roberts, and Louis Thibaudet. Louis is very proud of his Acadian ancestry. (The Acadians were French-speaking colonists who came to Louisiana from *Acadie,* now Nova Scotia.) Professor Martin was born in Montreal and is completely bilingual in French and English.

Raoul    Caroline

You will also meet two international students from French-speaking countries who are studying at the University of Louisiana. Raoul Durand, a doctoral student in mechanical engineering, is a Quebecois from Montreal. Caroline Njanga comes from Yaounde in the Cameroon and is working on a master's degree in American Studies. Both Raoul and Caroline were pleased to meet Professor Martin, and they have visited her class and gotten to know her students.

Sarah    Agnès    Jean-Yves

Also in Paris are Sarah Thomas, an American exchange student, Agnès Rouet, and Jean-Yves Lescart, friends at the *Université de Paris.*

Julien Leroux is a native of Brussels who has lived in Paris for several years and who works in news broadcasting at *Télévision Française 1* (TF1). Adrienne Petit lives in Marseille. She works as a secretary in an import-export firm and loves to travel. She is an active person with a lively social life.

Julien    Adrienne

The Lasalle-Colin family has three branches. The grandparents, Francis and Marie Lasalle, have always lived in Lyon, where they are now retired.

Claudine Colin is the daughter of Francis and Marie Lasalle. She teaches at a *lycée* (high school). She and her husband, Victor Colin, live in Clermont-Ferrand with their five children. Marise and Clarisse (19) are twins; Marise is studying French literature at the Université Blaise-Pascal in Clermont-Ferrand, and Clarisse is taking courses in hotel management at the École Victor Hugo. Charles (17) and Emmanuel (14) are both *lycée* students, and their brother, Joël (8), is in primary school.

Bernard Lasalle is the son of Francis and Marie. He and his wife, Christine, live near Bernard's parents in Lyon. Bernard is an engineer, and Christine works in a hospital as a nurse. They have three daughters, Camille (11), Marie-Christine (8), and Nathalie (6).

Édouard and Florence Vincent are old friends of Francis and Marie Lasalle's and live nearby in Lyon. They are an interesting couple, though somewhat old-fashioned in some of their views.

You will enjoy meeting these characters and learning more about their personalities, their daily lives, and the French-speaking regions they are from. And now . . . **Au boulot!** *Let's get to work!* Enjoy learning French and working with ***Deux mondes***.

# DEUX MONDES

## A Communicative Approach

PREMIÈRE
ÉTAPE

Deux amies se font la bise.

# Premières rencontres

## Objectifs

In the *Première Étape,* you will learn to understand a good deal of spoken French and get to know your classmates. The listening skills you develop will enhance your ability to understand and speak French.

## ACTIVITÉS

La communication en classe
Qui est-ce? Les camarades de classe
Comment sont-ils? La description des personnes
Les vêtements et les couleurs
Les nombres (0–34)
Rencontres

## GRAMMAIRE

**A.1**  Giving instructions: Commands with **vous**
**A.2**  Identifying people: **C'est... , je m'appelle...**
**A.3**  Gender and articles
**A.4**  Describing people: **Être,** subject pronouns, and **ne... pas**
**A.5**  Plural nouns and articles
**A.6**  Addressing others: **Tu** and **vous**

# Activités

## La communication en classe

✳ Attention! Étudier Grammaire A.1

écrivez
écoutez
lisez
asseyez-vous
levez-vous

Daniel    Jacqueline    Louis    Albert    Barbara
Madame Martin

### Activité 1   Associations: Les ordres

1.     2.     3.     4.

5.     6.     7.

a. Tournez la page!
b. Ouvrez le livre!
c. Fermez le livre!

d. Regardez le tableau!
e. Écrivez votre nom!

f. Levez la main!
g. Prenez un stylo!

# Qui est-ce? Les camarades de classe

✳ Attention! Étudier Grammaire A.2

## Activité 2  Dialogues: Les amis

Louis
Daniel

—Comment s'appelle l'ami de_____?
—Il s'appelle_____.

Barbara  Denise

—Comment s'appelle l'amie de_____?
—Elle s'appelle_____.

—Qui est-ce?
—C'est_____.

—Qui est-ce?
—C'est_____.

# Comment sont-ils? La description des personnes

✱ Attention! Étudier Grammaire A.3 et A.4

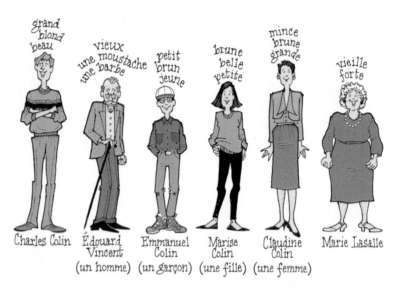

grand
blond
beau

vieux
une moustache
une barbe

petit
brun
jeune

brune
belle
petite

mince
brune
grande

vieille
forte

Charles Colin   Édouard
Vincent
(un homme)   Emmanuel
Colin
(un garçon)   Marise
Colin
(une fille)   Claudine
Colin
(une femme)   Marie Lasalle

## Activité 3   Discussion: Comment sont les camarades de classe?

**1.** Dans la classe de français, qui est _____?
   **a.** grand et blond (grande et blonde)
   **b.** jeune et brun (jeune et brune)
   **c.** intelligent et beau (intelligente et belle)

**2.** Dans la classe de français, qui n'est pas _____?
   **a.** petit et brun (petite et brune)
   **b.** vieux (vieille)
   **c.** riche et célèbre

## Activité 4   Associations: Images stéréotypées

Voici des personnages célèbres. Comment sont-ils?

MODÈLE:   Halle Berry est belle. Elle n'est pas forte.

   **1.** Céline Dion
   **2.** Cléopâtre
   **3.** Johnny Depp
   **4.** Vanessa Paradis
   **5.** Kobe Bryant
   **6.** Gérard Depardieu
   **7.** Dakota Fanning
   **8.** Malia Obama
   **9.** Eminem
   **10.** Nicolas Sarkozy

   **a.** laid/laide ≠ beau/belle
   **b.** vieux/vieille ≠ jeune
   **c.** fort/forte ≠ mince
   **d.** grand/grande ≠ petit/petite
   **e.** riche ≠ pauvre
   **f.** ?

# Les vêtements et les couleurs

✴ Attention! Étudier Grammaire A.5

une chemise blanche
←un chapeau noir
←une cravate verte
←une veste grise
un costume gris
des chaussures noires

Victor Colin

un blouson vert
un pantalon bleu
des baskets blanches

Joël Colin

un chemisier jaune
un pull-over orange
une jupe marron
des bottes marron

Clarisse Colin

une robe rose
un manteau violet
une rose rouge

Claudine Colin

## Activité 5  Associations: Les couleurs

De quelle couleur est... ?

1. un pingouin
2. un éléphant
3. un lion
4. une plante
5. une tragédie
6. un jean
7. une banane
8. une tomate
9. une carotte
10. le chocolat

a. vert/verte
b. noir/noire
c. gris/grise
d. brun/brune
e. orange
f. blanc/blanche
g. rouge
h. jaune
i. bleu/bleue

## Activité 6

Activité 7  Discussion: Mes camarades de classe

Regardez vos camarades de classe. Donnez le nom de l'étudiant(e), d'un vêtement et de la couleur du vêtement.

| LE NOM | | LE VÊTEMENT | LA COULEUR |
|---|---|---|---|
| 1. *Caroline* | porte | *une jupe* | *blanche* . |
| 2. _____ | porte | _____ | _____ . |
| 3. _____ | porte | _____ | _____ . |
| 4. _____ | porte | _____ | _____ . |
| 5. _____ | porte | _____ | _____ . |

# Les nombres (0–34)

| | | |
|---|---|---|
| **0** zéro | **10** dix | **20** vingt |
| **1** un | **11** onze | **21** vingt et un |
| **2** deux | **12** douze | **22** vingt-deux |
| **3** trois | **13** treize | **23** vingt-trois |
| **4** quatre | **14** quatorze | **24** vingt-quatre... |
| **5** cinq | **15** quinze | **30** trente |
| **6** six | **16** seize | **31** trente et un |
| **7** sept | **17** dix-sept | **32** trente-deux |
| **8** huit | **18** dix-huit | **33** trente-trois |
| **9** neuf | **19** dix-neuf | **34** trente-quatre... |

Activité 8  Discussion: Il y en a combien?

Comptez le nombre de vos camarades qui...

PORTENT...

un pantalon. _____
une jupe. _____
des chaussures noires. _____
un short. _____
une chemise. _____
?

ONT...

une barbe. _____
un chapeau/une casquette. _____
une moustache. _____
un livre de maths. _____
un stylo. _____
?

## Activité 9  Casse-tête: Un peu d'arithmétique

1. Complétez les séries.
   a. deux, _____, quatre, cinq, six
   b. neuf, dix, onze, _____, treize
   c. dix-sept, _____, dix-neuf, _____
   d. six, sept, _____, _____, dix

2. Et à rebours...
   a. trois, _____, un, zéro
   b. sept, _____, cinq, quatre
   c. douze, _____, dix, neuf
   d. vingt et un, vingt, _____, dix-huit

3. Faites les calculs.
   a. deux + deux          e. sept – trois
   b. trois + quatre       f. huit – trois
   c. huit + deux          g. dix – neuf
   d. trois + deux

# Rencontres

✳ Attention! Étudier Grammaire A.6

a.

b.

c.

d.

e.

f.

g.

## Activité 10    Dialogue: Les salutations

Écoutez votre professeur.

1. Victor Colin parle au directeur du bureau.
   —Bonjour, monsieur. Comment allez-vous?
   —Très bien, merci. Et vous?
   —Bien, merci.

2. Après le match de foot, Charles Colin parle avec sa cousine Camille.
   —Salut, Camille. Ça va?
   —Je suis très fatiguée! Et toi?
   —Moi, ça va.

3. Louis présente Barbara à Raoul Durand, un étudiant canadien.
   —Raoul, je te présente une camarade de classe, Barbara.
   —Enchanté, mademoiselle.
   —Enchantée.

4. Claudine Colin parle au téléphone avec sa mère, Marie Lasalle.
   —Bonsoir, maman. Tu vas bien?
   —Pas mal. Un peu fatiguée.
   —Et papa? Il va bien?
   —Il va très bien.

## Activité 11    Dialogue: Échanges

**À vous la parole!**    Vous parlez avec un/une camarade de classe.

É1*: Bonjour. Je m'appelle _____.
É2: Enchanté(e). Je _____ _____.
É1: Salut, _____. Ça va bien?
É2: _____, et toi?
É1: _____, merci.

*É1 et É2 = Étudiant(e) 1 et Étudiant(e) 2

# Vocabulaire

See the *Lexique* for a key to the abbreviations used in *Vocabulaire* lists.

## Dans la classe de français

In French class

| | |
|---|---|
| **un/une camarade de classe** | a classmate |
| **un étudiant/une étudiante** | a student |
| **un livre** | a book |
| **un stylo** | a (ballpoint) pen |
| **un tableau (noir)** | a (black)board |

*Mots apparentés:* **une activité, une conversation, la grammaire, une page, un professeur,\* une table, le vocabulaire**

| | |
|---|---|
| **Asseyez-vous.** | Sit down. |
| **Écoutez!** | Listen! |
| **Écrivez votre nom.** | Write your name. |
| **Faites attention!** | Pay attention! |
| **Fermez le livre.** | Close the book. |
| **Levez la main.** | Raise your hand. |
| **Levez-vous.** | Stand up. (Get up.) |
| **Lisez.** | Read. |
| **Ouvrez le livre.** | Open the book. |
| **Prenez un stylo.** | Get a pen. |
| **Regardez le tableau.** | Look at the (black)board. |
| **Tournez la page.** | Turn the page. |

## Les personnes

People

| | |
|---|---|
| **un ami/une amie** | a friend |
| **une femme** | a woman |
| **une fille** | a girl |
| **un garçon** | a boy |
| **un homme** | a man |

| | |
|---|---|
| **Comment s'appelle... ?** | What is . . . 's name? |
| **Il/Elle s'appelle...** | His/Her name is . . . |
| **Comment t'appelles-tu?** | What's your name? (*fam.*) |
| **Comment vous appelez-vous?** | What's your name? (*form. or pl.*) |
| **Je m'appelle...** | My name is . . . |

| | |
|---|---|
| **Où est... ?** | Where's . . . ? |
| **Qui est-ce?** | Who's that? (Who is it?) |
| **C'est...** | It's . . . |

## La description des personnes

Describing people

| | |
|---|---|
| **Comment est-il/elle?** | What's he/she/it like? |
| **Comment sont-ils/ elles?** | What are they like? |
| **Qui est... ?** | Who is . . . ? |
| **Qui n'est pas... ?** | Who isn't . . . ? |
| **beau/belle** | handsome/beautiful |
| **blond/blonde** | blond |
| **brun/brune** | dark-haired |
| **fort/forte** | heavy, plump |
| **grand/grande** | tall |
| **jeune** | young |
| **laid/laide** | ugly |
| **mince** | thin, slender |
| **petit/petite** | small, little, short |
| **vieux/vieille** | old, elderly |
| **Qui a... ?** | Who has . . . ? |
| **une barbe** | a beard |
| **une moustache** | a moustache |
| **Qui n'a pas... ?** | Who doesn't have . . . ? |
| **les cheveux courts/ longs** | short/long hair |
| **les yeux bleus** | blue eyes |

## Les couleurs

Colors

| | |
|---|---|
| **blanc/blanche** | white |
| **bleu/bleue** | blue |
| **gris/grise** | gray |
| **jaune** | yellow |
| **marron** (*inv.*) | brown |
| **noir/noire** | black |
| **rose** | pink |
| **rouge** | red |
| **vert/verte** | green |

*Mots apparentés:* **orange** (*inv.*), **violet/violette**

---

\*For the purpose of this edition, **un professeur** *is presented as an invariable masculine noun. See p. 22 for more information.*

## Les vêtements

Clothing

| | |
|---|---|
| **Qui dans la classe porte... ?** | Who in class is wearing . . . ? |
| **Il/Elle porte...** | He's/She's wearing . . . |
| **Ils/Elles portent...** | They're wearing . . . |
| **des baskets** (*f. pl.*) | sneakers, athletic shoes |
| **un blouson** | a jacket, windbreaker |
| **des bottes** (*f.*) | boots |
| **une casquette** | a cap |
| **un chapeau** | a hat |
| **des chaussures** (*f.*) | shoes |
| **une chemise** | a man's shirt |
| **un chemisier** | a woman's blouse |
| **un costume** | a man's suit |
| **une cravate** | a necktie |
| **une jupe** | a skirt |
| **un manteau** | a coat |
| **un pantalon** | a pair of pants |
| **une robe** | a dress |
| **une veste** | a sportcoat, suitcoat |
| **un vêtement** | a piece of clothing |

*Mots apparentés:* **un jean, un pull-over**

## Mots et expressions utiles

Useful words and expressions

| | |
|---|---|
| **l'ami/l'amie de Daniel** | Daniel's friend |
| **bien** | well |
| **dans** | in |
| **mais** | but |
| **moi aussi** | me too |
| **ne... pas** | not |
| **non** | no |
| **oui** | yes |
| **tout le monde** | everybody |
| **tu** | you (*fam.*) |
| **vous** | you (*form. or pl.*) |

## Les ordres

Commands

| | |
|---|---|
| **Chantez.** | Sing. |
| **Courez.** | Run. |
| **Dites** *bonjour.* | Say *hello.* (Say *good morning.*) |
| **Marchez.** | Walk. |
| **Sautez.** | Jump. |
| **Tournez à droite.** | Turn right. |
| **Tournez à gauche.** | Turn left. |

## Salutations et formules de politesse

Greetings and polite expressions

| | |
|---|---|
| **À bientôt.** | See you soon. |
| **aujourd'hui** | today |
| **Au revoir.** | Good-bye. |
| **Bonjour.** | Hello; Good morning/ afternoon/day. |
| **Bonsoir.** | Good evening; Good-bye (*in the evening*). |
| **Ça va?** | How's it going? |
| **Moi, ça va. Et toi?** | Fine. How about you? |
| **Comment allez-vous?** | How are you? (*form.*) |
| **Très bien, merci. Et vous?** | Fine, thanks. And you? |
| **Pas mal, merci.** | Not bad, thanks. |
| **Je suis un peu fatigué/fatiguée.** | I'm a little tired. |
| **Comment vas-tu?** | How are you? (*fam.*) |
| **Bien. Et toi?** | Fine. And you? (*fam.*) |
| **Je vous (te) présente...** | I want you to meet . . . |
| **Enchanté/Enchantée.** | Delighted. |
| **madame** | madam, ma'am; Mrs. |
| **mademoiselle** | miss; Miss |
| **monsieur** | sir; Mr. |
| **Salut!** | Hi!; Good-bye. (*fam.*) |

## Questions

Questions

| | |
|---|---|
| **Combien de... ?** | How many . . . ? |
| **Comment va... ?** | How is . . . ? |
| **Il/Elle va bien/mal.** | He's/She's fine / not well. |
| **De quelle couleur est... ?** | What color is . . . ? |
| **Est-ce que c'est un/une... ?** | Is this a . . . ? |
| **Oui, c'est un/une...** | Yes, it's a . . . |
| **Non, ce n'est pas un/une...** | No, it's not a . . . |
| **n'est-ce pas?** | isn't it?, right? |
| **Y a-t-il... ?** | Is/Are there . . . ? |
| **Il y a...** | There is/are . . . |

## Mots apparentés

Cognates

**une banane, une carotte, le chocolat, un éléphant, un général, une image, un pingouin, une plante, un tigre, une tomate, une tragédie**

## Introduction

The **Grammaire et exercices** section of each chapter presents grammar points used in the preceding **Activités** section.

The **Attention!** notes that begin each new topic in the **Activités** section tell you which grammar point(s) you should study at that time. Study the grammar point(s) carefully, reading the examples out loud. Then do the exercises, both orally and in writing, and check your answers in the Appendix. Your instructor may choose not to discuss grammar in class because it is explained in nontechnical language in the book and because answers to the exercises are provided.

Keep in mind that successful completion of a grammar exercise indicates that you have understood the explanation. However, you are not immediately expected to use that grammar without error. As you listen to your instructor, your fellow students, and the audio program, and as you talk with others, you will gradually assimilate that grammar point into your own speech and writing.

If you have trouble with an exercise or with a particular point, ask your instructor for assistance. In difficult cases, your instructor may go over the material in class to be sure that everyone understands. However, class time is best used for real experience in communicating in French.

## A.1 Giving instructions: Commands with **vous**

**A.** Commands are verb forms used without a subject pronoun to tell or ask someone to do something.

> Raise your hand.                                   Open your book, please.

**B.** The commands in the **Première étape** are all verb forms that end in **-ez.** This ending is associated with the pronoun **vous** and can refer to a single person or to a group of people.

> Louis, **ouvrez** la fenêtre, s'il vous plaît.        *Louis, open the window, please.*
> Barbara et Denise, **regardez** le          *Barbara and Denise, look at the*
> tableau.                                            *board.*

**C.** Notice that some commands have the word **vous** attached to the verb, whereas others do not.

> **Asseyez-vous,** s'il vous plaît!           *Sit down, please!*

Verbs of this sort are called *reflexive verbs* and are presented in **Chapitre 2.** At this point, you need only understand the meaning of these commands.

Definition: A verb conveys an action or a state: *sit, raise, be.*

Definitions: A subject performs the action or exists in the state conveyed by the verb. A noun represents a person or thing. A subject pronoun substitutes for a subject noun: *Joël sits. He sits.*

✶ You will learn more about the pronoun **vous** in **Grammaire A.6.**

✶ You will learn more about verb endings in **Grammaire A.4** and in following chapters.

## Pronunciation Hint

Most final consonants are not pronounced in French. For example: **ouvrez̸**, **français̸, asseyez̸, vous̸, et̸, écoutez̸**. In pronunciation hints, a slash through a letter indicates when a letter is not pronounced.

## *Exercice 1* Écoutez!

Are these commands given in a logical order? Answer **oui** or **non.**

1. Ouvrez le livre! → Lisez!
2. Asseyez-vous! → Courez!
3. Écrivez! → Prenez un stylo!
4. Tournez la page! → Regardez!
5. Levez-vous! → Marchez!
6. Prenez un stylo! → Écoutez!
7. Levez-vous! → Asseyez-vous!
8. Fermez le livre! → Regardez la page!

## A.2 Identifying people: C'est... , je m'appelle...

**A.** To ask who someone is, use the interrogative (question) expression **Qui est-ce?** The usual reply is **C'est** and the name of a person, or simply the name of a person.

—**Qui est-ce?**                           *Who's that?*
—**C'est** Denise.                          *It's Denise.*

**B.** If you are not sure of someone's identity, you can use the expression **Est-ce que c'est... ?** with the name of a person. The reply is **oui** or **non.**

—**Est-ce que c'est** Jacqueline?          *Is that Jacqueline?*
—**Non,** c'est Barbara.                    *No, it's Barbara.*

➤ **tu** = used for family and friends

➤ **vous** = used for groups and non-intimates

✶ *You will learn more about **tu** and **vous** in Grammaire A.6.*

**C.** When you ask someone's name or give your own, use these patterns:

—Comment tu t'appelles?                    *What's your name?*
—Je m'appelle Barbara.                     *My name is Barbara.*

—Comment vous appelez-vous?                *What's your name?*
—Je m'appelle Raoul Durand.                *My name is Raoul Durand.*

—Comment s'appelle-t-il?                   *What's his name?*
—Il s'appelle Daniel.                      *His name is Daniel.*

—Comment s'appelle-t-elle?                 *What's her name?*
—Elle s'appelle Denise.                    *Her name is Denise.*

## Pronunciation Hint

**Qui e~~st~~-c~~e~~? C'e~~st~~... Commen~~t~~ vous ͜ appele~~z~~-vou~~s~~? Je m'appell~~e~~...**

In this text, the symbol ͜ indicates liaison (pronunciation and linking of a final consonant to a following vowel).

## Exercice 2 Identités

Match the answers with the questions.

QUESTIONS

**1.** Qui est-ce?
**2.** Est-ce que c'est Denise?
**3.** Comment vous appelez-vous?
**4.** Comment s'appelle le professeur?

ANSWERS

**a.** Non, c'est Jacqueline.
**b.** Je m'appelle Daniel Moninger.
**c.** C'est Louis.
**d.** Elle s'appelle M^me Martin.

## A.3 Gender and articles

**A.** All French nouns are classified as either masculine or feminine. However, the terms "masculine" and "feminine" are grammatical classifications only: French speakers do not perceive things such as shirts or windows as being inherently "male" or "female." On the other hand, nouns that refer to males are usually of the masculine gender, and nouns that refer to females are usually feminine. For example, **ami** refers to a male friend, whereas **amie** is used for a female friend.

Raoul est l'**ami** de Daniel et Barbara est son **amie** aussi.

*Raoul is Daniel's friend, and Barbara is also his friend.*

**B.** French adjectives usually change their endings to agree with the gender of the noun they modify. In many cases, this simply means adding **-e** to the adjective to agree with a feminine noun; in other cases, the adjective has two entirely different forms.

> **Definition:** An adjective describes (modifies) a noun or pronoun: *Claudine is **tall**, but Joël is **short**.*
>
> ★ *You will learn more about adjective agreement in **Grammaire A.5** and **Deuxième étape, Grammaire B.6** and **B.7**.*

Joël est **petit** et Marise est **petite** aussi.
Francis Lasalle est **vieux** et Marie Lasalle est **vieille** aussi.

*Joël is short, and Marise is also short.*
*Francis Lasalle is old, and Marie Lasalle is also old.*

## Pronunciation Hint

A consonant at the very end of a word is usually not pronounced. A consonant followed by **-e** *is* pronounced. So, if you hear a final consonant pronounced, it is likely a feminine form:

| MASCULINE/FEMININE | MASCULINE/FEMININE |
|---|---|
| peti~~t~~/petite | for~~t~~/forte |
| gran~~d~~/grande | blon~~d~~/blonde |

**Definition:** An article is a word such as *a* or *the* that introduces a noun.

**C.** Articles in French also change form according to the gender of the nouns they accompany. Here are the definite and indefinite articles for singular nouns.

|  | DEFINITE (*the*) | INDEFINITE (*a, an*) |
|---|---|---|
| *Masculine* | **le** livre | **un** livre |
| *Feminine* | **la** page | **une** page |

**D.** The definite articles **le** and **la** become **l'** before a word that starts with a vowel (**a, e, i, o, u**) or a mute **h**; this includes most words that begin with the letter **h**. You will learn more about mute **h** in the **Cahier d'exercices (Prononciation et orthographe).**

| | |
|---|---|
| **l'**étudiant(e) | *the student* |
| **l'**homme | *the man* |
| **l'**autre classe | *the other class* |

## Exercice 3 Descriptions

Complete these sentences with the correct adjective.

1. Louis est _____ et Jacqueline est _____ aussi. (petit/petite)
2. Barbara est _____ et Albert est _____ aussi. (grand/grande)
3. M^me Martin n'est pas _____. Elle est jeune. (vieux/vieille)
4. Denzel Washington est très _____. (beau/belle)
5. Albert est _____. (noir/noire)
6. Claudine n'est pas blonde. Elle est _____. (brun/brune)

## Exercice 4 Les photos de M^me Martin

Today, M^me Martin's class is identifying people and things. Complete the sentences with **un, le,** or **l'**.

1. Regardez la photo. C'est _____ tigre. _____ tigre est beau, non?
2. Et voilà la photo d'_____ autre tigre. _____ autre tigre est très grand!
3. Regardez bien! Est-ce _____ livre ou _____ stylo? Oui, c'est _____ livre. C'est _____ livre de Daniel.

➤ **le livre de Daniel** = *Daniel's book*

✷ *You will learn more about expressing possession in* **Grammaire 1.1** *and* **1.6.**

Complete the following sentences with **une, la,** or **l'**.

4. Est-ce _____ moustache ou _____ barbe? Bravo, c'est _____ barbe!
5. Est-ce que c'est _____ table? Oui, c'est _____ table de M^me Martin.
6. C'est _____ cathédrale. C'est _____ cathédrale Notre-Dame de Paris. Elle est très belle et très vieille, n'est-ce pas?

## A.4 Describing people: Être, subject pronouns, and ne... pas

**A.** To describe yourself and others, use the verb **être.**

| être (to be) | | |
|---|---|---|
| je | **suis** | *I am* |
| tu | **es** | *you are* (familiar, singular only) |
| il/elle/on | **est** | *he/she/it/one is* |
| nous | **sommes** | *we are* |
| vous | **êtes** | *you are* (formal or plural) |
| ils/elles | **sont** | *they are* (people or things) |

> The terms below are sometimes used for forms of verbs and pronouns:

- first person singular **(je)**
- second person singular **(tu)**
- third person singular **(il/elle/on)**
- first person plural **(nous)**
- second person plural **(vous)**
- third person plural **(ils/elles)**

Marie Lasalle **est** petite.      *Marie Lasalle is short.*
Moi, je **suis** grand et brun.      *I'm tall and brown-haired.*

★ *You will learn more about the pronoun* **on** *in* **Grammaire 2.4.**

**Être** is the *infinitive* form of the English verb *to be*. The infinitive form is used to refer to the whole set of all the possible forms of a verb. Only infinitives appear in the dictionary or in the Lexique at the end of this book.

### Pronunciation Hint

Final consonants are not pronounced: **je suis, tu es, il est, nous sommes, vous êtes, ils sont.** At the end of a word, the letter **e** with no accent is also silent: **nous sommes, vous êtes.** In pronunciation hints, the symbol ~ over a vowel indicates a nasalized vowel.

**B.** Use **ne... pas** to make a sentence negative. **Ne** precedes the verb and **pas** follows it. **Ne** becomes **n'** if the verb begins with a vowel.

> Negation: **ne... pas**

—Est-ce que tu es étudiant?      *Are you a student?*
—Non, je **ne** suis **pas** étudiant.      *No, I'm not (a student).*

—Est-ce que votre ami est français?      *Is your friend French?*
—Non, il **n'**est **pas** français.      *No, he's not French.*

### Pronunciation Hint

**Il n'est pas français. Je ne suis pas étudiant.**

**C.** There are two French words for expressing the English word *it* and two French words for *they*. This is because French classifies nouns as either masculine or feminine, as you have already seen.

> **il est** = *he is, it is*
> **elle est** = *she is, it is*

—Comment est la chemise de Raoul?      *What is Raoul's shirt like?*
—**Elle** est verte.      *It's green.*
—Et le jean de Daniel?      *And Daniel's jeans?*
—**Il** est bleu.      *They're (It's) blue.*
—Comment sont les chaussures de Jacqueline?      *What are Jacqueline's shoes like?*
—**Elles** sont blanches.      *They're white.*

> **ils sont** = *they are* (masc.)
> **elles sont** = *they are* (fem.)

To refer to a mixed-gender group, use the pronoun **ils.**

—Comment sont Barbara et Albert?      *What do Barbara and Albert look like?*
—**Ils** sont grands.      *They're tall.*

✱ *You will learn more about **tu** and **vous** in Grammaire A.6.*

**D.** French has two words to express the English word *you*. **Tu** always refers to only one person, but **vous** can be singular or plural. The choice of **tu** or **vous** for the singular depends on your relationship with the person to whom you are speaking.

## Exercice 5  La classe de français

➤ *Use as clues the form of **être** and the form of the following adjective (masc./fem.).*

Daniel is telling you about his French teacher and classmates. Complete his sentences with **je, tu, il, elle, nous, vous, ils,** or **elles.**

1. _____ m'appelle Daniel et _____ suis américain.
2. Et Louis? _____ est américain aussi.
3. Le professeur s'appelle M^me Martin. _____ est canadienne. Beaucoup de* Canadiens parlent† anglais et français. _____ sont bilingues.
4. Denise et moi, _____ sommes dans le même‡ cours de maths.
5. Barbara et Jacqueline? _____ sont absentes aujourd'hui.
6. Et toi? _____ es aussi étudiant(e)?

## Exercice 6  La famille Colin

Marise Colin is describing her family in a letter to Barbara, her new American correspondent. Choose the correct form of the verb **être: suis, es, est, sommes, êtes,** or **sont** to complete each sentence.

1. Moi, je _____ petite et brune.
2. Clarisse aussi _____ petite et brune.
3. Clarisse et moi, nous _____ étudiantes à l'université.
4. Charles et Emmanuel _____ grands.
5. Et toi? Est-ce que tu _____ grande ou petite, brune ou blonde?
6. Combien _____-vous dans la famille?

## Exercice 7  Discussions dans la classe de français

Complete the following statements made by students in M^me Martin's French class while they were practicing descriptions. Use **ne... pas** and the verb **être.**

MODÈLE:    Les roses sont rouges. Elles _____ orange! →
Les roses sont rouges. Elles *ne sont pas* orange!

1. Les amis de Daniel sont jeunes. Ils _____ vieux!
2. Non, Jacqueline! Tu _____ grande. Tu es petite.
3. Ah non, M^me Martin! Vous _____ vieille! Vous êtes jeune!
4. M^me Martin: Non, je _____ américaine. Je suis canadienne.
5. Non, nous _____ une classe d'italien! Nous sommes une classe de français.
6. Albert est très grand! Il _____ petit.

---

*Beaucoup... *Many*
†*speak*
‡*same*

## A.5 Plural nouns and articles

**A.** French and English nouns may be singular **(chemise)** or plural **(chemises).** Most plural nouns in French end in **-s.** Articles that accompany French plural nouns must also be plural. Here are the plural articles.

➤ Gender: A noun may be masculine or feminine.

➤ Agreement: Articles and adjectives take different forms according to the gender and number of the noun they accompany.

✷ *You will learn about irregular plurals like* **chapeaux** *in* **Deuxième étape, Grammaire B.7.**

| SINGULAR | | PLURAL | |
|---|---|---|---|
| **un** costume vert | *a green suit* | **des** costumes verts | *green suits* |
| **une** robe rouge | *a red dress* | **des** robes rouges | *red dresses* |
| **la** jupe blanche | *the white skirt* | **les** jupes blanches | *the white skirts* |
| **le** chapeau noir | *the black hat* | **les** chapeaux noirs | *the black hats* |
| **l'**autre chemise | *the other shirt* | **les** autres chemises | *the other shirts* |

**B.** Notice in the preceding examples that adjectives are also plural when the nouns they modify are plural.

### Pronunciation Hint

Note that final **-s** on plural nouns is not pronounced. The **-s** of **des** and **les** is pronounced only if followed by a vowel or mute **h: des robes, les bottes,** but **des᷄étudiants, les᷄amis, des᷄hommes.**

## Exercice 8 Comment est votre université?

Fill in the blanks with **le, la, l',** or **les,** and complete each sentence in a way that describes your university and your French class.

MODÈLE: _____ campus est grand/petit. → Le campus est grand.
(Le campus est petit.)

1. _____ université est grande/petite.
2. _____ professeurs sont compétents/incompétents.
3. _____ étudiants sont jeunes/vieux.
4. _____ classe de français est grande/petite.
5. _____ professeur de français s'appelle...

## Exercice 9 Test de mémoire

Louis has been blindfolded and must try to remember what his classmates are wearing. Fill in the blanks with **un, une,** or **des.**

1. —Est-ce que Barbara porte _____ jupe noire?
   —Non, elle porte _____ robe jaune.
2. —Est-ce qu'Albert porte _____ chemise blanche et _____ pantalon noir?
   —Non, il porte _____ pull-over bleu et _____ pantalon gris.
3. —Est-ce que Denise porte _____ bottes noires?
   —Oui, elle porte _____ bottes noires.
4. —Est-ce que Daniel porte _____ blouson vert et _____ chaussures noires?
   —Non, il porte _____ blouson violet et _____ chaussures blanches.
5. —Est-ce que M$^{me}$ Martin porte _____ robe rose et _____ manteau violet?
   —Oui, elle porte _____ robe rose et _____ manteau violet.

## A.6  Addressing others: Tu and vous

**A.** In French, there are two pronouns that correspond to English *you:* **tu** and **vous.** In general, **tu** is used among peers, that is, with friends and other students and, in most cases, with family members. **Vous** is used with those older than you and with people you don't know well or with whom you wish to keep a certain distance. In general, **vous** is used in public with clerks, taxi drivers, waiters, and so on.

> **tu** = always singular; always with intimates, peers, or children

> **vous** = singular for non-intimates; plural for either intimates or non-intimates

| | |
|---|---|
| —Albert, **tu** vas bien? | *Albert, are you doing well?* |
| —Oui, très bien, merci. | *Yes, great, thanks.* |
| —Bonjour, madame. Comment allez-**vous**? | *Good morning (ma'am). How are you?* |
| —Très bien. Et vous? | *Fine. And you?* |

Note that in French, the usual and polite practice is to follow **Bonjour** with one of the terms of address: **madame, monsieur,** or **mademoiselle.**

**B.** **Vous** is also used for speaking to more than one person regardless of the nature of the relationship between the speakers.

Joël et Emmanuel, êtes-**vous** fatigués?    *Joël and Emmanuel, are you tired?*

**C.** The use of **tu** and **vous** varies somewhat from country to country and even within a country. No matter where you are, it is best to use **vous** with adults you do not know personally or who are older than you. With children, other students, or friends your own age, it is customary to use **tu.**

# *Exercice 10* **Tu** ou **vous**?

Choose the correct form, **tu** or **vous.**

Un étudiant français parle...

1. à une amie.
    a. Tu es fatiguée aujourd'hui?
    b. Vous êtes fatiguée aujourd'hui?
2. à un autre étudiant.
    a. Est-ce que tu es canadien?
    b. Est-ce que vous êtes canadien?
3. au professeur.
    a. Comment vas-tu aujourd'hui?
    b. Comment allez-vous aujourd'hui?
4. à un petit garçon de 9 ans.*
    a. Tu portes un beau chapeau de cow-boy.
    b. Vous portez un beau chapeau de cow-boy.
5. à une dame de 60 ans.
    a. Comment t'appelles-tu?
    b. Comment vous appelez-vous?

*years

Le jardin du Luxembourg, sur la rive gauche dans le 6ᵉ arrondissement de Paris

# Le monde étudiant

## Objectifs

In the *Deuxième Étape*, you will continue to develop your listening and speaking skills in French. You will learn more vocabulary to talk about your classes and friends, the calendar, and the clock. You will also learn more about your classmates.

## ACTIVITÉS

Qu'est-ce qu'il y a dans la salle
  de classe?
La date et l'alphabet
Les nombres de 40 à 100 et l'heure
Les cours
La description des autres

## GRAMMAIRE

**B.1** Expressing existence: **Il y a**
**B.2** Asking questions
**B.3** Spelling in French: The French
  alphabet
**B.4** Telling time: **Quelle heure est-il?**
**B.5** Expressing possession: The verb **avoir**
**B.6** Describing with adjectives: More
  on gender
**B.7** Irregular plurals

# Activités

## Qu'est-ce qu'il y a dans la salle de classe?

✴ Attention! Étudier Grammaire B.1 et B.2

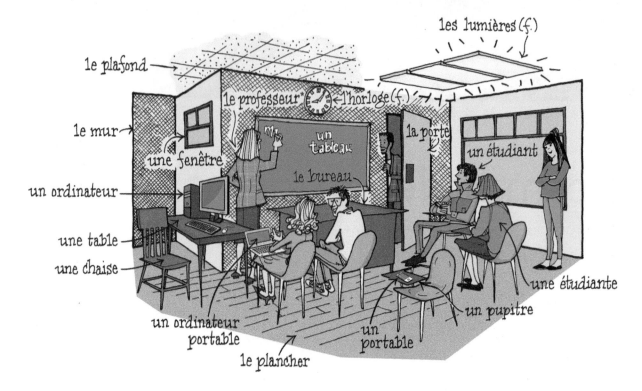

### Activité 1 Interro: Description de la classe

Regardez le dessin et répondez aux questions du professeur.

MODÈLES: Est-ce qu'il y a des fenêtres dans la classe?
Il y a combien de pupitres?
Est-ce que Barbara porte un pantalon ou une jupe?
Qui arrive en retard?

---

*Although **le professeur** remains the official standard, most French speakers use **le/la prof**
informally. **La professeur** or **la professeure** are officially sanctioned and widely used in Quebec,
Switzerland, and Belgium.

## Activité 2  Discussion: Les objets

Qu'est-ce qu'il y a sur la table?

MODÈLE:   Il y a une montre.
          Il n'y a pas de vase.

1. un cahier
2. un portable
3. un livre
4. une plante
5. un chapeau
6. une lampe
7. une brosse
8. une cravate
9. un stylo
10. un crayon

## Activité 3  Discussion: Qu'est-ce qu'il y a dans la classe?

Dites **oui** ou **non.** Dans la classe de français, il y a...

1. des pupitres?
2. des chaises confortables?
3. une grande table?
4. une horloge numérique?
5. un grand bureau?
6. des tableaux bleus?
7. une petite fenêtre?
8. des crayons rouges?
9. une porte ouverte?
10. ?

## Activité 4  Discussion: Qu'est-ce que c'est?

MODÈLE:   une fenêtre ou une porte →
          —Est-ce que c'est une fenêtre
          ou une porte?
          —C'est une porte.

Est-ce que c'est... ?

1. un stylo ou un crayon
2. une chaise ou un pupitre
3. un pupitre ou un bureau
4. un livre ou un cahier
5. une horloge ou une montre
6. une table ou un tableau

une porte

# La date et l'alphabet

✳ Attention! Étudier Grammaire B.3

## Activité 5  Interro: Les anniversaires

Regardez le dessin qui précède et posez des questions.

MODÈLE:    É1:  Quelle est la date de l'anniversaire de Joël?
　　　　　　 É2:  C'est le premier mai.
　　　　　　 É1:  Et cette année, c'est quel jour?
　　　　　　 É2:  C'est un mardi.

## Activité 6   Associations: Le calendrier

Qu'est-ce que vous associez avec les mois suivants?

1. septembre
2. juillet
3. décembre
4. mai/juin
5. février
6. avril
7. novembre
8. janvier

**a.** les résolutions du nouvel an
**b.** les examens finals
**c.** un manteau et des bottes
**d.** les vacances
**e.** les élections américaines
**f.** des sandales et un short

**g.** les tulipes
**h.** l'amour
**i.** les cours
**j.** Noël

## Activité 7   Dialogue: Sarah Thomas arrive à Paris VII

Au bureau d'inscription à l'université.

L'EMPLOYÉE: Votre nom, s'il vous plaît.
SARAH: Sarah Thomas.
L'EMPLOYÉE: Sarah, c'est s-a-r-a?
SARAH: Ah non, c'est Sarah avec un h. S-a-r-a-h.
L'EMPLOYÉE: Merci, mademoiselle.

Consultez *Grammaire B.3* pour l'alphabet français.

# Les nombres de 40 à 100 et l'heure

 **Attention! Étudier Grammaire B.4**

| | | |
|---|---|---|
| **40** quarante | **65** soixante-cinq... | **81** quatre-vingt-un... |
| **41** quarante et un... | **70** soixante-dix | **90** quatre-vingt-dix |
| **50** cinquante | **71** soixante et onze... | **91** quatre-vingt-onze... |
| **51** cinquante et un... | **77** soixante-dix-sept... | **93** quatre-vingt-treize... |
| **60** soixante | **80** quatre-vingts | **100** cent |
| **61** soixante et un... | | |

## Activité 8   Interro: Il y en a combien?

Il y a...

1. combien de minutes dans une heure?
2. combien de secondes dans une minute?
3. combien d'heures dans un jour?
4. combien de mois dans une année?
5. combien de lettres dans l'alphabet?
6. combien de crayons dans une douzaine?
7. combien de roses dans une demi-douzaine?
8. combien de jours dans une semaine?

*Quelle heure est-il?*

**Le matin**

Il est neuf heures.

Il est neuf heures et demie.

Il est dix heures vingt-cinq.

**L'après-midi**

Il est midi.

Il est midi et demi.

Il est une heure.

Il est une heure et quart.

**Le soir**

Il est huit heures moins le quart.

Il est onze heures moins vingt.

Il est minuit.

Il est minuit et demi.

## Activité 9  Dialogue: Après le cours

Quelle heure est-il?

MME MARTIN:  Quelle heure est-il, s'il vous plaît?
ALBERT:  Il est huit heures moins le quart.
MME MARTIN:  Merci bien.
ALBERT:  De rien, madame. Au revoir.
MME MARTIN:  Au revoir. À demain.

## Activité 10  Interro: Quelle heure est-il?

MODÈLE:    É1:  Quelle heure est-il?
           É2:  Il est _____.

1.

2.

3.

4.

5.

6.

7.

8.

# Les cours

*Quels cours avez-vous ce semestre?*

✳ Attention! Étudier Grammaire B.5

le dessin — la littérature — la gymnastique — la chimie — la géographie — l'économie — le marketing — la physique — la sociologie — l'histoire — la biologie — les mathématiques — le théâtre — l'informatique — la musique — la psychologie — le génie civil

## Activité 11  Dialogue: Mon emploi du temps

1. É1: Tu as quels cours ce semestre?
   É2: J'ai un cours de _____, un cours de _____,... Et toi?
   É1: Moi, j'ai _____.
   É2: Est-ce que tu as cours tous les jours?
   É1: Oui, j'ai cours tous les jours.
   (Non, je n'ai pas cours le _____.)

2. É2: Quel est ton cours préféré? Il est à quelle heure?
   É1: C'est mon cours de _____. Il est à _____. Et toi?
   É2: _____. _____.
   É1: Tu as un cours difficile?
   É2: Mon cours de _____ est très difficile. Et toi?
   (Je n'ai pas de cours difficile ce semestre.)
   É1: _____.

## Activité 12  Enquête: Points de vue

Quelle est votre opinion sur les cours suivants?

Est-ce que...

1. le français est difficile ou facile?
2. la chimie est pratique ou abstraite?
3. l'histoire est utile ou inutile?
4. la sociologie est importante ou superflue?
5. les maths sont compliquées ou faciles?
6. la littérature est passionnante ou ennuyeuse?
7. le marketing est intéressant ou ennuyeux?
8. la gymnastique est superflue ou importante?
9. le génie civil est abstrait ou pratique?
10. la géographie est utile ou inutile?

## Activité 13  Discussion: La semaine de cours

Certains étudiants de M^me Martin ont cours le même jour et à la même heure.

**1.** Écoutez le professeur.

PROFESSEUR:  Qui a un cours de marketing? (Louis)
À quelle heure est le cours de géologie? Et quel jour? (8 heures, lundi)
Est-ce que Jacqueline a un cours de maths? (non)

**2.** Dites si c'est vrai ou c'est faux.

PROFESSEUR:  Albert a un cours de danse. (Non, c'est faux.)
Le cours de comptabilité est à neuf heures et demie. (Oui, c'est vrai.)

| QUAND | LOUIS | JACQUELINE | ALBERT |
|---|---|---|---|
| 8 h, lundi | marketing | philosophie orientale | géologie |
| 9 h 30, mardi | comptabilité | informatique | histoire de l'art |
| 13 h, vendredi | économie | chimie | dessin |

a. Jacqueline a un cours d'informatique et un cours de philo.
b. Albert a un cours d'histoire africaine à 8 h.
c. Louis n'a pas de cours de marketing.
d. Le cours de chimie de Jacqueline est à 13 h.
e. Albert et Louis ont un cours d'économie.
f. Le cours de géologie d'Albert est à 9 h 30.
g. Jacqueline a un cours de dessin.
h. Louis a un cours de comptabilité le mardi.

# La description des autres

✳ Attention! Étudier Grammaire B.6 et B.7

## Activité 14 Interro: Les étudiants de M^me Martin

1. Échanges

   É1: Qui a une moustache noire?

   É2: Louis a une moustache noire.

   Alors, qui a les cheveux... ?

   É1: C'est...

2. Et maintenant, vos camarades de classe...

   **a.** Qui a les cheveux blonds? (roux? châtains? longs? mi-longs?)

   **b.** Qui a une barbe? (une moustache?)

   **c.** Qui a les yeux marron? (bleus? verts? noirs? gris?)

   **d.** Qui porte des lunettes? (des lentilles [de contact]?)

## Activité 15  Dans le monde francophone: Qui est-ce?

Regardez les personnages suivants de la bande dessinée *Astérix*. Ce sont des dessins d'Uderzo. Écoutez leur description et donnez leur nom.

## Cliquez là!

Consultez un site sur Astérix pour découvrir les autres personnages de la bande dessinée. Choisissez un homme et une femme. Donnez le nom et faites la description de ces deux personnages pour vos camarades de classe.

Obélix est l'ami inséparable d'Astérix. Le chien, Idéfix, est l'ami inséparable d'Obélix.

Assurancetourix, c'est le poète.

Le druide Panoramix prépare la potion magique.

## Activité 16   Associations: Stéréotypes

Comment sont les gens suivants?

> MODÈLE:   les étudiants en Beaux-Arts →
> Les étudiants en Beaux-Arts sont dynamiques.

**a.** courageux
**b.** dynamiques
**c.** égoïstes
**d.** résolus
**e.** idéalistes
**f.** intelligents
**g.** pessimistes
**h.** prudents
**i.** raisonnables
**j.** sérieux
**k.** sociables
**l.** timides

1. les étudiants en maths
2. les professeurs de philosophie
3. les étudiants en arts du spectacle
4. les cyclistes professionnels
5. les mécaniciens
6. les étudiants en physique
7. les étudiants en informatique
8. les PDG (Présidents-directeurs généraux)
9. les explorateurs
10. les vedettes de cinéma

## Activité 17   Dialogue: Une actrice ou un acteur

É1: Comment s'appelle ton actrice préférée (acteur préféré)?
É2: Elle/Il s'appelle _____.
É1: Comment est-elle/il physiquement?
É2: Elle/Il a les cheveux _____ et les yeux _____. Elle/Il est _____.
É1: C'est quel type de personne?
É2: Elle/Il est _____, _____ et _____. Elle/Il n'est pas _____.

# Vocabulaire

## La salle de classe

The classroom

| | |
|---|---|
| **Qu'est-ce qu'il y a dans... ?** | What's in . . . ? |
| **Il y a un/une...** | There's a/an . . . |
| **Il n'y a pas de...** | There isn't a/an/any . . . |
| **Qu'est-ce que c'est?** | What's that/this? |
| **C'est un/une...** | It's a/an . . . |
| **Ce n'est pas un/une...** | It's not a/an . . . |
| **Est-ce que c'est... ?** | Is this/that . . . ? |
| **une brosse** | a blackboard eraser |
| **un bureau** | a (teacher's) desk |
| **un cahier** | a notebook |
| **une chaise** | a chair |
| **une craie** | a piece of chalk |
| **un crayon** | a pencil |
| **un étudiant / une étudiante** | a student |
| **un examen** | an exam |
| **une fenêtre** | a window |
| **une horloge** | a clock |
| **une interrogation** | a quiz |
| **une lumière** | a light |
| **une montre** | a watch |
| **un mur** | a wall |
| **un nom** | a name |
| **un nombre** | a number |
| **le plafond** | the ceiling |
| **le plancher** | the floor |
| **une porte** | a door |
| **un pupitre** | a classroom desk |
| **un tableau (noir)** | a (black)board |

## Le calendrier

The calendar

| | |
|---|---|
| **Quelle est la date aujourd'hui?** | What's the date today? |
| **les jours (m.) de la semaine** | the days of the week |
| **lundi, mardi, mercredi, jeudi, vendredi, samedi, dimanche** | Monday, Tuesday, Wednesday, Thursday, Friday, Saturday, Sunday |
| **aujourd'hui** | today |
| **demain** | tomorrow |
| **tous les jours** | every day |
| **les mois (m.) de l'année** | the months of the year |
| **janvier, février, mars, avril, mai, juin, juillet,** | January, February, March, April, May, June, July, |
| **août, septembre, octobre, novembre, décembre** | August, September, October, November, December |
| **une année** | a year |

## L'heure

Telling time

| | |
|---|---|
| **À quelle heure... ?** | At what time . . . ? |
| **Quelle heure est-il?** | What time is it? |
| **Il est... heure(s).** | It's . . . o'clock. |
| **...et demi(e).** | . . . thirty. (half past . . .) |
| **...et quart.** | . . . fifteen. (a quarter past . . .) |
| **...moins le quart.** | . . . a quarter to. (fifteen to/before/until) |
| **...du matin.** | . . . A.M., in the morning. |
| **...de l'après-midi.** | . . . P.M., in the afternoon. |
| **...du soir.** | . . . P.M., in the evening. |
| **Il est midi/minuit.** | It's noon/midnight. |
| **À quelle heure commence... ?** | What time does . . . begin? |
| **Il/Elle commence à...** | It begins at . . . |
| **une minute** | a minute |
| **une seconde** | a second |

## Les cours

Courses/Classes

| | |
|---|---|
| **les arts (m.) du spectacle** | performing arts |
| **les beaux-arts (m.)** | fine arts |
| **la chimie** | chemistry |
| **la comptabilité** | accounting |
| **le dessin** | graphic arts |
| **le français** | French |
| **le génie civil** | civil engineering |
| **l'informatique (f.)** | computer science |
| **la publicité** | advertising |

*Mots apparentés:* **la biologie, l'économie** (*f.*), **la géographie, la géologie, la gymnastique, l'histoire** (*f.*), **la littérature, le marketing, les mathématiques** (*f.*), **la musique, la philosophie, la physique, la psychologie, les sciences** (*f.*), **le théâtre**

| | |
|---|---|
| **Est-ce que tu as un cours de... ?** | Do you have a . . . class/course? |
| **Oui, j'ai un cours de...** | Yes, I have a . . . class/course. |
| **Non, je n'ai pas de cours de...** | No, I don't have a . . . class/course. |
| **Comment est ton cours de... ?** | What's your . . . course like? |

| | |
|---|---|
| **Il est/Il n'est pas...** | It's/It's not . . . |
| **ennuyeux** | boring |
| **facile** | easy |
| **inutile** | useless |
| **passionnant** | exciting |
| **utile** | useful |

*Mots apparentés:* **abstrait/abstraite, compliqué/ compliquée, difficile, important/importante, intéressant/intéressante, pratique, le semestre, superflu/superflue**

## La description des personnes

### Describing people

| | |
|---|---|
| **Comment est-il/elle?** | What is he/she like? |
| **(...sont-ils/elles?)** | ( . . . are they like?) |
| **Il/Elle est... .** | He/She is . . . . |
| **beau/belle** | beautiful |
| **de taille moyenne** | of medium height |
| **égoïste** | selfish |
| **raisonnable** | sensible |
| **sympathique** | nice |
| **Il/Elle a les cheveux... .** | He/She has . . . hair. |
| **blonds** | blond |
| **bruns** | brown |
| **châtains** | dark brown |
| **courts** | short |
| **frisés** | curly |
| **mi-longs** | medium-length |
| **roux** | red |
| **Il/Elle a les yeux marron.** | He/She has brown eyes. |
| **Il/Elle porte... .** | He/She wears, is wearing . . . . |
| **des lunettes** (*f.*) | glasses |
| **des lentilles de contact** | contact lenses |

*Mots apparentés:* **amusant/amusante, courageux/ courageuse, dynamique, enthousiaste, idéaliste, intelligent/intelligente, optimiste, pessimiste, prudent(e), résolu(e), sérieux/sérieuse, sociable, timide**

## Les parties du corps

### Parts of the body

| | |
|---|---|
| **la bouche** | mouth |
| **le bras** | arm |
| **les cheveux** (*m.*) | hair |
| **le corps** | body |
| **le dos** | back |
| **les épaules** (*f.*) | shoulders |
| **la jambe** | leg |

| | |
|---|---|
| **la main** | hand |
| **le nez** | nose |
| **l'œil** (*m.; pl.* **les yeux**) | eye |
| **l'oreille** (*f.*) | ear |
| **le pied** | foot |
| **la tête** | head |
| **le ventre** | stomach |
| **le visage** | face |

## La description

### Describing

| | |
|---|---|
| **dernier/dernière** | last |
| **fermé/fermée** | closed |
| **ouvert/ouverte** | open |
| **préféré/préférée** | favorite |
| **premier/première** | first |

*Mots apparentés:* **confortable, digital/digitale, moderne, nécessaire, oriental/orientale, profond/profonde, superficiel/superficielle**

## Substantifs

### Nouns

| | |
|---|---|
| **un acteur / une actrice** | an actor/actress |
| **l'amour** (*m.*) | love |
| **un anniversaire** | a birthday |
| **un explorateur / une exploratrice** | an explorer |
| **les gens** | people |
| **un objet** | an object |
| **un(e) PDG** | a CEO |
| **une vedette** | a star (celebrity) |

*Mots apparentés:* **un(e) cycliste, une description, un dialogue, une lettre de l'alphabet, un(e) mécanicien(ne) une opinion, un/une poète, un semestre**

## Mots et expressions utiles

### Useful words and expressions

| | |
|---|---|
| **À demain.** | See you tomorrow. |
| **Combien de... ?** | How many . . . ? |
| **De rien.** | You're welcome. |
| **même** | same |
| **Merci.** | Thank you. |
| **Moi, je...** | I . . . (*emphatic*) |
| **Quel cours?** | Which (What) course? |
| **Quelle est votre opinion sur... ?** | What's your opinion of . . . ? |
| **S'il te plaît.** | Please. (*fam.*) |
| **S'il vous plaît.** | Please. (*polite, pl.*) |
| **sur** | on |

# Grammaire et exercices

## B.1   Expressing existence: Il y a

**A.** Use the expression **il y a** (*there is/there are*) to talk about the presence or existence of people or things. Use **Est-ce qu'il y a... ?** or **Y a-t-il... ?** to ask a question.

| | |
|---|---|
| —**Est-ce qu'il y a** une horloge dans la salle de classe? | *Is there a clock in the classroom?* |
| —Oui, **il y a** une horloge. | *Yes, there's a clock.* |
| —**Y a-t-il** des garçons dans la classe? | *Are there any boys in the class?* |
| —Oui, **il y a** trois garçons. | *Yes, there are three boys.* |

**B.** If the answer is negative, use **il n'y a pas de.**

| | |
|---|---|
| —Est-ce qu'il y a des fenêtres ouvertes? | *Are there any windows open?* |
| —Non, **il n'y a pas de** fenêtres ouvertes. | *No, there aren't any windows open.* |

**C.** You may substitute the expression **il y en a** or its negation, **il n'y en a pas,** in answers where you wish to avoid repeating the noun.

| | |
|---|---|
| —Est-ce qu'il y a des étudiants canadiens dans la classe? | *Are there any Canadian students in the class?* |
| —Oui, il y **en** a. | *Yes, there are (some).* |
| —Il y a aussi des étudiants suisses? | *Are there some Swiss students, too?* |
| —Non, il n'y **en** a pas. | *No, there aren't any.* |

> Questions:
> **Est-ce qu'il y a... ?**
> **Y a-t-il... ?**

> Answers:
> **Il y a...**
> **Il n'y a pas de...**

✳ *You will learn more about the pronoun **en** in Grammaire 7.3.*

## Exercice 1   La salle de classe

Complete the paragraph with **un, une, des,** or **de.**

Dans la salle de classe, il y a \_\_\_\_\_¹ étudiants intelligents et \_\_\_\_\_² professeur brillant. Il y a aussi \_\_\_\_\_³ chaises, \_\_\_\_\_⁴ grand bureau et \_\_\_\_\_⁵ tableaux noirs. Il n'y a pas \_\_\_\_\_⁶ télévision et il n'y a pas \_\_\_\_\_⁷ chaises confortables.

## Exercice 2   Qu'est-ce qu'il y a dans votre chambre?

Say whether you have these objects in your bedroom.

MODÈLE:   Est-ce qu'il y a une télévision? →
          Oui, il y a une télévision. (Non, il n'y a pas de télévision.)

Est-ce qu'il y a...

1. une bicyclette?
2. une grande fenêtre?
3. une horloge?
4. une plante?

5. un bureau?
6. une lampe?
7. un ordinateur*?
8. un projecteur?

---

*computer

## B.2 Asking questions

**A.** There are three simple ways to ask questions in French.

In everyday conversation, the most common way is to use a rising intonation.

—Salut Daniel! Ça va?    *Hi, Daniel! Everything all right?*
—Oui, ça va très bien, merci.    *Yes, everything's going fine, thanks.*

Another common question form is the expression **est-ce que** (**est-ce qu'** before a vowel or mute **h**) followed by a statement.

—**Est-ce que** tu es dans la classe    *Are you in Madame Martin's class?*
   de M^me Martin?
—Oui, je suis dans sa classe.    *Yes, I'm in her class.*
—**Est-ce qu'**il y a des Français    *Are there any French people*
   dans la classe?    *in the class?*
—Non, il n'y a pas de Français    *No, there aren't any French people*
   dans la classe.    *in the class.*

You can also add **n'est-ce pas?** to a sentence when you are asking for confirmation of the statement.

—Barbara et Denise sont amies,    *Barbara and Denise are friends,*
   **n'est-ce pas?**    *aren't they?*
—Oui, elles sont amies.    *Yes, they're friends.*

**B.** Both English and French use inversion to form questions in which the verb comes before the subject (*Is he at home?*). In French, inversion questions are more commonly used in writing than in speaking. However, some common short questions are often expressed with inversion.

**Est-ce** un crayon?    *Is that a pencil?*
Comment **allez-vous?**    *How are you?*
Où **est la craie?**    *Where is the chalk?*
Comment **s'appelle ton ami?**    *What's your friend's name?*
**Êtes-vous** américain(e)?    *Are you American?*

Notice that when the subject is a pronoun, it is joined to its verb by a hyphen. Also, when inversion of the subject and the verb causes two vowels to come together, the letter **-t-** is added between them.

Y a-**t**-il un autre stylo?    *Is there another pen?*

Except for common short questions such as in the preceding examples, you do not need to use inversion questions at this time because you can always use rising intonation or **est-ce que** instead. However, you should be able to understand inversion questions when you read or hear them.

**C.** The question **Qui est-ce?** is used to ask about people; the question **Qu'est-ce que c'est?** is used to ask about things.

—**Qui est-ce?**    *Who's that?*
—C'est Jacqueline.    *It's Jacqueline.*
—**Qu'est-ce que c'est?**    *What's that (this)?*
—C'est un stylo.    *It's a pen.*

> Definition: *Intonation* is the musical pitch of the voice.

> You can ask a question by using:
> - Est-ce que...?
>    Est-ce que c'est Daniel?
> - ...n'est-ce pas?
>    C'est Daniel, n'est-ce pas?
> - Inversion of the subject and verb:
>    Est-ce Daniel?

> ➤ Qui est-ce? = *Who is that?*
> ➤ Qu'est-ce que c'est? = *What is that/this?*

★ *You will learn more about* **c'est** *and* **ce sont** *in* **Grammaire 9.3.**

**D. Ce (C')** is a subject pronoun used to identify people and things. It refers to nouns, either masculine or feminine, singular or plural.

**C'**est le tableau.          *This is/That's the blackboard.*
**Ce** sont des crayons.      *These/Those are pencils.*

## Exercice 3 Personne ou chose?

What's the correct question? Use **Qui est-ce?** or **Qu'est-ce que c'est?**

MODÈLES:    _____? C'est Daniel. → Qui est-ce?
            _____? C'est une lampe. → Qu'est-ce que c'est?

1. _____? C'est le professeur.
2. _____? C'est un examen.
3. _____? Ce sont des amis.
4. _____? C'est M^me Martin.
5. _____? C'est un ordinateur.
6. _____? Ce sont des stylos.

## Exercice 4 Qui est-ce?

Madame Martin is talking with a colleague in the university cafeteria. Find the logical answer to her colleague's questions.

1. Cette étudiante aux cheveux noirs, est-ce Barbara Denny?
2. Elle est dans votre classe, n'est-ce pas?
3. C'est une bonne étudiante?
4. Et l'autre étudiant, comment s'appelle-t-il?
5. Est-ce qu'il est en cours de français?

a. Oui, elle est intelligente et très dynamique.
b. Il s'appelle Raoul Durand.
c. Non, c'est Jacqueline Roberts.
d. Non, il n'est pas en cours de français. Il est québécois.
e. Oui, elle est dans ma classe de première année.

## B.3 Spelling in French: The French alphabet

★ *See* **La prononciation et l'orthographe, Chapitre 1** *in the* **Cahier d'exercices,** *for more information on the alphabet. You can hear the letters pronounced on the audio program.*

**A.** French uses the same 26-letter alphabet as English. Here, the French pronunciation of the letters is given in French spelling.

| | | | | | | | |
|---|---|---|---|---|---|---|---|
| **a** | a | **h** | ache | **o** | o | **v** | vé |
| **b** | bé | **i** | i | **p** | pé | **w** | double vé |
| **c** | cé | **j** | ji | **q** | ku | **x** | iks |
| **d** | dé | **k** | ka | **r** | erre | **y** | i grec |
| **e** | e | **l** | elle | **s** | esse | **z** | zède |
| **f** | effe | **m** | emme | **t** | té | | |
| **g** | gé | **n** | enne | **u** | u | | |

➤ Pronunciation of **c**:
**c** before **i, e** = /s/
**c** before **a, o, u** = /k/
except **ç**:
  **c** in **cahier** = /k/,
  but **ç** in **français** = /s/

**B.** French uses several accents or diacritical marks.

| | | |
|---|---|---|
| **accent aigu** | ´ | fatigué, économie |
| **accent grave** | ` | très, à |
| **accent circonflexe** | ^ | âge, être, île, dôme, août |
| **tréma** | ¨ | Noël |
| **cédille** | ,/ç | français |

When spelling aloud, the accent is named *after* the letter:

**café** = c – a – f – e accent aigu.

## Pronunciation Hint

The **t** of the word **accent** is a liaison consonant, so it is pronounced only before a vowel, as in the phrase **accent͜ aigu,** but not in **accent͟ grave** or **accent͟ circonflexe.** The word **cédille** is pronounced 'say-dee-yuh.'

**C.** Here is other useful information for talking about spelling or writing in French.

| | | | | | |
|---|---|---|---|---|---|
| *b* **minuscule** | **b** | = *lowercase b* | **les parenthèses ( )** | = *parentheses* |
| *b* **majuscule** | **B** | = *capital b* | **les guillemets « »** | = *French* |
| **le point** | **.** | = *period* | | *quotation marks* |
| **la virgule** | **,** | = *comma* | **la voyelle** | = *vowel* |
| **les deux-points** | **:** | = *colon* | **la consonne** | = *consonant* |
| **le point-virgule** | **;** | = *semicolon* | | |

## B.4 Telling time: Quelle heure est-il?

**A.** To ask what time it is, use **Quelle heure est-il?** The answer is **Il est... heure(s).**

| | |
|---|---|
| —Quelle heure est-il? | *What time is it?* |
| —Il est dix heures. (Il est une heure.) | *It's ten o'clock. (It's one o'clock.)* |

**B.** For *twelve o'clock noon,* use **midi;** for *twelve o'clock midnight,* use **minuit.**

| | |
|---|---|
| —Tu as l'heure? | *Do you know what time it is?* |
| —Il est **midi.** (Il est **minuit.**) | *It's twelve (noon). (It's midnight.)* |

**C.** Fractions of the hour are expressed in the following ways:

- Minutes after the hour (up to 30) are simply indicated following the hour.

| | |
|---|---|
| Il est dix heures **vingt.** | *It's 10:20.* |

- The half hour is expressed by **et demi(e).**

| | |
|---|---|
| Il est neuf heures **et demie.** | *It's 9:30.* |
| Il est midi **et demi.** | *It's 12:30.* |

- Minutes before the hour are expressed with **moins.**

| | |
|---|---|
| Il est cinq heures **moins dix.** | *It's ten to five (4:50).* |

- The quarter hour is expressed with **quart.**

| | |
|---|---|
| Il est deux heures **et quart.** | *It's (a) quarter after two (2:15).* |
| Il est onze heures **moins le quart.** | *It's (a) quarter to eleven (10:45).* |

➤ **Demi** (not **demie**) is used with **midi** and **minuit.** The pronunciation is the same.

**D.** For A.M. and P.M., use **du matin, de l'après-midi,** and **du soir.**

| | |
|---|---|
| Il est une heure **du matin.** | *It's 1:00 A.M. (one in the morning).* |
| Il est trois heures **de l'après-midi.** | *It's 3:00 P.M. (three in the afternoon).* |
| Il est neuf heures **du soir.** | *It's 9:00 P.M. (nine in the evening).* |

**E.** In official announcements, such as TV, radio, train, or plane schedules, and curtain times at the theater, the 24-hour system is used. The numbers one through twelve are used for the morning hours, thirteen through twenty-four for the afternoon and the evening.

| | |
|---|---|
| Il est **sept heures (du matin).** | = Il est **7 h.** |
| Il est **midi.** | = Il est **12 h.** |
| Il est **trois heures et demie (de l'après-midi).** | = Il est **15 h 30.** |
| Il est **onze heures moins le quart (du soir).** | = Il est **22 h 45.** |
| Il est **minuit.** | = Il est **24 h.** |

## Exercice 5 Quelle heure est-il?

MODÈLE:    2 h 20 → Il est deux heures vingt.

1. 4 h 20
2. 3 h 40
3. 8 h 13
4. 5 h 30
5. 12 h
6. 8 h 50
7. 10 h 45
8. 7 h 07
9. 6 h 15
10. 1 h 10

## Exercice 6 L'heure officielle

First, read the time as given, then convert it to the usual 12-hour system, indicating the time of day with the appropriate expression (**du matin, de l'après-midi, du soir, midi, minuit**).

MODÈLE:    14 h → Il est quatorze heures.
                Il est deux heures de l'après-midi.

                12 h 30 → Il est douze heures trente.
                Il est midi et demi.

1. 15 h
2. 7 h 15
3. 13 h 30
4. 20 h
5. 22 h 30
6. 10 h 45
7. 18 h 20
8. 19 h
9. 16 h 45
10. 11 h 50

## B.5 Expressing possession: The verb **avoir**

**A.** Use the verb **avoir** to say what someone *has*.

| avoir (*to have*) | | | | |
|---|---|---|---|---|
| j'**ai** | *I have* | nous **avons** | *we have* | |
| tu **as** | *you have* (fam.) | vous **avez** | *you have* (formal or plural) | |
| il/elle/on **a** | *he/she/it/one has* | ils/elles **ont** | *they have* | |

Hélène **a** des stylos et des crayons.
*Hélène has some pens and pencils.*

—Louis, **as**-tu un cours de français?
*Louis, do you have a French class?*

—Oui, et j'**ai** aussi un cours d'anglais.
*Yes, and I also have an English class.*

Note that **je** contracts to **j'** before a word that begins with a vowel or a mute **h.**

> **je** → **j'** before a vowel: **je suis, je m'appelle,** but **j'ai**

### Pronunciation Hint

A consonant at the end of the verb form is silent, but at the end of the subject pronoun, it is pronounced because of liaison: **tu as̸, on_a, nous͜avon̸s̸, vous͜ave̸z, ils͜õn̸t, elles͜õn̸t.**

**B.** When a sentence with **avoir** is negative, the preposition **de** replaces **un, une,** or **des.**

—Tu as une bicyclette?
*Do you have a bicycle?*

—Non, je n'ai pas **de** bicyclette.
*No, I don't have a bicycle.*

> Reminder: To make a sentence negative, put **ne** (or **n'**) and **pas** around the verb.
>
> **J'ai** *un* **crayon.** → **Je** *n'***ai** *pas* **de stylo.**

**C.** Recall from **B.2** that a -**t**- is inserted in inversion questions with **a.** It is inserted when the inverted pronoun begins with a vowel.

Y a-**t**-il une craie?
*Is there a piece of chalk?*

## Exercice 7 Dans mon université

Complete Barbara's letter to her French correspondent, Marise Colin, by using the correct forms of the verb **avoir.**

Dans mon université, nous _____[1] cours cinq jours par semaine, mais nous _____[2] le week-end de libre. Moi, ce semestre, je n'_____[3] pas de cours le lundi, mais ma camarade de chambre _____[4] trois cours et un travail dirigé (un TD) au labo de biologie. Tous les étudiants _____[5] beaucoup d'examens chaque semestre. Tes amis et toi, dans votre université, est-ce que vous _____[6] cours le samedi? Combien de cours _____[7]-vous pendant une journée typique? Et toi, personnellement, tu _____[8] des cours difficiles ce semestre? Est-ce que tu _____[9] des professeurs intéressants?

## *Exercice 8* Un étudiant désorganisé

Complete these sentences describing a rather disorganized student by using **un, une, des, d'**, or **de.**

1. J'ai _____ stylos, mais je n'ai pas _____ papier.
2. J'ai _____ examen (*m.*) demain, mais je n'ai pas _____ livre.
3. J'ai _____ iPod* (*m.*), mais je n'ai pas _____ chansons.[†]
4. J'ai _____ cours (*m.*) de maths, mais je n'ai pas _____ calculatrice.
5. J'ai _____ cahier (*m.*), mais je n'ai pas _____ crayon.
6. J'ai _____ cours (*m.*) à 8 h, mais je n'ai pas _____ énergie.

## *Exercice 9* Qu'est-ce que tu as?

Say whether you have the following things by using **Oui, j'ai un/une...** or **Non, je n'ai pas de (d')...**

MODÈLE:   Est-ce que tu as une voiture de sport[‡]? →
          Oui, j'ai une voiture de sport. (Non, je n'ai pas de voiture de sport.)

Est-ce que tu as...

1. un dictionnaire français?
2. un appartement?
3. des amis français?
4. une télévision dans ta chambre?
5. une bicyclette?
6. un cours de biologie?
7. des cours ennuyeux?
8. une guitare?

## B.6 Describing with adjectives: More on gender

**A.** As you know, French nouns that refer to a male are usually masculine and those that refer to a female are usually feminine. Nouns referring to things also have grammatical gender and are either masculine or feminine. The endings in the following table generally indicate masculine or feminine nouns.

> ➤ By learning these few general rules, you will almost always know the gender of other nouns with the same endings.

| USUALLY MASCULINE | | USUALLY FEMININE | |
|---|---|---|---|
| **-eau** | un bur**eau** | **-ette** | **une** tromp**ette** |
| **-eur** | un serv**eur** | **-ie** | **la** biolog**ie** |
| **-ier** | un cah**ier** | **-ion** | **une** composit**ion** |
| **-ment** | un apparte**ment** | **-ure** | **la** littérat**ure** |
| | | **-é** | **la** beaut**é** |

We recommend that you learn new nouns in combination with the appropriate indefinite article **un** or **une** because **le** and **la** become **l'** before a vowel or mute **h.** Some nouns, as shown in the chart above, are normally used with a definite article. Learn those with the definite article.

---

[*]iPod is a trademark of Apple, Inc.
[†]*songs*
[‡]voiture... *sports car*

**B.** Adjectives must agree in gender with the nouns they describe. They fall into several categories:

- Adjectives that end in **-e** (with no accent) agree with both masculine and feminine nouns, with no change in their spelling.

➤ A few adjectives that do not end in **-e** also do not change: **un pull-over marron, une jupe marron; un sac chic, une robe chic.**

un homme minc**e**
un pantalon roug**e** et jaun**e**

une femme minc**e**
une chemise roug**e** et jaun**e**

- Adjectives that do not end in **-e** in the masculine form usually add an **-e** to agree with a feminine noun.

un chapeau noir
un étudiant intelligent

une jupe noir**e**
une étudiante intelligent**e**

## Pronunciation Hint

If the masculine form ends in a pronounced consonant or **-é**, the masculine and feminine forms are pronounced the same: **noir, noir~~e~~; fatigué, fatigué~~e~~.** If the masculine form ends in a silent consonant, this consonant is pronounced in the feminine form: **peti~~t~~, petit**e**; grã~~nd~~, grãnd~~e~~.**

- Some adjective types follow slightly irregular patterns. Adjectives ending in **-eux** change to **-euse,** and those ending in **-if** change to **-ive** in the feminine.

un homme **sérieux**
un garçon **sportif**

une femme **sérieuse**
une fille **sportive**

- Some adjectives have very different masculine and feminine forms. Here are the most common of this type.

| | | |
|---|---|---|
| un **bon** livre | une **bonne** classe | *(good)* |
| un sac **blanc** | une robe **blanche** | *(white)* |
| un **vieux** monsieur | une **vieille** dame | *(old, elderly)* |
| un **beau** garçon | une **belle** fille | *(handsome, beautiful)* |
| un **nouveau** chapeau | une **nouvelle** chemise | *(new)* |

**Vieux, beau,** and **nouveau** have a third form that is used before a masculine noun beginning with a vowel or mute **h: un *vieil* homme, un *nouvel* appartement, un *bel* enfant.** (These forms are pronounced like the feminine forms.)

★ You will learn more about these special forms and the placement of adjectives in **Grammaire 4.1.**

**C.** You may have noticed that some adjectives come before the noun and others after it. In general, French adjectives come after nouns, but there are several exceptions. This is discussed further in **Chapitre 4.**

## Exercice 10 Masculin ou féminin?

Give the correct indefinite article (**un** or **une**) for each noun.

1. _____ télévision
2. _____ acteur
3. _____ majorité
4. _____ chapeau
5. _____ casquette
6. _____ département
7. _____ nation
8. _____ pharmacie
9. _____ fracture
10. _____ quartier

## Exercice 11 Les camarades de classe

Which adjectives can be used to describe the following people?

> MODÈLE:    Barbara: enthousiaste, blond, optimiste, petit →
> Barbara est enthousiaste et optimiste.

1. Daniel: nerveuse, sympathique, intelligent, vieille
2. Barbara: sportive, beau, généreuse, grand
3. Louis: beau, raisonnable, sérieuse, sportive
4. Albert: grand, petite, mince, brune
5. Denise: blonde, petit, intelligent, belle
6. Jacqueline: brun, petite, intelligente, studieux

## Exercice 12 Quelle est votre opinion?

Make a sentence for each noun, using the correct form of the adjective.

> MODÈLE:    intéressant/intéressante: le livre de français, la vie →
> Le livre de français est (n'est pas) intéressant.
> La vie est (n'est pas) intéressante.

1. beau/belle: Juliette Binoche, un tigre, une vieille Ford, une peinture de Matisse
2. bon/bonne: le chocolat, la programmation à la radio publique, la télévision, le fast-food
3. dangereux/dangereuse: une motocyclette, une bombe, le tennis, la politique
4. amusant/amusante: un livre de science-fiction, la politique, un examen de physique, une comédie
5. vieux/vieille: l'astronomie, le Louvre, le président américain, l'université où je suis

## B.7 Irregular plurals

**A.** As you know, the plural of the written form of most nouns and adjectives is formed by adding **-s:**

un examen facile → des examen**s** facile**s**
le professeur américain → les professeur**s** américain**s**

**B.** There are several exceptions, however. Nouns and adjectives ending in **-s, -x,** or **-z** do not change in the plural. Some other nouns and adjectives also have irregular plural endings. Here are some examples.

| ENDINGS | SINGULAR | PLURAL |
|---|---|---|
| -s, -x, -z<br>(no change) | un mauvais cours<br>l'enfant curieux<br>le nez rouge | des mauvais cours<br>les enfants curieux<br>les nez rouges |
| -eau, -eu<br>(add -x) | un beau chapeau<br>un jeu amusant | des beaux chapeaux<br>des jeux amusants |
| -al, -ail<br>(→-aux) | un journal radical<br>un travail municipal | des journaux radicaux<br>des travaux municipaux |

➤ An adjective agrees in gender *and* number with the noun it modifies.

*Caroline* est très *sérieuse.*

*Les enfants* sont *énergiques.*

★ *Review* **Première étape, Grammaire A.5** *and* **Deuxième étape, Grammaire B.6** *on singular and plural forms of articles and adjectives.*

## Pronunciation Hint

Remember that the final plural **-s** or **-x** is usually not pronounced: le$ bon$ restaurant$, de$ beau$ chapeau$. The **-s** of **des** or **les** is pronounced in liaison, that is, when the next word begins with a vowel or a mute **h: des᷉étudiant$ américain$.**

**C.** Remember that adjectives must agree in both gender and number with the nouns they modify. For this reason, an adjective may have as many as four different forms.

| MASCULINE SINGULAR | MASCULINE PLURAL | FEMININE SINGULAR | FEMININE PLURAL |
|---|---|---|---|
| un pantalon noir<br>un petit chapeau | des pantalons noirs<br>des petits chapeaux | une robe noire<br>une petite moustache | des robes noires<br>des petites moustaches |

## *Exercice 13* Descriptions

Choose the appropriate adjective and the correct form.

1. Comment sont les étudiants de votre université?
   sérieux/sérieuses          intelligents/intelligentes
   nerveux/nerveuses          amusants/amusantes
2. Comment est le professeur idéal?
   patient/patiente           raisonnable
   intéressant/intéressante   amusant/amusante
3. Comment est un examen difficile?
   long/longue                amusant/amusante
   compliqué/compliquée       intéressant/intéressante
4. Comment sont les hommes qui portent la barbe?
   beaux/belles               sportifs/sportives
   amusants/amusantes         individualistes
5. Comment est la langue française?
   beau/belle                 facile
   compliqué/compliquée       mystérieux/mystérieuse

Les familles françaises aiment faire
des promenades ensemble.

# Ma famille et moi

## Objectifs

In *Chapitre 1*, you will discuss your family and favorite activities. You will learn how to give your address
and phone number, and more ways to describe people.

### ACTIVITÉS

La famille
Goûts personnels
Origines et renseignements
 personnels
La vie de famille

### LECTURES

**À propos...**  Familles en
évolution
**À propos...**  Qui sont les
Français?
**À vous de lire!**  Les chansons
pour les enfants

### GRAMMAIRE

**1.1** Expressing relationships: Possessive
 adjectives
**1.2** Expressing likes and dislikes:
 **Aimer** + infinitive
**1.3** Talking about dates and personal
 data: Numbers beyond 100
**1.4** Stating origin: The verb **venir**
**1.5** Talking about actions: Present tense of
 **-er** verbs
**1.6** Expressing relationships and
 possession: Contractions of **de**

# Activités et lectures

## La famille

✳ Attention! Étudier Grammaire 1.1

### Activité 1  Interro: La famille de Claudine Colin

MODÈLE:  É1: Comment s'appelle la mère de Claudine?
         É2: Elle s'appelle Marie Lasalle.

             É2: Quel âge a Charles?
             É1: Il a dix-sept ans.

             É1: Qui est Joël?
             É2: C'est le fils de Victor et Claudine et...

             É2: ?

## Activité 2   Dialogue: Ma famille

É1: Combien de personnes y a-t-il dans ta famille?
É2: Il y a _____ personnes dans ma famille.
É1: Comment s'appellent les membres de ta famille?
É2: Mes _____ s'appellent _____ et _____, mon/ma _____ s'appelle _____ et...
É1: Quel âge ont-ils?
É2: Mon/Ma _____ a _____, mes _____ ont _____ et _____.
É1: Comment est ta famille?
É2: Nous sommes _____ et _____. Nous ne sommes pas _____.
É1: Est-ce que ta famille a une maison ou un appartement?
É2: Nous avons _____. Il/Elle est _____.

### Vocabulaire utile

| | |
|---|---|
| mon beau-père (beau-frère) | mon demi-frère |
| ma belle-mère (belle-sœur) | ma demi-sœur |

## Activité 3   Échanges: Ma famille et mes amis

Quelles sont les qualités importantes des personnes sur la liste?

MODELE:   le petit frère
É1: Pour toi, comment est le petit frère idéal?
É2: Pour moi, le petit frère idéal est affectueux et amusant. En général, il est calme et pas trop difficile. (Je ne sais pas. Je n'ai pas de petit frère.)

1. la sœur
2. le frère aîné
3. la mere
4. l'ami(e)
5. le fiancé / la fiancée
6. le professeur
7. le père
8. ?

affectueux/affectueuse
amusant(e)
calme
compréhensif/compréhensive
difficile
énergique
flexible
généreux/généreuse
intéressant(e)
patient(e)
poli(e)
raisonnable
réaliste
réservé(e)
résolu(e)
sérieux/sérieuse
sportif/sportive
strict(e)
sympathique
?

# À propos...

## Familles en évolution

La famille française moyenne[1] a seulement entre un et deux enfants. C'est une situation normale en Europe, mais dans les pays francophones d'Afrique et au Québec, les familles nombreuses (trois enfants et plus) sont fréquentes.

De plus, un tiers (1/3) des Français reste célibataire[2] (surtout dans les grandes villes), et, dans les années 2010, presque la moitié (1/2) des couples

● Grands-parents et leurs petits-enfants dans un jardin public

stables vit en «union libre»,[3] ou liée par un PACS,[4] équivalent légal du mariage. La cérémonie de mariage religieuse n'a pas de valeur officielle en France: il est nécessaire d'être marié par un maire[5] ou son adjoint.[6]

À l'extérieur de l'Europe, la vie de famille reste plus traditionnelle: on se marie religieusement et on divorce moins (en France, il y a un divorce pour deux mariages). Pourtant, les Français continuent d'apprécier certains aspects positifs de la famille: les enfants, la joie d'être ensemble,[7] la solidarité et, bien sûr, les fêtes.[8]

[1]typique
[2]≠ marié
[3]habite à deux, mais n'est pas marié
[4]Pacte civil de solidarité
[5]principal personnage officiel d'une ville; son bureau s'appelle la mairie
[6]assistant
[7]en groupe
[8]célébrations

 *Goûts personnels*

✳ Attention! Étudier Grammaire 1.2

Moi, j'aime beaucoup jouer au tennis! Et toi?

Clarisse    Marise

Je n'aime pas étudier le vendredi soir.

Albert

Raoul

Marie Lasalle

Claudine aime faire les courses.

Joël et ses amis aiment jouer au football.

Charles adore lire un bon livre.

Emmanuel aime nager à la piscine municipale.

Caroline aime courir et écouter de la musique.

Julien préfère envoyer des textos. Il n'aime pas les tweets.

## Activité 4 Discussion: Portrait familial

Choisissez une réponse pour chaque liste ou donnez une réponse personnelle.

1. Dans ma famille, nous sommes...
   - petits, de taille moyenne, grands.
   - blonds, bruns, roux.
   - ambitieux, sportifs, très organisés.

2. Nous avons...
   - une maison moderne, un appartement.
   - un chat, un chien, un poisson rouge.
   - une voiture par personne, une voiture pour la famille.

3. Moi, j'ai...
   - un frère (un demi-frère), une sœur (une demi-sœur).
   - un appartement, une chambre chez mes parents.
   - une bicyclette, une motocyclette, une voiture.

4. Nous adorons...
   - parler ensemble, inviter nos amis.
   - aller au cinéma, jouer à des jeux vidéo.
   - regarder un match de foot, faire du camping.

## Activité 5 Discussion: Les activités préférées

Dites **oui** ou **non.**

1. Pendant les vacances, j'aime...
   - **a.** voyager.
   - **b.** dormir tard.
   - **c.** aller à la plage.
   - **d.** lire un bon livre.

2. Je n'aime pas...
   - **a.** nager à la piscine.
   - **b.** faire du ski à la montagne.
   - **c.** jouer aux cartes.
   - **d.** faire les courses.

3. Le week-end, mes parents (mes amis) aiment...
   - **a.** regarder la télé.
   - **b.** dîner au restaurant.
   - **c.** sortir avec leurs amis.
   - **d.** jouer au golf.

4. Le vendredi, mes amis et moi, nous aimons...
   - **a.** rester à la maison.
   - **b.** faire la fête.
   - **c.** regarder un DVD.
   - **d.** écouter la radio.

MODÈLE: É1: Pendant les vacances, j'aime voyager. Oui, c'est vrai.
É2: Moi aussi! J'aime beaucoup voyager. (Moi non! Je n'aime pas voyager.)

## Exprime-toi!

Moi aussi!
Moi non!
Moi non plus!
Moi si!
C'est vrai?
Pas possible!
Tiens! C'est intéressant!

## Activité 6 Interro: Le week-end

MODÈLE: É1: Qu'est-ce que Julien Leroux aime faire le samedi?
É2: Il aime aller au cinéma.
É1: Et toi, tu aimes aussi aller au cinéma?
É2: Oui, j'adore aller au cinéma.

| NOM | LE SAMEDI | LE DIMANCHE |
|---|---|---|
| Julien Leroux, 32 ans journaliste belge | aller au cinéma | lire le journal |
| Adrienne Petit, 28 ans secrétaire | cuisiner | nager dans la mer |
| Raoul Durand, 21 ans étudiant québécois | faire la fête | étudier |
| Charles Colin, 17 ans lycéen français | sortir avec ses copains | dormir tard |
| Agnès Rouet, 25 ans étudiante à Paris | faire les courses | inviter des amis |

## Activité 7  Échanges: Qu'est-ce que tu aimes faire?

MODÈLE:  É1: Est-ce que tu aimes étudier avec quelqu'un d'autre?
         É2: Non, je n'aime pas étudier avec quelqu'un d'autre. J'aime mieux étudier seul(e). Et toi?

1. jouer au billard
2. bloguer sur Internet
3. faire la fête
4. cuisiner
5. faire du camping
7. danser
6. dormir tard
8. voyager

### Exprime-toi!

Je déteste…
J'adore…
J'ai horreur de…
Je préfère…
J'aime mieux…
Je ne sais pas…

## Activité 8  Dans le monde francophone: Les leçons de ski

Regardez la publicité et dites si c'est **vrai** ou **faux**.

À l'école de ski français…

1. il y a des leçons particulières pour groupes de 3 à 5 personnes.
2. il y a des leçons de danse.
3. il n'y a pas de leçons pour enfants.
4. il y a des leçons de monoski.

Et encore…

1. Est-ce que vous aimez faire du ski? Comment s'appelle votre station de ski préférée?
2. Quel est votre sport favori? Quel sport est-ce que vous n'aimez pas faire?

### École de Ski Français

La Joue-du-Loup

Tél. saison 04.92.58.82.70 - Hors saison 04.92.58.84.63

*Ski alpin - Fond - Monoski - Randonnées - Organisation courses*

| | Tarifs |
|---|---|
| **Leçons particulières (l'heure):** | |
| 1-2 personnes . . . . . . . . . . . . . . . . . . . . . . . . . . | 60€ |
| 3-5 personnes . . . . . . . . . . . . . . . . . . . . . . . . . . | 70€ |
| **Stages enfants et adultes** *du lundi au samedi inclus:* | |
| 6 x 1 heure 30 . . . . . . . . . . . . . . . . . . . . . . . | 95€ |
| 6 x 3 heures . . . . . . . . . . . . . . . . . . . . . . . . | 120€ |
| **Stages des neiges:** de 3 à 5 ans | |
| Demi-journée (3 heures) . . . . . . . . . . . . . . | 45€ |
| Journée (6 heures) . . . . . . . . . . . . . . . . . . . | 85€ |
| *Du lundi au samedi inclus:* | |
| 6 x 1/2 journée . . . . . . . . . . . . . . . . . . . . . . . | 110€ |
| 6 journées . . . . . . . . . . . . . . . . . . . . . . . . . . . | 150€ |

Tarifs E.F.S.                                    *Document non contractuel*

# Origines et renseignements personnels

⭐ Attention! Étudier Grammaire 1.3 et 1.4

| | | | |
|---|---|---|---|
| 101 | cent un | 10.000 | dix mille |
| 102 | cent deux | 100.000 | cent mille |
| 200 | deux cents | 150.000 | cent cinquante mille |
| 201 | deux cent un | 1.000.000 | un million |
| 300 | trois cents | 2.000.000 | deux millions |
| 1.000 | mille | 1.000.000.000 | un milliard |
| | | 2.000.000.000 | deux milliards |

Je m'appelle Caroline Njanga. Je viens du Cameroun. Je suis née en mille neuf cent quatre-vingt-sept.

D'où viens-tu?

Je suis belge. Je viens de Bruxelles mais j'habite à Paris maintenant.

Julien

Je m'appelle Sarah. J'habite 86, rue de la Convention, appartement 5A. Mon numéro de téléphone est le 01 48 74 94 23.

Jean-Yves        Sarah

## Activité 9  Interro: Les coordonnées

É1: Quel est le numéro de téléphone de Sarah?
É2: C'est le 01 48 74 94 23.
É1: Où habite Adrienne?
É2: À Marseille.
É1: Quelle est l'adresse de Raoul?
É2: 280 boulevard de Maisonneuve Est

Contacts (tous)

Raoul Durand        (514) 281-5024
280 boulevard de Maisonneuve Est
Montréal, QC, Canada H2X-1J7

Laurent Njanga        237.222.94.87
Quartiér Bastos- Rue 1983
B. P. 1605 Yaoundé, Cameroun

Sarah Thomas        01 48 74 94 23
86, rue de la Convention
75006 Paris, France
sarah.thomas@wanadoo.fr

André Leroux        32 6 44 67 64
432, avenue des Cerisiers
1200 Bruxelles, Belgique
drDré@orange.fr

Adrienne Petit        04 91 78 94 61
22, rue de Provence
13001 Marseille, France
Adne@aol.com

## *Activité 10*  Dialogue: Renseignements personnels

É1: De quelle ville viens-tu?
É2: Je viens de _____. Et toi?
É1: Moi, je viens de _____.
É2: Quelle est ton adresse?
É1: J'habite au _____ rue/avenue _____. Et toi?
É2: Moi, je _____.
É1: Quel est ton numéro de téléphone?
É2: C'est le _____.
É1: Quand et où est-ce que tu es né(e)?
É2: Je suis né(e) le _____, 19 _____, à _____.

## *Activité 11*  Interro: Les origines et les nationalités

| PAYS | NATIONALITÉ | LANGUE(S) PRINCIPALES |
|---|---|---|
| l'Algérie (*f.*) | algérien, algérienne | l'arabe, le français, le berbère |
| l'Allemagne (*f.*) | allemand, allemande | l'allemand |
| la Belgique | belge | le français, le flamand |
| le Canada | canadien, canadienne | le français, l'anglais |
| la Chine | chinois, chinoise | le chinois |
| l'Espagne (*f.*) | espagnol, espagnole | l'espagnol, le catalan, le basque |
| les États-Unis (*m.*) | américain, américaine | l'anglais, l'espagnol |
| la France | français, française | le français |
| le Japon | japonais, japonaise | le japonais |
| le Sénégal | sénégalais, sénégalaise | le français, le wolof |

MODÈLE:  É1: De quelle nationalité est Yasmina Diouf?
  É2: Elle est sénégalaise.
  É1: Quelle(s) langue(s) est-ce qu'elle parle?
  É2: Elle parle wolof et/ou français.

1. Mario Desjardins, Chicoutimi, Québec (Canada)
2. Willy Maertens, Anvers (Belgique)
3. Francis Lasalle, Lyon (France)
4. Abdelkader El Akari, Blida (Algérie)
5. Coumba Gwalo, Dakar (Sénégal)
6. Wang Yu, Shanghai (Chine)
7. Ulrike Schneider, Francfort (Allemagne)
8. Sarah Thomas, Eau Claire, Wisconsin (États-Unis)
9. Yuko Watanabe, Osaka (Japon)
10. Marianna Vasco, Bilbao (Espagne)

la France

les États-Unis

la Chine

l'Allemagne

le Japon

le Canada

l'Algérie

l'Espagne

le Sénégal

la Belgique

# À propos...
## Qui sont les Français?

Jason Wang est un étudiant américain d'origine chinoise. Il passe une année en France, à l'université Louis Lumière de Lyon. Il pose des questions à son professeur d'histoire, M. Gondrand, sur la question de l'identité des Français.

● Des enfants de la banlieue parisienne

**Jason:** On dit que le «Français typique» est un descendant des Gaulois.[1] C'est vrai?

**M. Gondrand:** Pas exactement… En réalité, la population de la France est très diverse: les Bretons sont celtiques, les Alsaciens, germaniques, les gens du Midi,[2] méditerranéens comme les Italiens et les Grecs. Et, naturellement, les Français des DOM-TOM[3] représentent une grande variété de races et de cultures.

**Jason:** Et les immigrés?

**M. Gondrand:** Sur une population totale de 65 millions, il y a en France plus de 5 millions d'immigrés, en majorité des anciennes[4] colonies françaises du Maghreb (Algérie, Maroc, Tunisie) et d'Afrique sub-saharienne (Sénégal, Mali, Côte d'Ivoire, etc.).

**Jason:** Et tous ces gens-là sont des «Français typiques»!

[1]groupe de nombreux peuples celtiques installés sur le territoire actuel de la France
[2]sud de la France
[3]Départments et Territoires d'Outre-mer: régions administrativement français, mais situés à l'extérieur de l'Europe
[4]du passé

# La vie de famille

✳ Attention! Étudier Grammaire 1.5 et 1.6

### La famille de Bernard Lasalle

Voilà Bernard Lasalle avec sa femme Christine. Elle est infirmière dans un hôpital à Lyon.

Les enfants de Bernard et Christine s'appellent Camille (11 ans), Marie-Christine (8 ans) et Nathalie (6 ans).

Voilà la sœur de Bernard, Claudine Colin, avec sa famille. Son mari Victor travaille dans un bureau.

Toute la famille passe le mois d'août ensemble dans une maison au bord de la mer.

Christine parle beaucoup avec sa belle-sœur Claudine et sa belle-mère Marie Lasalle.

Les petites Lasalle adorent faire une promenade avec leur oncle Victor et leur tante Claudine.

Quelquefois, Victor Colin joue à la pétanque avec son beau-frère, son beau-père et ses fils.

## Activité 12 Définitions: La famille

Donnez la bonne définition.

> MODÈLE: É1: Cette personne est la mère de la mère ou du père.
> É2: C'est la grand-mère.

1. la mère du mari ou de la femme
2. le père du père ou de la mère
3. le fils du frère ou de la sœur
4. l'époux de la femme
5. le mari de la sœur
6. la femme du frère
7. le fils de l'oncle ou de la tante
8. l'épouse du mari
9. la sœur de la mère ou du père
10. ?

a. le mari
b. la femme
c. le beau-frère
d. la belle-sœur
e. le neveu
f. le grand-père
g. le cousin
h. la belle-mère
i. la tante
j. ?

● Une famille joue aux cartes dans le jardin.

## Activité 13  Enquête: Les activités de ma famille

Dans votre famille, qui fait les activités suivantes?

> MODÈLE:  _____ aime/aiment faire des achats sur Internet. →
> Ma mère aime faire ses achats sur Internet. Elle déteste aller au centre
> commercial.

1. _____ travaille/travaillent dans un bureau.
2. _____ achète/achètent beaucoup de vêtements neufs.
3. _____ aime/aiment conduire vite.
4. _____ écoute/écoutent de la musique classique.
5. _____ reste/restent à la maison le samedi soir.
6. _____ rentre/rentrent tard très souvent.
7. _____ chante/chantent sous la douche.
8. _____ parle/parlent beaucoup sur son/leur portable dans la rue.

**Allons plus loin!**  Posez les mêmes questions à un(e) partenaire.

> MODÈLE:  É1: Est-ce que tu travailles dans un bureau?
> É2: Non, mais je travaille dans un restaurant. Et toi?

## Activité 14  Enquête: La famille et les amis

Dites **oui** ou **non.** Si vous dites **non,** corrigez la phrase.

### Vocabulaire utile

mon copain / ma copine
mon/ma camarade de chambre
mon petit ami / ma petite amie
Je ne... avec/à/de personne
seul(e)

1. Je parle avec ma cousine quand j'ai des problèmes.
2. Je téléphone souvent à mes grands-parents.
3. Je passe le samedi soir avec mes copains.
4. Je regarde la télé avec mes camarades de chambre.
5. Je rigole avec mes frères.
6. J'étudie avec mes camarades de classe.
7. J'achète des vêtements avec ma mère.
8. J'écoute toujours les conseils de mon père.

**Allons plus loin!**  Maintenant, comparez vos réponses avec les réponses de
votre partenaire et expliquez quand vous dites **non.**

> MODÈLE:  Quand j'ai des problèmes, je parle avec ma tante. Elle est très discrète
> et elle écoute attentivement.

## Cliquez là!

Visitez le site d'une famille française ou francophone. Qui sont les membres de la famille? Quel âge ont-ils? Comment sont-ils et qu'est-ce qu'ils aiment faire? Présentez «votre» famille à la classe.

## Activité 15 Entretien: Ma famille

Répondez aux questions. Ensuite, posez les questions à votre partenaire.

1. Est-ce que tu viens d'une famille nombreuse? Combien de personnes (approximativement) y a-t-il dans ta famille?
2. Est-ce que tes grands-parents sont vivants ou morts? Où habitent-ils? Quel âge ont-ils?
3. Dans ta famille, qui préfères-tu? Comment est cette personne? Pourquoi est-ce que tu préfères cette personne?
4. Est-ce que tu discutes de tes problèmes importants avec tes parents? Pourquoi ou pourquoi pas? Autrement, avec qui préfères-tu parler?
5. À qui est-ce que tu ressembles physiquement? Et du point de vue personnalité?

---

**AGENCE MATRIMONIALE «ESPOIR FAMILIAL»**
20, rue Paul Gourdon

**RENCONTRES**

31 ans, célibataire, tendre, raisonnable, jolie et intelligente en plus! Milieu médical, elle désire faire des projets d'avenir avec jeune homme affectueux et protecteur.

58 ans, veuve, douce, un peu timide, elle aime la campagne, cuisiner; désire rencontrer compagnon simple mais gentil et affectueux.

36 ans, célibataire, dynamique, charmant, brun, 1,78m, sportif (squash, tennis, randonnée, planche à voile... ); désire fonder un foyer, avoir des enfants.

Grand-père, veuf, 75 ans, aisé, dynamique, aimant nature, voyages et sorties; désire rencontrer une dame 65/70 ans, mêmes intérêts.

---

## Activité 16 Dans le monde francophone: L'agence matrimoniale «Espoir familial»

1. Est-ce que la personne de 31 ans est un homme ou une femme?
2. Est-ce que la personne qui aime cuisiner est veuve ou célibataire?
3. Quel âge a le «grand-père» dynamique?
4. Qui joue au tennis?
5. Qui vient d'un milieu médical?

***À vous la parole!*** Vous désirez rencontrer une personne intéressante. Préparez une petite annonce pour l'agence matrimoniale «Espoir familial». Pour commencer, quel âge avez-vous? Et comment êtes-vous? Qu'est-ce que vous aimez faire? Qu'est-ce que vous désirez?

# POUR RÉSUMER

## À vous de parler

### A. Associations

Avec un(e) partenaire, utilisez les préférences sur la liste pour créer deux profils, (1) *une personne branchée* et (2) *une personne vieux jeu* (*old-fashioned*).

MODÈLE: É1: Qui déteste lire des tweets?
         É2: C'est probablement la personne vieux jeu.

- a 501 amis sur Facebook
- achète des vêtements en ligne
- adore conduire vite
- adore la télé-réalité
- adore rigoler avec ses copains
- aime aller au zoo
- aime écrire de longues lettres
- aime lire le journal
- arrive toujours à l'heure
- déteste bloguer sur Internet
- joue au bridge
- parle constamment sur son portable
- passe des heures à l'ordinateur

***Maintenant...*** Comparez vos profils avec ceux de vos camarades de classe.
***Et enfin...*** Votre profil ressemble-t-il à un de ces profils? Expliquez.

**B. Profil d'un proche**

1. Comment s'appelle la personne? Est-ce un membre de votre famille?
2. Quel âge a-t-il/elle?
3. Où est-ce qu'il/elle habite?
4. Décrivez la personne.
5. Quelles sont les qualités de la personne? (sympathique, poli(e)... )
6. Quelles activités aimez-vous faire ensemble?
7. ?

## *À vous de lire*

### *Les chansons pour les enfants*

*La vie en famille est l'occasion de faire des jeux, de réciter des comptines, de raconter des histoires (les contes) et de chanter ensemble des chansons traditionnelles. Tous les petits Français connaissent «La Mère Michel», «Au clair de la lune», «Fais dodo» et «Ah! Vous dirais-je, maman». Quand ils deviennent parents eux-mêmes, ils chantent ces chansons à leurs enfants.*

**«Ah! Vous dirais-je, maman»**

Ah! Vous dirais-je, maman,
Ce qui cause mon tourment?
Papa veut que je raisonne
Comme une grande personne;
Moi, je dis que les bonbons
Valent mieux que la raison.

**«Fais dodo»**

Fais dodo, Colas, mon p'tit frère,
Fais dodo, t'auras du lolo.

Maman est en haut,
Qui fait des gâteaux;
Papa est en bas,
Qui fait du chocolat.

Fais dodo, Colas, mon p'tit frère,
Fais dodo, t'auras du lolo.

On fait la bouillie
Pour l'enfant qui crie,
Et tant qu'il criera
Il n'en aura pas.

Fais dodo, Colas, mon p'tit frère,
Fais dodo, t'auras du lolo.

**«Au clair de la lune»**

Au clair de la lune
Mon ami Pierrot,
Prête-moi ta plume
Pour écrire un mot.
Ma chandelle est morte,
Je n'ai plus de feu;
Ouvre-moi ta porte
Pour l'amour de Dieu.

*À vous d'écrire*

Vous écrivez une lettre à l'agence Accueil France Famille parce que vous désirez passer deux mois dans une famille française. Dans votre lettre, décrivez comment vous êtes, les choses que vous aimez faire et le type de famille que vous préférez trouver.

MODÈLE:

*Accueil France Famille
5, rue François Coppée
75015 Paris*

*Madame, Monsieur,*

*Je désire passer deux mois dans une famille française. Je m'appelle… , j'ai… ans et je suis étudiant(e) en… à l'université de… Je suis une personne plutôt… J'aime beaucoup… Si possible, je préfère loger dans une famille…*

*En attendant votre réponse, je vous prie d'agréer l'expression de mes sentiments distingués.*

*(signature)*

# Vocabulaire

## La famille
### Family

| | |
|---|---|
| le beau-frère | brother-in-law |
| le beau-père | father-in-law; stepfather |
| la belle-mère | mother-in-law; stepmother |
| la belle-sœur | sister-in-law |
| le cousin / la cousine | cousin |
| le demi-frère | half brother |
| la demi-sœur | half sister |
| l'enfant (*m., f.*) | child |
| l'époux / l'épouse | spouse |
| la femme | wife |
| la fille | daughter |
| le fils | son |
| le frère | brother |
| la grand-mère | grandmother |
| le grand-père | grandfather |
| les grands-parents (*m.*) | grandparents |
| le mari | husband |
| la mère | mother |
| le neveu | nephew |
| la nièce | niece |
| l'oncle (*m.*) | uncle |
| le père | father |
| la petite-fille | granddaughter |
| le petit-fils | grandson |
| les petits-enfants (*m.*) | grandchildren |
| la sœur | sister |
| la tante | aunt |

## Mots descriptifs
### Descriptive words

| | |
|---|---|
| bon/bonne | good |
| branché | hip, cool |
| célibataire | single, unmarried |
| compréhensif/ compréhensive | understanding |
| de taille moyenne | of medium height |
| difficile | difficult |
| mort(e) | deceased, dead |
| nombreux/nombreuse | numerous |
| poli(e) | polite |
| roux/rousse | red-haired |
| seul(e) | alone |
| tout(e) | all |
| trop | too |
| vieux jeu | old-fashioned |
| vite | quickly |
| vivant(e) | living, alive |

*Mots apparentés:* **affectueux/affectueuse, ambitieux/ ambitieuse, attentivement, calme, discret/discrète, favori/favorite, flexible, généreux/généreuse, moderne, organisé(e), patient(e), physiquement, réaliste, réservé(e), sportif/sportive, strict(e)**

## Activités favorites et distractions
### Favorite activities and entertainment

| | |
|---|---|
| Qu'est-ce que tu aimes faire? | What do you like to do? |
| J'adore... | I love . . . |
| J'ai horreur de... | I hate . . . |
| J'aime... | I like . . . |
| J'aime mieux... | I prefer . . . |
|   aller au cinéma | to go to the movies |
|   à la plage | to go to the beach |
|   à la montagne | to go to mountains |
|   bloguer sur Internet | to blog on the Internet |
|   chanter sous la douche | to sing in the shower |
|   conduire une voiture | to drive a car |
|   cuisiner | to cook |
|   danser | to dance |
|   dîner au restaurant | to eat at a restaurant |
|   dormir tard | to sleep late |
|   écouter la radio | to listen to the radio |
|   faire les courses | to go grocery shopping |
|   faire du camping | to go camping |
|   faire la fête | to party |
|   faire une promenade | to take a walk |
|   faire du ski | to go skiing |
|   inviter des amis | to invite friends over |
|     jouer aux cartes | to play cards |
|     au billard | to play pool |
|     au football | to play soccer |
|     au tennis | to play tennis |
|     aux jeux vidéo | to play video games |
|   lire (le journal) | to read (the newspaper) |
|   nager à la piscine | to swim in the pool |
|   parler au téléphone | to talk on the phone |
|   passer la soirée ensemble | to spend the evening together |
|   regarder la télévision | to watch television |
|   rester à la maison | to stay home |
|   rigoler | to laugh, have fun |
|   sortir avec des ami(e)s | to go out with friends |
|   travailler dans le jardin | to work in the yard |
|   voyager | to travel |

## Les endroits
### Places

| | |
|---|---|
| **au bord de la mer** | at the seashore |
| **un bureau** | office |
| **une maison** | house |

*Mots apparentés:* **un appartement, un centre commercial, une discothèque, un hôpital**

## Quand
### Saying when

| | |
|---|---|
| **maintenant** | now |
| **quelquefois** | sometimes |
| **souvent** | often |

## Substantifs
### Nouns

| | |
|---|---|
| **un/une camarade de chambre** | a roommate |
| **un chat / une chatte** | a cat |
| **un chien / une chienne** | a dog |
| **un copain / une copine** | a close friend, pal |
| **un infirmier / une infirmière** | a nurse |
| **un petit ami / une petite amie** | a boyfriend / a girlfriend |
| **un poisson rouge** | a goldfish |
| **un renseignement** | a piece of information |
| **une réponse** | an answer |
| **une ville** | a city |
| **les vacances** (*f.*) | vacation |

*Mots apparentés:* **une adresse, une aventure, un DVD, un film, un match, la musique, la nationalité, un numéro de téléphone, la radio, un sport**

## Verbes
### Verbs

| | |
|---|---|
| **acheter** | to buy |
| **déjeuner** | to eat lunch |
| **discuter (de)** | to discuss |
| **étudier** | to study |
| **faire des achats** | to make purchases |
| **habiter** | to live (inhabit) |
| **passer (un mois)** | to spend (a month) |
| **rentrer** | to return home |
| **ressembler (à)** | to resemble, to look like |
| **travailler** | to work |
| **venir (de)** | to come (from) |

*Mots apparentés:* **adorer, détester, préférer, téléphoner**

## Mots et expressions utiles
### Useful words and expressions

| | |
|---|---|
| **à** | to, at |
| **après** | after |
| **avec** | with |
| **beaucoup** | a lot, many |
| **C'est vrai?** | Is that right (correct)? |
| **chez moi (chez mes parents)** | at my home (at my parents' house) |
| **D'où venez-vous?** ( **...viens-tu?** ) | Where are you from? |
|    **Je viens de...** | I come from . . . |
| **ensemble** | together |
| **Je ne sais pas.** | I don't know. |
| **Je suis né(e)...** | I was born . . . |
| **Moi aussi!** | Me too! |
| **Moi non!** | Not me! |
| **Moi non plus!** | Me neither! |
| **Moi si!** | Yes (*I* do)! |
| **mon/ma meilleur(e) ami(e)** | my best friend |
| **où** | where |
| **Pas possible!** | No way!; You're kidding! |
| **pour** | for |
| **pourquoi** | why |
| **Quel âge avez-vous?** ( **...as-tu?** ) | How old are you? |
|    **J'ai 19 ans.** | I'm 19 (years old). |
| **Tiens!** | Well! |
| **voilà** | there is/are |

## Les pays et les nationalités
### Countries and nationalities

| | |
|---|---|
| **l'Allemagne** (*f.*)/**allemand(e)** | Germany/German |
| **la Belgique/belge** | Belgium/Belgian |
| **la Chine/chinois(e)** | China/Chinese |
| **l'Espagne** (*f.*)/**espagnol(e)** | Spain/Spanish |
| **les États-Unis** (*m.*)/**américain(e)** | the United States/ American |
| **la France/français(e)** | France/French |
| **le Québec/québécois(e)** | Quebec/Quebecois |
| **la Suisse/suisse** | Switzerland/Swiss |

*Mots apparentés:* **l'Algérie** (*f.*), **algérien(ne); le Canada, canadien(ne); le Japon, japonais(e); le Sénégal, sénégalais(e)**

# Grammaire et exercices

Review **Première étape, Grammaire A.3** and **A.5** on gender and number agreement.

## 1.1 Expressing relationships: Possessive adjectives

Definition: Possessive adjectives modify nouns by indicating ownership or relationship: *my book, your sister.*

**A.** Here are the forms of the possessive adjectives in French.

| ENGLISH | BEFORE MASCULINE SINGULAR NOUNS | BEFORE FEMININE SINGULAR NOUNS | BEFORE PLURAL NOUNS |
|---|---|---|---|
| *my* | mon | ma | mes |
| *your* (**tu**) | ton | ta | tes |
| *his, her, its* | son | sa | ses |

| | BEFORE SINGULAR NOUNS | BEFORE PLURAL NOUNS |
|---|---|---|
| *our* | notre | nos |
| *your* (**vous**) | votre | vos |
| *their* | leur | leurs |

Voici une photo de **mon** frère
    avec **sa** femme et **leurs** enfants.
Et voilà **ma** sœur avec **son** mari
    et **leur** bébé.

*Here's a photo of my brother
    with his wife and their children.
And there's my sister with her
    husband and their baby.*

### Pronunciation Hint

Final **-s** and **-n** are pronounced when the following word begins with a vowel:
**mes͜enfants** but **mes filles**; **mon͜ami** but **mon fils.**

**B.** French possessive adjectives agree in gender and number with the nouns they modify. *Exception:* the possessive form ending in **-n (mon, ton, son)** is always used before a singular noun or adjective starting with a vowel or mute **h,** even if the noun is feminine.

| | | |
|---|---|---|
| **mon** cousin Charles | *but* | **mon** autre cousine Marise |
| **ma** cousine Clarisse | | **mon** étudiante |
| | | **son** amie Agnès |
| | | **ton** horloge |

**C.** Keep in mind that the number and gender of the possessive adjective are determined *by what is possessed,* not by the possessor. This is why **son, sa,** and **ses** can all mean *his, her,* or *its,* depending on the context.

➤ "Number" refers to whether a word is singular or plural.

Voilà Victor Lasalle avec **sa** femme
    Claudine et **son** fils Charles.
M^me Martin regarde **son** livre.

*There's Victor Lasalle with his wife
    Claudine and his son Charles.
Madame Martin is looking at her
    book.*

## Exercice 1 En famille

Denise et Jacqueline parlent de leur famille. Remplacez les tirets par un des adjectifs possessifs: **mon, ma, mes; ton, ta, tes; son, sa, ses.**

1. —Jacqueline, comment est _____ famille? Est-ce que _____ frères et sœurs sont jeunes?
   —Non, pas trop. _____ frère a 19 ans et _____ sœurs ont 12 et 14 ans.
2. —Est-ce que _____ grands-parents habitent dans la même ville que toi?
   —_____ grand-mère habite chez nous, mais _____ grand-père est mort.
3. —Est-ce que _____ mère est une personne active?
   —Oui. Avec _____ job (*m.*) et _____ enfants, elle est très occupée.
4. —_____ frère habite encore chez toi?
   —Non, il a _____ propre* appartement (*m.*).

## Exercice 2 Votre classe de français

Répondez aux questions avec **notre** ou **nos.**

MODÈLE:    Combien d'étudiants y a-t-il dans votre classe? →
           Il y a vingt étudiants dans notre classe.

1. Combien de garçons y a-t-il dans votre classe?
2. Est-ce que vos camarades de classe sont timides ou extravertis?
3. Comment s'appelle votre professeur?
4. À quelle heure est votre cours?
5. Est-ce que vos devoirs sont difficiles ou faciles?

## Exercice 3 Une nouvelle amie

Vous avez une nouvelle correspondante, Evelyne Casteret. Dans un message électronique, elle décrit sa famille. Qu'est-ce qu'elle dit? Changez les adjectifs possessifs.

MODÈLE:    *Ma* grand-mère s'appelle Marie. →
           *Sa* grand-mère s'appelle Marie.

1. *Mes* parents sont jeunes et énergiques.
2. *Ma* sœur Madeleine est très amusante.
3. *Mon* père travaille avec *mon* oncle.
4. *Notre* maison est très vieille et très grande.
5. En général, *mes* amis sont très sympathiques. *Mon* amie Sabrine est aussi très intelligente.

---

*own

## 1.2 Expressing likes and dislikes: Aimer + infinitive

**A.** The verb **aimer** is used to say that you like or love something or someone.

| | |
|---|---|
| J'**aime** mon cours de français. | *I like my French class.* |
| Nous **aimons** beaucoup le professeur. | *We really like the teacher.* |
| Est-ce que tu **aimes** ton cours d'informatique? | *Do you like your computer science class?* |

**B.** Like **être** and **avoir, aimer** has different forms depending on the subject (noun or pronoun) used with the verb. The word **aimer** itself is the infinitive form. Most French infinitives end in **-er**, like **aimer;** they are called regular **-er** verbs. Their present-tense forms are created by dropping **-er** and adding the endings shown in the following chart.

> **Definition:** The infinitive form corresponds to the English "to" form: *to do, to sing,* etc. In French dictionaries, verbs are listed in the infinitive form.

<table>
<tr><td colspan="2">aimer (to like; to love)</td></tr>
<tr><td>j'aime</td><td>nous aimons</td></tr>
<tr><td>tu aimes</td><td>vous aimez</td></tr>
<tr><td>il/elle/on aime</td><td>ils/elles aiment</td></tr>
</table>

Notice that all the forms in the yellow L-shaped area are pronounced the same.

### Pronunciation Hint

aime~~r~~: j'aim~~e~~, tu aim~~es~~, il aim~~e~~, nous͜aim~~ons~~, vous͜aim~~ez~~, ils/elles͜aim~~ent~~

**C.** Use **aimer** + infinitive to say what someone likes to do. Use **aimer** with **ne... pas** to indicate what someone doesn't like to do.

| | |
|---|---|
| J'**aime dîner** au restaurant. | *I like to eat dinner in a restaurant.* |
| Joël **n'aime pas danser.** | *Joël doesn't like to dance.* |
| Mes amis **aiment jouer** au football. | *My friends like to play soccer.* |

**D.** Other groups of regular French verbs have infinitives that end in **-ir** (**finir,** *to finish*) and **-re** (**répondre,** *to answer*). Still others have irregular infinitives, such as **être** and **avoir.** You will learn more about these verbs in later chapters.

**E.** **Détester** and **adorer** are conjugated like **aimer** and may also be used with a following infinitive to express feelings.

> ★ *You will learn more about regular* **-er** *verbs in* **Grammaire 1.5.**

| | |
|---|---|
| Je **déteste étudier** le samedi soir. | *I hate to study on Saturday nights.* |
| J'**adore dormir** tard le dimanche matin. | *I love to sleep late on Sunday mornings.* |

## Exercice 4 Le dimanche d'Albert

Remplacez les tirets par une forme du verbe **aimer.**

1. Ma sœur _____ dormir jusqu'à* midi.
2. Mes parents _____ jouer aux cartes.
3. Daniel et moi, nous _____ jouer au tennis.
4. Moi, j' _____ lire le journal.
5. Tes amis et toi, qu'est-ce que vous _____ faire?
6. Et toi, tu _____ faire les mêmes choses?

## Exercice 5 Passe-temps préférés

Répondez et puis indiquez un autre passe-temps préféré.

### Vocabulaire utile

| | |
|---|---|
| aller au cinéma | jouer aux cartes |
| danser | lire des livres / le journal |
| dormir tard | regarder la télé |
| écouter de la musique classique | surfer sur Internet |

MODÈLE:  Est-ce que vos amis aiment cuisiner? →
Mes amis aiment cuisiner, mais ils aiment aussi dîner au restaurant.
(Mes amis n'aiment pas cuisiner, mais ils aiment dîner au restaurant.)

1. Est-ce que vos amis aiment surfer sur Internet?
2. Est-ce que votre mère aime jouer du piano?
3. Est-ce que votre père aime écouter du rock?
4. Est-ce que votre petit ami / petite amie aime faire une promenade?
5. Est-ce que votre professeur de français aime aller au cinéma?
6. Est-ce que vous aimez jouer au tennis le week-end?

## 1.3 Talking about dates and personal data: Numbers beyond 100

➤ The day is always given before the month: 25.12.04 = **le 25 décembre 2004.**

➤ Use **le premier** to express the first of the month.

**A.** To talk about the date, use one of these expressions.

| | |
|---|---|
| **Quelle est la date** aujourd'hui? | *What's today's date?* |
| Aujourd'hui **c'est le vingt** (le huit, etc.) avril. | *Today is April 20th (8th, etc.).* |
| Aujourd'hui **nous sommes le premier** janvier. | *Today is January 1st (first).* |

➤ **Quel âge as-tu? J'ai (vingt) ans.**

➤ avoir

| | |
|---|---|
| j'ai | nous avons |
| tu as | vous avez |
| il/elle a | ils/elles ont |

**B.** To express age, use **avoir** (*to have*) + number + **ans.**

| | |
|---|---|
| —Joël, quel âge **as**-tu? | *Joël, how old are you?* |
| —J'**ai** huit **ans.** | *I'm eight.* |
| —Et ton frère Emmanuel? | *How about your brother Emmanuel?* |
| —Il **a** quatorze **ans.** | *He's fourteen.* |

---

*until

**C.** Here is how to tell your birthday and birthdate.

> **Mon anniversaire est** le vingt et un septembre.      *My birthday is September 21st.*
>
> **Je suis né(e)** en 1993.      *I was born in 1993.*

**D.** Years before 2000 can be expressed in two ways in French. For 2000 and after, there is just one way.

> 1998 = dix-neuf cent quatre-vingt-dix-huit
>              mille neuf cent quatre-vingt-dix-huit
> 2000 = deux mille
> 2010 = deux mille dix

**E.** Here are the numbers from 101 to two billion.

| | | | |
|---|---|---|---|
| 101 cent un | 400 quatre cents | 1.000 | mille |
| 102 cent deux | 500 cinq cents | 10.000 | dix mille |
| 200 deux cents | 600 six cents | 100.000 | cent mille |
| 201 deux cent un | 700 sept cents | 1.000.000 | un million (de) |
| 202 deux cent deux | 800 huit cents | 2.000.000 | deux millions (de) |
| 300 trois cents | 900 neuf cents | 1.000.000.000 | un milliard (de) |
| | | 2.000.000.000 | deux milliards (de) |

➤ The **-s** of **cents** is dropped if it is followed by another number: **deux cents, deux cent un. Mille** never takes an **-s: deux mille.**

➤ In French, a period (not a comma) is used in higher numbers.

## *Exercice 6* La famille Colin

Dites l'âge de chaque membre de la famille.

MODÈLE: Joël / 8 →
        Quel âge a Joël? Il a huit ans.

1. Francis Lasalle / 70
2. Claudine Colin / 45
3. Victor Colin / 47
4. Marise et Clarisse / 19
5. Charles / 17
6. Emmanuel / 14

## *Exercice 7* Au téléphone

Lisez à haute voix ces numéros de téléphone français.

MODÈLE: 01 42 68 13 03 →
        zéro un, quarante-deux, soixante-huit, treize, zéro trois

| | | |
|---|---|---|
| **1.** 02 65 10 80 30 | **4.** 01 98 75 21 60 | **7.** 04 45 62 86 43 |
| **2.** 03 87 53 40 16 | **5.** 02 77 38 82 97 | **8.** 03 83 76 64 90 |
| **3.** 01 20 55 70 81 | **6.** 04 91 18 39 78 | **9.** 02 53 67 07 11 |

## Exercice 8  Codes postaux

Lisez les codes postaux de certaines villes françaises à haute voix.

MODÈLE:  29200 Brest → vingt-neuf mille deux cents

1. 44000 Nantes
2. 67000 Strasbourg
3. 69009 Lyon
4. 13002 Marseille
5. 59000 Lille
6. 64200 Biarritz
7. 75015 Paris
8. 33000 Bordeaux

## Exercice 9  Anniversaires

Posez la question et répondez avec les renseignements donnés entre parenthèses.

MODÈLE:  Francis Cabrel (23.11.1953) → Quelle est la date de naissance de Francis Cabrel?
C'est le 23 novembre 1953 (le vingt-trois novembre mille neuf cent cinquante-trois).

1. Elvis Presley (8.1.1935)
2. Serena Williams (26.9.1981)
3. Frédéric Chopin (1.3.1810)
4. Paul McCartney (18.6.1942)
5. Sigmund Freud (6.5.1856)
6. Mickey Mouse (18.11.1928)
7. Magic Johnson (14.8.1959)
8. Yves Saint-Laurent (1.8.1936)
9. MC Solaar (5.3.1969)
10. Édith Piaf (19.12.1915)

## 1.4  Stating origin: The verb venir

**A.** Here are the forms of **venir**.

> Note that most French verbs have the same plural endings: **-ons, -ez, -ent.**
>
> With a few exceptions, verbs other than **-er** verbs have the same singular endings: **-s, -s, -t.**

| venir (to come) | |
|---|---|
| je **viens** | nous **venons** |
| tu **viens** | vous **venez** |
| il/elle/on **vient** | ils/elles **viennent** |

Use the verb **venir** and the preposition **de** to ask or say where someone is from.

—**D'où vient** M^me Martin?    *Where's Madame Martin from?*
—Elle **vient de** Montréal.    *She's from Montreal.*
—Et **d'où viens**-tu?    *And where are you from?*
—Moi, je **viens de** Kansas City.    *I'm from Kansas City.*

Other verbs conjugated like **venir: devenir** (*to become*), **revenir** (*to come back, return*).

## Pronunciation Hint

All singular forms of **venir** are pronounced alike: **viẽn̸s̸.** The pronunciations of the plural forms are **venõn̸s̸, vene̸z̸, vienn̸e̸n̸t̸.**

**B.** To ask for a specific country or city of origin, use **De quel pays... ?** or **De quelle ville... ?**

| | |
|---|---|
| —**De quel pays** vient Julien Leroux? | *What country does Julien Leroux come from?* |
| —Il vient de Belgique. | *He comes from Belgium.* |
| —**De quelle ville** viennent les Lasalle? | *What city do the Lasalles come from?* |
| —Ils viennent de Lyon. | *They come from Lyon.* |

**C.** In some cases, **de** is replaced by **du** or **des** when speaking of countries.

- Use **du** when the name of a country is masculine.

| | |
|---|---|
| —De quel pays viennent ces étudiants? | *What country are these students from?* |
| —Ils viennent **du** Japon (**du** Brésil, **du** Portugal). | *They're from Japan (Brazil, Portugal).* |

- Use **des** if the name of a country is plural.

| | |
|---|---|
| —D'où venez-vous? | *Where are you from?* |
| —Je viens **des** États-Unis. | *I'm from the United States.* |

> ➤ —Tu viens *de* France?
> —Oui, je viens *de* Paris.
>
> —Raoul vient *des* États-Unis?
> —Non, il vient *du* Canada.

✶ You will learn more about country names in **Grammaire 8.1.**

## Exercice 10 À la maison internationale

Utilisez les formes du verbe **venir.**

1. Voici mon ami Jean-Michel. Il _____ du Canada et il parle français.
2. Voilà Julie et Mark. Ils _____ des États-Unis.
3. Voilà Mohammed. Il _____ d'Algérie et sa femme Natacha _____ de Russie.
4. Voilà Carmen et José. Ils _____ de Madrid, en Espagne.
5. Et vous, d'où _____-vous? —Nous _____ de Côte d'Ivoire. Moi, je m'appelle Madi et mon amie s'appelle Ramatou.
6. Christiane, tu _____ de Suisse, n'est-ce pas? —Oui, je _____ de Genève.

## 1.5 Talking about actions: Present tense of -er verbs

**A.** Infinitives ending in **-er** are conjugated like **aimer.** (The only exception is **aller,** *to go.*) To conjugate these verbs, drop **-er** from the infinitive and add the endings **-e, -es, -e, -ons, -ez, -ent.**

✶ You will learn about **aller** in **Grammaire 2.3.**

| travailler *(to work)* | |
|---|---|
| je travaille | nous travaill**ons** |
| tu travaill**es** | vous travaill**ez** |
| il/elle/on travaille | ils/elles travaill**ent** |

| habiter (*to live*) | |
|---|---|
| j' habit**e** | nous habit**ons** |
| tu habit**es** | vous habit**ez** |
| il/elle/on habit**e** | ils/elles habit**ent** |

Remember that the forms of **-er** verbs in the yellow L-shaped area are pronounced the same because their endings are silent.

## Pronunciation Hint

In **travailler,** the letters **aill** sound like English "eye." Also note that because the initial **h** in **habiter** is silent, **je** contracts to **j',** and you must make the liaison with all the plural forms: **j'habite, nous habitons, vous habitez, ils habitent, elles habitent.** This applies to all verbs beginning with vowels: **étudier** (*to study*): **j'étudie, nous étudions,** etc.

➤ **j'étudie** = *I study, I am studying, or I do study*

**B.** Notice that the French present tense is equivalent to three meanings in English.

| | |
|---|---|
| Denise travaille à la bibliothèque ce soir. | Denise **is working** at the library tonight. |
| Denise travaille à la bibliothèque tous les samedis. | Denise **works** at the library every Saturday. |
| Oui, Denise travaille quelquefois le dimanche après-midi. | Yes, Denise **does work** on Sunday afternoons sometimes. |

**C.** Here are some **-er** verbs you can use to talk about activities and actions.

| | | |
|---|---|---|
| **chanter** *to sing* | **dîner** *to eat dinner* | **parler** *to talk; to speak* |
| **chercher** *to look for; to go get* | **donner** *to give* | **regarder** *to look at* |
| | **écouter** *to listen to* | **rencontrer** *to meet* |
| **cuisiner** *to cook* | **inviter** *to invite* | **rentrer** *to return, come back (home)* |
| **danser** *to dance* | **jouer** *to play* | |
| **déjeuner** *to eat lunch* | **manger** *to eat* | **rester** *to stay* |
| **dessiner** *to draw* | **nager** *to swim* | **voyager** *to travel* |

**D.** Some **-er** verbs like **préférer, acheter,** and **appeler** have a spelling change in their present-tense forms before the silent endings **(-e, -es, -ent).** Verbs like **manger** and **commencer** have a spelling change in the **nous** form. See the charts in **Appendices A** and **C.3** for more information about spelling changes in **-er** verbs.

## Exercice 11 La vie de Joël

Joël décrit les activités de sa famille et de ses amis. Complétez ses phrases avec la forme appropriée du verbe.

1. Moi, je _____ à la piscine le samedi. (nager)
2. Ma sœur Clarisse _____ beaucoup au téléphone. (parler)
3. Et toi aussi, Marise, tu _____ souvent au téléphone, non? (parler)
4. Nous _____ à huit heures, d'habitude. (dîner)
5. Ma tante Christine _____ dans un hôpital. (travailler)
6. Mes grands-parents _____ dans la même ville que nous. (habiter)
7. Mes amis et moi, nous _____ souvent. (chanter)
8. Mon copain Malik _____ beaucoup avec sa famille. (voyager)
9. Mes copines Sophie et Lourdes _____ au football. (jouer)
10. Et mes parents _____ beaucoup d'amis pendant le week-end. (inviter)

## Exercice 12 Ma vie

Complétez par la forme correcte et dites si la phrase correspond à votre situation.

MODÈLE: Tu *travailles* beaucoup. →
Oui, je travaille beaucoup. (Non, je ne travaille pas beaucoup.)

1. C'est l'opinion de mes parents:
   a. «Tu _____ excessivement!» (travailler)
   b. «Tu _____ trop au téléphone.» (parler)
2. Dans ma famille,
   a. nous _____ beaucoup la télé. (regarder)
   b. nous _____ ensemble. (dîner)
3. Mes amis sont intéressants.
   a. Ils _____ toutes sortes de musique. (écouter)
   b. Ils _____ aux jeux vidéo. (jouer)
4. C'est l'opinion de notre professeur:
   a. «Vous _____ beaucoup!» (étudier)
   b. «Vous _____ vos devoirs tous les jours.» (préparer)
5. Moi,
   a. j' _____ dans une résidence universitaire. (habiter)
   b. je _____ normalement à l'université. (déjeuner)
6. C'est mon opinion:
   a. Mes professeurs _____ trop de devoirs. (donner)
   b. Mon professeur de français _____ vite! (parler)

## 1.6 Expressing relationships and possession: Contractions of de

**A.** You have already learned how to express relationships using possessive adjectives such as **mon** and **votre**. To express a relationship to someone using that person's name, use **de** + name. This is the equivalent of *-'s* in English.

—Est-ce que c'est la sœur **de Denise**?        *Is that Denise's sister?*
—Oui, c'est sa sœur.        *Yes, that's her sister.*

★ Review **Grammaire 1.1** on possessive adjectives.

★ *Review the use of **l'** in Première étape, Grammaire A.3.D.*

➤ Contractions of **de:**
**de** + **le** = **du**
**de** + **les** = **des**

➤ **Des** has two meanings:
1. indefinite article (*some*)
**un ami algérien** →
**des amis algériens**
2. contraction of **de** + **les** (*of the*)
**Voilà le père *des* enfants.**

**B.** To express a relationship to a person who is not named directly, use **de** + definite article + noun.

C'est le chat de la sœur de Paul.          *It's Paul's sister's cat.*
La femme de l'oncle Victor a 43 ans.      *Uncle Victor's wife is 43 years old.*

If **de** is followed by **le** or **les,** the two words combine: **de** + **le** is replaced by **du,** and **de** + **les** becomes **des.** Note that **de** + **l'** does not contract.

Voici les livres **du** professeur.           *Here are the instructor's books.*
C'est la voiture **des** amis de Patrick.      *It's Patrick's friends' car.*
Voici la sœur **de** l'amie de Sarah.         *Here is Sarah's friend's sister.*

## Exercice 13 L'album de Raoul

Raoul Durand montre son album de photos à Barbara. Terminez les phrases par **de, du, des,** etc., et les informations entre parenthèses.

MODÈLE:    (les enfants) Voici la nouvelle bicyclette _____. →
           Voici la nouvelle bicyclette *des enfants.*

1. (Paul) Voici la voiture _____. Elle est rapide.
2. (les petites filles) La femme blonde est notre amie Marie. C'est la mère _____.
3. (la femme blonde) Ça, c'est le mari _____. Il s'appelle Albert.
4. (M^me Haddad) Voilà la belle maison _____. Quel beau jardin!
5. (le cousin de mon père) Voici la fille _____. Elle s'appelle Claire.
6. (Claire) Voici l'ami _____. Il est beau, n'est-ce pas?

## Exercice 14 Relations familiales

Répondez à ces questions sur les relations familiales.

MODÈLE:    Le grand-père, c'est le mari de qui? →
           Le grand-père, c'est le mari de la grand-mère.

1. La grand-mère, c'est la femme de qui?
2. La tante, c'est la femme de qui?
3. Le cousin, c'est le fils de qui?
4. La belle-sœur, c'est la femme de qui?
5. Le grand-père, c'est le père de qui?
6. L'oncle, c'est le père de qui?

Aller au travail à vélo, c'est plus écologique.

# La vie quotidienne et les loisirs

## Objectifs

In *Chapitre 2,* you will talk about the weather, your recreational activities, and your routine. You will also learn to describe your abilities and to express plans and wishes.

### ACTIVITÉS

Le temps, les saisons et les loisirs
Les activités quotidiennes
Les habitudes et les projets
Aptitudes et rêves

### LECTURES

**À propos...**   Sport: La France au sommet
**Les Francophones sur le vif** Salem Haji
**À la rencontre des arts**
   Le coq sportif, symbole de la France
**À vous de lire**   «Mots croisés»

### GRAMMAIRE

**2.1** Talking about activities and weather: The verb **faire**
**2.2** Talking about everyday activities: Reflexive verbs
**2.3** Going places and future actions: The verb **aller,** contractions of **à**
**2.4** Making general statements: The subject pronoun **on**
**2.5** Abilities and desires: The verbs **pouvoir, vouloir,** and **savoir**

## Le temps, les saisons et les loisirs

★ Attention! Étudier Grammaire 2.1

### *Quel temps fait-il?*

Le ciel est couvert.

En hiver, il fait froid. Jean-Yves fait du ski dans les Alpes, à Chamonix.

Au printemps, il fait du vent et il fait frais.

Francis Lasalle pêche dans un lac.

le soleil

un nuage

En été, il fait chaud.

Quand il fait beau, Adrienne fait de la planche à voile.

En automne, Emmanuel et ses amis font des promenades à la campagne.

## Activité 1  Interro: L'hiver en France

Regardez la carte et répondez.

MODÈLE:  É1:  Quel temps fait-il à Lille?
             É2:  Il pleut et il fait frais.

## Activité 2  Discussion: Les quatre saisons

Quels sont vos passe-temps préférés? Écoutez votre professeur et dites **oui** ou **non**.

1. En été, quand il fait très chaud, je/j'...
   a. fais du camping avec des copains.
   b. aime nager à la piscine.
   c. fais de la planche à voile.
   d. reste à la maison.
2. Au printemps, s'il fait beau, mes amis et moi, nous...
   a. pique-niquons à la campagne.
   b. étudions sous les arbres.
   c. jouons souvent au frisbee.
   d. faisons des promenades.
3. En automne, très souvent, je...
   a. regarde des matchs à la télé.
   b. fais du vélo.
   c. fais des longues promenades en voiture.
   d. joue au basket au gymnase.
4. Quand il neige, en hiver, ma famille et moi, nous...
   a. faisons du ski.
   b. passons nos vacances à la plage.
   c. allumons un grand feu dans la cheminée.
   d. invitons des amis chez nous.

MODÈLE:  É1:  Moi, je fais du camping avec ma famille.
             É2:  Pas moi! J'ai horreur de ça.

### Exprime-toi!

C'est vrai?
Moi aussi!
Moi, jamais!
J'aime ça.
Je n'aime pas ça.
C'est barbant!
C'est génial!
C'est super!
C'est nul!

# À propos...

## Sport: La France au sommet

Aujourd'hui, le football est de toute évidence le sport préféré au niveau international. L'équipe[1] de France («les bleus») est devenue championne du monde en 1998, mais récemment elle n'a plus autant de succès. Cependant, les Français excellent dans un autre sport très populaire en Europe, en Afrique et en Asie: le handball. Ce sport rapide et physique se joue à sept, généralement à l'intérieur, avec un petit ballon[2] rond lancé à la main. L'équipe nationale, surnommée[3] «les experts», possède un palmarès[4] impressionnant: médaille d'or aux Jeux olympiques (2008), quatre championnats mondiaux (1995, 2001, 2009 et 2011) et deux championnats européens (2006 et 2010). La star des experts, Nikola Karabatic, est d'origine croate; c'est un joueur puissant[5] (1,96 m pour 104 kg), mais aussi un excellent tacticien et buteur.[6]

• Karabatic en action dans un match de la Coupe du monde de handball

[1]groupe de joueurs
[2]balle
[3]appelée familièrement
[4]liste de distinctions
[5]fort physiquement
[6]qui marque souvent un but

## Cliquez là!

Cherchez un site sur la Fédération de tennis ou sur le Tour de France. Qui sont les derniers champions et de quelle(s) nationalité(s) sont-ils? Est-ce qu'il y a des participants qui viennent de votre pays? Quels sont leurs noms?

## Activité 3 Échanges: Mes activités préférées

MODÈLE:   É1: Tu aimes mieux danser ou faire une promenade?
          É2: Moi, j'aime mieux... Et toi?

1. aller à la plage ou aller à la montagne?
2. surfer sur Internet ou faire du sport?
3. lire un bon livre ou regarder la télé?
4. pêcher ou pique-niquer?
5. faire du vélo ou faire une promenade?
6. dîner au restaurant ou dîner à la maison?
7. danser ou bavarder avec des amis?
8. écouter ton iPod ou aller au cinéma?
9. faire des courses ou sortir avec tes amis?

## Activité 4 Associations: Les endroits et les activités

Cherchez les endroits logiques.

MODÈLE:   Nous y voyons des films. →
          Nous voyons des films au cinéma.

LES ACTIVITÉS

1. On y fait du ski en hiver.
2. Nous y faisons les courses.
3. On y fait des longues promenades.
4. On y pêche très souvent.
5. Nous y pique-niquons parfois.
6. Beaucoup d'étudiants y font la fête.
7. On y allume un feu quand il fait froid.
8. Nous y étudions et regardons la télé.
9. On aime y aller pour voir des films.
10. Beaucoup de gens y font de la gym.

LES ENDROITS

a. à la maison
b. dans la cheminée
c. au gymnase
d. au cinéma
e. au centre commercial
f. à la campagne
g. dans une rivière
h. à la discothèque
i. sous un arbre
j. à la montagne

# Les activités quotidiennes

 Attention! Étudier Grammaire 2.2

## *Une journée typique chez la famille Lasalle (à Lyon)*

Christine se lève tous les jours de bonne heure. Elle se réveille très lentement.

Bernard se douche toujours le matin. Ensuite, il se rase devant le miroir.

Camille se dépêche le matin. Elle s'habille toujours très vite parce qu'elle n'aime pas être en retard pour l'école.

Bernard s'entraîne au gymnase trois fois par semaine.

Marie-Christine se brosse les dents avant d'aller au lit.

Marie-Christine et Nathalie se couchent tôt les jours de classe.

## Activité 5   Ordre logique: La toilette et les habitudes

Mettez ces activités dans le bon ordre.

*Vocabulaire utile*   d'abord, ensuite, puis

> MODÈLE:   je m'habille / je me douche / je me lève →
> D'abord je me lève, ensuite je me douche et puis je m'habille.

1. je m'habille / je me sèche / je me douche
2. je me couche / je me douche / je me déshabille
3. je me rase / je me réveille / je me lave le visage
4. je me douche / je me brosse les cheveux / je me lave les cheveux
5. je me brosse les dents / je me maquille / je me lève
6. je me dépêche / je me lève / je m'habille
7. je dîne / je me couche / j'étudie
8. je me douche / je fais de la gym / je me lave les cheveux

## Activité 6   Échanges: La vie chez moi

*Vocabulaire utile*

| | |
|---|---|
| mes parents | mon/ma coloc (camarade de chambre) |
| mon frère / ma sœur | tout le monde |

> MODÈLE:   É1:  Chez toi, qui se dépêche le matin?
> É2:  Tout le monde se dépêche le matin.

Chez toi, qui...

1. se couche tard? tôt? (À quelle heure?)
2. chante sous la douche? (Il/Elle chante bien?)
3. s'entraîne au gymnase? (Combien de fois par semaine?)
4. se lave les cheveux tous les jours?
5. cuisine, d'habitude? (Tous les jours? C'est bon?)
6. se lève le premier / la première? (À quelle heure?)
7. s'habille vite et laisse ses affaires par terre?
8. se couche de bonne heure? (À quelle heure? Pourquoi?)
9. ?

## Activité 7   Enquête: Une semaine typique

Est-ce que les déclarations suivantes s'appliquent à vos habitudes?

*Vocabulaire utile*   toujours (T), souvent (S), quelquefois (Q), rarement (R), jamais (J)

_____ 1. Les jours de classe, je me lève de bonne heure.
_____ 2. Je prends un solide petit déjeuner.

_____ **3.** Je m'habille avant de prendre le petit déjeuner.
_____ **4.** Le matin, je suis en retard et je me dépêche.
_____ **5.** Je fais mon lit et je laisse ma chambre en ordre le matin.
_____ **6.** Je préfère me doucher et me laver les cheveux le soir.
_____ **7.** Le soir, je prépare mes vêtements pour le lendemain.
_____ **8.** Avant de m'endormir, j'aime lire un peu.
_____ **9.** J'aime aller à l'université en voiture.
_____ **10.** J'ai un emploi et je travaille après les cours.

## Activité 8  Entretien: Questions personnelles

1. À quelle heure est-ce que tu te couches d'habitude? Tu aimes lire avant de te coucher?
2. À quelle heure est-ce que tu te lèves? (les jours de semaine? le week-end?) Tu aimes dormir avec la fenêtre ouverte?
3. Est-ce que tu préfères prendre un bain ou te doucher? Avec du savon ou du gel douche?
4. Tu te laves les cheveux tous les jours? Quel est ton shampooing préféré?
5. Est-ce que tu te rases tous les jours? Avec un rasoir mécanique ou électrique?
6. Est-ce que tu te maquilles tous les jours ou seulement pour les grandes occasions?
7. Combien de fois par jour est-ce que tu te brosses les dents? Tu achètes souvent une nouvelle brosse à dents?

## LES FRANCOPHONES SUR LE VIF

### Salem Haji, marin à Marseille

Je vis à Marseille depuis douze... treize ans, et je suis marin depuis une dizaine d'années sur les cargos, les gros navires.[1] Pour devenir marin, j'ai passé la formation[2] des officiers de la marine marchande. Je travaille trois mois sur le bateau, et ensuite j'ai trois mois de vacances. Alors, les horaires de travail, ça dépend du poste qu'on a. Moi, je suis «second capitaine»: je conduis le navire, en quelque sorte, de quatre heures du matin à neuf heures du matin. Ensuite, de neuf heures à midi, je supervise la maintenance sur le pont.[3] Ensuite je mange, je fais une petite sieste. Dans l'après-midi, j'organise des exercices de sécurité, et je reprends le quart[4] de seize heures à dix-neuf heures. Ensuite, ma journée se termine. Quand j'ai du temps libre, à bord, souvent je bouquine,[5] ou alors, je regarde des films avec les collègues. Des fois on fait des jeux de société.[6]

[1]bateaux
[2]cours, diplôme
[3]*bridge*
[4]période de travail
[5]*read (familier)*
[6]jeux... le Monopoly, Cluedo, Risk, etc.

# Les habitudes et les projets

✳ Attention! Étudier Grammaire 2.3

### *Qu'est-ce qu'ils vont faire?*

Christine va au parc après le dîner. Elle aime se promener.

M. et M^me^ Martin vont à leur restaurant favori le vendredi soir.

La semaine prochaine, Jean-Yves va faire de la voile.

Ce week-end, Camille va lire un bon roman.

Demain, Bernard et Christine vont dîner chez des amis.

Ce soir, Nathalie va prendre un bain avant d'aller au lit.

## Activité 9  Discussion: Les projets

Dites **oui** ou **non.**

1. Ce soir, je vais...
   a. faire les courses.
   b. travailler.
   c. faire mes devoirs.
   d. ?
2. À la fin du semestre, mes amis et moi, nous allons...
   a. partir en voyage.
   b. chercher un travail.
   c. faire la fête.
   d. ?

3. Ce week-end, je vais...
   a. faire la sieste.
   b. inviter des amis chez moi.
   c. aller au cinéma.
   d. ?
4. Le semestre prochain, je ne vais pas...
   a. étudier le week-end.
   b. sortir pendant la semaine.
   c. regarder la télé.
   d. ?

MODÈLE:  É1: Ce soir, je vais travailler et faire mes devoirs.
         É2: Quelle coïncidence! Moi aussi!

### Exprime-toi!

Quelle chance!
Bonne idée!
Quel dommage!
Ah! Le/La pauvre!
Moi non plus!
Quelle coïncidence!
Tu parles!
Tiens! C'est rigolo!

## Activité 10  Dialogue: Le Salon de l'auto

Julien Leroux parle avec un ami.

JULIEN: On va au Salon de l'auto ce soir?
L'AMI: Je ne sais pas. Je suis fauché.
JULIEN: Pas de problème, j'ai deux billets gratuits.
L'AMI: Tu as des billets gratuits? Ah, ça, c'est formidable!
JULIEN: Alors, je passe chez toi vers 7 h 30. Ça te va?
L'AMI: Parfait. Ciao! À ce soir!

## Activité 11  Récit: Les projets de Clarisse

Regardez les dessins et racontez la journée de Clarisse.

*Vocabulaire utile*  prendre l'autobus, à la librairie, au théâtre, payer

## Activité 12  Entretien: Les habitudes

1. Où vas-tu d'habitude pour fêter ton anniversaire? Pourquoi est-ce que tu aimes y aller?
2. Où est-ce que tu vas pour acheter des vêtements? Tu préfères y aller seul(e) ou avec quelqu'un d'autre? Pourquoi?
3. Tu vas souvent au cinéma? Avec qui? À quel cinéma? Tu achètes toujours du pop-corn et un coca?
4. Est-ce que tu aimes explorer ta ville? Où vas-tu pour changer de la routine?
5. Où vas-tu le week-end pour te détendre? Qu'est-ce que tu fais d'habitude? Avec qui?

# Aptitudes et rêves

* Attention! Étudier Grammaire 2.4 et 2.5

## *La réalité*

Barbara et Denise savent faire du canoë.

Jacqueline sait faire de l'escalade.

Daniel ne peut pas courir parce qu'il a la jambe cassée.

Les Martin ne peuvent pas dîner dans leur restaurant favori.

## *Le rêve*

Charles veut apprendre à conduire cette année.

Agnès et Sarah veulent partir dans un pays tropical.

Joël rêve de devenir champion d'escrime.

## Activité 13  Échanges: Qu'est-ce que tu sais faire?

### Vocabulaire utile

| | | |
|---|---|---|
| très bien | plus ou moins | mal |
| un peu | très peu | pas du tout |

MODÈLE:   É1: Est-ce que tu sais faire de la planche à voile?
          É2: Non, pas du tout, mais je sais nager. Et toi?

1. faire du canoë
2. faire de l'escalade
3. cuisiner
4. créer une page Web
5. conduire une voiture de sport
6. réparer ton ordinateur
7. jouer au bridge

8. jouer d'un instrument
9. faire de l'escrime
10. chanter
11. danser le tango
12. faire du patin à glace
13. monter à cheval
14. piloter un avion

### «L'Escargot alpiniste»

L'escargot à l'escalade
Sac au dos s'est mis en campagne
L'escargot à l'escalade
Va digérer la montagne

*Paul Claudel*

Paul Claudel, "L'Escargot alpiniste" from *Poèmes retrouvés* in *Oeuvre poètique*, Bibliothèque de la Pléiade. © Éditions GALLIMARD.

# À la rencontre des arts
## Le coq sportif, symbole de la France

La République française a plusieurs[1] symboles nationaux: le plus important est Marianne, une femme qui représente la liberté. Pour le sport, on utilise un emblème particulier: le coq. Pourquoi cet animal? Le mot latin *gallus* a une double signification: *coq* et *Gaulois*. Sous la Révolution (1789–1803), le coq symbolise l'identité nationale, puis, au XIXe siècle, il représente le courage et la fierté[2] face à l'aigle[3] ennemi des Allemands. En 1911, on décide de le transformer en «coq sportif»; il figure alors sur le maillot[4] bleu des équipes sportives nationales. En 1998, quand la France organise la Coupe du monde de football, le coq prend l'apparence d'un personnage amusant et sympathique, Footix, aux couleurs bleu-blanc-rouge, naturellement!

• Footix, mascotte de la Coupe du monde de football 1998

[1] de multiples
[2] sentiment de valeur personnelle ou communautaire
[3] oiseau rapace
[4] chemise portée par les sportifs

## Cliquez là!

Visitez le site du Parc National des Pyrénées. Quels animaux habitent dans ce parc? Quelles sont les activités possibles? Quels moyens de transport peut-on utiliser pour y aller?

## Activité 14 Échanges: Qu'est-ce qu'on peut faire?

Avec votre partenaire, suggérez des choses qu'on peut faire dans ces situations.

MODÈLE: La télé est cassée jusqu'à la semaine prochaine. →
On peut jouer aux cartes, on peut lire, on peut...

1. C'est le week-end et on est fauché.
2. Il fait beau, mais on est très fatigué.
3. Pas de cours aujourd'hui! Il y a trop de neige.
4. On veut pique-niquer, mais il pleut.
5. Aujourd'hui, des amis arrivent en visite et veulent voir la ville.
6. On fait du camping dans des conditions très primitives.
7. On est obligé de rester au lit pendant deux jours.

## Activité 15 Récit: Les vacances de rêve de Julien

Julien va aller à la Martinique cette année. Qu'est-ce qu'il veut faire pendant sa visite?

MODÈLE: Julien veut dormir tard tous les matins.

*Vocabulaire utile*
des fruits
un marché
des poissons
faire de la plongée sous-marine

## Activité 16   Dans le monde francophone: Les Français en vacances

Voici quelques activités préférées des Français, classées en trois catégories.

| VACANCES SPORTIVES | VACANCES CULTURELLES | VACANCES DÉTENTE |
|---|---|---|
| faire du VTT (vélo tout-terrain) | visiter un musée | bronzer à la plage |
| apprendre à jouer au golf | visiter un monument historique | faire des mots croisés |
| faire un stage intensif de tennis | s'initier à la poterie | partir en croisière |
| faire des randonnées | lire des romans | faire la sieste tous les jours |
| pratiquer des sports «extrêmes» | assister à un festival de théâtre | dîner dans des restaurants |
| (le deltaplane, le parachutisme) | visiter des caves à vins | |

Qu'est-ce que vous recommandez à ces vacanciers?

MODÈLE:  Jean-Paul Dubrac est sédentaire et n'a pas beaucoup d'argent. →
Il peut bronzer à la plage, faire des mots croisés et lire des romans.

1. Karine Halimi est une jeune femme plutôt intellectuelle.
2. M. et M^me Delaunay sont extrêmement actifs et ont la passion de l'aventure.
3. Anne-Marie Bonno n'a pas beaucoup d'argent, mais elle est très cultivée.
4. Frédéric Lopez adore le risque.

*Allons plus loin!*   Vous allez partir en vacances avec votre camarade de classe. Choisissez des activités amusantes que vous allez faire ensemble. (*Nous pouvons...* )

# POUR RÉSUMER

## À vous de parler

### A. Le poste
Une colonie de vacances pour pré-ados cherche un(e) moniteur/monitrice pour ses activités sportives. Lisez l'annonce et les descriptions des candidats. Ensuite, avec un(e) camarade de classe, décidez qui est la bonne personne pour le poste et dites pourquoi.

### *Les candidats*

**Agnès Joly** (23 ans): Le sport, c'est ma passion! Je joue au tennis, au basket, au hockey et au disc-golf (Frisbee-golf). J'aime nager, faire de la voile, du canoë, de la planche à voile. Je fais du ski, du patin à glace, et j'adore l'escalade. Voici mon C.V. en bref: monitrice dans une colonie de vacances d'ados (2 ans; canoë, voile et planche à voile); assistante en ski pendant des classes de neige pour enfants (4 ans). J'aime bien les enfants et je travaille bien avec eux. Je voudrais devenir directrice d'une colonie de vacances à la fin de mes études.

**André Njanga** (24 ans) Ma spécialité, c'est l'escalade mais j'aime tous les sports, le parapente, la pêche, la voile, le foot, le hockey. J'adore regarder des matchs à la télé. Je n'ai pas d'expérience professionnelle avec les jeunes mais je suis un bon étudiant. Je voudrais travailler avec des adolescents. J'ai beaucoup de nièces et de neveux et j'aime jouer avec eux.

**Jean-Christophe Arnaud** (18 ans): Je suis d'une famille nombreuse; j'ai cinq sœurs et trois frères et je suis le plus jeune. J'aime lire, surfer sur le Web et j'adore parler avec mes amis sur Facebook. Le vélo est ma passion et j'adore regarder des courses à la télé. Je suis champion de tennis et j'aime nager. J'aime les enfants; je joue avec mes nièces et mes neveux. Je n'ai pas d'expérience professionnelle mais je voudrais apprendre.

**B. Qu'est-ce que vous allez (voulez, pouvez) faire?**
je veux...　je vais...　je peux...　je voudrais...

1. Ce soir, avant de me coucher,...
2. Demain, avant de partir en cours,...
3. À Noël,...
4. Vendredi, s'il ne pleut pas,...
5. Dimanche matin,...
6. Aujourd'hui, après la classe de français,...
7. Au mois de juillet,...
8. ?

# À vous de lire

## «*Mots croisés*» par René Goscinny

*Nicolas est un garçon français d'une dizaine d'années. Il n'aime pas beaucoup l'école. Il adore jouer avec ses amis; mais le dimanche, tout le monde reste chez soi.*

J'aime bien rester à la maison avec papa et maman, le dimanche, quand il pleut, sauf si[1] je n'ai rien à faire d'amusant: alors je m'ennuie,[2] je suis insupportable[3] et ça fait des tas[4] d'histoires.[5]

Nous étions[6] dans le salon; [...] je regardais un illustré[7] avec des histoires formidables, avec plein de bandits, de cow-boys, d'aviateurs, de pirates, très chouette.[8] Et puis j'ai fini mon illustré et j'ai demandé:

—Et maintenant, qu'est-ce que je fais? [...]

—Tu n'as qu'à en lire un autre, m'a dit papa. [...] Mais, [...] il y a des mots croisés dans ton journal! C'est très bien, ça! Tu n'as qu'à faire les mots croisés, c'est amusant et instructif. [...] C'est très simple: tu lis la définition, tu comptes le nombre de cases blanches et tu mets le mot correspondant. [...]

Je me suis couché sur le tapis, [...] et j'ai commencé à faire les mots croisés.

—Empereur des Français, j'ai lu, vaincu[9] à Waterloo, en huit cases.

—Napoléon, m'a dit papa, avec un gros sourire.

—Capitale de la France, j'ai dit, en cinq cases.

—Paris, m'a dit papa.

Et il a rigolé.[10] Ça doit être chouette de tout savoir comme ça! [...]

—Famille de plantes dicotylédones gamopétales, en quinze cases, j'ai lu.

Papa a repris son livre, et il m'a dit:

—Bon, Nicolas, joue un peu tout seul, maintenant. Laisse-moi lire mon livre tranquille. [...]

Alors j'ai continué à faire les mots croisés tout seul. [...] Antilope d'Afrique du Sud en quatre cases, c'était[11] «Veau», bien sûr. Pour «Embarcation,[12] c'était «Bateau», mais je savais que ils se sont trompés en faisant les mots croisés, et ils avaient mis [...] un tas de cases en plus. Alors j'ai écrit très grand. [...]

C'est vrai que c'est très instructif, les mots croisés! Par exemple, vous savez, vous, qu'un «Xmplf» c'est un mammifère commun [...], qui rumine et qui nous donne son lait?

«Mots croisés»—extrait de *Histoires inédites du Petit Nicolas* de Goscinny et Sempé / IMAV éditions, 2004

---

[1]sauf si: indique une exception   [2]≠ je m'amuse   [3]incontrôlable, irrépressible   [4]des... beaucoup (*familier*) [5]de problèmes   [6]*passé de «être»*   [7]livre d'images, bande dessinée   [8]excellent (*familier*)   [9]défait   [10]*passé de «rigoler»* = rire   [11]*passé de «c'est»*   [12]veau: jeune bœuf

## Avez-vous compris?

1. Le héros, Nicolas, est _____.
   a. une petite fille
   b. un petit garçon
   c. un jeune homme
   d. un adolescent

2. Les livres préférés de Nicolas sont _____.
   a. des histoires d'animaux
   b. des jeux
   c. des histoires d'aventure
   d. des histoires d'amour

3. Le père de Nicolas rigole parce que _____.
   a. son fils est amusant
   b. son journal est amusant
   c. les mots croisés sont amusants
   d. il connaît toutes les réponses

4. Le père de Nicolas ne joue plus parce que/qu'_____.
   a. il ne sait pas la réponse
   b. il préfère lire
   c. il est fatigué
   d. Nicolas est insupportable

5. Quand il continue de jouer tout seul, Nicolas trouve des mots correspondant _____ aux définitions.
   a. exactement
   b. approximativement
   c. systématiquement
   d. précisément

## À vous d'écrire

Écrivez une lettre à un étudiant français / une étudiante française qui se prépare à passer un an dans votre université. Il/Elle demande des renseignements avant de choisir ses vêtements pour le séjour. Parlez-lui du climat, des saisons et de quelques activités typiques des étudiants.

MODÈLE:

Cher/Chère... ,

   Tu te prépares déjà pour ton année ici à... ? Bon, je vais répondre à tes questions. Ici à... , nous avons un climat... En été, il fait... En général, les étudiants (font du sport)... Ils portent...
   Bonne chance avec tes préparatifs. À bientôt et amitiés,

# Vocabulaire

## Le temps et les saisons

Weather expressions and seasons

| **Quel temps fait-il?** | What's the weather like? |
| --- | --- |
| **Il fait beau.** | It's nice. |
| **Il fait chaud.** | It's warm. |
| **Il fait du soleil.** | It's sunny. |
| **Il fait du vent.** | It's windy. |
| **Il fait frais.** | It's cool. |
| **Il fait froid.** | It's cold. |
| **Il neige.** | It's snowing. |
| **Il pleut.** | It's raining. |
| **Il y a du brouillard.** | It's foggy. |
| **Le ciel est couvert.** | It's cloudy. |

| **la boue** | mud |
| --- | --- |
| **le ciel** | the sky |
| **le climat** | the climate |
| **la neige** | snow |
| **un nuage** | a cloud |
| **le soleil** | the sun |
| **en été** (*m.*) | in summer |
| **en automne** (*m.*) | in autumn |
| **en hiver** (*m.*) | in winter |
| **au printemps** (*m.*) | in spring |

## Les endroits

Places

| | |
|---|---|
| à la maison | at home |
| la campagne | the country |
| dans la cheminée | in the fireplace |
| une école | a school |
| une librairie | a bookstore |
| un marché | market |
| sous un arbre | under a tree |

*Mots apparentés:* un café, un gymnase, un lac, un parc, une rivière, une université

## Sports et loisirs

Sports and leisure

| | |
|---|---|
| apprendre à (nager) | to learn to (swim) |
| bavarder avec des amis | to chat with friends |
| courir | to run |
| créer une page Web | to create a web page |
| se détendre | to relax |
| s'entraîner | to work out, train |
| faire du canoë | to go canoeing |
| des courses | to do errands |
| de l'escalade | to go rock climbing |
| de l'escrime | to fence (to do fencing) |
| de la gymnastique | to do exercises |
| du patin à glace | to ice-skate |
| de la planche à voile | to windsurf |
| de la plongée sous-marine | to scuba-dive |
| une promenade en voiture | to go for a (car) ride |
| la sieste | to take a nap |
| du ski | to ski |
| du sport | to do sports |
| du vélo | to bicycle |
| de la voile | to sail |
| fêter un anniversaire | to celebrate a birthday |
| jouer du piano | to play the piano |
| jouer au frisbee | to play frisbee |
| monter à cheval | to ride a horse, go horseback riding |
| pêcher | to fish |
| prendre l'autobus | to take the city bus |
| se promener | to take a walk |
| rêver de (voyager) | to dream of (traveling) |

*Mots apparentés:* changer de routine, danser, explorer, piloter, pique-niquer, surfer sur Internet

## La routine et les soins corporels

Routine activities and personal care

| | |
|---|---|
| une brosse à dents | a toothbrush |
| un miroir | a mirror |
| un rasoir (mécanique) | a razor |
| le shampooing | shampoo |
| se brosser les dents | to brush one's teeth |
| se coucher | to go to bed; to lie down |
| se dépêcher | to hurry |
| se déshabiller | to undress |
| se doucher | to take a shower |
| s'endormir | to fall asleep |
| s'habiller | to dress |
| se laver le visage | to wash one's face |
| se lever | to get up |
| se maquiller | to put on makeup |
| prendre un bain | to take a bath |
| se raser | to shave |
| se réveiller | to wake up |
| se sécher | to dry oneself |

## La description

Describing people, things, actions

| | |
|---|---|
| cassé(e) | broken |
| cher/chère | expensive; dear |
| fauché(e) | broke, out of money |
| gratuit(e) | free (*no cost*) |
| lentement | slowly |
| mal | badly |
| nourrissant | nourishing |
| parfait(e) | perfect |
| pas du tout | not at all |
| très peu | very little |
| un peu | a little |

*Mots apparentés:* électrique, obligé(e), primitif/primitive, tropical(e), typique

## Substantifs

Nouns

| | |
|---|---|
| l'argent (*m.*) | money |
| un avion | an airplane |
| un billet | a ticket |
| une chambre | a bedroom |
| un emploi | a job |
| une habitude | a habit |
| un iPod | an iPod |
| un lit | a bed |

| | |
|---|---|
| un ordinateur | a computer |
| le petit déjeuner | breakfast |
| un rêve | a dream |
| un roman | a novel |
| le savon | soap |
| un travail | a job |

*Mots apparentés:* un aquarium, un(e) champion(ne), un fruit, une occasion, un projet

## Verbes
Verbs

| | |
|---|---|
| allumer un feu | to light a fire |
| chercher | to search, look for |
| coûter | to cost |
| laisser (par terre) | to leave (on the floor) |
| partir | to leave (*a place*) |
| passer un an | to spend a year |
| passer chez toi | to come by your place |
| pouvoir | to be able (to) |
| prendre | to take; to have (*s.th. to eat or drink*) |
| savoir | to know |
| voir | to see |
| vouloir | to want, wish |

*Mots apparentés:* arriver, changer, commencer à, préférer, préparer, réparer, signifier, visiter

## Quand et à quelle fréquence
Saying when and how often

| | |
|---|---|
| à la fin (de) | at the end (of) |
| avant (de) | before |
| ce matin (soir) | this morning (evening) |
| d'abord | first |

| | |
|---|---|
| de bonne heure | early |
| d'habitude | usually |
| en retard | late |
| ensuite | next |
| une fois (par jour) | once (a day) |
| jusqu'à | until |
| le lendemain | the next day |
| le vendredi | on Fridays |
| le vendredi soir | Friday evenings |
| parfois | sometimes |
| pendant la semaine | during the week |
| puis | then, next |
| la semaine prochaine | next week |
| tard/tôt | late/early |
| toujours/jamais | always/never |

## Mots et expressions utiles
Useful words and expressions

| | |
|---|---|
| Bonne idée! | Good idea! |
| Ça te va? | Does that suit you? |
| —Parfaitement. | —Perfectly. |
| C'est barbant! | It's really boring! |
| C'est génial! Super! | Cool! Awesome! |
| C'est nul! | It's awful! |
| C'est rigolo! | That's funny! (*amusing*) |
| chez des amis | at the home of friends |
| Ciao! À ce soir. | So long! See you tonight. |
| Je ne sais pas. | I don't know. |
| Le/La pauvre! | Poor guy/woman! |
| personne... ne | nobody |
| le premier / la première | the first one |
| Quel dommage! | What a shame! |
| Quelle chance! | What (good) luck! |
| seulement | only |
| Tu aimes mieux... | You prefer ... |
| Tu parles! | You don't say! |

## 2.1 Talking about activities and weather: The verb faire

**A. Faire** is one of the most frequently used verbs in French. In addition to its basic meanings, it is used in many idiomatic expressions. Here are the present-tense forms.

| faire *(to do; to make)* | |
|---|---|
| je **fais** | nous **faisons** |
| tu **fais** | vous **faites** |
| il/elle/on **fait** | ils/elles **font** |

### Pronunciation Hint

fais, fait, faisons, faites, font

**B.** Use the verb **faire** to ask what someone is doing or what work people do.

—Qu'est-ce que tu **fais** ce soir?      *What are you doing tonight?*
—J'écoute un nouveau CD.      *I'm listening to a new CD.*

—Que **fait** ton frère?      *What does your brother do?*
—Il travaille dans un restaurant.      *He works in a restaurant.*

**C.** Another important use of **faire** is to talk about the weather.

—Quel temps **fait**-il?      *What's the weather like?*
—Il **fait** mauvais.      *The weather is bad.*

✴ *Review vocabulary for weather in the* **Vocabulaire, Chapitre 2.**

**D. Faire** is used in many expressions that name specific activities **(faire une promenade, faire du camping).**

Au lac, nous **faisons de la voile.**      *At the lake, we go sailing.*
Je **fais de l'anglais** pour être professeur d'anglais.      *I'm studying English in order to be an English teacher.*

✴ *Review expressions with* **faire** *in the* **Vocabulaire, Chapitres 1** *and* **2.**

### Exercice 1 Les activités

Complétez les questions par la forme correcte de **faire** et puis répondez.

1. Est-ce que tes copains aussi _____ du français? Ou est-ce qu'ils _____ de l'espagnol?
2. Qu'est-ce que tu _____ comme études? Tu _____ de la chimie, de l'économie, de la littérature?
3. Que _____ ta mère? Elle travaille dans un bureau?
4. Que _____ ton père? Où est-ce qu'il travaille?
5. Tes copains et toi, qu'est-ce que vous _____ ensemble le week-end? Vous _____ du camping? Vous jouez aux cartes?
6. Ta famille et toi, est-ce que vous _____ des voyages ensemble?

## 2.2 Talking about everyday activities: Reflexive verbs

**A.** Reflexive pronouns are used whenever the object of the verb is the same as the subject.

*He cut **himself** while shaving.*            *She taught **herself** to play the violin.*

**B.** Many verbs that require reflexive pronouns in French do not require them in English.

—Comment **s'appelle** cet étudiant?            *What is that student's name?*
—Il **s'appelle** Daniel.            *His name is Daniel.*

Je **me lève** toujours à sept heures du matin.            *I always get up at seven o'clock in the morning.*

Here are the reflexive pronouns and examples of their use with two reflexive verbs. Note that the **e** of **me, te,** and **se** is dropped before a verb beginning with a vowel or a mute **h.**

➤ je **m'appelle**
   tu **t'appelles**
   il/elle **s'appelle**

|  | **se promener** *(to take a walk)* | | **s'amuser** *(to have fun)* | |
|---|---|---|---|---|
| me/m' | je **me** | promène | je **m'** | amuse |
| te/t' | tu **te** | promènes | tu **t'** | amuses |
| se/s' | il/elle/on **se** | promène | il/elle/on **s'** | amuse |
| nous | nous **nous** | promenons | nous **nous** | amusons |
| vous | vous **vous** | promenez | vous **vous** | amusez |
| se/s' | ils/elles **se** | promènent | ils/elles **s'** | amusent |

✴ See **Appendices A** and **C** for spelling changes in **s'appeler, se lever,** and **se promener.**

Raoul et moi, **nous nous amusons** avec nos amis français.            *Raoul and I have a good time with our French friends.*

### Pronunciation Hint

nou$ nou$ prom*é*n*õ*$, vou$ vou$ prom*é*ne*z*, but nou$ nous ͜ ᶻamusõ$, vou$ vous ͜ ᶻamuse*z*

**C.** Here are some common reflexive verbs:

| | |
|---|---|
| **s'amuser** *to have a good time, enjoy oneself* | **se laver** *to wash oneself, bathe* |
| **se baigner** *to take a bath; to bathe; to swim* | **se lever** *to get up* |
| | **se promener** *to take a walk* |
| **se coucher** *to go to bed; to lie down* | **se reposer** *to rest* |
| **s'habiller** *to get dressed* | **se réveiller** *to wake up* |
| | **se sécher** *to dry oneself* |

✴ See **Appendices A** and **C** for spelling changes in **sécher** (like **préférer**).

**D.** In negative sentences, **ne** always precedes the reflexive pronoun.

> M. Vincent **se réveille** de bonne
> heure, mais il **ne se lève pas**
> tout de suite.

> *Mr. Vincent wakes up early, but*
> *he doesn't get up immediately.*

**E.** If an infinitive with a reflexive pronoun follows another verb (such as **aimer,**
**préférer**), the reflexive pronoun comes before the infinitive. The reflexive
pronoun must agree with the subject.

> —Est-ce que vous aimez **vous**
> promener en ville?
> —Non, je préfère **me** promener à
> la campagne. Adrienne aime
> rester chez elle et **se** reposer.

> *Do you like to take walks in the*
> *city?*
> *No, I prefer to take walks in the*
> *country. Adrienne likes to stay*
> *at home and rest.*

➤ **Albert *ne se couche pas***
***avant minuit.***

**Il aime *se coucher* tard.**

## *Exercice 2* Les habitudes et les préférences

Posez des questions et répondez en suivant l'exemple.

MODÈLE: se lever à 8 h →
       —Est-ce que tu te lèves à 8 h?
       —Oui, je me lève à 8 h. (Non, je me lève à 7 h.)

**1.** se lever tôt
**2.** se maquiller tous les jours

**3.** se laver les cheveux tous les jours
**4.** se brosser les dents trois fois par jour

MODÈLE: aimer se coucher tôt →
       —Tu aimes te coucher tôt?
       —Oui, j'aime me coucher tôt. (Non, je n'aime pas me coucher tôt.)

**5.** aimer se coucher tard
**6.** préférer se doucher le soir

**7.** aimer se détendre après les cours
**8.** préférer se lever tard le week-end

## *Exercice 3* Êtes-vous des étudiants typiques?

D'abord, dites si vous êtes d'accord, puis indiquez si c'est vrai pour vous et vos
copains.

MODÈLE: Les étudiants se couchent tard. →
       Oui, en général, les étudiants se couchent tard.
       Mes copains et moi, nous nous couchons tard (nous ne nous
       couchons pas tard).

**1.** Les étudiants s'amusent bien le vendredi soir.
**2.** Les étudiants s'habillent toujours en jean.
**3.** Les étudiants ne se reposent pas assez.*
**4.** Les étudiants se couchent après minuit.
**5.** Les étudiants se lèvent tard le week-end.

---

*enough

**2.3** Going places and future actions:
The verb **aller**, contractions of **à**

**A.** To talk about going places, use the irregular verb **aller.**

| aller *(to go)* | |
|---|---|
| je **vais** | nous **allons** |
| tu **vas** | vous **allez** |
| il/elle/on **va** | ils/elles **vont** |

—Qu'est-ce que vous faites ce soir?     *What are you doing tonight?*
—Nous **allons** chez Raoul.     *We're going to Raoul's.*

Mes parents **vont** à l'église tous     *My parents go to church every*
les dimanches.     *Sunday.*

## Pronunciation Hint

je vais, tu vas, nous ᶻallõns, vous ᶻallez, ils võnt

> **à + le = au**
> **à + les = aux**

**B.** When talking about going *to* a place, the most frequently used preposition is **à** *(to)*. Like **de, à** contracts with some of the definite articles: **à + le = au; à + les = aux.**

—Où va Clarisse après le cours?     *Where is Clarisse going after class?*
—Elle va **au** café avec ses amis.     *She's going to the café with her friends.*

Sarah aime aller **aux** Halles.     *Sarah likes to go to Les Halles (the underground mall in Paris).*

> **Vas-y! Allez-y!** = *Go ahead!*
> **Allons-y!** = *Let's go!*

**C.** The pronoun **y** can replace the preposition **à** + a noun referring to a place and phrases with **dans** or **chez. Y** is placed just before the verb.

—Est-ce que Fatima va **à la bibliothèque** aujourd'hui?     *Is Fatima going to the library today?*
—Oui, elle **y** va après ses cours.     *Yes, she's going (there) after her classes.*

—Tu vas **chez Denise** ce soir?     *Are you going to Denise's this evening?*
—Oui, j'**y** vais.     *Yes, I'm going (there).*

**D.** Use **aller** followed directly by an infinitive to express future actions. This construction is called the **futur proche.**

—Où est-ce que vous **allez dîner** ce soir?     *Where are you going to have dinner tonight?*
—Je **vais dîner** chez Michèle.     *I'm going to have dinner at Michèle's.*

**E.** Here are some expressions for talking about the future:

| | |
|---|---|
| **demain** | *tomorrow* |
| **demain matin/après-midi/soir** | *tomorrow morning/afternoon/evening* |
| **samedi prochain** | *next Saturday* |
| **la semaine prochaine / l'année prochaine** | *next week / next year* |
| **dans un mois / dans un an** | *in a month / in a year* |

# Exercice 4 Dans la classe de M^me Martin

Complétez chaque phrase avec la forme correcte du verbe **aller.**

1. Moi, je _____ à la plage avec mes copains ce week-end.
2. Ce soir, nous _____ tous chez Daniel écouter de la musique.
3. M^me Martin, vous _____ au nouveau restaurant italien ce soir, n'est-ce pas?
4. Louis et Albert _____ au café maintenant, comme d'habitude.
5. Daniel, tu _____ au cinéma demain avec une nouvelle amie, n'est-ce pas?
6. Et Raoul _____ à Montréal ce week-end. Il a de la chance!

# Exercice 5 Où vas-tu?

Faites des questions et répondez avec **y.**

MODÈLE: le restaurant →
—Tu vas au restaurant?
—Oui, j'y vais souvent/quelquefois. (Non, je n'y vais pas.)

1. la piscine
2. le théâtre
3. le bar
4. l'hôpital
5. le gymnase
6. la banque
7. le café
8. l'église

# Exercice 6 Les projets

Répondez en employant le futur proche.

MODÈLE: Ce soir, est-ce que vous allez faire la cuisine ou dîner au restaurant?
Ce soir, je vais dîner au restaurant. (Ce soir, je ne vais pas manger.
Je n'ai pas faim.)

1. Ce soir, est-ce que vous allez faire vos devoirs ou sortir avec des amis?
2. Demain matin, allez-vous vous lever à 7 h ou dormir jusqu'à 9 h?
3. Demain soir, est-ce que vous allez regarder votre émission* préférée à la télé ou vous coucher de bonne heure?
4. Ce week-end, est-ce que vos amis vont faire du ski ou regarder un DVD ensemble?
5. Samedi soir, est-ce que votre camarade de chambre (mari, femme) va rester à la maison et jouer aux cartes ou aller à un concert?

---

*program

## 2.4 Making general statements: The subject pronoun **on**

► Nonspecific **on**:

**Est-ce qu'on parle anglais ici?** = *Does anyone speak English here?*
**Comment dit-on water?** = *How do you say water?*

► **On** used in place of **nous**:

**On y va?** = *Shall we go?*
**On y va!** = *Let's go!*

**A.** The subject pronoun **on** is similar in meaning to the nonspecific uses of *you, people, they.* Because the form **on** is grammatically singular, it is always used with the same verb form as **il** and **elle.**

| | |
|---|---|
| En France, **on fait** les courses tous les jours. | *In France, people (they) do their shopping every day.* |
| En France, **on ne trouve pas** de médicaments au supermarché. | *In France, you don't find medicine at the supermarket.* |

**B.** In everyday conversation, French speakers often use **on** in place of the subject pronoun **nous.**

| | |
|---|---|
| —Vous rentrez à quelle heure, Monique et toi? | *What time are you and Monique coming home?* |
| —**On** rentre tard, après le film. | *We'll be home late, after the movie.* |
| Albert et moi, **on** aime le cinéma. | *Albert and I like the movies.* |

### Pronunciation Hint

The **-n** of õn̸ is a liaison consonant: õn̸ fain̸, but **on_achèt̸.**

### *Exercice 7*  Aux États-Unis

Un Français curieux vous pose des questions sur les habitudes des Américains. Répondez par **oui** ou **non.**

> MODÈLE:    Aux États-Unis, est-ce qu'on va à l'école le samedi? →
> Non, on ne va pas à l'école le samedi.

1. Aux États-Unis, est-ce qu'on regarde beaucoup la télévision?
2. Est-ce qu'on mange toujours des hamburgers?
3. Est-ce qu'on va au restaurant tous les jours?
4. Est-ce qu'on dîne à huit heures du soir?
5. Est-ce qu'on aime les films français?
6. Est-ce qu'on fait des promenades en famille le dimanche après-midi?
7. Est-ce qu'on aime parler de la politique?
8. Est-ce qu'on étudie beaucoup la géographie?

## 2.5 Abilities and desires: The verbs **pouvoir, vouloir,** and **savoir**

**A.** To talk about what you can do or have permission to do, use **pouvoir. Vouloir** is used to indicate wishes or desires. These two irregular verbs are very similar in their conjugation patterns. Like **aimer,** they are often followed by an infinitive.

► **vouloir** + infinitive = *to want to*
**Je veux manger.**

► **pouvoir** + infinitive = *can, to be able to*
**Tu peux sortir ce soir?**

| **pouvoir** (*to be able to, can*) | | **vouloir** (*to want to*) | |
|---|---|---|---|
| je p**eux** | nous p**ou**vons | je v**eux** | nous v**ou**lons |
| tu p**eux** | vous p**ou**vez | tu v**eux** | vous v**ou**lez |
| il/elle/on p**eut** | ils/elles p**eu**vent | il/elle/on v**eut** | ils/elles v**eu**lent |

—Tu **veux** aller au cinéma ce soir?

*Do you want to go to the movies tonight?*

—Je ne **peux** pas. Je suis fauché(e).

*I can't. I'm broke.*

> Negation:
> **Je ne veux pas sortir.**
> **Je ne peux pas dormir.**

## Pronunciation Hint

peu~~x~~, peu~~t~~, pouvõ~~ns~~, pouve~~z~~, peuve~~nt~~; veu~~x~~, veu~~t~~, voulõ~~ns~~, voule~~z~~, veule~~nt~~

> **savoir** = *to know* (a fact)
> **Je sais la réponse.**

**B. Savoir** is used to talk about knowing facts.

| **savoir** (*to know*) | |
|---|---|
| je **sais** | nous **savons** |
| tu **sais** | vous **savez** |
| il/elle/on **sait** | ils/elles **savent** |

Tu **sais** la date d'aujourd'hui?

*Do you know the date today?*

Je ne **sais** pas son adresse email.

*I don't know his/her e-mail address.*

## Pronunciation Hint

sai~~s~~, sai~~t~~, savõ~~ns~~, save~~z~~, save~~nt~~

**C.** When **savoir** is used with an infinitive, it conveys the notion of knowing how to do something.

Je ne **sais** pas nager.

*I don't know how to swim.*

Tu **sais** cuisiner, n'est-ce pas?

*You know how to cook, don't you?*

> **savoir** + infinitive = *to know how to (do something)*
> **Je sais nager. Je ne sais pas danser.**

**D.** Use **je voudrais** or **j'aimerais** instead of **je veux** to express a wish more politely. Other useful forms: **tu voudrais; il/elle/on voudrait.** (These are forms of the present conditional. For now, you need only recognize and use these forms in conversation.)

—Où est-ce que tu **aimerais voyager**?

*Where would you like to travel?*

—Je **voudrais aller** en France.

*I'd like to go to France.*

> **je voudrais, j'aimerais** = *I would like (to)* **Je voudrais dormir maintenant!**

> ✳ *You will learn more about the conditional in* **Grammaire 11.1.**

## Pronunciation Hint

voudrai~~s~~, voudrai~~t~~

## *Exercice 8* Désirs et possibilités

Dites d'abord si la personne *veut* faire l'activité, puis dites si elle *peut* la faire.

MODÈLE:   moi / sortir tous les soirs →
          Oui, je veux sortir tous les soirs. (Non, je ne veux pas... )
          Oui, je peux sortir tous les soirs. (Non, je ne peux pas... )

1. moi / aller en Europe l'été prochain
2. mes parents / passer l'hiver en Floride
3. le professeur / se lever tard en semaine
4. nous / comprendre un film en français
5. mon ami(e) _____ / m'aider avec mes devoirs de français

## Exercice 9  Qu'est-ce que tu aimerais vraiment faire?

Voudrais-tu faire ces activités?

MODÈLE:    faire du ski →
            Oui, je voudrais faire du ski. (Non, je ne voudrais pas... )

1. dîner dans un bon restaurant français
2. manger des escargots
3. habiter à Paris
4. faire de la plongée sous-marine
5. visiter une autre planète
6. être président(e) des États-Unis

## Exercice 10  Savoir-faire

Complétez la question par une forme du verbe **savoir** et répondez à la question.

MODÈLE:    Est-ce que votre professeur de français _____ danser le tango? →
            Est-ce que votre professeur de français *sait* danser le tango?
            Oui, il/elle sait danser le tango. (Non, il/elle ne sait pas danser le
            tango.)

1. Est-ce que vous _____ faire de l'escalade?
2. Est-ce que votre père _____ faire la cuisine?
3. Est-ce que votre sœur _____ réparer une voiture?
4. Est-ce que vos amis et vous, vous _____ jouer au billard?
5. Est-ce que vos grands-parents _____ utiliser un ordinateur?
6. _____-vous allumer un feu?

Des visiteurs et des Parisiens
convergent sur les Champs-Élysées.

# En ville

## Objectifs

In *Chapitre 3*, you will talk about things to do in the city. You will learn names of places, how to ask for and give directions, and expressions useful for shopping. You will also learn how to say what you have to do.

### ACTIVITÉS

S'orienter en ville
La ville et les transports
Les achats
Les distractions

### LECTURES

**À propos**  La Casbah d'Alger
**La langue en mouvement**
  L'anglais et le français:
  les mots apparentés
**À vous de lire**  Montréal,
  c'est toi ma ville!

### GRAMMAIRE

**3.1** Saying where things are: Prepositions of location
**3.2** Asking questions: Interrogative words
**3.3** Verbs like **prendre**
**3.4** Expressing necessity: **Il faut** and the verb **devoir**
**3.5** Pointing things out: Demonstrative adjectives
**3.6** Expressing quantities: Partitive articles
**3.7** The verbs **courir, sortir,** and **dormir**

## S'orienter en ville

✳ Attention! Étudier Grammaire 3.1 et 3.2

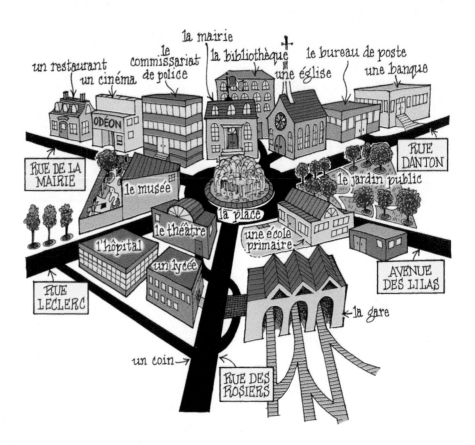

## Activité 1  Discussion: Où se trouvent ces endroits?

Regardez le plan de la ville et dites si ces descriptions sont vraies ou fausses.

1. Le bureau de poste est dans la rue Danton.
2. La mairie est à côté d'un lycée.
3. Il y a une église en face du jardin public.
4. Le théâtre est loin de la banque.
5. La bibliothèque est devant la mairie.
6. Il y a une sculpture sous un arbre, sur la terrasse du musée.
7. L'hôpital est derrière le théâtre.
8. L'école primaire est près du jardin public.
9. Il y a une cheminée sur le toit de l'église.
10. Il y a un café entre le lycée et la gare.

## Activité 2  Entretien: Mon logement

*Vocabulaire utile* un appartement (appart), une chambre, un(e) colocataire (coloc), la faculté (fac), une maison, une maison d'étudiants

1. Où est-ce que tu habites? Tu aimes l'endroit?
2. Quel type de logement as-tu?
3. Tu as des colocs? Comment sont-ils/elles?
4. Est-ce que ta rue est tranquille?
5. Tu vas à la fac à pied, d'habitude?
6. Il (Elle) est loin du centre-ville, ton appart? (ta chambre? / ta maison?)
7. Y a-t-il un parc tout près? Un café agréable? Une librairie?

### Allons plus loin!

Comment est votre maison idéale? Est-ce qu'elle est située à la campagne ou en ville? Quelles sont les activités que vous pouvez faire quand vous y allez?

### Suggestions

**Endroits:** loin de la ville, à la campagne, à la montagne, dans une forêt, près d'un lac, au centre-ville

**Activités:** aller au cinéma (à la plage, etc.), courir, cuisiner, dîner au restaurant, faire la fête (des achats, du camping, du canoë, de l'escalade, etc.), jouer au football (au tennis, aux jeux vidéo, etc.), nager, pêcher, regarder la télévision, travailler dans le jardin

## À propos...
### La Casbah d'Alger

• Un marchand dans le *souk* de la Casbah d'Alger

*Abdel Slimani habite aujourd'hui à Paris, mais sa ville d'origine est El Djazair (Alger), capitale de l'Algérie, au bord de la Méditerranée.*

Le cœur d'Alger, c'est la Casbah. C'est un site historique habité depuis le IVe siècle av. J.-C., un type unique de *médina*, la ville islamique traditionnelle, mais aussi une citadelle de l'époque ottomane (XVIe siècle). Elle est inscrite sur la liste du patrimoine universel de l'UNESCO. Pourtant, ce n'est pas un musée ou une zone touristique: 50.000 personnes y vivent et y travaillent. En plus des habitations traditionnelles, il y a des palais, des *hammams* (le sauna arabe), des mosquées et des *souks* (le marché arabe). Les rues sont très étroites: les voitures ne circulent pas dans la Casbah! On marche à pied, on s'arrête pour discuter, on boit du thé; c'est un mode de vie musulman ancestral, caractérisé par un grand sens de la communauté. J'apprécie le confort de la ville moderne, certainement, mais le rythme de vie de la Casbah est incomparable.

## Activité 3   Associations: Qu'est-ce qu'on peut y faire?

Qu'est-ce qu'on peut faire dans les endroits suivants?

MODÈLE:   É1: Qu'est-ce qu'on peut faire au musée?
　　　　　　É2: On peut y voir des tableaux et des sculptures.

1. à la banque
2. à la bibliothèque
3. au bureau de poste
4. au théâtre
5. au restaurant
6. à la gare
7. à la piscine
8. à la mairie (en France)
9. au centre commercial
10. à l'église, au temple ou à la mosquée

acheter des timbres
nager
voir une pièce
chanter et prier
déposer de l'argent
emprunter des livres
faire des achats
lire un journal
manger avec des amis
prendre le train
se marier
?

## Activité 4   Interro: Le plan de Paris

Utilisez le plan de Paris pour indiquer le chemin à votre partenaire.

### Vocabulaire utile

Tu vas tout droit.
Tu prends (la rue Royale).
Le musée est (sur ta droite).

MODÈLE:  É1: Qu'est-ce que je fais pour aller de la cathédrale Notre-Dame jusqu'à mon hôtel derrière la Sorbonne (D → I)?

É2: Tu traverses la Seine et tu tournes à gauche au quai St-Michel. Puis, tu tournes à droite au boulevard St-Michel et tu tournes à gauche au boulevard St-Germain.

1. de l'Opéra jusqu'au Musée national d'art moderne au Centre Pompidou (N → L)
2. du jardin des Tuileries jusqu'à l'Arc de triomphe (B → R)
3. du musée Rodin jusqu'au jardin du Luxembourg (P → A)
4. du Palais-Royal jusqu'au musée du Louvre (O → E)
5. de la cathédrale de Notre-Dame jusqu'à la tour Eiffel (D → Q)
6. ?

# La ville et les transports

✴ Attention! Étudier Grammaire 3.3 et 3.4

## *Les transports en commun*

Adrienne prend l'autobus au coin de la rue. Pour elle, c'est commode.

Sarah et Agnès prennent le métro pour aller à la fac. C'est très rapide.

## *La sécurité et les precautions*

Il ne faut pas prendre le train aux heures de pointe.

Pour rouler en scooter, il faut porter un casque.

On doit avoir de la patience dans un embouteillage.

Parfois, certains gens oublient d'obéir aux règles!

## Activité 5 Sondage: Comment se débrouiller en ville

Dites **oui** ou **non** à ces propositions. Ensuite, comparez vos réponses aux réponses de votre partenaire.

> MODÈLE: En ville, est-ce une bonne idée de... prendre l'autobus? →
> Oui, parce qu'il y a trop de voitures dans les villes.

En ville, est-ce une bonne idée de/d'...
_____ lire quand on est dans un embouteillage?
_____ prendre le métro aux heures de pointe?
_____ se promener seul(e) dans un jardin public à minuit?
_____ porter un casque si on roule en scooter?
_____ utiliser les transports en commun?
_____ rouler en voiture tout le temps?
_____ ne pas respecter les feux de signalisation?
_____ regarder dans les deux sens avant de traverser la rue?
_____ stationner dans une zone interdite?
_____ conduire et envoyer des textos en même temps?

### Exprime-toi!

Je suis d'accord. C'est (dangereux).
Pourquoi pas? Tout le monde le fait.
Pas du tout! C'est trop (risqué).
C'est fou! On risque d'avoir (un accident).

## Activité 6 Définitions: Qu'est-ce que c'est?

> MODÈLE: É1: Qu'est-ce que c'est qu'un autobus?
> É2: C'est un grand véhicule automobile de transport en commun.

1. un scooter
2. une foule de gens
3. le métro
4. une voiture
5. les heures de pointe
6. un feu de signalisation
7. un arrêt d'autobus
8. un coin
9. un embouteillage
10. un casque

a. l'endroit à l'intersection de deux rues
b. un véhicule routier à moteur
c. l'endroit où on prend l'autobus
d. un blocage de la circulation
e. une protection pour la tête
f. un grand nombre de personnes
g. une bicyclette motorisée
h. un train souterrain
i. un signal lumineux
j. la partie du jour où la circulation est très intense

## LA LANGUE EN MOUVEMENT

### L'anglais et le français: les mots apparentés

**S**i vous parlez anglais, vous avez déjà un grand avantage pour apprendre le français. Selon les linguistes, plus que la moitié[1] des mots anglais ont des mots apparentés[2] en français. En voici des exemples: *bureau, théâtre, musée*. L'anglais est une langue germanique, mais le français est une des langues romanes (dérivées du latin). Alors, comment expliquer ce très grand nombre de mots communs? Il y a deux explications principales: (1) les deux langues ont exploité le latin comme source de nouveaux mots, et (2) après la défaite des Anglais par le duc de Normandie Guillaume le conquérant en 1066, le français a été la langue de l'élite britannique pendant trois cents ans. À la fin de cette longue période de bilinguisme, des milliers[3] de mots français sont restés en anglais.

MISE EN PRATIQUE Regardez la liste de phrases de l'Activité 1 à la page 100. Soulignez tous les mots qui ont des mots apparentés en anglais. Combien en comptez-vous? Est-ce que le mot anglais a toujours approximativement le même sens que le mot français, ou est-ce qu'il y a des «faux amis»?

[1]50 pour cent
[2]qui ont une origine commune
[3]multiples de 1000

## *Activité 7* Discussion: Situations et choix

En visite à Paris, on peut se trouver devant les situations suivantes. À votre avis, qu'est-ce qu'il faut faire? Choisissez une des suggestions ou proposez-en une autre.

1. Le feu de signalisation passe au rouge juste au moment où vous désirez traverser la rue.
   a. Il faut courir très vite pour traverser la rue.
   b. Vous devez vous arrêter et attendre.
2. Votre taxi est coincé dans un embouteillage.
   a. Vous devez rester calme.
   b. Il faut descendre du taxi et prendre le métro.
3. Vous êtes horrifié(e)! Votre chauffeur de taxi conduit comme un fou.
   a. Il faut penser: «Bon! Voilà une expérience typiquement parisienne!»
   b. Il faut descendre du taxi.

"Équipage à navette: télétrans-portez-moi ailleurs, il n'y a pas de trace de vie intelligente ici."

### Cliquez là!

Découvrez des idées d'activités à faire quand on visite Paris. Ensuite, indiquez celles qui vous intéressent. En classe, comparez vos préférences avec celles de vos camarades de classe.

**4.** Vous bousculez une autre personne au moment où vous montez dans un autobus.

    **a.** Vous devez demander pardon à l'autre personne.

    **b.** Vous ne vous excusez pas parce que c'est normal dans une grande ville.

**5.** Le chauffeur de la voiture à côté de vous vous insulte parce qu'il n'aime pas votre façon de conduire.

    **a.** Il faut ignorer ses remarques.

    **b.** Vous devez aussi l'insulter.

*Activité 8*   **Entretien: Ma ville préférée**

**1.** Quelle est ta ville préférée? Tu y vas souvent? Quand?

**2.** Pourquoi aimes-tu cette ville? (L'ambiance? Le shopping? Les distractions? La vie culturelle?)

**3.** Comment t'y déplaces-tu d'habitude? (En bus? En métro? En taxi? À pied?)

**4.** Tu aimes te balader dans les rues? À quel moment de la journée? Tu fais souvent les vitrines?

**5.** Qu'est-ce que tu aimes faire quand tu sors le soir? Tu aimes dîner dans un certain restaurant? Tu aimes aller au théâtre ou à un spectacle?

# Les achats

✳ Attention! Étudier Grammaire 3.5 et 3.6

### *Les commerces*

## *Dans une boutique*

—Vous désirez, mademoiselle?
—Je voudrais voir cette robe que vous avez en vitrine.
—Laquelle, mademoiselle?
—La bleue, s'il vous plaît.

—Nous avons ces deux modèles.
—Ils sont dans ma taille, madame?
—Oui, madame.
—Bon, je prends les deux: le bleu et le jaune.

## Activité 9 Associations: Les magasins et les produits

Dans quel magasin ou établissement est-ce qu'on peut trouver ces articles?

> MODÈLE: du shampooing →
> É1: Où est-ce qu'on peut trouver du shampooing?
> É2: On peut trouver du shampooing dans une pharmacie.

1. du jus d'orange
2. un roman policier
3. le journal *Le Monde*
4. un café ou une bière
5. une brosse à dents
6. des timbres
7. du rouge à lèvres
8. un médicament
9. des cartes postales
10. un cahier et des crayons
11. un collier de perles
12. un DVD
13. du dentifrice
14. un jean et une chemise

une épicerie
un bureau de poste
une pharmacie
une parfumerie
une librairie
un café
un grand magasin
un kiosque à journaux

## *Allons plus loin!*

Est-ce que tu aimes faire des courses en ville? Tu fais parfois les courses en ligne?
Tu fais des achats en ligne? Quels sont les avantages et les inconvénients de chaque
méthode?

## Activité 10    Échanges: Pour faire des économies

Vous allez en ville pour faire des achats. Dans chaque magasin, on voudrait vous vendre des produits chers. Vous avez très peu d'argent et vous inventez des excuses pour acheter les produits les moins chers.

MODÈLE:    VENDEUR:   Vous désirez, monsieur (madame/mademoiselle)?
                VOUS:   Du papier à lettres, s'il vous plaît.
            VENDEUR:   J'ai ce papier à 2,50€ et j'ai cet autre papier à 15€. Le papier à 15€ est de très bonne qualité.
                VOUS:   C'est vrai, mais je préfère le papier à 2,50€. J'adore le papier orange!

**Exprime-toi!**

La bouteille (boîte) est si chic!

L'odeur est (exquise).

Le modèle est trop (compliqué).

Les produits importés sont si (exotiques).

1. du shampooing (un shampooing à 2,61€ ou un gel-shampooing démêlant à 5,25€)
2. du parfum (un parfum à 17€ ou un parfum de bonne marque à 60€)
3. des fleurs (des marguerites en solde à 1,05€ ou des roses à 20€)
4. une chemise pour un copain (un modèle à 25€ ou un autre en coton égyptien à 82€)
5. un dictionnaire espagnol (un mini à 7,50€ ou un grand format à 32€)
6. un portable (un modèle à 109€ ou un autre avec toutes les options à 169€)

## Activité 11    Échanges: Opinions diverses

Vous allez sortir avec un(e) camarade de classe ce week-end. Décidez de vos projets entre vous. Si vous n'êtes pas d'accord, proposez autre chose.

*Suggestions*   regarder un match, faire des courses, regarder un documentaire à la télé, faire de l'escalade en salle, faire les vitrines, aller à une exposition au musée, rencontrer des amis, dîner au restaurant...

É1: J'ai une bonne idée. Allons à l'opéra!
É2: Euh..., tu sais, je n'aime pas beaucoup l'opéra.
É1: Quoi? Tu n'aimes pas l'opéra? Qu'est-ce que tu voudrais faire alors?
É2: Moi, j'adore la boxe! Tu voudrais regarder un match?
É1: La boxe! Euh...
É2: Tu n'aimes pas la boxe? Alors...

## Activité 12    Dans le monde francophone: Cadeaux sur Internet

Sur Internet, on peut trouver des cadeaux intéressants. Décidez à qui vous pouvez offrir chaque objet à la page 109 et pourquoi.

1. une copine qui adore parler au téléphone avec ses amies
2. votre grand-mère, qui aime regarder des photos de tous ses petits-enfants
3. votre cousin, qui adore lire
4. votre oncle, qui invite ses amis à des dîners gastronomiques
5. votre ami, qui écoute toujours de la musique sur son iPod
6. votre neveu, un garçon qui est amateur de photographie
7. ?

# *Les cadeaux*

**Ideal'cav:** Pour la conservation et le vieillissement de vos vins. 544,90€

**Oreillette Bluetooth:** Pour une connexion sans fil à votre téléphone portable. 110,00€

**Appareil photo numérique Samsung:** Compact; rouge. Capteur 12,4 mégapixels; écran LCD 6,1 cm; zoom optique 5x. Petit prix. –5 %. (0,01€ éco-participation inclus). 79,90€

**Smartphone 4G.** Appareil photo, compatible Bluetooth, écran tactile, enregistrement vidéo, GPS, lecteur Mp3. Accessoires inclus: adaptateur secteur, carte mémoire. 249,00€

**Cadre photo numérique Kodak:** Écran 4/3; mémoire interne de 2 Go; économiseur d'énergie avec détecteur de mouvements. (0,15€ éco-part. inclus). 89,90€

**Caméscope numérique:** Ultra-compact, peut s'emporter partout pour enregistrer de la vidéo en haute définition. 381,00€

**Carte cadeau iTunes:** Laissez vos amis et proches choisir, entre autres, leur musique, leurs émissions de TV et leurs jeux préférés. 15€

# Les distractions

✳ Attention! Étudier Grammaire 3.7

## *Qu'est-ce que vous aimez faire?*

Le samedi matin, Marise et
Clarisse courent dans le parc.

Elles font souvent les vitrines
au centre-ville.

Les Colin vont au théâtre quand
ils partent en week-end.

Parfois Julien danse toute la nuit
et s'endort au petit matin.

Francis sait faire de l'exercice
et s'amuser en même temps.

De temps en temps, Sarah part
à la montagne avec ses copains.

## Activité 13  Associations: Clichés du monde étudiant

En groupes, organisez les phrases pour créer des profils stéréotypés: (1) la bonne vivante et (2) l'intellectuelle.

- Elle sort tous les soirs.
- Elle part souvent en week-end.
- Le soir, elle reste à la maison.
- Elle déteste faire les magasins.
- Elle préfère les films sérieux.
- Elle étudie souvent en écoutant du rock.

- Elle n'a pas de portable.
- Elle s'habille à la mode.
- Elle surfe sur Internet.
- Elle va très souvent au musée.
- Elle dort à la bibliothèque.
- Elle étudie les maths avancées.

*Allons plus loin!*  Créez d'autres clichés. **Idées:** les non-conformistes, les sportifs, les casse-pieds

## Activité 14  Récit: Un week-end à Paris

Bernard et Christine Lasalle vont passer un week-end à Paris. Maintenant, ils font leurs projets. Racontez ce qu'ils vont faire.

*Vocabulaire utile*

un appareil photo
prendre des photos
chercher un cadeau

## Cliquez là!

Qu'est-ce qui se passe à Paris cette semaine? Qu'est-ce qu'on peut voir au cinéma? au théâtre? Qu'est-ce qu'il y a comme manifestations sportives? Y a-t-il une exposition intéressante? Où voudriez-vous dîner?

## Activité 15  Dans le monde francophone: Les Français et le week-end

À la question «Pour vous, qu'est-ce qui symbolise le plus le week-end?», les Français répondent:

> - le déjeuner en famille
> - les moments passés avec les enfants et les petits-enfants
> - la promenade à la campagne
> - les travaux ménagers, le bricolage et le jardinage
> - la grasse matinée
> - la sortie du samedi soir
> - les câlins à deux
> - les courses du samedi
> - la messe
> - le jogging du matin

Trouvez l'équivalent de ces activités parmi les activités préférées des Français.

1. dormir tard
2. assister à un service religieux
3. aller au cinéma, au théâtre, au restau, etc.
4. faire du shopping
5. travailler à la maison
6. manger tous ensemble
7. faire l'amour
8. être simplement en famille
9. courir
10. marcher dans la nature

**Allons plus loin!**  Qu'est-ce que vous aimez faire le week-end? Est-ce que vous avez les mêmes priorités que les Français?

# POUR RÉSUMER

## À vous de parler

### A. Entretien: distractions et préférences!

Posez des questions à votre partenaire. Ensuite, répondez aux mêmes questions.

a. Est-ce que tu aimes la ville où tu habites? Pourquoi? Pourquoi pas?
b. Le samedi soir, si tu n'as pas d'argent, qu'est-ce que tu fais?
c. Qu'est-ce que tu fais pour fêter ton anniversaire?
d. Tu as des gadgets électroniques? Lesquels? Quel est ton préféré?
e. Tu as un iPod? Qu'est-ce qu'il y a dans ta playlist?
f. As-tu une voiture? Aimes-tu conduire? Tu conduis souvent?
g. Tu parles sur ton portable quand tu conduis? Tu envoies des textos?
h. Tu aimes le sport et les matchs? Quel sport fais-tu?
i. As-tu une voiture? Tu conduis bien? Tu conduis souvent? Où vas-tu?
j. Est-ce que tu utilises les transports en commun? Pourquoi? Pourquoi pas?
k. Tu aimerais faire un voyage en train? Pour aller où? Avec qui?
l. Tu habites près de la fac? Explique-moi comment aller chez toi.

**Patrick Dion:** On voit souvent des gens de l'extérieur de la ville affecter un air de dédain[1] face à la métropole. On entend même quelques préjugés énormes:

—Montréal c'est sale, ça pue,[2] c'est laid.
—Je ne veux pas élever mes enfants dans cette ville-là. Y'a pas d'espaces verts.
—C'est plein de drogués, pis d'itinérants.
—C'est tellement violent. Y a des meurtres, des vols, des agressions. C'est bien trop dangereux.

Je suis content d'habiter la ville, heureux d'y élever mon fils, enchanté d'avoir accès à une vie culturelle très riche et de pouvoir côtoyer[3] une panoplie de gens de différentes origines et cultures. J'y vis en sécurité, dans la tranquillité.

Je trouve dommage que l'image de Montréal soit telle. Le vol, les agressions, le vandalisme, la violence et les meurtres existent partout.[4] À Laval, à Longueuil, au Saguenay, en Abitibi, partout!

## Commentaires

**Julie A-B** a dit... Ah bon? Autour de moi, j'entends plutôt le contraire. On n'arrête pas de louanger[5] Montréal et de dire que c'est la ville occidentale où il fait le moins cher vivre, qu'on s'y sent en sécurité presque partout, qu'il y a une multitude de parcs, qu'y circuler à vélo n'est pas (trop) dangereux... Même mes amis français ont une vision plutôt idyllique de la ville.

**Joanie** a dit... J'pourrais pas dire mieux, pour avoir déjà habité à Laval aussi. Laval c'est gris, laid, t'es obligé d'avoir un char[6] pour avoir une vie sociale (y'a rien qui se passe, surtout pas au coin de ta rue). C'est vide, trop espacé, frigide.

**L'Ange Vagabond** a dit... Oui, Montréal est grande, violente et il y est un peu plus difficile de s'y faire un cercle d'amis, mais tabarnouche[7] qu'elle est belle.

On a pas besoin d'y perdre sa chemise pour assister à de magnifiques spectacles, de grandes expositions d'art ou profiter de l'art de la rue. Il faut seulement choisir le bon quartier, si on veut se promener tout seul après la tombée de la nuit.

**tchendoh** a dit... Personnellement, Laval me fait plus peur que Montréal. Quand les gens parlent de Montréal, ils n'ont pas l'air de réaliser que Montréal est une grosse ville avec des arrondissements[8] très différents les uns des autres.

**Panthère rousse** a dit... J'ai l'impression d'habiter un gros village (le Mile-End) et pourtant je suis en plein cœur de Montréal. J'aime ma ville!

**garamond335** a dit... Qu'on le veuille ou non,[9] Montréal est plus dangereux que Chibougamau... Même à Outremont, même dans le Mile-End. Allez passer une semaine dans une ville de moins de 25.000 personnes et vous allez voir c'est quoi, la paix et la tranquillité...

**perplexeetsigne** a dit... J'aime Montréal, elle est hétéroclite,[10] vivante et colorée.

---

[1]supériorité   [2]ça... il y a de mauvaises odeurs   [3]vivre à côté de   [4]dans toutes les villes   [5]dire du bien de   [6]voiture (*mot québécois*)   [7]*expression d'enthousiasme* (*mot québécois*)   [8]quartiers   [9]Qu'on... objectivement   [10]diverse

## Avez-vous compris?

1. Les gens qui adorent Montréal...
   a. n'y habitent pas
   b. habitent en ville
   c. habitent en banlieue
   d. sont des touristes

**2.** Que signifie «itinérants» ici?
   **a.** touristes
   **b.** habitants de la banlieue qui viennent travailler en ville
   **c.** gens instables, sans domicile
   **d.** étrangers

**3.** Laval et Longueuil sont...
   **a.** des quartiers de Montréal
   **b.** des banlieues de Montréal
   **c.** d'autres villes près de Montréal

**4.** Chibougamau, le Saguenay, et l'Abitibi sont...
   **a.** des quartiers de Montréal
   **b.** des banlieues de Montréal
   **c.** à l'extérieur de Montréal

**5.** Mile-End et Outremont sont...
   **a.** des quartiers de Montréal
   **b.** des banlieues de Montréal
   **c.** à l'extérieur de Montréal

## À vous d'écrire

Écrivez une réclame pour la firme *Alpha Taxis* à Paris. Utilisez votre imagination, mais n'oubliez pas de donner certains renseignements: les avantages de prendre le taxi, la compétence des chauffeurs, les tarifs, les heures et, bien sûr, pourquoi les taxis *Alpha* sont supérieurs aux autres taxis.

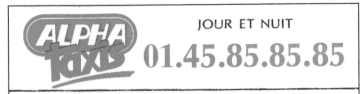

ALPHA TAXIS

JOUR ET NUIT
01.45.85.85.85

DES CHAUFFEURS A VOTRE SERVICE
RESERVATION — ABONNEMENT
PARIS — BANLIEUE
AEROPORT — PROVINCE

Renseignements Administratifs : Tél. : 01.45.85.60.45

### Suggestions

Vous allez trouver (admirer, arriver, rencontrer)...
Vous n'allez pas payer...
Nos taxis sont propres (très confortables)
Les chauffeurs sont/savent...

# Vocabulaire

## Les endroits dans une ville

Places in a city

| | |
|---|---|
| une bibliothèque | a library |
| un bureau de poste | a post office |
| un commerce | a shop, business |
| le commissariat de police | the police station |
| une école primaire | a primary school |
| une église | a church |
| une épicerie | a grocery store |
| la faculté (la fac) | the university |
| une gare | a station (*train, bus*) |
| un grand magasin | a department store |
| un jardin public | a park |
| un kiosque | a newsstand |
| une librairie | a bookstore |
| un lycée | a high school |
| un magasin | a store |
| la mairie | city hall |
| une mosquée | a mosque |
| une parfumerie | a perfume store |
| une place | a public square |

*Mots apparentés:* **une avenue, une banque, un boulevard, une cathédrale, le centre-ville, un hôtel, un musée, une pharmacie, un temple, une terrasse**

## Les courses et les distractions

Errands and entertainment

| | |
|---|---|
| s'amuser | to have fun |
| assister à un spectacle | to attend a show |
| conduire | to drive |
| déposer de l'argent | to deposit money |
| emprunter un livre | to borrow a book |
| envoyer une lettre | to send a letter |
| envoyer un texto | to text, send a text message |
| faire les magasins | to shop |
| faire les vitrines | to window-shop |
| manger avec des amis | to eat with friends |
| marcher | to walk |
| oublier | to forget |
| prendre des photos | to take pictures |
| sortir | to go out |
| voir une pièce de théâtre | to see a play |
| voir un tableau | to see a painting |

## Pour indiquer le chemin

Giving directions

| | |
|---|---|
| à côté de | beside |
| le coin de la rue | the street corner |
| coincé(e) | stuck, squeezed (into) |
| dans | in, inside |
| derrière | behind |
| devant | in front of |
| en face de | opposite, across from |
| entre | between |
| loin (de) | far (from) |
| près de | near (to) |
| sous | under |
| sur | on, upon |
| | |
| aller tout droit | to go straight ahead |
| tourner à droite (à gauche) | to turn right (left) |
| traverser (un pont) | to cross (a bridge) |

## Pour se déplacer en ville: Les transports

Getting around in a city: Transportation

| | |
|---|---|
| un arrêt d'autobus | a bus stop |
| la circulation intense | heavy traffic |
| un embouteillage | a traffic jam |
| un feu de signalisation | a traffic signal |
| une foule (de gens) | a crowd (of people) |
| les heures (*f.*) de pointe | rush hour |
| le métro | the subway |
| un quai | a (station) platform |
| les transports (*m.*) en commun | public transportation |
| un wagon | a (train) car |

*Mots apparentés:* **un chauffeur de taxi, un moteur, motorisé(e), un scooter, un véhicule routier**

| | |
|---|---|
| descendre d'un taxi | to get out of a taxi |
| monter dans un autobus | to get on a bus |
| obéir aux règles | to obey the rules |
| porter un casque | to wear a helmet |
| prendre un train | to take a train |
| rouler en voiture | to travel by car |
| stationner dans une zone interdite | to park in a no-parking zone |
| utiliser un plan | to use a (city) map |

## Se promener en ville

Walking in the city

| | |
|---|---|
| aller à pied | to walk, go on foot |
| s'arrêter | to stop (oneself) |
| avoir de la patience | to be patient |
| se balader | to stroll |
| courir | to run |
| se débrouiller | to manage, get along |
| se déplacer | to go someplace |
| obéir au signal lumineux | to obey a flashing sign |
| s'orienter | to get oriented |
| penser à | to think about |
| regarder dans les deux sens | to look both ways |
| risquer | to risk |

## Pour faire des achats

Shopping

| | |
|---|---|
| J'en prends (deux). | I'll take (two). |
| Lequel? Laquelle? | Which one? |
| plein(e) d'options | (with) lots of options |
| | |
| acheter (un cadeau) | to buy (a gift) |
| coûter | to cost |
| demander | to ask (for) |
| faire des courses | to do errands |
| faire les courses | to go grocery shopping |
| faire des économies | to save money |
| louer une voiture | to rent a car |
| vendre | to sell |
| | |
| une boîte | a box |
| une bouteille | a bottle |
| une carte postale | a postcard |
| un choix | a choice |
| un collier | a necklace |
| le dentifrice | toothpaste |
| l'eau (f.) minérale | mineral water |
| l'euro (m.) | the euro (European currency unit) |
| une fleur | a flower |
| le lait | milk |
| le maquillage | make-up |
| une marguerite | a daisy |
| une marque | a brand |
| un médicament | a medication |
| un modèle | a style |
| les œufs | eggs |
| le pain | bread |
| un portable | a cell phone |
| le prix | the price |

| | |
|---|---|
| un produit étranger | an imported product |
| un roman policier | a detective novel |
| le rouge à lèvres | lipstick |
| une serviette | a briefcase |
| un timbre | a postage stamp |
| un vendeur / une vendeuse | a salesman/woman |
| le vin | wine |

*Mots apparentés:* une bière, un biscuit, chic (*inv.*), une cigarette, compliqué(e), le coton, désirer, exotique, importé(e), le jus d'orange, le papier à lettres, le parfum, la qualité

## La description des personnes

Describing people

| | |
|---|---|
| bon(ne) vivant(e) | pleasure-loving |
| un casse-pieds | a bore |
| fou/folle | crazy, nuts |

*Mots apparentés:* intellectuel(le), non-conformiste, normal(e)

## Quand

Saying when

| | |
|---|---|
| à chaque fois | each time |
| au moment de | at the time of |
| au petit matin | in the early morning |
| de temps en temps | from time to time |
| en même temps | at the same time, simultaneously |
| parfois | sometimes |
| pendant que | while |
| tout le temps | all the time |

## Mots et expressions utiles

Useful words and expressions

| | |
|---|---|
| à la mode | in style |
| C'est commode. | It's convenient. |
| D'accord. | Okay. Agreed. |
| devoir | must |
| dormir | to sleep |
| un dîner gastronomique | a gourmet dinner |
| il faut (obéir) | it is necessary (to obey) |
| sans | without |
| Stationnement interdit | No parking |
| tous ensemble | all/everyone together |

# Grammaire et exercices

## 3.1 Saying where things are: Prepositions of location

**A.** Here are the most common prepositions of location in French.

| dans | in, inside | entre | between |
|------|-----------|-------|---------|
| sur | on, on top of | sous | under |
| devant | in front of | derrière | behind |
| près de | near (to) | loin de | far from |
| à côté de | beside, next to | en face de | opposite, across from |
| à gauche de | to the left of | à droite de | to the right of |

—Où est le gymnase?　　　　　　　　Where's the gym?
—**Entre** le restaurant universitaire　　Between the student restaurant
　et le stade.　　　　　　　　　　　　and the stadium.

⭐ *Review **Grammaire 1.6** on contraction of **de** + articles.*

➤ **près de + le = près du**

➤ **en face de + les = en face des**

**B.** Notice that some prepositions end with **de.** When they are followed by **le** or **les,** you need to use the appropriate contraction (**du** or **des**).

—Où est la bibliothèque?　　　　　　　Where's the library?
—**À côté du** bureau de poste.　　　　Next to the post office.
—Est-ce que la faculté des sciences　　Is the Natural Sciences Department
　naturelles est **en face des** laboratoires?　across from the labs?
—Non, elle est **à côté des** laboratoires.　No, it's next to the labs.

## Exercice 1 Dans la salle de classe

Denise décrit sa salle de classe. Choisissez la préposition correcte et employez des contractions si nécessaire.

MODÈLE:　Le pupitre de Barbara est (dans / à côté de) la fenêtre. →
　　　　　Le pupitre de Barbara est à côté de la fenêtre.

1. Le bureau de M$^{me}$ Martin est (devant / derrière) le tableau noir.
2. Les livres de M$^{me}$ Martin sont (sous / sur) son bureau.
3. M$^{me}$ Martin écrit* au tableau, puis elle regarde les étudiants. Elle est (devant / sous) la classe.
4. Jacqueline écrit au tableau. Elle est (près de / loin de) le tableau.
5. Albert travaille avec Daniel. Les papiers de Daniel sont (sur / à côté de) les papiers d'Albert.
6. Louis regarde par la fenêtre. Il regarde un match de football dans le parc (en face de / loin de) la salle de classe.
7. Barbara est trop (loin de / près de) le tableau; elle ne peut pas lire les mots au tableau.
8. La salle 300A se trouve (devant / entre) les salles 300 et 301.

---

*writes*

## 3.2 Asking questions: Interrogative words

**A.** The following words can be used to ask questions.

| | |
|---|---|
| **combien (de)?** | *how many?* |
| **comment?** | *how?* |
| **où?** | *where?* |
| **pourquoi?** | *why?* |
| **quand?** | *when?* |

—Tu veux aller à Paris? **Quand?**
—L'année prochaine.

*You want to go to Paris? When?*
*Next year.*

—Tu ne viens pas demain. **Pourquoi?**
—Parce que j'ai rendez-vous chez
le médecin.

*You aren't coming tomorrow. Why?*
*Because I have a doctor's*
*appointment.*

**B.** Often, an interrogative word is combined with **est-ce que** to ask a question.

**Quand est-ce que** tu vas à la fac?
**Combien d'argent est-ce que**
nous avons?

*When are you going to campus?*
*How much money do we have?*

✷ Review **Deuxième étape, Grammaire B.2** on asking questions.

**C.** In short, simple questions, reversing the order of the subject and verb can be used instead of **est-ce que.** This is called an inversion question.

**Comment va** Claudine?
**Où habite** ton ami?
**Que fait** Adrienne ce soir?
**Comment est** Sylvie?

*How is Claudine?*
*Where does your friend live?*
*What's Adrienne doing tonight?*
*What is Sylvie like? (What does*
*Sylvie look like?)*

**D.** You have already seen the interrogative forms **qui** (*who, whom*) and **que (qu')** (*what*). These can be combined with **est-ce que** to ask *what* (**Qu'est-ce que**) or *who/whom* (**Qui est-ce que**). Note that **qui** is never contracted. **Qui** may also be followed directly by the verb.

**Qu'est-ce que** tu veux?
**Qui est-ce que** tu retrouves en ville?

*What do you want?*
*Who (Whom) are you meeting in*
*town?*

**Qui sait** la date?

*Who knows the date?*

➤ **Qui... ?**
= Who . . . ? (subject)

➤ **Qui est-ce que... ?**
= Who/Whom . . . ?
(object)

➤ **Qu'est-ce que... ?**
= What . . . ? (object)

**E.** To ask *which* or *what*, use the appropriate form of **quel (quelle, quels, quelles)** in front of the noun. Use **quel(le) + être** to ask for a name, a date, etc.

Le bureau de poste se trouve dans
**quelle rue?**
**Quelles lignes** d'autobus est-ce
qu'il faut prendre?
**Quelle** est la bonne **réponse?**

*What street is the post office on?*

*Which bus lines do we (you) have*
*to take?*
*What's the right answer?*

✷ You will learn more about asking questions in **Grammaire 7.5.**

➤ **Quel est... ?** and **Quelle est... ?** = What is . . . ?

### Pronunciation Hint

All forms of **quel** are pronounced the same except when there is a liaison: **quel, quelle, quels, quelles,** but **quels͜ étudiants, quelles͜ étudiantes.**

## Exercice 2 Au bureau de tourisme

Agnès Rouet fait du tourisme. Trouvez la bonne question pour chaque réponse du réceptionniste.

1. Comment est-ce que je peux aller d'ici au musée?
2. Combien coûte un ticket de bus?
3. Où est le musée municipal?
4. Quand ferme le musée?
5. Qu'est-ce qu'il y a à voir au musée?
6. Quel est le numéro du bus pour y aller?
7. Où est-ce qu'on achète des tickets de bus?
8. Pourquoi ne pas y aller à pied?

a. _____ Il est dans la rue du 11 novembre.
b. _____ Il y a des tableaux et des sculptures modernes.
c. _____ Vous pouvez prendre le bus.
d. _____ Parce que c'est loin d'ici.
e. _____ Ça coûte 1€.
f. _____ On peut acheter un ticket dans le bus.
g. _____ C'est le numéro 19.
h. _____ Il ferme à 17 heures.

## Exercice 3 Les dernières nouvelles

Agnès téléphone à sa sœur Mireille. Regardez bien ses questions et les réponses de sa sœur, puis complétez ses questions avec le mot interrogatif approprié.

Utilisez **comment, où, pourquoi, quand, que,** ou **qui.**

1. _____ va maman? —Elle va *bien*.
2. _____ fait Charles? —Il *ne* fait *rien*,* comme d'habitude.
3. _____ est papa? —Il est *à Genève*.
4. _____ fait Jean-Claude? —Jean-Claude? Il *joue au foot avec Michel*.
5. _____ est Michel? —Michel, c'est *mon nouveau petit ami*.
6. _____ est-il? —Il est *très sympa et très beau*!
7. _____ s'appelle le nouveau bébé des voisins? —Il s'appelle *Olivier*.
8. _____ va la mère d'Olivier? —Elle va *très bien*.
9. _____ commencent tes vacances? —*Dans quinze jours*.
10. _____ est-ce que tu ne viens pas à Paris? —*Parce que* je dois rester ici pour aider maman.

## Exercice 4 Visite à Paris

Des amis de Sarah Thomas viennent visiter Paris. Posez la question qui correspond à chaque réponse.

MODÈLE: Ils restent *huit jours* à Paris. →
Combien de temps est-ce qu'ils restent à Paris? (Combien de temps restent-ils à Paris?)

Utilisez **comment, où, pourquoi, quand, que** ou **qu'est-ce que.**

1. Ils logent *dans un hôtel du Quartier latin*.
2. Ils se déplacent *en autobus*.
3. Ils sont contents *parce qu'il fait beau*.
4. Ils quittent Paris *lundi prochain*.
5. Ils veulent visiter *tous les monuments*.
6. Ils achètent *des souvenirs* pour leurs amis.

*nothing

Utilisez une forme de **quel (quelle, quels, quelles).**

**7.** Ils visitent le musée *d'Orsay.*
**8.** Ils préfèrent les restaurants *grecs et tunisiens.*
**9.** Le numéro de l'hôtel est *le 01 43 83 51 07.*

## 3.3 Verbs like prendre

**A.** The irregular verb **prendre** is very useful for talking about transportation.

| prendre (*to take*) | |
|---|---|
| je **prends** | nous **prenons** |
| tu **prends** | vous **prenez** |
| il/elle/on **prend** | ils/elles **prennent** |

—Comment viens-tu à la faculté?    *How do you come to campus?*
—Je **prends** toujours le bus.    *I always take the bus.*

### Pronunciation Hint

All the singular forms are pronounced with a nasal vowel (nasal ɑ̃) and sound the same: **prĕnds, prĕnd.** In the plural forms, the stem vowel is not nasal: **prenŏns, prenez, prennent.**

**B.** Use **prendre** to express *to have (something) to eat or drink.*

—Que **prenez**-vous quand il fait froid?    *What do you drink when it's cold?*
—J'aime **prendre** un chocolat chaud.    *I like to have a hot chocolate.*

Raoul ne **prend** jamais de déjeuner.    *Raoul never has lunch.*

**C.** **Apprendre** (*to learn*) and **comprendre** (*to understand*) are conjugated like **prendre.**

Nous **apprenons** tous le français, mais Albert **apprend** aussi le japonais.    *We're all learning French, but Albert is also learning Japanese.*
Les étudiants ne **comprennent** pas toujours le professeur.    *The students don't always understand the instructor.*

## Exercice 5 En faveur des transports en commun

Daniel parle du choix de moyens de transport. Utilisez le verbe logique à l'infinitif ou à la forme correcte.

**Verbes à utiliser:** prendre, apprendre, comprendre

Moi, je _____[1] toujours l'autobus pour aller à la fac. En général, mes camarades _____[2] toujours leur voiture parce qu'ils n'aiment pas prendre le bus. Moi, je ne sais pas conduire. J' _____[3] à conduire maintenant. Mais j'aime prendre le bus. Je ne _____[4] pas pourquoi mes amis ne veulent pas _____[5] le bus. Quand on vient à la fac en voiture, il faut payer le parking, si on arrive à trouver une place! Et puis, les gens ne _____[6] pas que trop utiliser son automobile risque d'avoir des conséquences très graves pour la planète. Nous _____[7] maintenant toutes les conséquences de cette dépendance. Et vous? _____[8]-vous toujours la voiture pour aller à la fac, ou bien, comme moi, pensez-vous à l'environnement?

## Exercice 6 Questions et réponses

Répondez aux questions et dites si vous faites les mêmes actions et quand.

MODÈLE: Qui prend l'autobus? →
Barbara prend l'autobus. Moi, je prends l'autobus tous les jours.
(Moi, je ne prends jamais l'autobus.)

Barbara            Julien et son amie            Joël            Denise

Barbara            Nathalie            Jean-Yves et ses camarades

1. Qui prend du vin?
2. Qui voudrait apprendre à faire du ski?
3. Qui prend trop de risques?

4. Qui ne comprend pas la leçon?
5. Qui prend un café?
6. Qui prend un bain?

## 3.4 Expressing necessity: Il faut and the verb devoir

**A.** One way to express necessity is with the impersonal expression **il faut** (*it is necessary*) + infinitive. In this case, the obligation applies to people in general, or the context indicates the particular people concerned.

Definition: In an impersonal expression, the subject pronoun (*it* or **il**) does not refer to a specific person or thing: *To learn a language, **it** is necessary to practice.*

Quand on prend le métro, **il faut acheter** un ticket à l'entrée.
Charles, tu vas au cinéma ce soir? **Il ne faut pas rentrer** tard.

*When you take the metro, you must buy a ticket at the entrance.*
*Charles, are you going to the movies tonight? You mustn't come home late.*

**B.** To express an obligation with respect to a particular person, you can also use the verb **devoir** + infinitive.

| devoir (*to have to*) | |
|---|---|
| je **dois** | nous **devons** |
| tu **dois** | vous **devez** |
| il/elle/on **doit** | ils/elles **doivent** |

Nous **devons prendre** le train à 10 h.
Tu **ne dois pas être** en retard.

*We have to take the train at 10:00.*
*You must not be late.*

## Pronunciation Hint

The letters **oi** are pronounced [wa]: **dois** ([dwa]), **doit** ([dwa]), **doivent** ([dwav]).

**C.** Note that **devoir** can also express probability or supposition.

Charlotte n'est pas au travail; elle
  **doit** être malade!

*Charlotte isn't at work; she*
  *must be sick!*

**D.** Other impersonal expressions can also be used to express necessity: **il est
nécessaire (essentiel, important, obligatoire) de** + infinitive.

Avant de prendre le métro, **il est
  nécessaire d'**étudier le plan
  du métro.
Il **n'est pas nécessaire d'**appeler
  le taxi avant 8 h.

*Before taking the metro, it is*
  *necessary to study the*
  *metro map.*
*You don't have to call the taxi*
  *before 8:00.*

➤ To say *must not:*

**Tu ne dois pas rouler
trop vite.**
(*You must not drive too
fast.*)
          or
**Il ne faut pas avoir
un accident.**
(*You must not have an
accident.*)

## Exercice 7 Problèmes de transport

Quelle est la solution à chacun de ces problèmes? Qu'est-ce qu'on doit faire?
Utilisez la forme correcte du verbe **devoir.**

### Vocabulaire utile

aller au travail à pied
appeler un taxi
prendre le bus

se déplacer à bicyclette
arriver plus tôt*
étudier le plan du métro de la ville

MODÈLE: Je ne peux pas aller au travail à pied. C'est trop loin. →
    Tu dois prendre le bus.

1. Je n'ai pas de voiture.
   Alors, tu...
2. Nous devons être à l'aéroport dans une demi-heure et nous avons beaucoup
   de bagages.
   Vous...
3. Je ne sais pas prendre le métro.
   Bon, vous...
4. À la fac, il n'y a jamais assez de place aux parkings et les étudiants arrivent
   souvent en retard.
   On...
5. Mes parents encouragent mon frère à faire plus d'exercice.
   Il...

*plus... *earlier*

## 3.5  Pointing things out: Demonstrative adjectives

Demonstrative adjectives agree in number and gender with the noun modified. These forms can mean either *this* or *that*, *these* or *those*; this difference is usually clear from the context. Note the special form **cet** for masculine nouns beginning with a vowel or mute **h**.

Definition: Demonstrative adjectives point out a certain object or person: *this bus, that girl.*

➤ **ce garçon** but **cet homme, cet étudiant**

| | SINGULIER | PLURIEL |
|---|---|---|
| MASCULIN | **ce** livre (*this/that*)<br>**cet** ami (*this/that*) | **ces** livres (*these/those*)<br>**ces** amis (*these/those*) |
| FÉMININ | **cette** table (*this/that*)<br>**cette** amie (*this/that*) | **ces** tables (*these/those*)<br>**ces** amies (*these/those*) |

—Combien coûtent **ces** biscuits?  *How much do these cookies cost?*
—Un euro dix le paquet.  *One euro ten a package.*

—Tu aimes **cette** carte postale?  *Do you like this postcard?*
—Oui, beaucoup.  *Yes, very much.*

### Pronunciation Hint

**cet_ami** (*m.*), **cette_amie** (*f.*), **ces_amis, ces livres**

## *Exercice 8*  Sarah fait les vitrines

Remplacez les tirets par **ce, cet, cette** ou **ces**.

1. _____ magasin est très beau. Oh, _____ chaussures sont superbes!
2. _____ livres sont très intéressants, mais _____ prix sont ridicules!
3. _____ montre est jolie, n'est-ce pas?
4. _____ vêtements sont trop chers! _____ jolie robe coûte 97€ et _____ blouson bleu coûte 115€!
5. _____ chemises sont si belles et _____ cravate aussi est très belle!
6. _____ autre chemise verte est très pratique.
7. _____ chapeau est joli mais _____ autre chapeau est vraiment bizarre!

## 3.6  Expressing quantities: Partitive articles

✷ Review *Première étape, Grammaire A.3* and *A.5* on articles, and *Grammaire 1.6B* on *de* + definite article.

➤ Partitive articles:

*du* papier (m.)
*de la* bière (f.)
*de l'*eau (f.)
*de l'*argent (m.)

**A.** You are already familiar with the definite articles (**le, la, l', les**) and indefinite articles (**un, une, des**) in French. There is a third type of article, called the partitive article. Its forms are identical to the combination of **de** + the singular definite article: **du, de la, de l'**.

On peut acheter **du** dentifrice au supermarché.  *You can buy toothpaste at the supermarket.*
Nous préparons **de la** soupe.  *We are making soup.*
Je prends **de l'**eau minérale.  *I'm having mineral water.*

**B.** The partitive article indicates an unspecified quantity of a *mass noun*. It is roughly equivalent to *some* in English.

> **du** café                 *(some) coffee*
> **de la** confiture        *(some) jelly*
> **de l'**huile              *(some) oil*

> **Definitions:** A mass noun cannot be counted: *sand, sugar.* A count noun can be counted: *tables, lamps, children.*

**C.** Note that the partitive article is always required in French, though *some* is often omitted in English.

> —Qu'est-ce que tu dois acheter à la pharmacie?      *What do you have to buy at the pharmacy?*
> —**Du** dentifrice et **de l'**aspirine.      *(Some) toothpaste and (some) aspirin.*

**D.** In negative sentences, partitive articles and indefinite articles **(un, une, des)** become **de** or **d'**.

> J'ai des cartes postales, mais je **n'**ai **pas de** papier à lettres ou **d'**enveloppes.      *I have some postcards, but I don't have any stationery or (any) envelopes.*

**E.** Expressions of quantity are also followed by **de**.

| | | | | |
|---|---|---|---|---|
| un peu **de** | *a little* | combien **de** | *how much, how many* |
| assez **de** | *enough* | une tasse **de** | *a cup of* |
| beaucoup **de** | *a lot, many* | un verre **de** | *a glass of* |
| trop **de** | *too much, too many* | | |

> ➤ J'ai *des* biscuits.
> J'ai *beaucoup de* biscuits.
> Je *n'*ai *pas de* biscuits.

> **Combien de coca** faut-il acheter?      *How much cola do we need to buy?*
> Veux-tu **un peu de lait** avec ton thé?      *Do you want a little milk with your tea?*

## *Exercice 9* Petits achats

Vous faites des courses en ville. Utilisez l'article partitif **(du, de la, de l')**, l'article indéfini **(un, une, des)** ou **de**.

1. Je vais d'abord à la librairie pour chercher _____ livre, _____ stylos et _____ cartes postales.
2. Ensuite, je vais à la poste pour acheter _____ timbres.
3. À l'épicerie, j'achète _____ eau minérale, _____ café (*m.*), _____ sucre (*m.*) et _____ confiture (*f.*).
4. Je n'achète pas _____ viande, parce que je suis végétarien(ne).
5. À la pharmacie, je prends _____ shampooing (*m.*) et _____ aspirine (*f.*).
6. Il faut aussi chercher _____ argent; je passe donc à la banque.

**Exercice 10** Qu'est-ce que vous prenez comme boisson?

Répondez en employant l'article partitif approprié **(du, de la, de l')** ou **de (d')**.

MODÈLE: Qu'est-ce que vous prenez d'habitude avec le déjeuner?
—D'habitude je prends...
**a.** eau     **b.** lait     **c.** café (*m.*)     **d.** coca (*m.*)     **e.** ? →
D'habitude je prends *de l'eau.*

1. Que prenez-vous quand vous ne pouvez pas dormir? —Je prends...
   **a.** lait          **b.** café          **c.** vin (*m.*)     **d.** eau minérale     **e.** ?
2. Que prenez-vous le matin d'habitude? —Je prends une tasse...
   **a.** thé (*m.*)     **b.** chocolat chaud     **c.** café          **d.** eau chaude     **e.** ?
3. Qu'est-ce que vous ne prenez jamais? —Je ne prends jamais...
   **a.** whisky (*m.*)  **b.** champagne (*m.*)  **c.** coca          **d.** café          **e.** ?
4. Qu'est-ce que vous aimez commander quand vous sortez avec des amis?
   —J'aime commander...
   **a.** bière (*f.*)   **b.** jus (*m.*) de fruits  **c.** coca          **d.** vin          **e.** ?
5. Qu'est-ce que vous aimez prendre en été quand il fait chaud? —J'aime prendre
   un verre...
   **a.** thé glacé     **b.** coca          **c.** eau froide     **d.** jus de fruits     **e.** ?
6. Qu'est-ce que vous prenez quand vous êtes malade? —Je prends...
   **a.** eau          **b.** jus de fruits     **c.** thé          **d.** coca          **e.** ?

## 3.7 The verbs courir, sortir, and dormir

**A.** The irregular verb **courir** has a single stem for all forms. The singular endings
are those you have seen for most verbs other than **-er** verbs: **-s, -s, -t.** Remember
that these endings are not pronounced.

| courir (*to run*) | |
|---|---|
| je cours | nous cour**ons** |
| tu cours | vous cour**ez** |
| il/elle/on court | ils/elles cour**ent** |

**B.** Though verbs like **sortir** and **dormir** are not considered regular verbs, there is a
common pattern to their forms. Note that the singular forms have the **-s, -s, -t**
pattern of endings. Note also that the stem derived from the infinitive (**sort-**
and **dorm-**) loses its final consonant in the singular forms (**sor-** and **dor-**).

| sortir (*to go out*) | | dormir (*to sleep*) | |
|---|---|---|---|
| je sors | nous sortons | je dors | nous dormons |
| tu sors | vous sortez | tu dors | vous dormez |
| il/elle/on sort | ils/elles sortent | il/elle/on dort | ils/elles dorment |

| | |
|---|---|
| Je **sors** avec ma camarade de chambre ce soir. | *I'm going out with my roommate tonight.* |
| Est-ce que vous **dormez** plus de huit heures? | *Do you sleep more than eight hours?* |

## Pronunciation Hint

sor~~s~~, sor~~t~~, sortô~~ns~~, sorte~~z~~, sort~~ent~~. Note that only the singular forms are pronounced the same. The third-person plural form (**ils/elles**) differs from the singular in that the final consonant of the stem is pronounced.

**C.** Other verbs like **sortir** and **dormir:**

| | |
|---|---|
| **s'endormir** | *to fall asleep* |
| **mentir** | *to lie, tell falsehoods* |
| **partir** | *to leave, go away* |
| **sentir** | *to smell; to feel* |
| **servir** | *to serve* |

| | |
|---|---|
| Moi, je **m'endors** toujours très vite. | *I always go to sleep very quickly.* |
| Ici, on **sert** des plats tunisiens. | *They serve Tunisian dishes here.* |

Notice the differences in meaning:

| | |
|---|---|
| *sortir* | |
| **Sortez de la maison.** | *Leave the house.* |
| **Nous sortons au cinéma ce soir.** | *We're going out to the movies tonight.* |
| *partir* | |
| **Je dois partir à 9 h.** | *I have to leave at 9:00.* |
| **Nous partons en vacances demain.** | *We're leaving on vacation tomorrow.* |

## Exercice 11 Sondage sur la course

Répondez par des phrases complètes, avec autant de détails que possible.

1. Courez-vous régulièrement?
   a. Si oui, quand courez-vous? Courez-vous en toute saison? À quel moment de la journée? Combien de fois par semaine? Où?
   b. Sinon, expliquez pourquoi vous ne courez pas.
2. Est-ce qu'il y a des membres de votre famille qui courent régulièrement? Lesquels? (Répondez aux questions 1a et 1b dans vos descriptions des habitudes de votre famille.)
3. Vos amis courent-ils? Courez-vous ensemble quelquefois?
4. Selon vous, pour quelles raisons court-on? Pour rester en forme? Pour vivre plus longtemps? Pour réduire son stress? Pour quelles autres raisons?

# Exercice 12 Qu'est-ce que tu fais?

Posez des questions et donnez les réponses.

> MODÈLE: sortir souvent avec des amis →
> Tu sors souvent avec des amis?
> Oui, je sors souvent avec des amis. (Non, je ne sors pas souvent avec des amis.)

1. partir en vacances en été
2. sortir du cinéma si un film est mauvais
3. courir dans des marathons
4. servir du vin chez toi
5. mentir quand tu ne veux pas révéler un secret
6. sentir les fruits au supermarché
7. sortir souvent le samedi soir
8. dormir pendant la journée quelquefois

Maintenant, imaginez que vous interviewez le président et sa femme (ou la présidente et son mari). Posez les questions et donnez leurs réponses probables.

> MODÈLE: VOUS: Vous sortez souvent?
> EUX: Non, nous ne sortons pas souvent... Nous sommes très occupés.

# Exercice 13 Généralisations

Une Française vous pose des questions sur les habitudes des Américains. Répondez d'abord avec une généralisation sur les Américains, puis expliquez vos propres habitudes (ou les habitudes de vos amis, de votre famille, etc.).

> si = réponse affirmative à une question négative
>
> —Tu **ne** parles **pas** anglais?
> —**Si,** je parle anglais.

> MODÈLE: Les jeunes Américains ne sortent jamais en groupe, n'est-ce pas? →
> Si, ils sortent souvent en groupe.
> Moi, je sors tout le temps avec mes amis.

1. Les habitants des grandes villes américaines ne sortent pas seuls la nuit parce que c'est dangereux, n'est-ce pas?
2. Au printemps, la grande majorité des étudiants américains partent en vacances en Floride, n'est-ce pas?
3. La plupart des Américains partent en Europe en été, n'est-ce pas?
4. Les étudiants américains sortent tous les soirs, n'est-ce pas?
5. C'est vrai que tous les petits Américains s'endorment vers minuit?
6. C'est vrai que les Américains ne servent jamais de vin au dîner?
7. Beaucoup d'Américains courent pour être en forme, n'est-ce pas?

La salle de séjour d'une maison française

# La maison et le quartier

## Objectifs

In *Chapitre 4*, you will learn to describe your home and neighborhood and to talk about what you do there.

## Les pièces et les meubles

✳ Attention! Étudier Grammaire 4.1 et 4.2

la chambre à coucher — la table de nuit — la salle de bains
le miroir — la lampe — le lavabo — les W.C. — la douche — la baignoire
les rideaux — le lit
la commode

la salle à manger — le lave-vaisselle — la cuisine
les chaises — la table — la cuisinière — les placards — l'évier
le buffet — le réfrigérateur

le tableau — la table basse — le canapé
un chat
la salle de séjour
le fauteuil — le tapis
un chien

## Cliquez là!

Allez sur le site d'un magasin français ou francophone qui vend des meubles en ligne. Choisissez quelque chose d'intéressant et de beau pour votre chambre ou appartement.

## Activité 1  Discussion: Qu'est-ce qu'il y a chez vous?

Écoutez le professeur et dites **oui** ou **non.**

1. Chez moi, il y a...
   - **a.** trois chambres.
   - **b.** une terrasse.
   - **c.** un garage pour deux voitures.
   - **d.** une baignoire balnéo.
   - **e.** une cheminée.
   - **f.** ?
2. Dans la chambre où je dors, il y a...
   - **a.** un grand lit.
   - **b.** une commode.
   - **c.** un lavabo.
   - **d.** une télé.
   - **e.** une table de nuit.
   - **f.** ?
3. Dans la cuisine, il y a...
   - **a.** une cuisinière à gaz.
   - **b.** une table et des chaises.
   - **c.** deux éviers.
   - **d.** un four à micro-ondes.
   - **e.** un frigo-congélateur.
   - **f.** ?
4. Dans la salle de séjour, il y a...
   - **a.** un grand canapé.
   - **b.** un tapis persan.
   - **c.** des fauteuils confortables.
   - **d.** des beaux rideaux.
   - **e.** une affiche de Chagall.
   - **f.** ?

### À vous la parole!

Tu as de la chance!  Ça, c'est (pratique)!
Tiens! C'est original!  J'aime ça. / Je n'aime pas ça.
Ça, c'est super!

MODÈLE:  É1: Je n'ai pas de lavabo dans ma chambre, mais j'ai une salle de bains
         pour moi.
         É2: Tu as de la chance! Moi, je dois partager avec mes sœurs.

## Activité 2  Associations: À quoi ça sert?

Dites à quoi servent les meubles et les appareils suivants.

MODÈLE:  (une lampe) On se sert d'une lampe pour lire.

| LES OBJETS | LES USAGES |
| --- | --- |
| une bouilloire électrique | nettoyer un tapis |
| un aspirateur | conserver la nourriture |
| un réfrigérateur | se reposer ou dormir |
| une baignoire | repasser les vêtements |
| un fer à repasser | ranger les vêtements |
| un grille-pain | cuisiner |
| un lit | faire la vaisselle |
| un lave-vaisselle | faire bouillir de l'eau |
| un four à micro-ondes | faire des toasts |
| une commode | prendre un bain |

## *Activité 3*  Échanges: Décisions

un four à micro-ondes
265€

un grille-pain
85€

un coussin
39€

un ventilateur
45€

un balai
17€

une bouilloire électrique
62€

un fer à repasser
49€

une cafetière
57 €

un radio-réveil
35 €

un aspirateur
227€

### Cliquez là!

Allez sur le site d'un magasin comme Carrefour et choisissez un appareil électronique pour votre cuisine idéale. Téléchargez la photo et les détails sur votre choix pour les discuter avec vos camarades de classe.

Vous allez partager un deux-pièces meublé avec votre camarade de classe. Ensemble, vous avez un budget de 500€. Vous devez décider ce que vous allez acheter et expliquer pourquoi.

MODÈLE:    É1: Je voudrais une cafetière espresso parce que j'adore le café fort.
    É2: Moi, je préfère le thé. Achetons une bouilloire.
    É1: Mais la bouilloire est plus chère que la cafetière espresso.
    É2: Si nous achetons un four à micro-ondes...

## *Activité 4*  Entretien: Chez toi

1. Est-ce que tu aimes l'endroit où tu habites? Pourquoi?
2. Dans quelle pièce est-ce que tu étudies d'habitude? Où regardes-tu la télé?
3. Comment est ta chambre? Est-ce qu'elle est grande? propre? Y a-t-il un placard, des étagères pour tes livres, des plantes vertes? Ton lit est confortable?
4. Est-ce que ta cuisine est bien équipée? Qu'est-ce qu'il y a comme équipement?
5. As-tu ta propre salle de bains? Sinon, avec qui la partages-tu? Y a-t-il parfois des conflits? Quand et pourquoi?
6. À ton avis, quelle est la pièce la plus importante d'une maison? Pourquoi?
7. Comment est la maison que tu voudrais avoir plus tard?

# Le logement

⭐ Attention! Étudier Grammaire 4.3

Ces architectes finissent les plans d'un immeuble dans un nouveau parc résidentiel.

On démolit une vieille maison.

Les constructeurs bâtissent des nouveaux édifices.

Les futurs locataires choisissent leurs appartements.

## Activité 5   Échanges: Deux villas

D'abord, regardez les maisons et répondez aux questions de votre professeur.

LES ORMES

5 chambres à coucher
1 salle de séjour
1 salle à manger
1 bureau
2 salles de bains
sous-sol

LES MYRTILLES

4 chambres à coucher
1 salon-salle à manger
3 salles de bains
1 bureau
1 salle de jeux
grande cuisine
sous-sol

## Cliquez là!

Cherchez un trois-pièces, pas très cher, dans un quartier près de l'Université Stendhal Grenoble 3. Notez l'adresse, les détails importants et le prix du loyer. Ensuite, avec votre coloc (partenaire), comparez vos résultats et faites votre sélection.

Ensuite, avec un(e) camarade, comparez *Les Myrtilles* et *Les Ormes*. (plus de... que, moins de... , toutes les deux)

É1: Les Myrtilles a plus de fenêtres que Les Ormes.
É2: C'est vrai. Mais elle a moins de chambres.
É1: Elles ont toutes les deux un bureau.

Enfin, décidez, avec votre camarade, quelle est la meilleure maison pour la famille Colin: les deux parents, Marise et Clarisse (19 ans), Charles (17 ans), Emmanuel (14 ans) et Joël (8 ans).

### Activité 6    Associations: Qui est-ce?

Les Duclos louent un studio au 10ᵉ étage d'un grand immeuble. Les Martin vivent dans leur maison. Quelle famille associez-vous avec chacune des phrases suivantes?

- Ils dînent dans la salle à manger.
- Ils finissent vite le ménage.
- Leurs enfants jouent dans le jardin.
- Ils ont seulement une salle de bains.
- Ils prennent l'ascenseur tous les jours.
- Leurs invités dorment dans la chambre d'amis.
- Ils mangent et dorment dans la même pièce.
- Ils adorent la belle vue sur la ville.
- Ils paient le loyer tous les mois.
- Ils allument un feu dans la cheminée en hiver.

**Allons plus loin!**   Comment est le logement de votre professeur? Posez-lui des questions pour découvrir tous les détails.

MODÈLE:   Vous avez une cheminée chez vous, madame/monsieur?

---

### TRANSACTIONS IMMOBILIÈRES

| Locations vides (demandes) | Locations vides (offres) |
|---|---|
| Cherche grand studio, 40 m2, ou 2 pièces, ascenseur, calme. Tél. 04.93.62.11.10. | Mini. studio kitchen, WC. Douche 400 € mensuel. Tél. 04.93.58.72.23 (répondeur) |
| Personne sérieuse cherche 2 pièces avec jardin, Nice/ouest, loyer, maxi 450 €. Tél. 04.45.65.20.71. | Exceptionnel, Nice centre: vaste studio, terrasse, Sud, cuisine indépendante, 525 €, NISSIMO PAGANINI 04.93.08.85.23. |
| Couple italien recherche 3-4 pièces pour se loger Nice Est. CÉRUTI, 04.63.09.77.20. | Centre Nice: 2 pièces, balcon, ascenseur, calme, urgent, 475 € CABINE-TORY. 04.93.80.19.00. |
| | Nice Est, superbe 3 pièces, duplex, petite résidence, frais réduits, 980 € charges comprises. SUD CONTACT 04.93.20.25.10. |
| | Nice Ouest: magnifique, cuisine équipée, terrasse, parking, piscine, 1150 € + charges. MAISON DE L'IMMOBILIER 04.93.96.34.15. |

### Activité 7    Dans le monde francophone: Les petites annonces

En groupes, choisissez un appartement pour les personnes qui cherchent à louer. Ensuite, expliquez vos choix à la classe.

**À vous la parole!**   Imaginez que vous allez partager un appartement avec des camarades de classe l'année prochaine. Ensemble, écrivez l'annonce que vous allez envoyer au journal. Ensuite, lisez-la à la classe.

*Activité 8* Ordre logique: Pour louer un appartement

Quelles sont les démarches à faire pour louer un appartement? Mettez les étapes en ordre.

_____ On prend une décision.
_____ On demande le prix du loyer.
_____ On signe un contrat.
_____ On prend rendez-vous pour voir des appartements.
_____ On visite les appartements intéressants.
_____ On cherche des appartements à louer.
_____ On réfléchit aux avantages et aux inconvénients de chaque appartement.
__1__ On décide dans quel quartier on voudrait vivre.
_____ On paie le loyer.
_____ On reçoit la clé de l'appartement de l'agent immobilier.
_____ ?

«*L'Escargot*»

Tout au fond de
  l'escargot vide,
se trouve un palais
  splendide,
orné d'un miroir si petit
que, pour voir comme
  on est mis,
il faut être une fourmi.

*Paul Claudel*

# À la rencontre des arts
## Une coïncidence bizarre

From *La Cantatrice chauve* by Eugène Ionesco © Éditions GALLIMARD

*M. Martin est invité chez M. et M^me Smith. Il y rencontre une de leurs amies, M^me Martin. M. Martin et M^me Martin ne se connaissent pas, mais, quand ils commencent à discuter ensemble, ils découvrent de nombreux points communs...*

**M. Martin:** Depuis que je suis arrivé à Londres, j'habite rue Bromfield, chère Madame.

**M^me Martin:** Comme c'est curieux, comme c'est bizarre! Moi aussi, depuis mon arrivée à Londres j'habite rue Bromfield, cher Monsieur.

**M. Martin:** Comme c'est curieux, mais alors, mais alors, nous nous sommes peut-être rencontrés rue Bromfield, chère Madame.

**M^me Martin:** Comme c'est curieux, comme c'est bizarre! C'est bien possible après tout! Mais je ne m'en souviens pas, cher Monsieur.

**M. Martin:** Je demeure au numéro dix-neuf, chère Madame.

**M^me Martin:** Comme c'est curieux, moi aussi j'habite au numéro dix-neuf, cher Monsieur.

**M. Martin:** Mais alors, mais alors, mais alors, mais alors, mais alors, nous nous sommes peut-être vus dans cette maison, chère Madame?

**M^me Martin:** C'est bien possible, mais je ne m'en souviens pas, cher Monsieur.

**M. Martin:** Mon appartement est au cinquième étage, c'est le numéro huit, chère Madame.

**M^me Martin:** Comme c'est curieux, mon Dieu, comme c'est bizarre! et quelle coïncidence! moi aussi j'habite au cinquième étage, dans l'appartement numéro huit, cher Monsieur.

**M. Martin:** Comme c'est curieux, comme c'est curieux, comme c'est curieux et quelle coïncidence! vous savez, dans ma chambre à coucher j'ai un lit. Mon lit est couvert d'un édredon[1] vert. Cette chambre, avec ce lit et son édredon vert, se trouve au fond du corridor, entre les water et la bibliothèque, chère Madame!

**M^me Martin:** Quelle coïncidence, ah mon Dieu, quelle coïncidence! Ma chambre à coucher a elle aussi un lit avec un édredon vert et se trouve au fond du corridor, entre les water, cher Monsieur, et la bibliothèque!

**M. Martin:** Comme c'est bizarre, curieux, étrange! alors, Madame, nous habitons dans la même chambre et nous dormons dans le même lit, chère Madame. C'est peut-être là que nous nous sommes rencontrés!

**M^me Martin:** Comme c'est curieux et quelle coïncidence! C'est bien possible que nous nous y soyons rencontrés, et peut-être même la nuit dernière. Mais je ne m'en souviens pas, cher Monsieur.

[1]couvre-lit

*Activité 9*  Dans le monde francophone: Demeures de rêve

**GEMENOS**                                              439M57
Splendide villa luxe, 180m² + salle de jeux 30m², déco
et prest. soignées, très gd séjour, cuis. éq., 5 chbres,
3 bains, sur très beau jardin paysager 1200m², piscine,
à voir absolument.                              **897.000 €**

**CASSIS**                                              307M54
Rare emplacement et demeure d'exception, maison
de maître, charme et caractère, 300m², grande
réception, séj. et SàM, 5 chbres, 3 SdB, maison
de gardien, terrain plat 3000m².              **635.000 €**

**EOURES/CAMOINS**                                      440M57
Cadre de camp. superbe villa provençale, proche
comm., 180m² + 30m² studio indép., gd séj. chem.,
SàM, cuis. éq., 5 chbres, 3 bains, sur terrain plat, vue
dégagée, piscine et nbrses dép.              **385.000 €**

Regardez ces propriétés à vendre près d'Aubagne, pas loin de Marseille. Dites si les phrases sont vraies ou fausses.

1. La villa à Cassis a trois salles de bains.
2. La maison à Eoures/Camoins a un studio indépendant.
3. La villa à Gémenos a une piscine impressionnante.
4. La maison à Cassis a deux réceptions.
5. Les trois maisons ont une piscine.
6. La villa à Eoures/Camoins a un terrain plat.
7. La villa à Gémenos a un jardin.
8. La maison à Cassis a une maison de gardien.
9. Deux de ces maisons ont une salle à manger.
10. La villa à Gémenos coûte le plus cher.

# Les tâches et les loisirs

★ Attention! Étudier Grammaire 4.4 et 4.5

### *Le week-end chez les Lasalle*

## Samedi matin, avant le déjeuner

Bernard tond le gazon.

Camille passe l'aspirateur.

## Après le déjeuner

Camille fait la vaisselle.

Marie-Christine essuie les assiettes, puis elle les met dans le placard.

Nathalie sort les ordures.

Bernard aime bricoler.

Christine répond à la lettre d'une amie.

## *Activité 10* Échanges: Les tâches domestiques

Qui fait ces activités le plus souvent chez vous? Et vous, aimez-vous les faire? Pourquoi ou pourquoi pas?

> MODÈLE: nettoyer la salle de bains →
> Ma sœur nettoie la salle de bains. Moi, je déteste faire ça.

1. faire le ménage
2. aller au supermarché
3. bricoler
4. tondre le gazon
5. cuisiner
6. faire la lessive
7. s'occuper des animaux
8. faire réparer la voiture
9. passer l'aspirateur
10. sortir les ordures
11. repasser les vêtements
12. ?

**Exprime-toi!**

Personne ne fait ça.
C'est dégoûtant!
Je n'aime pas faire ça.
Je refuse de faire ça.
J'adore faire ça.
Je déteste faire ça.

## Activité 11 Récit: Un samedi chargé

Racontez la journée d'Adrienne.

*Vocabulaire utile* arroser les plantes, entendre, faire les courses (la lessive, la vaisselle), repasser, répondre au téléphone

## Activité 12 Casse-tête: Qu'est-ce que c'est?

*Vocabulaire utile* l'aspirateur, la bouilloire, le four à micro-ondes, le gazon, le grille-pain, la lessive, le lit, le ménage, les ordures, la vaisselle

1. On la fait après les repas si on n'a pas de lave-vaisselle.
2. On le tond et quelquefois, on l'arrose. Généralement, on ne le tond pas en hiver.
3. On la fait quand on a trop de vêtements sales.
4. On le passe pour nettoyer les tapis et la moquette.
5. On peut le faire toutes les semaines ou très rarement. Normalement, on le fait avant d'inviter des amis à la maison.
6. On les sort après les repas. Ce n'est pas une tâche très agréable.
7. On le fait chaque matin si on n'est pas trop pressé(e).
8. On l'utilise pour faire bouillir de l'eau pour le thé.
9. On le trouve indispensable pour faire du pain grillé le matin.
10. On l'utilise pour préparer un dîner rapidement.

## LES FRANCOPHONES SUR LE VIF

### Éloïse Roux, étudiante à Aix-en-Provence

Je m'appelle Éloïse, j'ai 22 ans. Je suis étudiante à l'université d'Aix-en-Provence depuis 4 ans. Je prépare un master en Langues Étrangères[1] Appliquées, Anglais-Espagnol, avec des cours d'économie, de gestion[2] et de droit[3] pour travailler dans une entreprise comme commerciale[4] export. Je travaille le soir après mes cours. Quelquefois je fais du babysitting, souvent je donne des cours particuliers[5] en anglais et espagnol.

Le campus d'Aix est vraiment très agréable. Moi, j'habite à côté d'Aix-en-Provence, à 20 minutes en voiture de l'université. La majorité des étudiants habite à Aix, pas loin de l'université ou en cité universitaire. En Cité-U, les chambres sont assez petites mais confortables avec un bureau, des rangements,[6] des placards et une salle de bains individuelle. Les étudiants disposent d'une cuisine et d'une salle de travail communes.

[1]*Foreign* [2]*management* [3]études juridiques [4]personne qui travaille dans le secteur commercial [5]cours... leçons privées [6]meubles pour ranger une chambre

## *Activité 13* Dans le monde francophone: Perceptions

Voici les résultats (en %) d'une enquête sur le niveau de participation de l'époux au travail ménager. Lisez le tableau et les conclusions suivantes, puis dites si vous êtes d'accord ou pas et pourquoi.

| EST-CE QUE L'ÉPOUX «FAIT QUELQUE CHOSE»? | | |
|---|---|---|
| **tâches** | **réponse de l'époux** | **réponse de l'épouse** |
| Marché/achats | 54 | 48 |
| Vaisselle | 48 | 44 |
| Véhiculer les enfants | 49 | 49 |
| Habiller les enfants | 38 | 31 |
| Cuisine | 37 | 27 |
| Ménage | 35 | 24 |
| | *(Francoscopie 1999)* | |

**Conclusions.** Êtes-vous d'accord?

1. Presque 50 % des hommes aident à conduire les enfants.
2. Les hommes aiment mieux faire les achats que cuisiner.
3. Les hommes refusent de faire le ménage.
4. On ne précise pas si l'épouse ou l'époux travaille hors de la maison.
5. Les femmes pensent que leurs époux ne font pas beaucoup le ménage.
6. Les femmes sont injustes envers leurs époux.
7. Dans cette enquête, les hommes exagèrent dans tous les domaines.

# La vie de quartier

✳ Attention! Étudier Grammaire 4.6 et 4.7

## Dans le quartier de Jean-Yves Lescart

Jean-Yves va au lavomatic parce qu'il a besoin de faire la lessive.

Il va au café parce qu'il a soif et qu'il a envie de voir ses copains.

Quand il a faim et qu'il est pressé, il mange au self-service.

Il connaît beaucoup de gens dans le quartier.

Tous les voisins le connaissent aussi.

## Activité 14 Associations: Les courses dans le quartier

Où est-ce qu'on peut faire les courses ou les activités suivantes?

LES COURSES

1. acheter un éclair au chocolat
2. boire un cappuccino
3. trouver un détergent
4. faire la lessive
5. se faire couper les cheveux
6. faire réparer une montre
7. trouver une clé USB
8. acheter des timbres
9. prendre un pot (une bière)
10. trouver un roman policier

LES ENDROITS

a. à la poste
b. au lavomatic
c. chez le coiffeur / la coiffeuse
d. dans une brasserie
e. au café
f. dans une pâtisserie
g. à la bijouterie
h. dans un magasin d'électronique
i. dans une librairie
j. à l'épicerie

### *Allons plus loin!*

En petits groupes, faites la liste d'autres activités possibles dans les commerces mentionnés. Ensuite, comparez vos idées avec celles de vos camarades de classe.

## Activité 15   Enquête: Mon quartier et moi

Dites **oui** ou **non**. Ensuite, comparez vos réponses avec celles de votre partenaire.

1. Je connais mes voisins.
2. Je fais mes achats dans mon quartier.
3. Beaucoup de mes voisins me connaissent et me saluent.
4. Je sais le nom des agents de police qui travaillent dans le quartier.
5. Je reconnais les gens qui passent devant chez moi.
6. Je me promène dans le quartier de temps en temps.
7. Je peux laisser la clé de mon appartement chez des voisins.
8. Je sais où prendre l'autobus dans mon quartier.
9. Je connais certains des enfants du quartier.
10. Je sais où se trouve le bureau de poste le plus proche.

MODÈLE:   É1: Moi, je sais le nom du facteur. Et toi?
          É2: Aucune idée! Je suis en cours quand le facteur arrive chez nous.

### Exprime-toi!

> Bien sûr!
> Aucune idée!
> Pas du tout!
> Sans blague?

• Petits commerces dans le Marais, quartier parisien

## À propos...
### Vous habitez où?

À cette question, on peut répondre par le nom d'une ville (Paris, Abidjan, Marseille, Montréal), ou par une adresse précise («42, rue Victor Hugo», «2050 boulevard de Maisonneuve Ouest», «12, place des Tamarins»). En fait, du point de vue social, culturel et sentimental, on habite d'abord[1] un quartier. Le quartier est comme un village dans la ville: il a une identité propre. Il y a des bars et des restaurants «du quartier», essentiellement fréquentés[2] par les habitants des environs; des associations sportives et des clubs «de quartier». Les arrondissements sont de simples numéros (1$^{er}$, 2$^{ème}$... ), mais le quartier a un nom qui évoque l'histoire ancienne (la Bastille), la topographie (le Marais à Paris, la Plaine à Marseille, le Plateau à Montréal), un personnage local célèbre (Belsunce à Marseille, Pigalle à Paris) ou la religion (Saint-Just, Sainte-Marthe). Un quartier se distingue des autres par son ambiance, sa réputation (plus ou moins bonne) et son caractère: chic, bobo,[3] populaire, ethnique...

[1] principalement
[2] *patronized*
[3] **bo**urgeois **bo**hème

## Activité 16   Entretiens: Le logement et la vie

1. Comment est le quartier où tu habites? C'est où?
2. Est-ce que tu aimes là où tu habites? Pourquoi? Pourquoi pas?
3. Y a-t-il des commerces dans ton quartier? Lesquels?
4. Tu habites près de ta famille? Pourquoi? Pourquoi pas?
5. Où habitent tes parents? C'est le quartier de ton enfance?
6. Tu penses parfois à déménager? Pourquoi? Pourquoi pas?

Où vas-tu quand...

1. tu as faim? (Et quand tu as soif?)
2. tu es de mauvaise humeur?
3. tu as envie de bavarder avec des amis?
4. tu as besoin d'être seul(e)?

*Et enfin...* À l'avenir, où voudrais-tu vivre? (Dans une petite ville? à la campagne? au centre d'une grande ville? à la montagne?... ) Pourquoi?

# POUR RÉSUMER

## *À vous de parler*

A. Vos études sont enfin finies! Vous avez un bon emploi et vous allez choisir une maison ou un appartement dans un endroit qui vous plaît. Écoutez votre professeur et notez l'importance que les considérations suivantes vont avoir pour vous.

1. C'est très important.
2. C'est important.
3. C'est sans importance.
4. C'est un point négatif.

___ le calme
___ des jardins et des arbres
___ des parcs à proximité
___ des voisins de différentes cultures
___ des transports en commun
___ l'absence de crime
___ des musées assez proches

___ des distractions à proximité
___ des gens de mon âge
___ des commerces à proximité
___ le caractère historique du quartier
___ la réputation du quartier
___ la proximité de mon travail
___ le nombre de bistrots

B. Comparez vos préférences avec celles d'un(e) camarade, en donnant vos raisons.

É1: Pour moi, des commerces à proximité, c'est très important. J'adore le centre-ville.
É2: Pas moi! Il y a trop de bruit. Je préfère le calme et un beau jardin!

C. Écrivez une description de l'endroit où vous voudriez vivre. Est-ce en ville, à la campagne, à la montagne, au centre-ville, en banlieue... ? Expliquez pourquoi vous préférez cette situation et décrivez votre maison ou appartement idéal.

## À vous de lire

### «Venez chez nous... on a fait la place» par Farid Boudjellal

*Les neuf membres de la famille Slimani habitent dans un tout petit appartement parisien. Leurs demandes répétées de relogement en HLM[1] sont restées sans réponse. Un jour, leurs parents viennent d'Algérie pour leur rendre visite, et ils sont bien obligés de les accueillir chez eux... !*

---

[1] Habitations à Loyer Modéré; leur prix est contrôlé par l'État   [2] Si... *If you had stretched like that a little earlier, uncle, you would have punched somebody in the face!*   [3] Pas... = Il n'est pas nécessaire   [4] à l'extérieur

### Avez-vous compris?

1. Combien de temps les parents d'Algérie vont-ils rester chez les Slimani?
   a. une nuit
   b. une semaine
   c. un mois
   d. on ne sait pas

2. Pourquoi Mahmoud voudrait-il être orphelin?
3. En fait, combien de pièces y a-t-il dans l'appartement des Slimani?
4. Où Mahmoud dort-il?

## LA LANGUE EN MOUVEMENT

### Les sigles

Les sigles, ou abréviations par les initiales d'un groupe de mots, sont très utilisés par les Français. On parle de plus de 19.000 pour la France! Tous les Français comprennent «le TGV» (Train à grande vitesse), «les BD» (bandes dessinées) et «les JO» (Jeux olympiques). Les SDF sont des gens «sans[1] domicile fixe», c'est-à-dire, sans logement, et les HLM sont des «habitations à loyer modéré», ou des immeubles d'appartements subventionnés[2] par le gouvernement. Si c'est possible de lire le groupe de lettres comme un mot, on le fait, comme c'est le cas du PACS. Depuis 1999, ce Pacte Civil de Solidarité permet aux couples qui ne veulent ou ne peuvent pas se marier de «se pacser», ce qui leur donne certains avantages devant la loi.[3]

MISE EN PRATIQUE: Lisez à haute voix les sigles suivants et dites ce qu'ils représentent. Les sigles anglais correspondants contiennent les mêmes lettres dans un ordre différent: *une ONG, l'UE, l'ADN.* À lire comme des mots: *l'OTAN, le Sida, l'ONU* (=une lettre de plus qu'en anglais).

---

[1]*without*
[2]*subsidized*
[3]devant... *in the eyes of the law*

## À vous d'écrire

Vous allez passer quelques mois à l'université de Toulouse et vous désirez partager un appartement avec des étudiants français. Écrivez une petite annonce qui décrit ce que vous recherchez: le type de logement, le nombre et le type de colocataires (camarades de chambre) que vous cherchez, le loyer maximum que vous pouvez payer et d'autres renseignements qui vous semblent importants. N'oubliez pas de dire comment on peut vous contacter.

MODÈLE:

*Étudiant(e) américain(e) cherche... pour... mois.*

# Vocabulaire

## Les pièces et les autres parties de la maison

Rooms and other places in the house

| | |
|---|---|
| **la chambre à coucher** | the bedroom |
| **la cheminée** | the fireplace |
| **la cuisine** | the kitchen |
| **l'escalier** (*m.*) | the stairs, staircase |
| **le jardin** | the yard, garden |
| **la salle à manger** | the dining room |
| **la salle de bains** | the bathroom |
| **la salle de jeux** | the game room |
| **la salle de séjour** | the living room, family room |
| **le salon** | the (formal) living room |
| **le sous-sol** | the basement |
| **le toit** | the roof |
| **un volet** | a shutter |

## Les meubles et l'équipement ménager

Household furnishings

| | |
|---|---|
| **une affiche** | a poster |
| **un appareil** | an appliance |
| **une baignoire (balnéo)** | a (jacuzzi) bathtub |
| **un balai** | a broom |
| **une bouilloire** | a teakettle |
| **une cafetière** | a coffeepot |
| **un canapé** | a sofa |
| **une commode** | a dresser |
| **un coussin** | a cushion |
| **une cuisinière (à gaz)** | a kitchen range, (gas) stove |
| **une douche** | a shower |
| **une échelle** | a ladder |
| **une étagère** | a bookcase |
| **un évier** | a kitchen sink |
| **un fauteuil** | an armchair |
| **un fer à repasser** | an iron |
| **un four à micro-ondes** | a microwave oven |
| **un frigo** | a fridge |
| **un frigo-congélateur** | a refrigerator-freezer combo |
| **un grille-pain** | a toaster |
| **un lavabo** | a bathroom sink |
| **un lave-vaisselle** | a dishwasher |
| **un lit** | a bed |
| **une machine à laver** | a washing machine |

| | |
|---|---|
| **un placard** | a closet, cupboard |
| **un radio-réveil** | a clock radio |
| **des rideaux** (*m.*) | curtains |
| **un tableau** | a painting, picture |
| **une table basse** | a coffee table |
| **une table de nuit** | a bedside table |
| **un tapis persan** | a Persian rug |
| **les W.C.** (*m.*) | the toilet |

*Mots apparentés:* **un buffet, un détergent, une lampe, un miroir, une radio, un réfrigérateur, une table, un ventilateur**

## Chercher un logement

Looking for housing

| | |
|---|---|
| **un agent immobilier** | a real estate agent |
| **un ascenseur** | an elevator |
| **un avantage** | an advantage |
| **la banlieue** | the suburbs |
| **en banlieue** | in the suburbs |
| **une clé** | a key |
| **un deux-pièces meublé** | a furnished one-bedroom apartment |
| **le (douzième) étage** | the (thirteenth) floor |
| **un immeuble** | an apartment building, highrise |
| **un inconvénient** | a disadvantage |
| **un(e) locataire** | a tenant |
| **les petites annonces** | the classifieds, classified ads |
| **le premier étage** | the second floor |
| **le rez-de-chaussée** | the ground floor |
| **choisir** | to choose |
| **louer an appartement** | to rent an apartment |
| **partager un «appart»** | to share an apartment |
| **payer le loyer** | to pay the rent |
| **prendre une décision** | to make a decision |
| **prendre rendez-vous** | to make an appointment |
| **prendre (recevoir) les clés** (*f.*) | to get (receive) the keys |
| **réfléchir à** | to think about |
| **signer un contrat** | to sign a contract |
| **vivre** | to live |

*Mots apparentés:* **un balcon, un court de tennis, un édifice, un parc résidentiel, une résidence, un studio, une villa, une vue**

## Le quartier
The neighborhood

| | |
|---|---|
| **un agent de police** | a police officer |
| **une bijouterie** | a jewelry store |
| **une brasserie** | a tavern, pub |
| **un client / une cliente** | a customer |
| **un coiffeur / une coiffeuse** | a hairdresser |
| **un(e) commerçant(e)** | a shopkeeper |
| **un commerce** | a business |
| **un cordonnier / une cordonnière** | a shoemaker, repairer |
| **un endroit** | a place |
| **un facteur / une factrice** | a mail carrier |
| **une grande surface** | a large supermarket |
| **un lavomatic** | a laundromat |
| **un marchand de vins** | a wine seller |
| **un ouvrier / une ouvrière** | a worker |
| **une pâtisserie** | a pastry shop |
| **un pressing** | a dry cleaner (*store*) |
| **un(e) voisin(e)** | a neighbor |
| **connaître (les voisins)** | to know (the neighbors) |
| **prendre un pot** | to have a drink |
| **saluer (le facteur)** | to greet (the mail carrier) |

*Mots apparentés:* **un(e) employé(e), un garage, un self-service**

## Les tâches ménagères
Household tasks

| | |
|---|---|
| **arroser** | to water (*plants*) |
| **bouillir** | to boil |
| **bricoler** | to putter, tinker |
| **essuyer les assiettes** | to dry the dishes |
| **faire des achats** | to go shopping |
| **faire la lessive** | to do laundry |
| **faire le ménage** | to do housework |
| **faire la vaisselle** | to wash dishes |
| **faire réparer (la voiture)** | to have (the car) fixed |
| **jardiner** | to garden |
| **nettoyer** | to clean |
| **s'occuper de** | to take care of |
| **passer l'aspirateur** | to vacuum |
| **ranger (une chambre)** | to put (a room) in order |
| **repasser (des vêtements)** | to iron (clothes) |
| **sortir les ordures** | to take out the garbage |
| **tondre le gazon** | to mow the lawn |

## Les conditions mentales et physiques
Physical and mental states

| | |
|---|---|
| **avoir besoin (de)** | to need |
| **chaud** | to feel warm, hot |
| **envie (de)** | to want |
| **faim** | to be hungry |
| **avoir froid** | to be cold |
| **honte (de)** | to be ashamed (of) |
| **peur (de)** | to be afraid (of) |
| **raison (de)** | to be right |
| **soif** | to be thirsty |
| **sommeil** | to be sleepy |
| **tort (de)** | to be wrong |
| **être content(e)** | to be happy |
| **de mauvaise humeur** | to be in a bad mood |
| **fâché(e)** | to be angry |
| **triste** | to be sad |

## La description
Description

| | |
|---|---|
| **cassé(e)** | broken |
| **chaque** | each |
| **dur(e)** | hard, difficult |
| **original(e)** | unusual, special |
| **pressé(e)** | in a hurry |
| **proche** | near, nearby |
| **propre** | own (my own . . . ); clean |
| **sale** | soiled, dirty |

*Mots apparentés:* **confortable, criminel(le), délicat(e), électronique, équipé(e), pratique, rarement, varié(e)**

## Verbes
Verbs

| | |
|---|---|
| **acheter une carte** | to buy a map (a card) |
| **apporter** | to bring |
| **bâtir** | to build |
| **bavarder** | to chat |
| **choisir** | to choose |
| **couper (les cheveux)** | to cut (hair) |
| **entendre** | to hear |
| **répondre** | to answer |
| **se reposer** | to rest |
| **vendre** | to sell |

*Mots apparentés:* **aider, comparer, conserver, considérer, démolir, finir, payer, refuser**

## Mots et expressions utiles
Useful words and expressions

| | |
|---|---|
| **à proximité** | close by |
| **À quoi ça sert?** | What's that/it for? |
| **Aucune idée!** | I've no idea! |
| **celles** | those, the ones |
| **C'est dégoûtant!** | That's disgusting! |
| **en plus** | also, furthermore |
| **pas du tout** | not at all |
| **Sans blague!** | No kidding! |
| **toutes les semaines** | every week |
| **Tu as de la chance!** | You're lucky! |

# Grammaire et exercices

## 4.1 Describing: Placement of adjectives

**A.** Most French adjectives follow the noun they modify.

    Nos voisins ont une maison **énorme**.      *Our neighbors have a huge house.*

**B.** A few adjectives, however, generally precede the noun they modify. Here are the most common of these.

<table>
<tr><td colspan="4" align="center">PRE-NOUN ADJECTIVES</td></tr>
<tr><td>**autre**</td><td>*other*</td><td>**mauvais(e)**</td><td>*bad*</td></tr>
<tr><td>**beau/belle**</td><td>*beautiful*</td><td>**même**</td><td>*same*</td></tr>
<tr><td>**bon(ne)**</td><td>*good*</td><td>**nouveau/nouvelle**</td><td>*new*</td></tr>
<tr><td>**grand(e)**</td><td>*big; tall*</td><td>**petit(e)**</td><td>*small, short*</td></tr>
<tr><td>**jeune**</td><td>*young*</td><td>**vieux/vieille**</td><td>*old*</td></tr>
<tr><td>**joli(e)**</td><td>*pretty*</td><td></td><td></td></tr>
</table>

Il y a un **beau** tapis dans la salle de séjour.

*There's a beautiful rug in the living room.*

Mes grands-parents habitent dans une **jolie** maison blanche.

*My grandparents live in a pretty white house.*

**C.** **Beau, nouveau,** and **vieux** have irregular forms used with masculine nouns beginning with a vowel or a mute **h.** They are pronounced the same as the corresponding feminine form.

| MASCULINE (*s./pl.*) | FEMININE (*s./pl.*) | *before a masculine singular noun beginning with a vowel or a mute* **h** |
|---|---|---|
| beau/beaux | belle/belles | bel |
| nouveau/nouveaux | nouvelle/nouvelles | nouvel |
| vieux/vieux | vieille/vieilles | vieil |

Leur **nouvel** appartement est dans un **bel** immeuble.

*Their new apartment is in a lovely building.*

Édouard Vincent est un **vieil** homme sympathique.

*Édouard Vincent is a nice old man.*

### Pronunciation Hint

The plural endings **-s** and **-x** are always pronounced before a vowel or a mute **h**: vieux͡ amis, belles͡ étagères, nouveaux͡ hôtels.

★ Review *Deuxième étape,* **Grammaire B.6** and **B.7** on agreement of adjectives for gender and number.

► Most of these adjectives can be arranged in pairs of opposites: **bon ≠ mauvais.** Look for the other pairs.

## Exercice 1  La nouvelle maison de Julien Leroux

Julien Leroux parle avec un ami. Terminez ses réponses avec le nom suggéré et le même adjectif. Faites attention à l'accord de l'adjectif.

MODÈLE:    Tu as une *grande* chambre, n'est-ce pas? (lit, *m.*) →
Oui, et j'ai aussi un grand lit.

1. C'est un *vieux* quartier, n'est-ce pas? (maison, *f.*)
Oui, mais ce n'est pas _____.
2. Tu as un *beau* buffet, n'est-ce pas? (cheminée, *f.*)
Oui, et j'ai aussi _____.
3. Tu as une *petite* cuisine, n'est-ce pas? (réfrigérateur, *m.*)
Oui, et c'est pourquoi j'ai _____.
4. Il y a un *bon* four, n'est-ce pas? (cuisinière, *f.*)
Oui, et il y a aussi _____.
5. Tu as une *grande* baignoire, n'est-ce pas? (sauna, *m.*)
Oui, et j'ai aussi _____.
6. Tu as une *nouvelle* adresse, n'est-ce pas? (numéro de téléphone, *m.*)
Oui, bien sûr. Et j'ai aussi _____.

## Exercice 2  Au contraire!

Faites des questions et répondez en utilisant l'adjectif contraire. Attention à la forme de l'adjectif.

MODÈLE:    une petite cuisine →
Tu as une petite cuisine, n'est-ce pas?
Mais non, j'ai une grande cuisine.

1. une petite chambre
2. un nouvel appartement
3. un vieux jean
4. des nouvelles chaussures
5. une grande étagère
6. un bon dictionnaire de français
7. un jeune professeur de français
8. des nouveaux amis

## 4.2  Making comparisons

**A.** To make comparisons of qualities with adjectives or adverbs, use the following phrases.

| COMPARING QUALITIES | |
|---|---|
| **aussi... que** | *as . . . as* |
| **plus... que** | *more . . . than* |
| **moins... que** | *less . . . than* |

> In comparisons, as always, the adjective agrees with the noun it modifies: *Barbara* est plus *grand<u>e</u>* que Louis.

| | |
|---|---|
| Un réfrigérateur est **aussi utile qu'**un lave-vaisselle. | *A refrigerator is as useful as a dishwasher.* |
| Une baignoire est **plus pratique qu'**un sauna. | *A bathtub is more practical than a sauna.* |
| Bernard dort **moins bien que** Christine. | *Bernard sleeps less soundly than Christine.* |

**B.** To compare quantities (of nouns), use these phrases.

> Comparative expressions are one type of quantity expressions. These usually take **de** before the noun: **beaucoup de livres.**

| COMPARING QUANTITIES | |
|---|---|
| **autant de... que** | *as much, as many as* |
| **plus de... que** | *more than* |
| **moins de... que** | *less, fewer than* |

Il y a **plus de chaises** dans la salle à manger **que** dans la salle de séjour.
Ton appartement a **autant de pièces que** notre maison.
J'ai **moins d'argent que** toi.

*There are more chairs in the dining room than in the living room.*
*Your apartment has as many rooms as our house.*
*I have less money than you (do).*

⭐ See **Grammaire 3.6.E** and **7.1.D** on expressions of quantity + **de.**

## Pronunciation Hint

In general, the **s** in **plus** is not pronounced before a consonant: **J'ai plus de livres que vous.** It is pronounced **z** before a vowel: **Il est plus organisé que moi.** The **s** *is* pronounced (as an **s**) at the end of a phrase or sentence: **Mangez plus!**

**C.** **Bon** and **mauvais** are adjectives (they modify nouns and pronouns): **un** *bon* **livre, un** *mauvais* **exemple. Bien** and **mal** are adverbs (they modify verbs): **elle parle** *bien* **l'anglais, il chante** *mal.* Here are their comparative forms. Notice that some of their comparative forms are irregular.

Definition: An adjective describes (modifies) a noun or pronoun: *Claudine is* **tall** *but Joël is* **short.**

| ADJECTIVES | | | |
|---|---|---|---|
| bon(ne) (*good*) | moins bon(ne) | aussi bon(ne) | **meilleur(e)** |
| mauvais(e) (*bad*) | moins mauvais(e) | aussi mauvais(e) | plus mauvais(e) / **pire** |

Cette table est de **meilleure** qualité que l'autre.

*This table is of better quality than the other one.*

(**Meilleure** modifies the noun **qualité.**)

Definition: An adverb modifies a verb, i.e., it tells *how* something is done: *Barbara talks* **fast,** *and I write* **slowly.**

| ADVERBS | | | |
|---|---|---|---|
| bien (*well*) | moins bien | aussi bien | **mieux** |
| mal (*badly, poorly*) | moins mal | aussi mal | plus mal |

Ces rideaux vont **mieux** avec les couleurs de ma chambre.

*These curtains go better with the colors in my room.*

(**Mieux** modifies the verb **vont.**)

## Exercice 3 À votre avis

Comparez les objets, selon le modèle.

### Vocabulaire utile

| | | | |
|---|---|---|---|
| agréable | charmant(e) | économique | pratique |
| amusant(e) | cher/chère | important(e) | utile |
| beau/belle | confortable | intéressant(e) | ? |

MODÈLE:    une voiture et une bicyclette →
Une voiture est plus confortable qu'une bicyclette, mais une bicyclette est moins chère.

1. un lave-vaisselle et un réfrigérateur
2. un appartement et une maison
3. un aspirateur et un four à micro-ondes
4. un immeuble moderne et un vieil immeuble
5. un téléphone portable et un téléphone fixe
6. un répondeur téléphonique et un lecteur DVD*

## Exercice 4 Multimédia

Comparez le matériel multimédia de Daniel, Barbara et Jacqueline. Employez **plus de, moins de** ou **autant de.**

|  | DVD | CHANSONS SUR SON BALADEUR | JEUX VIDÉO | ORDINATEURS |
|---|---|---|---|---|
| Daniel | 20 | 400 | 20 | 2 |
| Barbara | 30 | 250 | 12 | 1 |
| Jacqueline | 30 | 700 | 15 | 1 |

MODÈLE:    Daniel a _____ DVD que Jacqueline. →
Daniel a moins de DVD que Jacqueline.

1. Daniel a _____ chansons que Barbara.
2. Jacqueline a _____ chansons que Daniel et Barbara.
3. Jacqueline a _____ ordinateurs que Daniel.
4. Barbara a _____ DVD que Jacqueline.
5. Daniel a _____ DVD que Barbara et Jacqueline.
6. Daniel a _____ jeux vidéo que de DVD.
7. Barbara a _____ DVD que de jeux vidéo.
8. Daniel a _____ DVD que de jeux vidéo.

## Exercice 5 Ambiance universitaire

Complétez les phrases suivantes avec un adjectif (**bon** ou **mauvais**) ou un adverbe (**bien** ou **mal**), selon votre propre expérience.

1. Le quartier de l'université est un _____ quartier pour trouver un logement.
2. En général, les logements loués aux étudiants sont en _____ condition.
3. Les résidences universitaires offrent une _____ ambiance pour un nouvel étudiant.
4. Dans les restaurants universitaires, on mange très _____.
5. Les étudiants sont souvent en _____ santé parce qu'ils ne dorment pas assez.
6. Je dors _____ la nuit, si je bois du café le soir.
7. Je travaille _____, allongé(e) sur le canapé.

*lecteur... DVD player

## Exercice 6 Opinions

Êtes-vous d'accord? Sinon, changez la phrase.

MODÈLE: Je me sens mieux quand je bois du café. →
Oui, je me sens mieux quand je bois du café. (Non, je me sens moins bien quand je bois du café.)

1. Les étudiants d'aujourd'hui sont moins bons que les étudiants d'il y a vingt ans.*
2. Les diplômés d'aujourd'hui sont moins bien préparés pour le monde du travail que leurs parents.
3. Mes notes en maths sont meilleures que mes notes en français.
4. En général, les petites universités sont moins bonnes que les grandes.
5. Je travaille mieux à la bibliothèque que chez moi.
6. Les jeunes professeurs sont meilleurs que les professeurs plus âgés.

## 4.3 Regular -ir verbs

**A.** The second group of regular verbs in French has infinitives ending in **-ir.** These verbs add **-iss-** between the stem and the endings in the plural forms.

| finir *(to finish)* | |
|---|---|
| je finis | nous fin**iss**ons |
| tu finis | vous fin**iss**ez |
| il/elle/on finit | ils/elles fin**iss**ent |

Albert **finit** toujours ses devoirs.　　　　*Albert always finishes his homework.*

### Pronunciation Hint

fini~~s~~, fini~~t~~, finiss~~ent~~

**B.** Other verbs conjugated like **finir: bâtir** *(to build)*, **choisir** *(to choose)*, **démolir** *(to demolish)*, **obéir (à)** *(to obey)*, **punir** *(to punish)*, **réfléchir (à)** *(to think [about])*, **réussir (à)** *(to succeed [at])*.

Raoul? Il **choisit** un vin.　　　　　　*Raoul? He's choosing a wine.*
Les jeunes ne **réfléchissent** pas　　　*Young people don't always think*
　toujours avant d'agir.　　　　　　　　*before acting.*

**C. Obéir, réfléchir,** and **réussir** generally require **à** before their objects.

Elle **réfléchit à** la question.　　　　*She's thinking about the question.*
Je **réussis** toujours **aux** examens.　*I always pass exams.*

**D. Finir** and **choisir** require **de** only when followed by an infinitive.

Nous **finissons** souvent **de**　　　　*We often finish working at 8:00.*
　travailler à 8 h.
On peut **choisir de rester** à la　　　*One can choose to stay at home.*
　maison.

★ See **Appendix B** for more on verbs and prepositions before infinitives.

---

*il... *20 years ago*

✴ *Review* **Grammaire 1.5** *on the present tense of* **-er** *verbs.*

**E.** Though their infinitives end in **-ir, offrir** and **ouvrir** are conjugated like **parler.**

|  |  |
|---|---|
| j'offr**e** | nous offr**ons** |
| tu offr**es** | vous offr**ez** |
| il/elle/on offr**e** | ils/elles offr**ent** |

**offrir** (*to offer, give*)

Other verbs like **offrir** and **ouvrir** (*to open*): **couvrir** (*to cover*), **découvrir** (*to discover*), **souffrir** (*to suffer*).

## Pronunciation Hint

offr~~es~~, on_offr~~e~~, nous ͡offrõ~~ns~~, vous ͡offre~~z~~, ils ͡offr~~ent~~

## *Exercice 7* La classe de M^me Martin

Complétez les phrases suivantes et dites si vous faites la même chose.

> MODÈLE: Albert _____ ses cours à 14 h. (finir) →
> Albert finit ses cours à 14 h. Moi, je finis à midi.

**1.** Daniel est sérieux. Il _____ avant de parler. (réfléchir)
**2.** Louis ne _____ pas toujours ses devoirs. (finir)
**3.** Barbara _____ toujours à sa conscience. (obéir)

Complétez les phrases suivantes et dites si votre classe de français fait comme la classe de M^me Martin.

> MODÈLE: Dans les activités TPR, les étudiants _____ aux ordres. (obéir) →
> Les étudiants obéissent aux ordres. Dans notre classe aussi, nous obéissons aux ordres.

**4.** Les étudiants _____ leurs partenaires pour travailler en groupes. (choisir)
**5.** En général, les étudiants _____ à leurs examens. (réussir)
**6.** Ils vont au café quand ils _____ leurs cours. (finir)

## **4.4**  Regular **-re** verbs and **mettre**

**A.** The third and final group of regular verbs in French has infinitives ending in **-re**. Note that the **-d** at the end of the stem (**attend-**) is pronounced only in the plural forms. Thus, the three singular forms sound the same.

|  |  |
|---|---|
| j'attend**s** | nous attend**ons** |
| tu attend**s** | vous attend**ez** |
| il/elle/on attend | ils/elles attend**ent** |

**attendre** (*to wait* [*for*], *expect*)

| —Qui **attendez**-vous? | *Who are you waiting for?* |
| —J'**attends** Salam. | *I'm waiting for Salam.* |

## Pronunciation Hint

atte~nds~, atte~nd~; atte~ndons~, atte~ndez~, atte~ndent~

**B.** Other verbs like **attendre: descendre** (*to go down, to get out of a vehicle*), **entendre** (*to hear*), **perdre** (*to lose; to waste*), **rendre** (*to give back*), **répondre (à)** (*to answer*), **tondre** (*to mow*), **vendre** (*to sell*).

| | |
|---|---|
| J'**entends** un chien. | *I hear a dog.* |
| **Rendez**-moi mes livres! | *Give me back my books!* |

**C.** Notice the difference between the regular **-re** verbs like **attendre** and the irregular **-re** verbs like **prendre:** the singular forms are the same, but the plural forms are different.

⭐ *Review **Grammaire 3.3** on the irregular verb **prendre**.*

| REGULAR | IRREGULAR |
|---|---|
| nous enten**d**ons | nous prenons |
| vous enten**d**ez | vous prenez |
| ils enten**d**ent | ils prennent |

**D. Mettre** is an irregular **-re** verb that is similar in conjugation to **attendre.** Notice, however, that there is only one **t** in the stem of the singular forms.

| **mettre** (*to put* [*on*]) | |
|---|---|
| je me**ts** | nous me**tt**ons |
| tu me**ts** | vous me**tt**ez |
| il/elle/on me**t** | ils/elles me**tt**ent |

| | |
|---|---|
| En classe, nous **mettons** nos affaires par terre. | *In class, we put our things on the floor.* |
| Je **mets** un jean pour aller en cours. | *I put jeans on to go to class.* |

Other verbs conjugated like **mettre: permettre** (*to permit*), **promettre** (*to promise*), **remettre** (*to put back, hand in*).

## Pronunciation Hint

The final **t** in the stem is pronounced in the plural forms only: **me~ts~, me~t~, mettõ~ns~, mette~z~, mette~nt~.**

## Exercice 8 Chez toi

MODÈLE: entendre les voisins →
Chez toi, est-ce que tu entends les voisins?
Oui, j'entends les voisins. (Non, je n'entends pas les voisins.)

1. mettre la table pour dîner
2. prendre le petit déjeuner dans la cuisine
3. tondre le gazon en été
4. permettre au chien de dormir sur ton lit
5. apprendre à faire la cuisine

6. ranger ta chambre tous les jours
7. répondre toujours au téléphone
8. perdre souvent tes clés

Maintenant, posez les mêmes questions au professeur.

MODÈLE:    Chez vous, est-ce que vous entendez les voisins?

## *Exercice 9* Comparaisons: Ici et ailleurs

Complétez les descriptions d'une université nord-américaine typique. Ensuite, dites si c'est vrai pour votre université et pour votre classe de français.

1. Les étudiants _____ leurs livres à la fin du semestre. (vendre)
   a. Dans cette université, on... (ses livres)
   b. Dans notre cours de français, nous... (nos livres)
2. Les étudiants _____ si le professeur arrive en retard. (attendre)
   a. Dans cette université, on...
   b. Dans notre cours de français, nous...
3. Les étudiants ne _____ pas toujours les devoirs. (remettre)
   a. Dans cette université, on...
   b. Dans notre cours de français, nous...
4. Certains étudiants _____ beaucoup de temps avec les jeux vidéo. (perdre)
   a. Dans cette université, on...
   b. Mes copains et moi, nous...
5. Les professeurs ne _____ pas aux étudiants de dormir en classe. (permettre)
   a. Dans cette université, on...
   b. Mon professeur de français...
6. Les professeurs ne _____ pas toujours les examens corrigés le lendemain. (rendre)
   a. Dans cette université, on...
   b. Mon professeur de français...

## 4.5    Direct object pronouns

Définition: A direct object follows the verb without a preposition before it: **Je fais mon lit.**

**A.** Direct object pronouns are used in place of direct object nouns. The following forms can refer to people or things. Like reflexive pronouns, they are placed before the verb.

| | |
|---|---|
| **le** (*him, it*) | replaces masculine singular nouns |
| **la** (*her, it*) | replaces feminine singular nouns |
| **l'** (*him, her, it*) | replaces masculine or feminine singular nouns before verbs beginning with a vowel or a mute **h** |
| **les** (*them*) | replaces masculine and feminine plural nouns |

—Tu arroses souvent les plantes?          *Do you water the plants often?*
—Oui, je **les** arrose souvent.            *Yes, I water them often.*

—Tu entends ton père qui t'appelle?       *Do you hear your father calling you?*
—Oui, je **l'**entends.                     *Yes, I hear him.*

## Pronunciation Hint

je les ˙ arros¢, nous les ˙ arrosõɲ¢, etc.

**B.** Here are the other direct object pronouns. Note that **me** and **te** become **m'** and **t'** before a vowel or a mute **h.**

| | |
|---|---|
| **me (m')** (*me*) | **nous** (*us*) |
| **te (t')** (*you*, informal sing.) | **vous** (*you*, formal/pl.) |

Bernard, tes parents **nous** invitent au concert.

*Bernard, your parents are inviting us to the concert.*

—Allô, maman. Tu **m'**entends bien?
—Oui, je **t'**entends parfaitement.

*Hello, Mom. Can you hear me okay?*
*Yes, I can hear you perfectly.*

**C.** In negative sentences, **ne** precedes object pronouns.

J'aime lire le journal, mais je **ne l'**achète pas souvent.

*I like to read the paper, but I don't buy it often.*

**D.** If a verb is followed by an infinitive, the direct object pronoun usually precedes the infinitive of which it is the object.

—Est-ce que tu voudrais **m'accompagner** à la banque?
—Oui, je passe **te chercher** à 3 h.

*Would you like to go with me to the bank?*
*Yes, I'll come by to get you at 3:00.*

**E.** Direct object pronouns are often used with **voici** and **voilà.**

—Bernard? Bernard? Où es-tu?
—**Me voici!** J'arrive tout de suite.

*Bernard? Bernard? Where are you?*
*Here I am! I'm coming right away.*

J'attends mes parents. Ah, **les voilà!**

*I'm waiting for my parents. Oh, there they are!*

**F.** Some common verbs take direct objects in French whereas the equivalent English verb takes a preposition: **chercher** (*to look for*), **demander** (*to ask for*), **écouter** (*to listen to*), **payer** (*to pay for*), **regarder** (*to look at, watch*), **attendre** (*to wait for*).

—**Regardez-**vous **les informations** à la télé?
—Non, je **les écoute** à la radio.

*Do you watch the news on TV?*

*No, I listen to it on the radio.*

Tu **m'attends** un instant? Je **cherche mon sac.**

*Would you wait for me a moment? I'm looking for my purse.*

> ➤ Placement of D.O. pronouns:
>
> —Tu *me* comprends?
> —Je ne *te* comprends pas.
>
> —Tu veux *nous* attendre?
> —Je ne peux pas *vous* attendre.

## Exercice 10 Un matin difficile

C'est lundi matin et Bernard Lasalle est distrait, comme tous les matins. Christine doit l'aider à trouver toutes ses affaires.

MODÈLE:   BERNARD: Où est ma chemise jaune? →
          CHRISTINE: La voilà!

1. Où est ma cravate verte?
2. Où sont mes lunettes?
3. Où est ma montre?
4. Où est le journal?
5. Où sont mes tickets d'autobus?
6. Où est ma brosse à dents?

### Exercice 11 Le travail ménager

Un(e) camarade vous demande si vous faites les tâches suivantes chez vous. Répondez selon le modèle.

MODÈLE: Tu tonds le gazon? →
Oui, je le tonds quelquefois (souvent, une fois par semaine).
(Non, moi, je ne le tonds jamais, mais ma sœur le tond.)

1. Tu arroses les plantes?
2. Tu fais la cuisine?
3. Tu fais ton lit?
4. Tu repasses tes vêtements?
5. Tu fais le ménage?
6. Tu nettoies la salle de bains?
7. Tu fais les courses?
8. Tu passes l'aspirateur?

### Exercice 12 Une mère très curieuse

Votre mère vous téléphone un samedi matin et vous pose beaucoup de questions. Répondez en employant un pronom objet direct.

MODÈLE: Tu vas nettoyer ta chambre aujourd'hui? →
Oui, je vais la nettoyer cet après-midi. (Non, je ne vais pas la nettoyer. Ce n'est pas nécessaire.)

1. Tu vas ranger ta chambre ce matin?
2. Tu vas faire la lessive aujourd'hui?
3. Tu vas repasser tes vêtements?
4. Tu vas faire tes devoirs ce soir?
5. Tu aimes bien ton/ta camarade de chambre?
6. Tu prends tes vitamines tous les jours?
7. Tu viens nous voir le week-end prochain?
8. Quand vas-tu inviter ton nouveau petit ami / ta nouvelle petite amie à la maison?

### Exercice 13 Nathalie pose des questions

Complétez ses questions et donnez les réponses de ses parents, Bernard et Christine.

MODÈLE: Tu _____ aimes beaucoup, papa? →
Tu m'aimes beaucoup, papa?
Oui, je t'aime beaucoup!

1. Tu _____ trouves belle, maman?
2. Tu _____ écoutes quand je parle, papa?
3. Tu _____ trouves intelligente, papa?
4. Tu veux _____ aider à faire mes devoirs, maman?
5. Tu _____ préfères à toutes les autres petites filles du monde, papa?
6. Tu ne _____ trouves pas difficile, maman?
7. Tu vas toujours _____ aimer, maman?

# 4.6 Talking about knowing: The verb connaître

**A.** You already know how to use **savoir** (*to know*) to say you know a piece of information or how to do something.

⭐ *Review **Grammaire 2.5B** and **C** on the uses of **savoir**.*

Je **sais** son adresse.

Je **sais** qu'il est tard, mais je ne veux pas rentrer.

Ma camarade de chambre ne **sait** pas **faire** la cuisine.

*I know his/her address.*

*I know it's late, but I don't want to go home.*

*My roommate doesn't know how to cook.*

**B.** **Connaître** means *to know* in the sense of being acquainted with someone or something.

| connaître (*to know, be familiar with*) | |
|---|---|
| je **connais** | nous **connaissons** |
| tu **connais** | vous **connaissez** |
| il/elle/on **connaît** | ils/elles **connaissent** |

▶ **savoir**: knowing a fact or how to do something

**Je sais son nom.**

**Je sais qu'il est marié.**

**Il ne sait pas nager.**

▶ **connaître**: being familiar with a person or place

**Je ne connais pas son frère.**

**Tu connais Lyon?**

Je ne **connais** pas encore mes voisins.

**Connaissez**-vous le restaurant «Chez Alfred» dans la vieille ville?

*I don't know (haven't met) my neighbors yet.*

*Do you know (Are you familiar with) the restaurant "Chez Alfred" in the old part of town?*

## Pronunciation Hint

connaiş, connaît, connaisşenṭ

## Exercice 14 Une soirée chez Julien

Julien Leroux parle avec ses invités. Utilisez la forme correcte du verbe **connaître**.

1. Charles et Martine, _____-vous M^me Michaud? —Oui, nous la _____ très bien.
2. Jacques, _____-tu Sylvie? —Bien sûr, je la _____. C'est ma cousine!
3. Est-ce que Bintou _____ Jacques et Odette Dupont? —Oui, elle les _____ bien.
4. M^me Cartier, _____-vous le fiancé de Fatima? —Non, je ne le _____ pas encore.
5. Est-ce que les Michaud _____ les Haddad? —Oui, ils les _____ très bien. Ils sont voisins.

## Exercice 15 La classe de M^me Martin

Complétez chaque phrase avec la forme correcte de **savoir** ou de **connaître**. Ensuite, formulez une réponse d'après le modèle.

MODÈLE: M^me Martin _____ tous ses voisins. Et toi? →
M^me Martin *connaît* tous ses voisins.
Moi, je ne connais pas tous mes voisins. (Moi aussi, je connais...)

1. Barbara _____ faire du canoë. Et toi?
2. Albert _____ la date de l'anniversaire de sa mère. Et toi?

3. Jacqueline _____ faire de l'escalade. Et toi?
4. M^me Martin _____ bien La Nouvelle-Orléans. Et toi?
5. Louis _____ l'histoire de sa famille. Et toi?
6. Denise _____ bien les poèmes de Jacques Prévert. Et toi?

## 4.7 Describing states of being: Expressions with avoir

*Review Deuxième étape, Grammaire B.5 on avoir.*

**A.** As in English, most descriptions are expressed in French with an adjective and the verb **être.**

| | |
|---|---|
| Karim **est** très **content** de son nouvel ordinateur. | *Karim is very happy with his new computer.* |

**B.** In French, however, many states are expressed with the verb **avoir** followed by a *noun.*

| | |
|---|---|
| **J'ai froid.** Le chauffage ne marche pas dans ma chambre. | *I'm cold. The heat isn't working in my room.* |

Here are some other useful combinations of **avoir** + noun.

| | | | |
|---|---|---|---|
| avoir chaud | *to be hot, warm* | avoir froid | *to be cold* |
| avoir faim | *to be hungry* | avoir soif | *to be thirsty* |
| avoir raison | *to be right* | avoir tort | *to be wrong* |
| avoir sommeil | *to be sleepy* | avoir honte | *to be ashamed* |

| | |
|---|---|
| En été, quand j'**ai chaud,** je vais à la piscine. | *In summer, when I'm hot, I go to the pool.* |
| Jean-Paul pense qu'il **a raison.** | *Jean-Paul thinks he's right.* |

**C.** Several expressions with **avoir** require **de** before an object or an infinitive.

| | |
|---|---|
| avoir besoin de (papier/dormir) | *to need (paper / to sleep)* |
| avoir envie de (chocolat/sortir) | *to want (chocolate) / to feel like (going out)* |
| avoir honte de (sa note / perdre) | *to be ashamed of (one's grade / losing)* |
| avoir peur de (l'eau/nager) | *to be afraid of (water/swimming)* |
| avoir raison de (refuser) | *to be right to (refuse)* |
| avoir tort de (fumer) | *to be wrong to (smoke)* |

| | |
|---|---|
| Nous **avons besoin d'**une nouvelle voiture. | *We need a new car.* |
| Raoul, tu **as envie de** faire du jogging demain matin? | *Raoul, do you feel like jogging tomorrow morning?* |
| Est-ce que tu **as peur du** chien? | *Are you afraid of the dog?* |
| Il **a tort de** se mettre en colère. | *He's wrong to get angry.* |

**D.** The expression **avoir l'air** (*to seem*) is followed by an adjective.

| | |
|---|---|
| Albert, tu **as l'air fatigué** ce matin. | *Albert, you look tired this morning.* |
| Ce pauvre chien **a l'air triste.** | *That poor dog looks sad.* |

## *Exercice 16* Un étudiant québécois

Complétez le portrait de Raoul Durand avec **peur, tort, besoin, l'air, envie** ou **honte.**

1. Raoul n'est pas brillant. Il a _____ d'étudier.
2. Quelquefois, il pense au Québec et il a _____ de revoir sa famille.
3. Il est toujours très calme. Il n'a jamais _____ nerveux.
4. Il est très ponctuel. Il a _____ s'il arrive en retard.
5. En général, il est courageux, mais quelquefois il a _____.
6. Il est réaliste. Il admet quelquefois qu'il a _____.

## *Exercice 17* Interruptions

Jean-Yves essaie de travailler chez lui, mais il a beaucoup de distractions. Utilisez une expression avec **avoir.**

1.

Quand… , Jean-Yves se fait un sandwich.

2.

Quand… , il prend un verre d'eau.

3.

Quand… , il fait la sieste.

4.

Quand… , il ouvre la fenêtre.

5.

Quand… , il prend une tasse de thé très chaud.

6.

Quand… de parler avec quelqu'un, il appelle un copain.

7.

Quand… de vêtements propres, il va au lavomatic.

8.

Il travaille plus dur quand… d'avoir une mauvaise note.

Auguste Renoir (1841–1919), *Le Bal du moulin de la galette*, 1876.

# Dans le passé

## Objectifs

In *Chapitre 5*, you will hear and talk about things that happened in the past, both your own experiences and those of other people.

## *La vie quotidienne*

✳ Attention! Étudier Grammaire 5.1

### *Hier soir, chez les Colin*

La famille Colin a dîné ensemble.

Charles a rendu son devoir de physique.

Marise a assisté à une conférence à la fac.

Claudine a déjeuné à la cantine de son lycée.

Clarisse a attendu l'autobus pendant une demi-heure.

Joël a fini ses devoirs vers 9 heures.

Emmanuel a choisi des nouvelles baskets.

Claudine et Charles ont joué aux échecs.

## Activité 1  Enquête: La vie d'étudiant

Dites si vous avez fait les actions suivantes la semaine dernière.

La semaine dernière,...

1. j'ai déjeuné avec des copains. (Où? Qu'est-ce que vous avez mangé?)
2. j'ai fini un projet important. (Quel projet? Quand?)
3. j'ai passé un examen difficile. (Avez-vous réussi à l'examen?)
4. j'ai perdu les clés de ma voiture. (Vous les avez retrouvées? Où?)
5. j'ai rendu un devoir. (Pour quel cours? Quand?)
6. j'ai travaillé. (Où? Combien d'heures?)
7. j'ai discuté de politique. (Où? Avec qui?)
8. j'ai attendu quelqu'un. (Qui? Où?)
9. j'ai oublié d'envoyer un texto à quelqu'un. (À qui?)
10. j'ai réfléchi à mes finances. (C'est sérieux?)
11. je me suis réveillé(e) tard ce matin. (Pourquoi? Votre réveil n'a pas sonné?)

### À vous la parole!

Comparez vos réponses à celles de votre partenaire.

> MODÈLE:  J'ai séché un cours. (Quel cours?) →
> É1:  Moi, j'ai séché mon cours de maths mardi dernier. Et toi?
> É2:  Moi, je n'ai pas séché de cours mais...

## Activité 2  Interro: L'été dernier

Décrivez les activités des quatre personnes suivantes.

> MODÈLE:  É1: Qu'est-ce que Sarah et Agnès ont fait en juillet?
> É2: Elles sont allées à Bordeaux.
> É1: Qu'est-ce qu'elles ont fait pendant leur visite?
> É2: Elles ont visité des caves à vins.

|  | AU MOIS DE JUIN | AU MOIS DE JUILLET | AU MOIS D'AOÛT |
|---|---|---|---|
| JULIEN | a acheté un appart au 14$^{\text{ème}}$ étage d'un nouvel immeuble | a beaucoup voyagé pour monter une émission spéciale | a passé ses vacances à La Réunion |
| ADRIENNE | a rendu visite à ses parents en Auvergne | a suivi un stage intensif de tennis à Marseille | a assisté au mariage d'une amie d'enfance |
| SARAH ET AGNÈS | ont fait un voyage organisé en Égypte | ont visité des caves à vins dans la région de Bordeaux | ont dormi tard aussi souvent que possible |

## Activité 3 Entretien: Ma journée d'hier

Hier matin,...
1. à quelle heure as-tu quitté la maison?
2. quels vêtements as-tu portés?
3. as-tu assisté à des cours à la fac? À quels cours?

Hier après-midi,...
4. où as-tu déjeuné? Avec qui?
5. est-ce que tu as étudié? Qu'est-ce que tu as étudié?
6. tu as travaillé? Où? À quelle heure? Pendant combien d'heures?

Hier soir,...
7. tu as rencontré tes amis? Combien de temps avez-vous passé ensemble?
8. est-ce que tu as téléphoné à quelqu'un? De quoi avez-vous parlé?
9. à quelle heure as-tu fini ta journée? Est-ce que tu as regardé la télé avant de te coucher?

## Activité 4 Casse-tête: Le cadeau d'Adrienne Petit

Ce matin, quelqu'un a envoyé des roses à Adrienne pour son anniversaire. Mais... quel mystère! L'ami généreux a oublié de signer la carte! Il y a trois personnes possibles. Qui est-ce?

1. Benoît travaille chez un fleuriste et il a été payé.
2. Hier, Robert a parlé de l'anniversaire d'Adrienne.
3. Jean-François a noté la date de l'anniversaire dans son carnet d'adresses, mais il a perdu le carnet.
4. Robert est allergique aux fleurs. Il ne va jamais chez le fleuriste.
5. Benoît ne sait pas la date de l'anniversaire d'Adrienne.
6. Jean-François n'est pas en France. Il est en Italie cette semaine.

> MODÈLE: É1: C'est peut-être Benoît. Il travaille chez un fleuriste.
> É2: D'accord, mais Robert a parlé de son anniversaire hier.

## Exprime-toi!

Tu ne penses pas que... ?
Tu as raison.
D'accord, mais...
Un instant, s'il te plaît!
Je ne suis pas d'accord!
Ça ne prouve rien!

## Cliquez là!

Dix millions de gens parlent une des langues créoles. Visitez un site sur les langues créoles pour apprendre davantage sur ces langues et sur les gens qui les parlent. Dans quels pays est-ce qu'on parle créole?

# À propos...

## Toussaint-Louverture

Au XVII[1] siècle, les Français ont établi une colonie sur l'île d'Hispaniola dans les Antilles: Saint-Domingue. Ils y ont établi des plantations de canne à sucre très profitables, grâce au[2] travail forcé des esclaves.[3] En 1791, les esclaves, commandés par Toussaint-Louverture, se sont révoltés[4] avec succès contre les Français. Quand, à Paris, le gouvernement révolutionnaire[5] a décidé d'abolir l'esclavage en 1794, Toussaint-Louverture a arrêté le combat. Pourtant,[6] en 1802, Napoléon Bonaparte a rétabli[7] l'esclavage et a envoyé une armée à Saint-Domingue. Les Français ont capturé Toussaint-Louverture et l'ont emprisonné; il est mort en captivité l'année suivante. Son lieutenant, Dessalines, a continué la lutte[8] et, en 1804, a proclamé l'indépendance du pays, sous le nom d'Haïti. Toussaint-Louverture est considéré comme un symbole universel de libération pour tous les esclaves.

● Toussaint-Louverture (1743–1803), héros de l'indépendance haïtienne

[1]dix-septième  [2]grâce... avec le  [3]personnes captives forcées à travailler  [4]rebellés  [5]La France a eu trois révolutions: en 1789, en 1830 et en 1848  [6]Mais  [7]réinstitué  [8]combat

# Les expériences

 Attention! Étudier Grammaire 5.2

On a volé la voiture de Julien pendant ses vacances en Corse. Il a dû passer au commissariat.

Pendant son séjour à Tahiti, Louis a appris à faire de la plongée sous-marine.

À 80 ans, Édouard Vincent et son frère ont découvert la maison où ils sont nés.

Nathalie a eu un accident. Elle va bien, mais elle a cassé sa poupée.

Quand Raoul a ouvert sa porte, quelle surprise! Ses amis ont crié «Bon anniversaire!»

Les parents de Joël lui ont offert un chien comme cadeau de Noël cette année.

## Activité 5    Associations: Carrières et préparations

Nous citons ici des réponses enregistrées par Julien Leroux pendant des interviews qu'il a faites pour TF1. Pour chaque nom célèbre, identifiez les décisions et les actions qui ont contribué à sa réussite.

Ségolène Royal, ancienne candidate à la présidence
Philippe Perrin, astronaute français
Patricia Kaas, chanteuse française
François Delachaux, directeur d'entreprise

1. J'ai étudié le commerce et les affaires internationales.
2. Je n'ai pas eu de succès au début mais j'ai persisté à chanter.
3. J'ai appris à piloter toutes sortes d'avions.
4. J'ai suivi la politique et les élections avec passion.
5. J'ai reçu un diplôme de MBA aux États-Unis.
6. J'ai rêvé de devenir la première femme présidente de France.
7. J'ai voulu suivre une carrière militaire.
8. J'ai participé aux concours de chant pour amateurs dans ma région.
9. J'ai été élue députée à l'Assemblée nationale, puis présidente de ma région.
10. J'ai fait des études pour devenir ingénieur.
11. J'ai lu énormément sur l'histoire sociale.
12. J'ai suivi un entraînement physique rigoureux.

## Activité 6 Échanges: La dernière fois

Avec votre camarade de classe, répondez aux questions suivantes en expliquant un peu votre réponse.

### Vocabulaire utile

hier (soir)
la semaine dernière
(lundi) dernier
il y a (deux jours)

> MODÈLE: É1: Quelle est la dernière fois que tu as passé un examen difficile?
> É2: J'ai passé un examen difficile vendredi dernier dans mon cours de grammaire russe. Et toi?

Quelle est la dernière fois que...

1. tu as mangé dans ta voiture?
2. tu as voulu manger de la pizza à minuit?
3. tu as téléchargé des chansons?
4. tu as perdu un objet de valeur?
5. tu as reçu un cadeau?
6. tu as rendu un service à quelqu'un?
7. tu as dormi pendant un cours ennuyeux?
8. tu as rangé ta chambre?
9. tu as conduit trop vite?
10. tu as dû faire la vaisselle?
11. tu as offert un cadeau à quelqu'un?
12. tu as lu un journal?

# LA LANGUE EN MOUVEMENT

## Mots américains d'origine française

Les explorateurs et colonisateurs français qui sont venus en Amérique du Nord ont laissé des traces non seulement au Canada, mais aussi aux États-Unis, où les noms de lieu d'origine française sont encore nombreux, des noms comme Boise, Detroit, Des Moines, Lake Champlain, Baton Rouge, Joliet et Montpelier. L'influence française est évidente aussi dans certains mots de l'anglais américain qui sont venus du français, quelquefois par l'intermédiaire du français canadien, tels que *cache*, *chute* (apparemment à l'origine de l'expression «to shoot the rapids»), *coulee*, *depot*, *lacrosse*, *levee* et *portage*.

MISE EN PRATIQUE Y a-t-il des noms de lieux d'origine française dans votre région? Quel est leur sens? À qui ou à quoi réfèrent-ils? Faites des recherches sur Internet si nécessaire.

## Activité 7   Dans le monde francophone: Aventures extraordinaires

Ces images nous montrent nos héros gaulois Astérix et Obélix. Identifiez le livre où l'on peut probablement trouver les aventures suivantes.

Astérix légionnaire                    La grande traversée

1. Astérix et Obélix ont séjourné dans une tribu de Peaux-Rouges.
2. Pour sauver un jeune Gaulois enlevé de force par les Romains, ils ont combattu parmi les légionnaires de Jules César.
3. En traversant l'Atlantique, ils ont dû affronter des pirates.
4. Ils ont provoqué une bataille entre les troupes de César et celles du traître Scipion.
5. Ils ont participé à la chasse au bison.
6. En retraversant l'océan, ils ont été attaqués par des Vikings féroces.
7. Obélix a beaucoup plu à la fille du chef de la tribu indienne.
8. Après sa victoire, Jules César leur a offert la liberté de Tragicomix.
9. Obélix n'a pas voulu se marier. Ils sont donc rentrés en Gaule.

## Activité 8   Discussion: Vous avez déjà vu ça?

Vous aimez les excentricités? Alors, écoutez, puis dites si ces personnes et ces animaux se sont conduits d'une manière normale ou extraordinaire.

MODÈLE:   un chien qui a chanté à la télé →
C'est extraordinaire! Les chiens ne peuvent pas chanter.

1. un bébé qui a téléchargé une chanson
2. un chat qui a bu de la crème
3. un chien qui a appris à parler
4. un adolescent qui a voulu faire la vaisselle
5. des étudiants qui ont vu les films de Monty Python
6. un professeur qui a conduit trop vite et qui a reçu une contravention
7. un enfant qui a voulu ranger ses affaires
8. une grand-mère qui a fait un saut en parachute
9. un poisson rouge qui a mangé un serpent
10. une souris qui a poursuivi un chat
11. ?

# Le week-end et les loisirs

✳ Attention! Étudier Grammaire 5.3 et 5.4

## Le samedi d'Agnès

Samedi matin, je me suis réveillée tard.

Je me suis douchée et je me suis lavé les cheveux.

Ensuite, je suis partie faire les courses.

À 13 heures, je suis allée au café pour déjeuner avec des amis.

Samedi soir, je suis sortie avec Jean-Yves et Sarah.

Nous sommes allés voir le dernier film de Luc Besson.

Après, Jean-Yves est rentré avec nous.

Jean-Yves est resté deux heures chez nous et on a discuté.

Je me suis couchée vers deux heures et demie du matin.

## Activité 9   Discussion: Le week-end dernier

Dites si vous avez fait ces activités ou non.

1. Samedi matin,...
    a. je me suis levé(e) de bonne heure.
    b. j'ai pris mon petit déjeuner.
    c. j'ai rangé ma chambre.
    d. j'ai fait ma lessive.
2. Samedi après-midi,...
    a. j'ai étudié au café avec des copains.
    b. j'ai regardé un match à la télé.
    c. j'ai fait de l'exercice au gymnase.
    d. j'ai fait les vitrines au centre-ville.
3. Samedi soir,...
    a. j'ai téléchargé un film.
    b. on m'a invité(e) à dîner dans un restaurant chic.
    c. j'ai invité des gens chez moi.
    d. je suis sorti(e) avec mon copain (ma copine).
4. Dimanche,...
    a. je suis allé(e) chez mes parents.
    b. j'ai préparé mes devoirs pour lundi.
    c. j'ai couru un marathon.
    d. je me suis couché(e) de bonne heure.

## Activité 10   Entretien: Une grande occasion

Qu'est-ce que vous avez fait la dernière fois que vous êtes allé(e) à une fête (un mariage, une réception... )? Répondez aux questions suivantes.

MODÈLE:   É1: Est-ce que tu t'es douché(e) avant d'y aller?
          É2: Oui, je me suis douché(e). (Non, je ne me suis pas douché[e].)

1. Est-ce que tu t'es lavé les cheveux?
2. Est-ce que tu t'es maquillée (rasé)?
3. Comment y es-tu allé(e), en voiture ou à pied?
4. Es-tu arrivé(e) à l'heure ou en retard?
5. Est-ce que tu t'es bien amusé(e) ou est-ce que tu t'es ennuyé(e)?
6. À quelle heure est-ce que tu es parti(e)?
7. Qu'est-ce que tu as fait après la fête (le mariage... )?
8. À quelle heure es-tu rentré(e) chez toi?
9. Est-ce que tu t'es endormi(e) tout de suite?
10. À quelle heure tu t'es réveillé(e) le lendemain matin?

## Activité 11  Dans le monde francophone:
### Les distractions de Paris

Julien Leroux a monté une émission spéciale pour TF1 sur certaines brasseries de Paris. Lisez ses commentaires et identifiez la brasserie ou le café qu'il décrit.

### les brasseries

**BRASSERIE FLO**

7, cour des Petites-Écuries, 75010. Dans un décor 1925, la clientèle du quartier croise celle de l'après-spectacle. Carte classique et plats copieux (environ 35€).

**CHEZ BOFINGER**

3, rue de la Bastille, 75004. Jusqu'à 1 h du matin. Créée en 1864, cette brasserie au décor art nouveau (l'un des plus beaux de Paris) a vu arriver les premières bières d'Alsace. Une institution au-dessus des modes.

### les jeunes

**VIRGIN CAFÉ**

56, avenue des Champs-Élysées, 75008, au-dessus du Mégastore. Jusqu'à 23 h. Un fast-food de luxe qui sait proposer des plats frais. Musique et vidéo (environ 25€).

**CACTUS CHARLY**

68, rue de Ponthieu, 75008. Jusqu'à 2 h. Ranch et pub, cuisine tex-mex, ambiance estudiantine. Très bruyant, malheureusement.

1. Je me suis bien amusé à regarder la clientèle «de l'après-spectacle».
2. Je suis vite parti de cet établissement à cause du bruit!
3. On m'a servi des plats tex-mex délicieux.
4. Les premières bières d'Alsace y sont arrivées il y a plus d'un siècle.
5. J'y suis allé pour essayer un fast-food de luxe et quel plaisir! Des plats frais, mes amis!
6. Les premiers clients y sont entrés en 1864.

## Activité 12  Récit: L'invitation à dîner

Francis et Marie Lasalle ont invité des amis samedi dernier. Racontez leur journée du matin au soir.

***Vocabulaire utile***   d'abord, ensuite, puis, finalement

# Faits personnels et historiques

★ Attention! Étudier Grammaire 5.5

Francis Lasalle et sa femme Marie se sont rencontrés au théâtre.

Ils sont tombés amoureux, mais Francis a dû faire son service militaire.

De retour à la vie civile, Francis a épousé Marie à Lyon.

Les Lasalle n'ont eu que deux enfants, un fils et une fille.

Claudine est née en 1967. Elle est devenue professeur de lycée.

Personne n'a fait fortune chez les Lasalle, mais c'est une famille très unie.

Francis n'a jamais fait d'études universitaires, mais son fils Bernard est devenu ingénieur.

Aujourd'hui, Francis ne travaille plus. Il a pris sa retraite.

## Exprime-toi!

Ça, c'est rigolo!
C'est vrai?
Génial!
Pas encore!
Pas possible!
Personne!
Rien!
Tu es sûr(e)?

## Activité 13 Entretien: Que savez-vous sur votre famille?

MODÈLE: É1: Mon père est né en 1960.
É2: C'est vrai? Mon père aussi est né en 1960!

1. En quelle année est-ce que tes parents se sont mariés?
2. Qui dans ta famille est devenu militaire?
3. Est-ce qu'un membre de ta famille est devenu célèbre?
4. Tes grands-parents ont eu combien d'enfants?
5. Où est-ce que tes parents se sont rencontrés?
6. Dans ta famille, qui est né avant 1940? Et qui est né au XXIᵉ siècle?
7. Qui dans ta famille est retraité? Que fait cette personne maintenant?
8. Qui dans ta famille a fait des études universitaires?
9. Dans ta famille, vous êtes doués pour les arts? La finance?... ?
10. ?

# À la rencontre des arts

## «Déjeuner du matin»

Il a mis le café
Dans la tasse
Il a mis le lait
Dans la tasse de café
Il a mis le sucre
Dans le café au lait
Avec la petite cuiller[1]
Il a tourné
Il a bu le café au lait
Et il a reposé la tasse
Sans[2] me parler

Il a allumé
Une cigarette
Il a fait des ronds
Avec la fumée
Il a mis les cendres[3]
Dans le cendrier
Sans me parler
Sans me regarder
Il s'est levé
Il a mis
Son chapeau sur sa tête

Il a mis son manteau de pluie
Parce qu'il pleuvait[4]
Et il est parti
Sous la pluie
Sans une parole
Sans me regarder
Et moi j'ai pris
Ma tête dans ma main
Et j'ai pleuré.[5]

Jacques Prévert, *Paroles*

[1]petite... *teaspoon*   [2]*Without*   [3]*ashes*   [4]*il... it was raining*   [5]*cried*

Jacques Prévert, "Déjeuner du matin", in *Paroles*, paru aux Éditions Gallimard, 1946. © Éditions Gallimard. © Fatras/ Succession Jacques Prévert, tous droits audio et numériques réservés.

## Activité 14   Dans le monde francophone: Quelques faits du passé

Quel dessin correspond à chacun de ces faits historiques?

a.

b.

c.

d.

e.

f.

g.

h.

_____ **1.** Charlemagne a reçu sa couronne à Rome en l'an 800.
_____ **2.** Jeanne d'Arc a libéré la ville d'Orléans en 1429.
_____ **3.** Les Acadiens (Cajuns) sont arrivés en Louisiane entre 1764 et 1788.
_____ **4.** Le peuple de Paris a pris la Bastille le 14 juillet 1789.
_____ **5.** Napoléon a pris le titre d'empereur en 1804.
_____ **6.** Marie Curie a reçu le prix Nobel de physique en 1903 et le prix Nobel de chimie en 1911.
_____ **7.** Louis XVI et Marie-Antoinette ont été guillotinés en 1793.
_____ **8.** Le général de Gaulle est devenu président de la Ve* République en 1959.

*cinquième

## Activité 15 Enquête: L'histoire de ma vie

Complétez les phrases. Ensuite, comparez vos réponses à celles de votre camarade.

1. Je suis allé(e) à l'école à l'âge de...
2. J'ai reçu ma première montre...
3. J'ai conduit une voiture pour la première fois...
4. J'ai mis une robe du soir (ou un smoking) pour la première fois...
5. Je suis entré(e) à la fac...
6. Je suis tombé(e) amoureux/amoureuse...
7. Je suis devenu(e) une personne raisonnable...

> MODÈLE: É1: J'ai bu du champagne pour la première fois au mariage de mon cousin, vers l'âge de 15 ans. Et toi?
> É2: Moi, je n'ai jamais goûté au champagne. Pas encore!

### Exprime-toi!

à (vers) l'âge de (5) ans...
avant l'âge de (5) ans
Je ne me souviens plus.
Je n'ai pas encore...
Je ne suis (n'ai) jamais...

## Activité 16 Discussion: À votre avis... ?

Savez-vous séparer le mythe de la réalité? Choisissez la phrase qui exprime votre opinion ou inventez-en une autre.

1. On entend parler de l'île d'Atlantide.
   a. Quelle bêtise! Elle n'a jamais existé.
   b. Elle a existé, mais elle n'existe plus.
   c. On n'a rien trouvé jusqu'à présent.
2. Il y a des gens qui croient aux licornes. Qu'en pensez-vous?
   a. Elles n'existent que dans des zoos.
   b. Elles n'existent plus; c'est une espèce disparue.
   c. Elles n'ont jamais existé.
3. Et puis certains disent que la Terre n'est pas ronde, mais plate.
   a. Personne ne croit plus à cette idée.
   b. Personne n'a jamais cru ça.
   c. Certaines personnes y croient encore aujourd'hui.
4. On dit que la vie existe sur d'autres planètes ou dans d'autres systèmes solaires.
   a. La vie n'existe que sur la Terre.
   b. Elle y a existé, mais elle n'y existe plus.
   c. Personne n'en sait rien.

# POUR RÉSUMER

## À vous de parler

A. Écoutez la description et ensuite, dites le nom de la personne en question. Quels individus est-ce que nous n'avons pas décrits?

a. le Général de Gaulle
b. Audrey Tautou
c. Marie Curie
d. Jacques Prévert
e. Pablo Picasso
f. Coco Chanel
g. Nicolas Sarkozy
h. Édith Piaf
i. Youssou N'Dour

_____ 1. Il est né en 1900 à Neuilly-sur-Seine. Très connu pour ses poèmes, il a écrit aussi des scénarios pour le cinéma et des pièces de théâtre. Certains de ses poèmes ont été mis en musique, notamment *Les feuilles mortes* (*Autumn Leaves*).

_____ **2.** Née dans un milieu modeste, elle a appris à coudre à l'âge de 18 ans pour gagner sa vie. Elle a créé des styles inoubliables dans le monde de la haute couture. Elle est morte en 1977, mais son nom continue de symboliser l'élégance et on connaît bien le parfum qui porte son nom.

_____ **3.** En 1940, il est allé à Londres, où il a servi de chef de la France libre pour résister à l'Occupation nazie pendant la Seconde Guerre mondiale. En 1959, il est devenu le premier président de la Cinquième République française.

_____ **4.** Elle est considérée comme l'archétype de la chanteuse française. Sa voix a inspiré des compositeurs, et elle a lancé la carrière de plusieurs chanteurs. Parmi ses nombreuses chansons, on compte *La vie en rose*, *Milord* et *Non, je ne regrette rien*.

_____ **5.** Ce Sénégalais est musulman et musicien populaire à la fois. Il n'y voit pas de contradiction, puisque sa musique interprète sa vision de poète pour son peuple. Il joue pour eux le rôle de griot moderne.

_____ **6.** Cette vedette de cinéma, née en 1978, a été nommée en hommage à Audrey Hepburn. C'est elle qui a joué l'héroïne dans *Le fabuleux destin d'Amélie Poulain*. Elle a interprété aussi Sophie dans *Da Vinci Code* et, plus récemment, on a pu la voir dans le film *Coco avant Chanel*.

_____ **7.** Cet artiste est né en Espagne mais il a passé la plupart de sa vie en France. Son œuvre de peintre, de graveur, de sculpteur et de dessinateur a profondément marqué l'art moderne.

**B.** Ensuite, en groupes, faites la description d'autres personnes célèbres et présentez-les à la classe.

## À vous de lire
### Les mémoires de Jacques Cartier

*Les peuples indigènes du Canada actuel ont eu des contacts avec des Européens (des marins vikings) avant l'an 1000. Pendant la Renaissance, les Italiens Giovanni Cabot (1497) et Giovanni Verrazzano (1524) et le Français Jacques Cartier (1534–1536) ont été parmi les premiers explorateurs célèbres de ce territoire. C'est Cartier qui est surnommé «découvreur du Canada». Voici ses «Mémoires», comme on peut les imaginer, écrites l'année de sa mort (vers 1557).*

Aujourd'hui, peu de gens connaissent encore mon nom, mais j'ai été très célèbre. C'est moi qui, le premier, ai exploré la Nouvelle France. En 1534, notre roi François I[er][1] a financé une expédition pour trouver un passage vers la Chine et des territoires riches en métaux[2] précieux. Avec deux bateaux, nous sommes partis de Saint-Malo, ma ville natale en Bretagne, et nous avons traversé l'Atlantique en vingt jours. À notre arrivée en Amérique, nous avons trouvé une île immense, une très vaste baie et une péninsule. Là, j'ai pris possession du pays au nom du roi. Nous avons aussi rencontré les habitants de cette région, nommés «Iro-quois»; ils forment une sorte de république parfaitement organisée avec d'autres nations indiennes.

Je suis rentré en France, où tout le monde a été enthousiasmé par ces premières découvertes, surtout le roi: il a immédiatement ordonné un deuxième voyage, en 1535. Nous avons continué vers le sud-ouest, sur un fleuve large et majestueux que j'ai baptisé «Saint-Laurent». Finalement, nous avons atteint[3] une

_____

[1]premier   [2]pluriel de *métal (m.)*   [3]avons... sommes arrivés sur

grande île et des rapides impressionnants. Nous avons alors exploré l'île et visité une ville indienne nommée «Hochelaga». Nous sommes montés sur une colline,[4] pour observer les environs. En l'honneur de François Ier, j'ai nommé cette colline le «Mont-Royal».

Je suis retourné en France avec le chef Iroquois Donnacona. Il a raconté des histoires extraordinaires et le roi a pensé que le «Canada», comme l'Eldorado, était un pays de trésors[5] fabuleux. À mon troisième et dernier voyage, en 1541, j'ai emmené[6] des colons[7] pour établir des postes permanents au Canada. Enfin, j'ai trouvé des diamants et de l'or[8]! Je suis rentré en France pour les montrer au roi. Malheureusement, j'ai fait erreur: ces «trésors» étaient en réalité des pierres et des métaux sans valeur.

• Jacques Cartier (1491–1557)

L'entourage du roi est cruel et on m'a ridiculisé... Ma consolation, c'est que mon nom reste associé à la découverte d'un pays nouveau, beaucoup plus grand que la France!

---

[4]petite montagne  [5]choses précieuses  [6]pris avec moi  [7]personnes qui colonisent un territoire  [8]métal jaune précieux

### Avez-vous compris?

Vrai ou faux? Si c'est faux, corrigez la phrase.

1. À l'origine, Cartier est allé au Canada pour établir une colonie.
2. Il a remonté le Saint-Laurent pendant son premier voyage.
3. Son impression initiale des Iroquois a été très favorable.
4. Pendant sa deuxième expédition, il a découvert le site actuel de Montréal.
5. Jacques Cartier a fondé Montréal.
6. Finalement, il a trouvé de l'or et des diamants.

### Allons plus loin! Changement de perspective. Vous êtes un Iroquois qui raconte à ses enfants l'arrivée des Français en 1534. Les enfants, très curieux, vous posent beaucoup de questions.

MODÈLE: ENFANTS: Comment est-ce que les Français sont arrivés?
VOUS: Sur des grands canoës en bois, appelés «bateaux»...

### Vocabulaire utile

parler dans une langue incompréhensible
admirer nos villages fortifiés
chercher des pierres précieuses
s'émerveiller de nos coiffures
poser des questions bizarres sur un endroit appelé «Lachine»
utiliser des armes cruelles et bruyantes
(ne pas) comprendre nos coutumes

## À vous d'écrire

C'est Noël et vous êtes très occupé(e). Vous voulez rester en contact avec vos amis, mais vous ne pouvez pas écrire une lettre personnelle à tout le monde. Composez une lettre que vous pouvez envoyer à toutes les personnes de votre liste. Vous voulez raconter les événements les plus importants de l'année.

MODÈLE: *Mes chers amis,*

      *Cette année a été très… pour moi. D'abord,…*

      *Je vous embrasse très affectueusement en vous souhaitant une bonne et prospère année 20___.*

# Vocabulaire

## La vie quotidienne

Daily life

| | |
|---|---|
| **assister à une conférence** | to attend a lecture |
| **assister à un mariage** | to attend a wedding |
| **déjeuner à la cantine** | to eat lunch in the cafeteria |
| **discuter de politique** | to discuss politics |
| **s'ennuyer** | to get bored |
| **entendre parler de** | to hear about |
| **essayer (de)** | to try (to) |
| **faire des études** | to take a course of study |
| **oublier (de)** | to forget (to) |
| **ouvrir la porte** | to open the door |
| **passer un examen** | to take a test |
| **perdre ses clés** | to lose (one's) keys |
| **poser des questions** | to ask questions |
| **quitter la maison** | to leave the house |
| **ranger sa chambre** | to clean up one's bedroom |
| **rendre un devoir** | to turn in homework |
| **rendre un service (à)** | to do a favor (for) |
| **rendre visite (à)** | to pay a visit (to) |
| **réussir à un examen** | to pass a test |
| **sécher un cours** | to cut a class |
| **télécharger** | to download |
| **trouver** | to find |

*Mots apparentés:* **citer, commencer, se conduire, découvrir, discuter (de), exister, offrir, participer (à), persister (à), prouver, signer**

## Expériences et distractions

Special experiences

| | |
|---|---|
| **avoir du succès** | to be successful |
| **croire aux licornes** (*f.*) | to believe in unicorns |
| **découvrir** | to discover |
| **devenir (ingénieur)** | to become (an engineer) |
| **envoyer des fleurs** (*f.*) | to send flowers |
| **épouser (quelqu'un)** | to get married to (someone) |
| **faire un saut en parachute** | to do a parachute jump |
| **faire fortune** (*f.*) | to make a fortune |
| **goûter (à)** | to taste, try |
| **jouer aux échecs** | to play chess |
| **monter une émission** | to produce a show |
| **passer ses vacances** | to spend one's vacation |
| **piloter un avion** | to fly a plane |
| **prendre sa retraite** | to retire |
| **recevoir** | to get, receive |
| **recevoir une contravention** | to get a traffic ticket |
| **recevoir un diplôme** | to get a degree |
| **(se) rencontrer** | to meet |
| **suivre la politique** | to follow politics |
| **tomber amoureux/ amoureuse de** | to fall in love with |
| **visiter une cave à vins** | to visit a winery |
| **voler** | to steal |

## Quand

### Saying when

| | |
|---|---|
| aussi souvent que possible | as often as possible |
| cette semaine | this week |
| déjà | already |
| enfin | finally |
| hier | yesterday |
| hier soir | last night |
| il y a (deux jours) | (two days) ago |
| le week-end dernier | last weekend |

## La description

### Descriptive words

| | |
|---|---|
| célèbre | famous |
| élu(e) | elected |
| ennuyeux/ennuyeuse | boring |
| énormément | enormously; a lot |
| enregistré(e) | recorded |
| inoubliable | unforgettable |
| rond(e) | round |
| plat(e) | flat |
| russe | Russian |
| uni(e) | united |

*Mots apparentés:* allergique, charmant(e), délicieux/délicieuse, excessif/excessive, intensif/intensive, personnel(le), raisonnable, rigoureux/rigoureuse, social(e), terminé(e), universitaire

## Substantifs

### Nouns

| | |
|---|---|
| un avion | a plane |
| une brasserie | a pub, bar |
| un cadeau de Noël | a Christmas present |
| un carnet d'adresses | an address book |
| un casse-tête (*inv.*) | puzzle, brainteaser |
| un(e) chien(ne) | a dog |
| un concours | a contest |

| | |
|---|---|
| une couronne | a crown |
| un(e) député(e) | a representative |
| un événement | an event |
| un(e) fleuriste | a florist |
| une journée | a day, duration of a day |
| un lycée | a high school |
| un mot | a word |
| un objet de valeur | a valuable object |
| la physique | physics |
| une poupée | a doll |
| un prix | a prize |
| la réussite | success |
| un siècle | a century |
| un smoking | a tuxedo |
| une souris | a mouse |
| la Terre | the (planet) Earth |

*Mots apparentés:* un(e) adolescent(e), une ambiance, l'armée (*f.*), un(e) candidat(e), une carrière, le décor, une interview, un mystère, une planète, une réception, le service militaire, le système solaire, un zoo

## Mots et expressions utiles

### Useful words and expressions

| | |
|---|---|
| à cause de | because of |
| un(e) ami(e) d'enfance | a childhood friend |
| autant que possible | as much as possible |
| avoir de la chance | to be lucky |
| Ça ne prouve rien. | That doesn't prove anything. |
| C'est rigolo! | That's funny! |
| d'accord | okay, agreed |
| de plus en plus | more and more |
| De quoi as-tu parlé? | What did you talk about? |
| donc | therefore |
| Génial! | Great! |
| Je ne me souviens plus. | I don't remember. |
| pas encore | not yet |
| peut-être | perhaps |
| Quelle bêtise! | How silly! |
| Quel plaisir! | What a pleasure! |
| vers (l'âge de) | about (the age of) |

# Grammaire et exercices

## 5.1 Saying what you did: Passé composé with avoir

**A.** The **passé composé** is a compound past tense: it has two parts, an auxiliary (helping) verb and a past participle. Most verbs use **avoir** as the auxiliary verb. Here is the complete conjugation of **travailler** in the **passé composé.**

➤ **passé composé = avoir +** past participle (most verbs)

| PASSÉ COMPOSÉ: **travailler** (*to work*) | |
|---|---|
| j'ai travaillé | nous avons travaillé |
| tu as travaillé | vous avez travaillé |
| il/elle/on a travaillé | ils/elles ont travaillé |

| | |
|---|---|
| M<sup>me</sup> Martin **a travaillé** à la bibliothèque hier soir. | *Madame Martin worked at the library last night.* |
| Barbara et Jacqueline sont très fatiguées; elles **ont travaillé** dur hier soir. | *Barbara and Jacqueline are very tired; they worked hard last night.* |

**B.** Here are the past participles for the three types of regular verbs. To form the past participle, drop the infinitive ending (**-er, -ir, -re**) and add the past participle ending: **-é, -i, -u.**

| PAST PARTICIPLES OF REGULAR VERBS | | |
|---|---|---|
| **-er** *verbs* → **-é** | **-ir** *verbs* → **-i** | **-re** *verbs* → **-u** |
| parler → parlé | choisir → choisi | attendre → attendu |
| étudier → étudié | finir → fini | perdre → perdu |
| habiter → habité | réussir → réussi | répondre → répondu |

| | |
|---|---|
| Sarah **a téléphoné** à sa famille aux États-Unis. | *Sarah called her family in the United States.* |
| Agnès **a fini** ses devoirs à minuit. | *Agnès finished her homework at midnight.* |
| Jean-Yves **a perdu** ses clés hier. | *Jean-Yves lost his keys yesterday.* |

**C.** To make verbs in the **passé composé** negative, put **ne... pas** around the auxiliary verb.

➤ Negation: **ne + avoir + pas + past participle Il n'a pas travaillé.**

| | |
|---|---|
| Je **n'ai pas** retrouvé mes amis au café. | *I didn't meet my friends at the café.* |
| Cette année, mon équipe de basket-ball préférée **n'a pas** gagné une seule fois! | *This year, my favorite basketball team hasn't won (didn't win) once!* |

**D.** The **passé composé** is used to tell about an event completed in the past. It has several possible English equivalents: **j'ai étudié** can mean *I studied, I did study, I have studied.*

| | |
|---|---|
| **J'ai étudié** l'espagnol au lycée. | *I studied Spanish in high school.* |
| Tu **as nettoyé** ta chambre samedi? | *Did you clean your room on Saturday?* |
| Nous **avons** déjà fini ce livre. | *We've already finished this book.* |

**E.** Use **pendant** + time expression to say how long someone did something in the past.

<table>
<tr><td>Hier soir, j'ai étudié le français<br>   **pendant deux heures.**</td><td>*Last night, I studied French for<br>   two hours.*</td></tr>
<tr><td>Louis a étudié l'italien **pendant<br>   trois ans** au lycée.</td><td>*Louis studied Italian for three years<br>   in high school.*</td></tr>
</table>

**F.** In conversation, past-tense questions are usually formed with **est-ce que** or intonation. You can also ask past-tense questions by inverting the helping verb and its subject pronoun.

<table>
<tr><td>**Est-ce que** Louis a déjà fini?</td><td>*Has Louis already finished?*</td></tr>
<tr><td>Tu n'as pas téléphoné ce matin?</td><td>*You didn't (Didn't you) call this<br>   morning?*</td></tr>
<tr><td>**Avez-vous** oublié de faire le devoir?</td><td>*Did you forget to do the assignment?*</td></tr>
</table>

> ✳ *You will learn more about the* ***passé composé*** *throughout this chapter and in* **Grammaire 6.8, 8.5, 12.2,** *and* **12.5.**

## Exercice 1  Qu'avez-vous fait hier?

Posez des questions et donnez les réponses.

MODÈLE:    étudier → Est-ce que tu as étudié hier?
                   Oui, j'ai étudié hier. (Non, je n'ai pas étudié hier.)

1. acheter un journal
2. écouter la radio
3. envoyer beaucoup de textos
4. manger un hamburger
5. préparer ton dîner
6. promener ton chien
7. sécher un cours
8. regarder la télé
9. travailler à ton job
10. nettoyer ta chambre

## Exercice 2  Événements d'hier

Voici ce qu'Agnès Rouet a fait hier. Avez-vous fait les mêmes activités?

MODÈLE:    Agnès a perdu son livre de grammaire. →
                   Moi, je n'ai pas perdu de livre. (Moi aussi, j'ai perdu un livre. J'ai
                   perdu mon livre de maths... )

Agnès...

1. a oublié de prendre ses vitamines.
2. a fini un devoir pour son cours d'anglais.
3. a choisi un nouveau CD.
4. a répondu à tous ses courriels.
5. a perdu ses clés.
6. a dormi pendant un cours ennuyeux.
7. a attendu le bus pendant une demi-heure.
8. a très bien réussi à un examen.
9. a utilisé un tchat vidéo.

## Exercice 3 Dans notre cours de français

Avez-vous fait ces activités cette semaine (la semaine dernière) dans votre cours de français?

MODÈLE: regarder une vidéo →
Oui, nous avons regardé une vidéo. (Non, nous n'avons pas regardé de vidéo.)

1. écouter une chanson française
2. étudier des nouveaux points de grammaire
3. parler seulement en français
4. envoyer des textos
5. travailler au laboratoire informatique
6. finir le chapitre 4
7. répondre au courriel d'un correspondant français
8. passer un examen

## Exercice 4 Soirée d'adieux

Les étudiants de M^me Martin ont organisé une fête pour Pierre, l'assistant de français, qui va rentrer en France. Albert raconte ce que tout le monde a fait. Qu'est-ce qu'il dit?

MODÈLE: la soirée / commencer à 7 h 30 →
La soirée a commencé à 7 h 30.

1. Daniel et Louis / acheter des boissons*
2. nous / manger des crêpes
3. Barbara et Jacqueline / apporter des CD français
4. tout le monde / parler français
5. même M^me Martin / danser
6. nous / regarder des photos de cette année
7. Denise / donner un album de photos à Pierre
8. quelques étudiants / pleurer†

# 5.2 Irregular past participles

**A.** Most irregular verbs have past participles that fall into four groups (past participles ending in **-u**, **-it**, **-is**, and **-ert**). Use the following charts as reference lists when you do the exercises in this chapter and in the **Cahier d'exercices.**

| PAST PARTICIPLES ENDING IN **-u** | | | |
|---|---|---|---|
| boire (*to drink*) | **bu** | plaire (à) (*to please*) | **plu** |
| connaître (*to know*)‡ | **connu** | pleuvoir (*to rain*) | **plu** |
| courir (*to run*) | **couru** | pouvoir (*to be able*) | **pu** |
| devoir (*must, to have to*) | **dû** | recevoir (*to receive*) | **reçu** |
| lire (*to read*) | **lu** | voir (*to see*) | **vu** |
| obtenir (*to obtain*) | **obtenu** | vouloir (*to want*) | **voulu** |

➤ Note the difference in meaning:

**Ce poème m'a *plu*.**
(*I liked that poem.*)

**Il a *plu* hier soir.**
(*It rained last night.*)

---

*choses qu'on boit, du vin, du coca, etc.
†*to cry*
‡Au passé composé, *to meet for the first time:* J'ai connu Guy à l'université. *I met Guy at university.*

—Agnès, est-ce que tu **as vu** Sarah hier?     *Agnès, did you see Sarah yesterday?*
—Non, il **a plu** et elle n'**a** pas **pu** sortir.     *No, it rained and she couldn't go out.*

—Est-ce que le film vous **a plu**?     *Did you like the movie? (Did the movie please you?)*

—Oui, je l'ai trouvé fascinant.     *Yes, I found it fascinating.*

| PAST PARTICIPLES ENDING IN **-it, -is** | | | |
|---|---|---|---|
| conduire (*to drive*) | **conduit** | prendre (*to take*) | **pris** |
| dire (*to say*) | **dit** | apprendre (*to learn*) | **appris** |
| écrire (*to write*) | **écrit** | comprendre (*to understand*) | **compris** |
| faire (*to do; to make*) | **fait** | mettre (*to put, put on*) | **mis** |

—Qu'est-ce que tu **as fait** ce matin?     *What did you do this morning?*
— J'**ai écrit** une lettre à mes amis canadiens.     *I wrote a letter to my Canadian friends.*

Marise et Clarisse **ont mis** une robe pour sortir hier soir.     *Marise and Clarisse put on dresses to go out last night.*

| PAST PARTICIPLES ENDING IN **-ert** | |
|---|---|
| découvrir (*to discover*) | **découvert** |
| offrir (*to offer, give*) | **offert** |
| ouvrir (*to open*) | **ouvert** |
| souffrir (*to suffer*) | **souffert** |

M^me Martin **a ouvert** son livre.     *Madame Martin opened her book.*
Sarah **a offert** des fleurs à M^me Rouet.     *Sarah gave some flowers to Madame Rouet.*

## Pronunciation Hint

Liaison is always made between a plural subject pronoun and the helping verb **avoir**; the final consonant of the past participle is never pronounced: **nous͜avõns fait, vous͜avez dit, elles͜õnt cõmpris.**

**B.** The past participles of **avoir** and **être** are irregular. Both of these verbs use **avoir** as their helping verb.

➤ avoir: j'*ai* eu
   être: j'*ai* été

| avoir (*to have*) | **eu** |
|---|---|
| être (*to be*) | **été** |

J'**ai eu** un problème avec ma voiture hier soir.     *I had a problem with my car last night.*
J'**ai été** très content de vous revoir à cette fête.     *I was very happy to see you again at that party.*

## Exercice 5 Qu'est-ce que tu as fait ce matin?

Répondez aux questions d'un(e) camarade.

MODÈLE: Est-ce que tu as bu un café ce matin? →
Oui, j'ai bu un café. (Non, je n'ai pas bu de café.)

1. Est-ce que tu as dû te lever de bonne heure?
2. Est-ce que tu as fait ton lit?
3. Est-ce que tu as pris le petit déjeuner?
4. Est-ce que tu as lu le journal?
5. Est-ce que tu as bu un coca?
6. Est-ce que tu as reçu un texto?
7. Est-ce que tu as conduit ta voiture?
8. Est-ce que tu as eu un accident?
9. Est-ce que tu as été en retard pour un cours?
10. Est-ce que tu as mis un manteau pour sortir?

Maintenant, posez les mêmes questions à votre professeur.

MODÈLE: Est-ce que vous avez bu un café ce matin?

## Exercice 6 Qu'est-ce qu'ils ont fait aujourd'hui?

Choisissez les activités logiques des personnes suivantes.

MODÈLE: les chauffeurs de taxi →
Les chauffeurs de taxi ont conduit leur taxi.

1. les clients dans un bar
2. les spectateurs qui sortent du cinéma
3. l'explorateur célèbre
4. les bons étudiants
5. le fils affectueux
6. les acteurs au théâtre
7. l'auteur connu
8. la femme élégante

a. lire leurs leçons
b. découvrir une ville perdue
c. offrir un cadeau à sa mère
d. mettre une nouvelle robe
e. écrire un nouveau livre
f. voir un film
g. prendre un cocktail
h. apprendre leur rôle

## Exercice 7 Le samedi de Jean-Yves

Mettez le récit de Jean-Yves Lescart au passé composé.

MODÈLE: J'ai de la difficulté à me lever. →
Samedi dernier, j'ai eu de la difficulté à me lever.

1. À 9 h, je reçois un coup de téléphone d'Agnès.
2. À 10 h, je rencontre Agnès et Sarah dans un petit café près du Louvre.
3. Sarah nous offre un café.
4. Nous avons une discussion animée au sujet du cinéma des années 50.
5. Enfin, nous prenons le métro pour aller voir le dernier film de Martin Scorsese.
6. Je leur dis au revoir et je dois courir pour prendre le métro.
7. J'ouvre ma porte et je vois tous mes livres de classe. À la vue de tout ce travail, je suis découragé.
8. Je mets mon pyjama et je fais la sieste.

# 5.3 Saying what you did: Passé composé with être

**A.** Most French verbs use **avoir** as the auxiliary in the **passé composé.** However, a few use **être** instead. The past participles of these verbs agree with the subject in gender and number.

> **passé composé =
> avoir** or **être** + past
> participle

> **je suis allé(e) =**
> *I went / I have gone /
> I did go*

> **Raoul est allé...
> Agnès est allée...
> Ils sont allés...**

| PASSÉ COMPOSÉ: **aller** (*to go*) | |
|---|---|
| je **suis** allé(e) | nous **sommes** allé(e)s |
| tu **es** allé(e) | vous **êtes** allé(e)(s) |
| il/on **est** allé | ils **sont** allés |
| elle **est** allée | elles **sont** allées |

Sylvie Legrand **est allée** en
Louisiane la semaine dernière.
Son frère et sa belle-sœur **sont
allés** en France.

*Sylvie Legrand went to Louisiana
last week.*
*Her brother and sister-in-law went
to France.*

## Pronunciation Hint

Because final **-e** and **-s** are silent, the feminine and plural agreement endings on past participles are not pronounced, and for most past participles, all forms sound the same: **alléé = allé, restéś = resté.**

**B.** Many verbs conjugated with **être** in the **passé composé** denote a change in location.

| PAST PARTICIPLE ENDING IN . . . | | | |
|---|---|---|---|
| **-é** | | **-u** | |
| aller (*to go*) | → **allé** | descendre (*to go down*) | → **descendu** |
| arriver (*to arrive*) | → **arrivé** | venir (*to come*) | → **venu** |
| entrer (*to enter*) | → **entré** | revenir (*to come back*) | → **revenu** |
| monter (*to go up*) | → **monté** | | |
| passer (*to pass, go by*) | → **passé** | | |
| rentrer (*to go home*) | → **rentré** | **-i** | |
| retourner (*to return*) | → **retourné** | partir (*to leave*) | → **parti** |
| tomber (*to fall*) | → **tombé** | sortir (*to go out*) | → **sorti** |

Les parents de Raoul **sont venus**
lui rendre visite le week-end dernier.
Ils **sont arrivés** vendredi soir.

*Raoul's parents came to visit him
last weekend. They arrived
Friday night.*

**C.** Here are a few verbs conjugated with **être** that do not denote a change in location. Note that they do denote a change in state (except **rester,** *to stay*).

| | | |
|---|---|---|
| rester (*to stay*) | → | **resté** |
| devenir (*to become*) | → | **devenu** |
| naître (*to be born*) | → | **né** |
| mourir (*to die*) | → | **mort** |

Je **suis né** en 1992 et ma grand-mère **est morte** l'année suivante.

*I was born in 1992, and my grandmother died the following year.*

## *Exercice 8* La dernière fois

Parlez de la dernière fois que vous avez fait les choses suivantes.

MODÈLE: Quelle est la dernière fois que vous êtes monté(e) à cheval? →
Je suis monté(e) à cheval à l'âge de 7 ans. (Je ne suis jamais monté[e] à cheval.) (Je ne me souviens pas de la dernière fois que je suis... )

Quelle est la dernière fois que...

1. vous êtes sorti(e) sans prendre le petit déjeuner?
2. vous êtes allé(e) faire des courses au supermarché?
3. vous êtes monté(e) à la tour Eiffel?
4. vous êtes tombé(e)? (où?)
5. vous êtes parti(e) pour le week-end? (où?)
6. vous êtes arrivé(e) en cours en retard?
7. vous êtes passé(e) à la bibliothèque?
8. vous êtes entré(e) dans un bar?
9. vous êtes resté(e) au lit jusqu'à midi?
10. vous êtes rentré(e) après minuit?

## *Exercice 9* Un week-end de ski

Les Colin sont allés faire du ski dans les Alpes. Claudine raconte leur week-end. Mettez les verbes au passé composé.

MODÈLE: nous / aller passer le week-end à Megève →
Nous sommes allés passer le week-end à Megève.

1. nous / partir à 5 h vendredi soir
2. nous / arriver à Megève vers 10 h
3. samedi matin, les enfants / aller sur les pistes* de bonne heure
4. Victor et moi, nous / rester au lit un peu plus longtemps
5. Marise et Clarisse / monter et descendre plusieurs fois
6. elles / ne pas tomber, heureusement
7. samedi soir, nous / revenir au chalet pour dîner
8. dimanche matin, les enfants / retourner sur les pistes à 9 h
9. nous / rentrer à Clermont-Ferrand dimanche soir, fatigués mais très contents de notre week-end

*slopes

## Exercice 10 Expériences

Caroline Njanga et Raoul Durand, étudiants étrangers à l'Université de Louisiane, comparent leurs expériences. Mettez les verbes au passé composé.

RAOUL: Moi, je (naître[1]) à Montréal. Et toi?

CAROLINE: Moi, je (naître[2]) à Yaoundé, au Cameroun. J'y (habiter[3]) pendant toute mon enfance.

RAOUL: Moi aussi, j'(habiter[4]) à Montréal toute ma vie. Je (quitter[5]) mon pays pour la première fois à l'âge de quinze ans. Je (aller[6]) à New-York pendant cinq jours avec ma classe d'anglais.

CAROLINE: Moi, je (ne jamais quitter[7]) mon pays avant de venir ici.

RAOUL: Quand est-ce que tu (arriver[8]) aux États-Unis?

CAROLINE: Je (arriver[9]) en août dernier. Et toi?

RAOUL: Moi aussi, je (arriver[10]) en août. Est-ce que tu (rentrer[11]) chez toi pour les vacances de Noël?

CAROLINE: Non, c'est trop loin et beaucoup trop cher! Alors je (rester[12]) ici pour les fêtes.

RAOUL: Moi, j'ai de la chance. Comme le Canada n'est pas très loin, je (pouvoir[13]) rentrer chez moi à Noël.

## 5.4 Passé composé of reflexive verbs

> Reflexive pronouns *precede* the helping verb: **Je *me* suis couché(e).**

**A.** The **passé composé** of reflexive verbs is always formed with **être.** The reflexive pronoun precedes the helping verb.

—Bernard, tu as l'air fatigué. À quelle heure est-ce que tu **t'es levé** ce matin?

*Bernard, you look tired. What time did you get up this morning?*

—Je **me suis couché** après minuit et **je me suis levé** à 7 h.

*I went to bed after midnight, and I got up at 7:00.*

**B.** Because their past tense is formed with **être,** participles used in past reflexive constructions usually agree in gender and number with the subject.

Marie **s'est levée** à 8 h.

*Marie got up at 8:00.*

Nathalie et Camille **se sont levées** à 10 h.

*Nathalie and Camille got up at 10:00.*

## Exercice 11 Préparatifs

Bernard et Christine Lasalle sont allés à une grande soirée le mois dernier. Lisez ce qu'ils ont fait avant d'y aller. Est-ce que vous avez fait les mêmes choses la dernière fois que vous êtes sorti(e)?

MODÈLE: Bernard s'est lavé les cheveux. →
Moi aussi, je me suis lavé les cheveux. (Je ne me suis pas lavé les cheveux.)

1. Christine est allée chez le coiffeur.
2. En fin d'après-midi, Bernard et Christine se sont reposés.
3. Bernard s'est douché.
4. Ils se sont brossé les dents.
5. Christine s'est maquillée et Bernard s'est rasé avec son rasoir électrique.
6. Ils se sont habillés en vitesse.
7. Ils se sont bien amusés et ils sont rentrés après minuit.
8. Ils se sont couchés et ils se sont tout de suite endormis.

## *Exercice 12* La fête

Caroline est sortie avec Albert. Écrivez des phrases au passé composé.

MODÈLE: (Numéro sept) Caroline et Albert sont partis à 2 h du matin.

### *Vocabulaire utile*

| | |
|---|---|
| arriver à la fête | se déshabiller |
| arriver chez elle | s'endormir |
| se baigner | partir à 2 h du matin |
| se brosser les dents | se sécher |
| se coucher | sortir ensemble |

## 5.5 Negative expressions

**A.** So far, you have most often used the expression **ne... pas** to negate sentences. Here are several other negative expressions, grouped with the corresponding affirmative expressions.

| AFFIRMATIVE | NEGATIVE |
|---|---|
| quelque chose (*something*) | **ne... rien** (*nothing*) |
| | or |
| tout (*everything*) | **rien... ne** (*nothing*) |
| quelqu'un (*somebody*) | **ne... personne** (*nobody*) |
| | or |
| tout le monde (*everybody*) | **personne... ne** (*nobody*) |
| quelquefois (*sometimes*) toujours (*always*) un jour (*someday*) | **ne... jamais** (*never*) |
| déjà (*already*) | **ne... pas encore** (*not yet*) |
| encore (*still*) toujours (*still*) | **ne... plus** (*no longer*) |

Note that these expressions occur in the same position as **ne... pas.** They are placed around the first verb (i.e., the helping verb in **passé composé**).

—Est-ce que ta sœur fume toujours? | *Does your sister still smoke?*
—Non, elle **ne** fume **plus.** | *No, she doesn't smoke anymore.*

Moi, je **n'**ai **jamais** fumé. | *I have never smoked (I never smoked).*

Nous **ne** sommes **pas encore** allés en Tunisie. | *We haven't been to Tunisia yet.*

Je **n'**ai **rien** dit à M^me Martin. | *I didn't say anything to Madame Martin.*

*Exception:* The word **personne** is placed *after* the past participle in the **passé composé**.

Je **n'**ai rencontré **personne** au café. | *I didn't meet anyone at the cafe.*

➤ *Rien ne* **marche.**
(*Nothing works.*)
***Personne n'est* parfait.**
(*Nobody's perfect.*)
**Ça *ne* fait *rien*.**
(*It doesn't matter.*)
**Il n'aime personne.**
(*He doesn't like anybody.*)

**B.** The words **rien** and **personne** can be used as subjects as well as objects of the verb. In both cases, **ne** is used before the verb.

Nous ne sommes pas prêts. | *We aren't ready. Nothing is finished.*
**Rien n'**est terminé.
**Personne n'**est venu me voir. | *No one came to see me.*

➤ Review **Grammaire 3.6** on the use of partitive articles.

**C.** As with **ne... pas,** the indefinite and partitive articles **(un, une, des; du, de la, de l')** usually become **de (d')** after any negative expression.

Je **n'**ai **jamais** mangé **d'**escargots. | *I have never eaten (any) snails.*
Nous **n'**avons **plus d'**amis à Strasbourg. | *We no longer have (any) friends in Strasbourg.*

**D.** The expression **ne... que** is not negative, but rather is used to express the notion of restriction. It is usually synonymous with **seulement** (*only*).

| EXPRESSING RESTRICTION (*ONLY*) |
| **ne... que = seulement** |

Unlike the negative expressions, the position of **que** varies: it is always placed before the item that is the focus of the restriction.

Je **n'**ai **que** cinq euros. | *I have only five euros. (I only have five euros.)*
Nous **n'**avons visité **que** la tour Eiffel. | *We visited only the Eiffel Tower. (We only visited the Eiffel Tower.)*

**E.** Unlike English, French allows more than one negative in a sentence.

**Personne ne** fait **jamais rien**! | *Nobody ever does anything!*

➤ Informal French:
**J'ai qu'un bouquin.**
(*I only have one book.*)

**F.** In informal spoken French, **ne** is omitted in many negative and restrictive sentences. As a learner of French, however, you should always use both parts of these expressions, because they are required in formal and written French.

# Exercice 13 Deux villes imaginaires

Lisez la description d'une ville où *tout va bien* et écrivez la description d'une ville où *tout va mal*.

MODÈLE: Dans la ville où tout va bien, *tout le monde* est content. →
Dans la ville où tout va mal, *personne n'*est content.

Dans la ville où tout va bien,...

1. les enfants obéissent *toujours* à leurs parents.
2. *tout* est simple et calme.
3. *tout le monde* est dynamique.
4. on fait *souvent* la fête.
5. on a *déjà* éliminé la pollution de l'air.
6. les habitants aiment *tout le monde*.
7. on a *quelque chose* d'intéressant à faire.
8. la ville est *toujours* prospère.

# Exercice 14 Fausses impressions

Un ami français vous pose des questions sur votre vie. Répondez avec **ne... que** et l'expression indiquée.

MODÈLE: Tu as beaucoup de frères et sœurs? (un frère) →
Non, je n'ai qu'un frère.

1. Tu as un appartement? (une chambre)
2. Tu as une voiture? (un vélo)
3. Tes parents ont une maison? (un appartement)
4. Il y a un métro dans ta ville? (des autobus)
5. Tes parents ont un mois de vacances? (quinze jours de vacances)
6. Tu as étudié d'autres langues étrangères? (le français)
7. Tu as visité la Californie? (la côte est)

LYCÉE CHARLEMAGNE

Après les cours, ces élèves du Lycée Charlemagne dans le Marais (4ᵉ arrondissement de Paris) lisent un devoir que le professeur leur a rendu.

# L'enfance et la jeunesse

## Objectifs

In *Chapitre 6*, you will learn to talk about what you used to do and how you felt in the past.

### ACTIVITÉS

Les activités de l'enfance
La jeunesse
Les rapports avec les autres
Souvenirs et événements
   du passé

### LECTURES

**À la rencontre des arts**
   Le griot de la *World Music:*
   Youssou N'Dour
**La langue en mouvement**
   Le français québécois
**À propos...**   Carnavals
   d'Amérique
**À vous de lire**   «Le jour où
   je suis devenu grand»

### GRAMMAIRE

**6.1** Saying what you used to do: The imperfect
**6.2** The verbs **dire, lire,** and **écrire**
**6.3** Describing past states: More on the imperfect
**6.4** Linking ideas: Relative pronouns
**6.5** Indirect object pronouns
**6.6** Idiomatic reflexive verbs
**6.7** The verbs **voir** and **croire**
**6.8** Different perspectives on the past: Summary of **passé composé** and imperfect

# Activités et lectures

## *Les activités de l'enfance*

✷ Attention! Étudier Grammaire 6.1 et 6.2

Au Québec, Raoul Durand faisait du ski en hiver.

Florence Vincent jouait à cache-cache dans le jardin avec ses amis.

Christine Lasalle lisait des bandes dessinées.

M<sup>me</sup> Martin adorait courir avec son chien.

Barbara bâtissait des châteaux de sable sur la plage.

Quelquefois, Albert et ses amis montaient des spectacles.

Pendant leurs vacances en Provence, Charles et Nathalie montaient à cheval.

Dans les années 50, Marie Lasalle adorait la télévision, même en noir et blanc.

Caroline nageait dans l'océan au Cameroun.

## Activité 1  Interro: Qu'est-cè qu'ils faisaient?

É1: Qui aimait courir avec son chien?
É2: C'était M<sup>me</sup> Martin. Elle courait avec son chien.
É1: Oui… /Non…

192

## Activité 2  Associations: L'enfance de quelques personnes célèbres

Associez chacune des actions à l'enfance d'une de ces personnes célèbres.

Jean-Michel Cousteau, navigateur et océanographe
Laure Manaudou, nageuse
Daniel Auteuil, acteur
Claudie Haigneré, astronaute et médecin

Qui...

1. s'entraînait à la piscine municipale?
2. faisait souvent de la voile?
3. savait beaucoup sur le cinéma?
4. voulait étudier la médecine?
5. connaissait des vedettes de cinéma?
6. étudiait l'éducation physique et sportive?
7. s'intéressait à la physique?
8. apprenait tout sur le système solaire?
9. rêvait d'aller aux Jeux Olympiques?
10. jouait dans des opéras-comiques?
11. voulait protéger les océans?
12. étudiait l'élocution?
13. rêvait de voyager dans l'espace?
14. était passionné par la vie sous-marine?
15. avait des cours de théâtre?
16. faisait de la musculation au gymnase?

## Activité 3  Récit: Le monde des enfants

Regardez le tableau et écoutez les descriptions de votre professeur. Dites si les phrases sont vraies ou fausses.

### Cliquez là!

Visitez le site d'un collège en France ou dans un pays francophone pour obtenir des renseignements sur la vie scolaire des jeunes adolescents dans ce pays. Qu'est-ce que les élèves étudient dans cette école? Quelles activités est-ce qu'ils peuvent faire? Est-ce que la vie dans ce collège ressemble à votre vie scolaire à l'âge de 10–11 ans?

## Activité 4  Entretien: Quand j'étais petit(e)

1. Quelles étaient tes émissions de télé préférées? Pourquoi?
2. À quelle école allais-tu? Elle te plaisait? Pourquoi? Pourquoi pas?
3. Tu jouais avec tes petits copains? À quels jeux?
4. Quels gadgets électroniques avais-tu? Lesquels as-tu perdus?
5. Tu avais un chien ou un chat? Il s'appelait comment? Comment était-il/elle?
6. Tu recevais de l'argent de poche? Combien? Tu l'économisais ou tu le dépensais? À quoi?
7. Tu faisais des tâches ménagères à la maison? Lesquelles?
8. Est-ce que tu regardais les dessins animés le samedi? Lesquels?
9. Est-ce que quelqu'un te lisait les bandes dessinées? Lesquelles?

### Allons plus loin!

Pensez à des activités que vous aimiez faire et qui n'existaient pas quand vos grands-parents étaient enfants. Pourquoi est-ce que ces activités n'existaient pas?

# La jeunesse

✳ Attention! Étudier Grammaire 6.3 et 6.4

## L'album de photos de Marie Lasalle

J'avais 15 ans et j'allais à l'école de filles. Moi, j'avais de la chance. J'aimais l'école et j'avais beaucoup d'amies.

M^me Kaffès était une personne stricte qui savait discipliner ses élèves.

Madeleine et Emma étaient les camarades que je préférais. C'étaient les pitres de la classe.

Florence riait tout le temps. Odile apprenait très vite et Reine avait peur de parler en classe.

## Activité 5  Échanges: Les camarades de classe

Est-ce que vous connaissiez ces genres de personnes au lycée? Comment s'appelaient-elles? Expliquez vos réponses.

> MODÈLE:  É1: Au lycée, tu connaissais quelqu'un qui séchait les cours?
> É2: Oui, Benny Roberts! Il séchait des cours pour aller jouer au billard avec ses copains. Et toi, tu connaissais quelqu'un comme ça?

1. quelqu'un qui était doué en musique
2. quelqu'un qui n'était jamais content
3. quelqu'un que tes parents n'aimaient pas
4. quelqu'un que tout le monde admirait
5. quelqu'un qui pouvait sortir quand il/elle voulait
6. quelqu'un qui se passionnait pour les ordinateurs
7. quelqu'un qui bavardait sans arrêt sur son portable
8. quelqu'un qui dépensait beaucoup d'argent
9. quelqu'un qui adorait les sports d'équipe

## Activité 6  Récit: L'adolescence de Barbara

Voici certaines activités de Barbara vers l'âge de 15 ans. Posez à votre partenaire des questions basées sur le tableau et demandez-lui s'il (si elle) faisait la même chose à cet âge-là.

> MODÈLE:  É1: Que faisait Barbara le week-end?
> É2: Elle montait à cheval.
> É1: Toi, tu montais à cheval à cet âge-là?
> É2: Ah non, je ne montais pas à cheval. J'avais peur des chevaux!

*Vocabulaire utile*   une colonie de vacances, la messe de minuit, monter à cheval, ranger sa chambre, la veille de Noël

## *Activité 7* Entretien: La vie au lycée

1. Au lycée, est-ce que tu arrivais normalement à l'heure ou en retard le matin? Pourquoi?
2. Tu lisais beaucoup? Qu'est-ce que tu aimais lire?
3. Tu passais beaucoup de temps sur Internet? Est-ce que tu rouspétais si tes parents voulaient contrôler les sites où tu surfais?
4. Qu'est-ce que tu faisais le week-end? (Tu allais au cinéma? Tu faisais du sport?)
5. Tu étais membre d'une organisation? (l'orchestre? un club? une équipe?) Pourquoi?
6. Tu travaillais après les cours? (Où? Combien d'heures par semaine?)
7. Quels sont tes meilleurs souvenirs de tes années au lycée?

# À la rencontre des arts

## Le griot de la *World Music:* Youssou N'Dour

● Youssou N'Dour en concert

À l'origine, les griots étaient des musiciens de cour de l'empire africain du Mali (XIIIᵉ-XVᵉ siècles) qui racontaient l'histoire de leur peuple, les Malinké (ou Mandingues). Les griots chantaient en s'accompagnant de la kora, une sorte de luth à douze cordes, ou du balafon (xylophone africain). Au XXᵉ siècle, cette tradition a fusionné avec diverses formes de musique populaire africaine pour créer un style original représenté par un artiste comme le Sénégalais Youssou N'Dour. Né dans une famille de griots, N'Dour pratique le *m'balax*, une forme de pop proprement[1] sénégalaise. En 1988, sa participation à la tournée *Human Rights Now* d'Amnesty International—aux côtés de Bruce Springsteen, Sting et Peter Gabriel—a fait de lui une star planétaire qui chante en anglais, en français et en wolof.[2] «Cela m'a donné confiance en moi. Aujourd'hui, mon travail, c'est d'être le miroir du Sénégal, d'interpréter la vision d'un poète et de l'amener près du peuple. Je suis convaincu[3] que l'Afrique est le futur.» Il possède un club où on vient danser, mais aussi un journal et une station de radio. Engagé pour la défense des droits de l'homme, il est musulman pratiquant et, pour lui, il n'y a pas de contradiction entre ces diverses traditions. «Je comprends parfaitement la personne qui est le vendredi à la mosquée puis le samedi en boîte de nuit.[4] Ici, au Sénégal, la religion musulmane ne correspond pas du tout à ce que l'on peut parfois voir ailleurs.[5] On vit dans un pays laïque[6] où 95 % des gens sont musulmans, et cela se passe bien.»

[1] spécifiquement
[2] langue africaine, majoritaire au Sénégal
[3] participe passé de «convaincre»
[4] boîte... club de danse
[5] dans un autre pays
[6] qui n'a pas de religion officielle

## LA LANGUE EN MOUVEMENT

### Le français québécois

Le français parlé dans d'autres pays du monde diffère du français de France, surtout par son vocabulaire et sa prononciation. Au Québec, par exemple, on peut entendre un accent très différent de l'accent parisien. Le trait le plus remarquable, c'est la prononciation de «t» comme «ts» et de «d» comme «dz» devant les voyelles «i» et «u»: «petsit» pour «petit», et «dzur» pour «dur».

Voici quelques expressions québécoises avec leur équivalent en français de France:

*bienvenue* = de rien      *le déjeuner* = le petit déjeuner
*bonjour* = bonjour ou au revoir      *le dîner* = le déjeuner
*un breuvage* = une boisson      *le souper* = le dîner

<u>MISE EN PRATIQUE</u> Imaginez que vous êtes Québécois(e)! Vous rencontrez un(e) ami(e) et vous discutez de votre dernier repas et de votre prochain repas avec lui (elle). Remerciez votre ami(e) de quelque chose, et puis saluez-le/la à la fin.

# Les rapports avec les autres

✹ Attention! Étudier Grammaire 6.5 et 6.6

*Julien Leroux parle de sa famille.*

Dans ma famille, c'était ma mère qui s'occupait des finances.

Mon père s'énervait quand nous ne voulions pas participer aux tâches ménagères.

Mon petit frère s'en allait quand il se fâchait.

Ma grand-mère m'offrait souvent un morceau de gâteau.

Je m'entendais très bien avec ma sœur. Parfois, je lui donnais de l'argent pour faire la vaisselle à ma place.

Nous avions trois chats. Celui que je préférais, c'était Tibert. Il se battait avec les autres chats du quartier.

## Activité 8 Discussion: Les autres et moi

Qu'est-ce que vous faisiez dans ces situations quand vous étiez au lycée?

1. Quand quelqu'un voulait m'emprunter un vêtement,...
   a. j'hésitais et je cherchais des excuses.
   b. je m'énervais et je refusais.
   c. je lui prêtais le vêtement.
2. Si mes parents me demandaient d'aider à la maison,...
   a. je me fâchais et je leur disais que c'était injuste.
   b. je leur disais que j'avais trop de devoirs.
   c. je leur obéissais tout de suite.
3. Les jours où je ne voulais pas aller en cours,...
   a. je disais que je ne me sentais pas bien.
   b. je faisais l'école buissonnière.
   c. je faisais des courses pour ma mère.
4. Si (mon père) ne me permettait pas de sortir,...
   a. je sortais sans rien lui dire.
   b. je me disputais avec lui.
   c. je pleurais.
5. Si un(e) de mes ami(e)s se moquait de moi,...
   a. je faisais la tête et je refusais de lui parler.
   b. je me battais avec lui/elle.
   c. je ne le/la prenais pas au sérieux. Ça me faisait rire.

### À vous la parole!

| | |
|---|---|
| Moi aussi! | Ça, c'est une bonne idée! |
| Moi non, je... | Qu'est-ce qui se passait ensuite? |
| Ça, c'est rigolo! | Et tu n'avais jamais d'ennuis? |

MODÈLE: É1: Quand mon père ne me permettait pas de sortir, je me disputais avec lui.

É2: Et qu'est-ce qui se passait ensuite?

## Activité 9 Dans le monde francophone: Qu'est-ce que c'est qu'un méchant?

Lisez la question d'Ève-Marie et la réponse de la revue *Astrapi* à la page 200. Ensuite, dites si ces phrases font partie de la réponse.

1. On devient méchant parce qu'on est mal nourri.
2. Parfois, on devient méchant parce qu'on cherche à se défendre.
3. Dans certains cas, on ne sait pas pourquoi les gens sont méchants.
4. Le monde est divisé en deux groupes: les bons et les méchants.
5. L'amour joue peut-être un rôle dans la formation de notre caractère.
6. On est influencé par les cycles de la lune.

### Allons plus loin!

Avec un(e) partenaire, faites une liste de situations qui peuvent influencer l'humeur et la conduite des gens. Par exemple: *On dit que les gens sont de mauvaise humeur et qu'ils conduisent mal quand il pleut.*

# Pourquoi y a-t-il des méchants ?

*J'ai horreur d'être gentil !*

*Cette question est posée par Eve-Marie (8 ans). Voici la réponse d'Astrapi.*

Dans certains films à la télé, il y a les gentils,
qui sont toujours très gentils,
et les méchants, qui sont vraiment très méchants.

Mais dans la vie, est-ce qu'on peut aussi facilement
partager le monde en bons et en méchants ?

Souvent, on devient méchant
parce qu'on se sent attaqué
et qu'on cherche à se défendre.
Souvent, on devient méchant
parce qu'on n'est pas assez aimé
ou on croit qu'on n'est pas aimé.
Mais il y a aussi des cas où on ne sait pas
du tout pourquoi certains
deviennent aussi méchants que ça !

Au fond, chacun de nous a tout à la fois
du bon et du méchant en soi.

*As-tu une autre réponse ? Si tu veux, tu peux aussi nous envoyer
d'autres questions sur d'autres sujets.*

## Activité 10 Sondage: La famille

À votre avis, est-ce qu'on observe les situations suivantes *souvent, quelquefois* ou *rarement* dans une famille moderne? Pourquoi?

MODÈLE: un père qui s'occupe du ménage →
On ne voit pas ça très souvent, mais je connais des pères qui font le ménage.

1. des parents qui s'intéressent aux amis de leurs enfants
2. des enfants qui se disputent parce qu'ils veulent tous faire la vaisselle
3. des parents qui s'inquiètent quand les enfants rentrent en retard
4. des enfants qui se fâchent parce que leurs parents leur donnent trop d'argent
5. des enfants qui se battent quelquefois
6. une mère qui s'occupe de la voiture
7. un mari qui s'énerve parce que sa femme veut travailler en dehors de la maison
8. une famille où tout le monde s'entend bien et où il n'y a jamais de disputes

## Activité 11 Sondage: La politesse

Que pensez-vous des suggestions suivantes? Décidez avec votre partenaire si vous êtes d'accord ou non, ou si ça dépend des circonstances.

1. On doit s'excuser quand on bouscule une autre personne.
2. Il est acceptable de crier très fort quand on s'énerve.
3. Si quelqu'un dit «merci», il est poli de lui répondre «de rien».
4. Il est normal de s'occuper des affaires de ses voisins.
5. En voiture, on peut klaxonner quand on est pressé.
6. On ne doit pas parler et mâcher du chewing-gum en même temps.
7. Il vaut mieux éviter de se disputer avec un étranger.
8. Les hommes doivent ouvrir la porte pour les femmes.
9. On peut mettre la télé si la conversation n'est pas intéressante.
10. Il est impoli d'utiliser son portable au restaurant quand on dîne seul.
11. Il est normal de partager tous ses secrets avec ses amis de Facebook.
12. En cours, on doit éteindre son portable.

# Souvenirs et événements du passé

✳ Attention! Étudier Grammaire 6.7 et 6.8

## Les fêtes et les jours fériés

le Jour de l'An

le nouvel an chinois

un cœur — la Saint-Valentin

Pâques — un lis

la Bastille — la fête nationale

JUILLET 14

Le Ramadan

la Toussaint / la fête des Morts

Hanoukka

DÉC 24 — le réveillon de Noël

Noël — un sapin

## Les traditions

Le 6 janvier (la fête des Rois), Emmanuel a trouvé la fève dans son morceau de galette.

Le 2 février, Nathalie a réussi à faire sauter sa crêpe pour la Chandeleur.

L'année dernière, Bernard et Christine Lasalle ont vu le défilé pendant la fête du Mardi gras à Nice.

Le premier avril, ses camarades de classe ont attaché un poisson d'avril au dos de Joël.

Le premier mai, Francis Lasalle a offert du muguet à Marie.

Tous les ans, la famille Lasalle va voir le feu d'artifice le 14 juillet.

## Activité 12 Associations: Les fêtes et les coutumes

Associez les fêtes aux traditions de la liste. À quelles autres traditions pensez-vous quand vous pensez à ces fêtes?

1. un bon dîner et des crêpes
2. un feu d'artifice et un défilé
3. un sapin et des cadeaux
4. les Rois mages et une galette
5. des œufs décorés et des lapins
6. des costumes extravagants et des bals
7. des bougies allumées dans la menora
8. des Cupidons et des cœurs
9. des cartes de vœux et des cadeaux
10. des résolutions et du champagne
11. des orchestres et des fêtes dans la rue
12. le début de l'année lunaire et un dragon

la Saint-Valentin
la fête nationale
la Chandeleur
Noël
la fête des Rois
le mardi gras
Pâques
Hanoukka
le nouvel an

## Activité 13 Définitions: Descriptions des fêtes

Regardez les dessins à la page 201 et écoutez la description. Ensuite, identifiez la fête ou la tradition.

1. Cette fête sacrée musulmane dure 30 jours. Pendant cette période, les gens ne mangent pas entre le lever et le coucher du soleil. Chaque soir, il y a un grand dîner familial.
2. Cette fête juive dure huit jours. Le soir, la famille se regroupe autour d'un chandelier où on allume des bougies. Ensuite, il y a un bon dîner familial et des cadeaux pour les enfants.
3. Cette fête chrétienne est célébrée le 25 décembre. Le matin, les enfants se précipitent pour voir si le Père Noël leur a laissé des cadeaux. Tout le monde offre des cadeaux et on fait un bon dîner en famille.
4. C'est la fête de Cupidon et des amoureux. Ce jour-là, on échange des cartes et des cadeaux, surtout des fleurs ou des bonbons.
5. Cette fête dure trois semaines et marque le début de l'année lunaire. Il y a des dîners de famille somptueux, des vœux de printemps et des cadeaux. La danse du dragon et du lion est un des moments magiques de la fête.
6. C'est le jour avant les privations du Carême. Dans certaines villes, il y a même des carnavals, des bals et des défilés. Beaucoup de gens font la fête dans les rues.
7. Ce n'est pas une fête religieuse mais patriotique. Sa date dépend du pays où on la célèbre, mais on l'associe très souvent à un feu d'artifice et, souvent, à un défilé militaire.

### Allons plus loin!

Quelle est votre fête préférée? Qu'est-ce que vous aimez faire pour fêter votre anniversaire? Que faites-vous pour la fête des Mères et pour la fête des Pères?

## Activité 14 Entretien: Les traditions américaines

Répondez aux questions en disant quelles autres coutumes et traditions existaient dans votre famille quand vous étiez petit(e).

MODÈLE: É1: Est-ce que tu cherchais des œufs le jour de Pâques?
É2: Oui, toujours. Et avant, nous allions à la messe dans nos beaux vêtements neufs. Moi, j'avais toujours très froid.

Quand tu étais petit(e), est-ce que...

1. tu croyais au Père Noël? Tu lui laissais des petits gâteaux et du lait la veille de Noël?
2. tu te déguisais pour aller chez les voisins pour Halloween?
3. tu pique-niquais et tu allais voir un feu d'artifice le jour de la fête nationale?
4. tu mangeais trop de bonbons avant le petit déjeuner le jour de Pâques?
5. tu avais un gâteau avec des bougies pour ton anniversaire?
6. tu aidais à préparer le petit déjeuner pour ta mère le jour de la fête des Mères?
7. tu aidais à allumer les bougies de la menora pendant Hanoukka?
8. ta famille mangeait de la dinde et regardait des matchs de football américain pour Thanksgiving?
9. tu offrais une cravate à ton père pour la fête des Pères?
10. tu échangeais des cartes et des bonbons avec tes camarades de classe à la Saint-Valentin?
11. tu aidais à recevoir les invités qui venaient dîner après la journée de jeûne de Ramadan?
12. tu assistais au défilé pour entendre les pétards et pour voir le dragon le jour du nouvel an chinois?

# À propos...
## Carnavals d'Amérique

• Le Bonhomme Carnaval à Québec

Le carnaval est une des traditions européennes les plus anciennes (elle date de l'antiquité romaine!). À partir du XVIe siècle, elle a été exportée dans les colonies françaises, avec beaucoup de succès: aujourd'hui, les célébrations de Québec et de La Nouvelle-Orléans sont mondialement connues. Le «Carnaval d'hiver» se tient chaque année pendant deux semaines en janvier-février dans la ville historique de Québec. Elle attire des milliers de gens du Canada, des États-Unis et du monde entier, en dépit du froid intense. Bain de neige, jeu de football géant, pêche sur la glace, promenades en carrioles,[1] sculptures de glace, traversée du Saint-Laurent gelé[2]... les activités sont nombreuses. L'attraction principale, c'est le défilé[3] nocturne, mené par le célèbre Bonhomme Carnaval, réplique vivante d'un bonhomme de neige. À La Nouvelle-Orléans, les célébrations publiques se concentrent sur le Mardi gras, dernier jour de la période du carnaval. Il y a plusieurs siècles, c'était d'abord une fête religieuse: on mangeait «gras» (de la viande) et on s'amusait pendant le carnaval, puis on faisait pénitence et on mangeait «maigre» pendant les quarante jours suivants, le Carême. À l'heure actuelle, c'est surtout une occasion de faire la fête et de se déguiser avec des costumes extravagants.

[1] véhicules à cheval
[2] solidifié par le froid
[3] parade

# POUR RÉSUMER

## À vous de parler

**A.** Écoutez le professeur et mettez les phrases dans l'ordre logique. Ensuite, devinez de quelle fête il s'agit.

_____ Les enfants ont préféré les glaces aux discours politiques. La vendeuse en a vendu beaucoup!

_____ Après le défilé, la foule s'est dispersée. Il faisait chaud et les gens étaient fatigués. C'était le moment du déjeuner.

_____ Une foule de gens s'est rassemblée pour regarder passer le défilé militaire. Beaucoup de spectateurs ont applaudi.

_____ Après le feu d'artifice, la plupart des gens sont rentrés chez eux. Ils étaient fatigués, mais heureux après cette journée de fête.

_____ Pendant l'après-midi, il y a eu des discours politiques. Beaucoup de gens sont venus les écouter.

_____ À la fin de la journée, une foule énorme s'est rassemblée pour voir le feu d'artifice. Tout le monde a été ébloui!

_____ À la fin du défilé, l'Armée de l'air a montré la puissance de ses avions de chasse. Les gens ont été impressionnés.

**B.** Avez-vous déjà assisté à une grande fête publique? À quelle fête? Où êtes-vous allé(e)? Avec qui? Comment était la fête? Y avait-il beaucoup de gens? Quelles étaient les activités qu'on pouvait y faire?

## À vous de lire

### «Le Jour où je suis devenu grand par Azouz Begag»

_Le narrateur est le fils de parents algériens émigrés en France. Il est l'aîné des enfants, et, comme il aime beaucoup lire, on le considère comme «l'intellectuel» de la famille._

Elle[1] avait fait écrire un mot magique par un homme-sorcier[2] pour faire de moi un savant docteur. Et elle était persuadée que la magie fonctionnait à merveille quand elle me regardait étudier. Quand j'étais son petit, sitôt rentré de classe, mes devoirs et mes leçons absorbaient tout, mon temps, mon énergie et ma santé. Alors, pendant que je travaillais sur la table de la cuisine, elle tenait mes frères et sœurs à distance pour laisser l'air nécessaire à mon esprit. [...] Elle m'apportait des gâteaux au miel qu'elle avait cuisinés pour moi.

Mais un jour je suis devenu grand. Brutalement. [...]

Je me souviens très bien de ce jour. [...] J'étais avec ma mère à la maison. Quelqu'un a sonné à la porte et elle m'a dit : «Va ouvrir, ton père a sonné. Il a dû oublier[3] ses clefs.» Et j'ai couru à la porte. J'ai ouvert, mais ce n'était pas mon père du tout. C'était un autre homme. Un travailleur comme lui [...]. C'était son chef. Celui qui donnait les ordres et la paye. [...]

— Bonjour p'tit! ta maman est là? [...]

— Mon père n'est pas encore arrivé, j'ai répondu, parce que ma mère ne pouvait pas bien comprendre ce qu'il allait dire.

---

[1]Ma mère   [2]magicien   [3]Il... Il a probablement oublié

● —Votre mari est DCD.

Elle ne pouvait pas non plus bien lui parler. Mais il a insisté. Son regard était bizarre. Alors je suis allé chercher ma mère. Il lui a jeté à la figure[4] le mot DCD.[5] Elle m'a regardé et m'a demandé qu'est-ce qu'il avait «dicidi» le chef, et moi je ne pouvait pas encore comprendre ce que voulait dire «votre mari est DCD». [...] Ensuite il a dit: «Monsieur Slimane est mort cet après-midi... un accident du travail.» Et ma mère qui ne comprenait du francais que le minimum vital est tombée sur le carrelage[6] [...]. Moi je suis devenu grand et vieux en même temps. [...]

Depuis ce jour, j'ai balancé[7] à la poubelle mon rêve de devenir docteur savant. Volatilisée[8] l'envie d'apprendre le calcul, les affluents de la Seine, l'histoire des rois Louis, les récitations de Paul Verlaine.[9] Quand mon père est devenu DCD, j'ai vu ces choses, toutes petites dans la vie et complètement inutiles. [...]

Devenir riche! C'est ça que je voulais. Tout de suite. Je n'avais plus le temps de préparer mon avenir. Les savants ne sont jamais riches. Ils sont tellement passionnés par leur travail qu'ils oublient de gagner de l'argent pour le ramener à leur famille.

Extract from *Les Voleurs d'écritures* by Azouz Begag © Éditions Points, 1990, 2006.

---

[4]visage   [5]DCD = décédé: mort   [6]plancher, sol   [7]jeté   [8]Disparue   [9]Paul... poète français (1844–1896)

## Avez-vous compris?

Vrai ou faux? Si c'est faux, corrigez la phrase.

1. L'ambition du narrateur a toujours été de devenir riche.
2. Il travaillait dans la cuisine pour avoir des gâteaux.
3. Il aimait beaucoup faire ses devoirs.
4. La mère a imaginé que le père était rentré sans ses clés.
5. Quand le chef a parlé à la mère, elle n'a rien compris.
6. Après la mort de son père, le narrateur a changé d'opinion sur l'importance des études.
7. Le narrateur a changé physiquement ce jour-là.

### Allons plus loin!

Imaginez des suites possibles à l'histoire du narrateur. Pour gagner beaucoup d'argent...

- Il abandonne l'école et va chercher du travail...
- Il décide de faire des études de marketing...
- Il préfère exercer des activités illégales...
- ...

## À vous d'écrire

Il y a un siècle, la vie était bien différente de la vie d'aujourd'hui. Comparez la vie dans votre ville il y a 100 ans et la vie aujourd'hui. Avant de commencer, faites une liste des choses qui étaient différentes en 19–.

MODÈLE: *Il y a 100 ans, les gens n'avaient pas de télévision. Aujourd'hui, tout le monde a au moins une télé et regarde les émissions même sur Internet!*

# Vocabulaire

## L'enfance

| | |
|---|---|
| avoir peur (de) | to be afraid (of) |
| bâtir un château de sable | to build a sand castle |
| dessiner | to draw |
| grimper aux arbres | to climb trees |
| jouer à cache-cache | to play hide-and-seek |
| jouer au base-ball | to play baseball |
| monter à cheval | to ride a horse |
| monter un spectacle | to put on a play |
| obéir à ses parents | to obey one's parents |
| pleurer | to weep, cry |
| recevoir de l'argent de poche | to get an allowance |
| regarder les dessins animés | to watch cartoons |
| regarder une émission de télé | to watch a television show |
| | |
| une bande dessinée | a comic strip |
| une colonie de vacances | a summer camp |
| un jeu (des jeux) | a game (games) |

*Mots apparentés:* un album de photos, un tricycle

## L'adolescence

| | |
|---|---|
| chercher des excuses | to make excuses |
| dépenser de l'argent | to spend money |
| économiser de l'argent | to save money |

| | |
|---|---|
| emprunter (un CD) | to borrow (a CD) |
| s'en aller | to go away |
| faire un devoir | to do homework |
| faire l'école buissonnière | to play hookey |
| faire partie d'une équipe | to be on a team |
| faire le pitre | to act silly |
| faire la tête | to sulk, pout |
| mâcher du chewing-gum | to chew gum |
| prêter (un livre) | to lend (a book) |

## Les sentiments, les émotions et la conduite

| | |
|---|---|
| avoir des ennuis | to have problems |
| se battre (avec qqn) | to fight (with someone) |
| crier fort | to scream loudly |
| se disputer (avec) | to argue (with) |
| s'énerver | to get irritated |
| s'entendre (avec) | to get along (with) |
| être impoli(e) | to be impolite |
| s'excuser | to apologize |
| se fâcher | to get angry |
| s'inquiéter (de) | to worry (about) |
| s'intéresser à | to be interested in |
| se moquer de | to make fun of |
| s'occuper de | to take care of |

se passionner (pour)  to be excited (about)
plaire (à)  to be pleasing, attractive (to)
prendre au sérieux  to take seriously
rire  to laugh
se sentir bien (mal)  to feel good (bad)

## Les fêtes et les traditions
### Holidays and traditions

la Chandeleur  Candlemas
la fête des Mères (Pères)  Mother's (Father's) Day
la fête des Rois  Epiphany (January 6)
la fête nationale  the national holiday
Hanoukka (*f.*)  Hanukkah
le jour de l'An  New Year's Day
un jour férié  a public holiday
le Mardi gras  Mardi Gras
Noël (*m.*)  Christmas
le nouvel an (chinois)  (Chinese) New Year's
Pâques (*m.*)  Easter
le Ramadan  Ramadan, Muslim holy period
la Saint-Valentin  Valentine's Day
la Toussaint  All Saints' Day

se déguiser  to wear a costume
faire sauter des crêpes  to flip crepes
manger de la dinde  to eat turkey
offrir un cadeau  to give a gift

les amoureux  lovers
des bonbons (*m.*)  candy
des bougies (*f.*)  candles
le Carême  Lent
une carte de vœux  a greeting card
un cœur  a heart
une coutume  a custom
un défilé  a parade
un feu d'artifice  a fireworks display
une fève  a bean; charm hidden in
  a *galette des Rois*
la galette des Rois  a special cake for Epiphany
le lait  milk
un lapin  a rabbit
un lis  a lily
une menora  a menorah
la messe de minuit  midnight mass
un morceau (de gâteau)  a piece (of cake)
le muguet  lily of the valley
un œuf de Pâques  an Easter egg
le Père Noël  Santa Claus
un poisson d'avril  an April Fools' joke
le réveillon de Noël  Christmas Eve dinner
les Rois mages  the Wise Men
un sapin  a fir tree

des souvenirs (*m.*)  memories
la veille (de)  the eve/day before

*Mots apparentés:* **un bal, célébrer, commémorer, un costume, Cupidon, une résolution**

## Adjectifs

doué(e)  gifted
juif/juive  Jewish
musulman(e)  muslim
sacré(e)  sacred

*Mots apparentés:* **acceptable, décoré(e), extravagant(e), injuste, passionné(e), strict(e)**

## Substantifs

un(e) chat(te)  a cat
une église  a church
un(e) élève  a pupil
l'espace (*m.*)  space
un étranger / une  a stranger; a foreigner
  étrangère
la glace  ice
un jardin  a garden, yard
un médecin  a doctor
la musculation  body building
un nageur / une nageuse  a swimmer
la politesse  politeness
une vedette  a movie star
la vie sous-marine  marine life

*Mots apparentés:* **un club, l'élocution (*f.*), les finances (*f.*), un navigateur / une navigatrice, un orchestre**

## Verbes

échanger  to exchange
éviter  to avoid
faire le ménage  to do housework
klaxonner  to blow a (car) horn
protéger  to protect

*Mots apparentés:* **discipliner, interpréter, permettre**

## Mots et expressions utiles

Ça me faisait rire.  That used to make me laugh.
en dehors de la maison  outside the house
il vaut mieux  it's better (+ *inf.*)
normalement  usually, generally
Qu'est-ce qui se passe?  What's going on?
sans arrêt  incessantly, nonstop
surtout  above all, especially

# Grammaire et exercices

## 6.1 | Saying what you used to do: The imperfect

➤ The imperfect often denotes "used to."

**A.** The imperfect (**l'imparfait**) is a past tense used to describe actions or conditions that occurred repeatedly or habitually in the past. It is often used where English speakers use the phrases *used to* and *would*, or just a simple past-tense form.

✳ You will learn more about the imperfect in **Grammaire 6.3, 6.8, 8.5, 11.5, 12.2,** and **12.5.**

| | |
|---|---|
| Chaque fois que j'**allais** à Paris, j'**envoyais** beaucoup de cartes postales à mes amis aux États-Unis. | *Each time I went to Paris, I used to (would) send a lot of postcards to my friends in the United States.* |
| —Que **faisait** Adrienne le dimanche quand elle **était** petite? | *What did Adrienne do on Sundays when she was little?* |
| —Elle **allait** toujours à la messe avec ses parents. | *She always went to Mass with her parents.* |

➤ Imperfect stem = present-tense **nous** stem.

**B.** The endings used to form the imperfect are the same for all verbs. The stem is the same as that of the **nous** form of the present tense.

➤ Spelling changes in the imperfect: **c → ç** and **g → ge** before **-a: je commençais, je mangeais**

| L'IMPARFAIT | | |
|---|---|---|
| **parler** parl*ons* → parl- | **finir** finiss*ons* → finiss- | **vendre** vend*ons* → vend- |
| je parl**ais** | je finiss**ais** | je vend**ais** |
| tu parl**ais** | tu finiss**ais** | tu vend**ais** |
| il/elle/on parl**ait** | il/elle/on finiss**ait** | il/elle/on vend**ait** |
| nous parl**ions** | nous finiss**ions** | nous vend**ions** |
| vous parl**iez** | vous finiss**iez** | vous vend**iez** |
| ils/elles parl**aient** | ils/elles finiss**aient** | ils/elles vend**aient** |

### Pronunciation Hint

The endings **-ais, -ait,** and **-aient** are all pronounced the same: **-ai~~s~~, -ai~~t~~, -ai~~ent~~.**

**C.** The verb **être** has an irregular stem in the imperfect: **ét-.**

| être | |
|---|---|
| j' **étais** | nous ét**ions** |
| tu ét**ais** | vous ét**iez** |
| il/elle/on ét**ait** | ils/elles ét**aient** |

| | |
|---|---|
| Quand j'**étais** petit, je prenais toujours un chocolat chaud au petit déjeuner. | *When I was little, I always used to drink hot chocolate at breakfast.* |

**D.** All other verbs with irregular present-tense forms follow the regular conjugation pattern for the imperfect. Here are some examples.*

| | | |
|---|---|---|
| **aller:** nous allons → **all-** | j'all**ais** | nous all**ions** |
| **avoir:** nous avons → **av-** | j'av**ais** | nous av**ions** |
| **devoir:** nous devons → **dev-** | je dev**ais** | nous dev**ions** |
| **dire:** nous disons → **dis-** | je dis**ais** | nous dis**ions** |
| **écrire:** nous écrivons → **écriv-** | j'écriv**ais** | nous écriv**ions** |
| **faire:** nous faisons → **fais-** | je fais**ais** | nous fais**ions** |
| **lire:** nous lisons → **lis-** | je lis**ais** | nous lis**ions** |
| **prendre:** nous prenons → **pren-** | je pren**ais** | nous pren**ions** |
| **venir:** nous venons → **ven-** | je ven**ais** | nous ven**ions** |
| **vouloir:** nous voulons → **voul-** | je voul**ais** | nous voul**ions** |

À cette époque, mes deux grand-mères **venaient** toujours chez nous le dimanche.

*At that time, my two grandmothers always came to our house on Sundays.*

## Exercice 1 Au lycée

Regardez les dessins et complétez les phrases pour dire ce que faisait chaque personne pendant ses années au lycée.

MODÈLE: *Julien et ses copains* jouaient au volley-ball.

Sarah

Jean-Yves

Julien

1. \_\_\_\_\_ lisait le journal tous les jours.
2. \_\_\_\_\_ et ses amis dansaient très souvent.
3. \_\_\_\_\_ écoutait de la musique dans la nature.

---

*Present-tense forms for **écrire, lire,** and **dire** are introduced in **Grammaire 6.2.**

**210** | CHAPITRE 6    L'enfance et la jeunesse

4. Chaque soir, _____ regardait les actualités à la télévision.
5. En été, _____ participait à des courses de vélo.
6. _____ et ses amis allaient souvent à la plage.
7. Le week-end, _____ et ses copains sortaient ensemble pour aller au cinéma.
8. _____ bavardait avec ses amis au café.
9. _____ étudiait beaucoup et préparait tous ses examens.

## Exercice 2 Souvenirs d'enfance

Que faisait Barbara quand elle était petite? Mettez-vous à sa place et terminez ses phrases en utilisant l'imparfait.

Quand j'étais petite,...

MODÈLE:    faire mes devoirs le soir → je faisais mes devoirs le soir.

1. aller à l'école à pied
2. adorer mes institutrices
3. aimer beaucoup les activités en classe
4. m'amuser avec mes camarades pendant la récréation
5. rentrer chez moi à midi pour déjeuner
6. mettre la table pour le dîner
7. attendre l'été avec impatience

Tous les dimanches, mes frères, mes sœurs et moi,...

MODÈLE:    nous lever de bonne heure → nous nous levions de bonne heure.

8. aller à l'église à 9 h
9. faire un grand repas à midi
10. nous promener dans la forêt l'après-midi
11. faire la sieste après la promenade
12. finir nos devoirs pour le lendemain

## Exercice 3 Les inconvénients d'une grande ville

Quand Agnès Rouet avait 10 ans, ses parents ont décidé de quitter la grande ville. Vous allez savoir pourquoi. Utilisez l'imparfait.

MODÈLE:    Autrefois, les Rouet / louer un appartement en banlieue →
           Autrefois, les Rouet louaient un appartement en banlieue.

1. tous les matins, M. et M$^{me}$ Rouet / se lever à 5 h
2. M$^{me}$ Rouet / prendre le bus pour aller au travail
3. quelquefois, elle / devoir attendre l'autobus une demi-heure
4. M. Rouet / aller au travail en voiture, dans sa vieille Deux Chevaux
5. il / y avoir toujours beaucoup de circulation
6. M. Rouet / arriver au bureau furieux
7. il / être obligé de déjeuner en ville et ça / coûter cher
8. leurs enfants / aller à l'école en bus
9. ils / finir les cours à 16 h 30
10. ils / rentrer à la maison et / rester seuls jusqu'à 19 h

# 6.2 The verbs dire, lire, and écrire

These verbs have similar forms in the present tense. Note the irregular form
**vous dites.**

|  | dire (*to say*) | lire (*to read*) | écrire (*to write*) |
|---|---|---|---|
| je/j' | dis | lis | écris |
| tu | dis | lis | écris |
| il/elle/on | dit | lit | écrit |
| nous | disons | lisons | écrivons |
| vous | **dites** | lisez | écrivez |
| ils/elles | disent | lisent | écrivent |
| PASSÉ COMPOSÉ | j'ai **dit** | j'ai **lu** | j'ai **écrit** |
| IMPARFAIT | je **disais** | je **lisais** | j'**écrivais** |

Les jeunes Français **disent**
  souvent «Ciao».
Est-ce que vous **lisez**
  régulièrement le journal?
Mes parents m'**écrivent** souvent
  des courriels.

*Young French people often say*
  *"Ciao."*
*Do you read the newspaper*
  *regularly?*
*My parents often write me e-mails.*

➤ **Comment dit-on... ?**
= *How do you say . . . ?*

## Pronunciation Hint

Note that final **-s** and **-t** in the singular forms are silent: **je di~~s~~, elle écri~~t~~,** etc. As
always, final **-ent** in the plural forms is silent, but the preceding consonant (**s** or **v**)
is pronounced: **ils lis~~ent~~.** (This **s** is pronounced **z**.) Also: **vous dit~~es~~.**

## Exercice 4 À l'université

Complétez les phrases et dites si vous faites ces activités dans votre classe de français.

1. Nous _____ les explications grammaticales du livre. (lire)
2. Nous _____ des rédactions. (écrire)
3. Le professeur nous _____ des poèmes en français. (lire)
4. Moi, je _____ un journal ou un magazine français. (lire)
5. Je _____ bonjour au professeur quand j'entre dans la classe. (dire)
6. Tous les étudiants _____ des choses intéressantes. (dire)
7. J' _____ quelquefois des phrases au tableau. (écrire)
8. Le professeur _____ les nouveaux mots de vocabulaire au tableau. (écrire)

## 6.3　Describing past states: More on the imperfect

Some verbs describe actions (*run, jump, put, eat*) and others describe states of being (*want, know, have, be, can*). You already know how to express a variety of states with **être** plus an adjective (**être fatigué**), or with **avoir** plus a noun (**avoir sommeil**). You also know the following verbs that describe states of being: **aimer, vouloir, pouvoir, connaître, savoir,** and **devoir.**

To describe a state of being *in the past*, French normally uses the imperfect tense. This is because the imperfect presents a situation as existing at some time in the past, without suggesting a definite beginning or end.

★ Review **Grammaire 4.7** on expressions with **avoir.**

★ You will learn more about the imperfect in **Grammaire 6.8, 8.5, 11.5, 12.2,** and **12.5.**

| | |
|---|---|
| Je ne me **sentais** pas bien hier. Je **savais** que j'**étais** malade parce que je n'**avais** pas envie de manger. | *I didn't feel well yesterday. I knew that I was sick because I didn't feel like eating.* |
| Quand ma sœur **avait** 15 ans, elle **voulait** devenir championne de patinage. | *When my sister was 15, she wanted to become an ice-skating champion.* |

### Exercice 5　Une semaine difficile

Raoul décrit sa semaine. Utilisez un des verbes indiqués à l'imparfait.

**avoir, devoir, être**
Le semaine dernière _____ ¹ une semaine très difficile. J' _____ ² un peu malade et je n' _____ ³ pas le temps de dormir suffisamment. Donc, j' _____ ⁴ très sommeil pendant tous mes cours. J' _____ ⁵ beaucoup de devoirs et en plus je _____ ⁶ travailler tous les jours.

**avoir, être, savoir, vouloir**
Un ami canadien était de passage à Bâton Rouge. Je _____ ⁷ sortir avec lui, mais ce n' _____ ⁸ pas possible. Je _____ ⁹ que j' _____ ¹⁰ besoin de me reposer, mais je ne _____ ¹¹ pas manquer mes cours, puisque c' _____ ¹² la dernière semaine du semestre. Vive les vacances!

## 6.4　Linking ideas: Relative pronouns

**A.** Relative pronouns are used to make one sentence out of two. There are four relative pronouns in English: *that, who(m), which,* and *where.*

> This is a high school. I attended this high school. →
> This is *the high school that* I attended.
> Mr. Langdon is a teacher. He taught me the most. →
> Mr. Langdon is *the teacher who* taught me the most.

➤ **Qui** is usually directly followed by a verb.

**B.** In French, the relative pronoun **qui** is used for both people and inanimate objects. **Qui** is used when the preceding noun is the *subject* of the following verb.

| | |
|---|---|
| J'avais **un ami** *qui* jouait dans l'orchestre. (**Mon ami** jouait... ) | *I had a friend who played in the orchestra.* |
| Je cherchais **le livre** *qui* était sur mon lit. (**Le livre** était... ) | *I was looking for the book that was on my bed.* |

**C.** The relative pronoun **que (qu')** is also used for both people and things. **Que** is used when the preceding noun is the *direct object* of the following verb.

> Comment s'appelait **le garçon** *que* nous rencontrions tous les jours à la bibliothèque? (Nous rencontrions **le garçon**... )

> *What was the name of the boy (whom) we used to meet every day in the library?*

> *Vogue* était **le magazine** *que* je lisais quand j'étais au lycée. (Je lisais **le magazine**... )

> Vogue *was the magazine (that) I used to read when I was in high school.*

**D.** Use the relative pronoun **où** to refer to a place where something happens or to a point in time when something happens.

> Maman, comment s'appelle **le magasin** *où* tu achetais tous nos vêtements?

> *Mom, what's the name of the shop where you used to buy all our clothes?*

> J'étais malade **le jour** *où* Daniel m'a téléphoné.

> *I was sick the day (that) Daniel called me.*

**E.** Note that the relative pronoun may sometimes be omitted in English, but it is always present in French.

> Denise, tu portes la robe **que** je voulais acheter.

> *Denise, you're wearing the dress (that) I wanted to buy.*

➤ **Que** is usually followed by a subject + verb.

➤ A direct object is a noun that follows a verb directly, with no preposition separating them.

> **J'aime** *cette couleur.* **J'ai rencontré** *mon cousin.*

➤ **Où** can refer to a place or a time.

## Exercice 6 Définitions

Complétez les définitions avec un mot de la liste à droite, puis avec le pronom **qui** ou **que (qu')**.

MODÈLE: *Un ordinateur* est une machine *qui* obéit à des programmes.

1. _____ est un animal _____ on ne trouve que dans les mythes.
2. _____ est l'ensemble des gens _____ vivent dans un pays.
3. _____ est un âge _____ les parents trouvent difficile.
4. _____ est un véhicule _____ navigue sur l'eau.
5. _____ est une personne _____ fait le clown.
6. _____ est une tâche ménagère _____ les enfants détestent.
7. _____ est un petit cahier _____ on utilise pour écrire des adresses.
8. _____ est le terrain _____ entoure une maison.

**a.** Un pitre
**b.** Un carnet
**c.** La vaisselle
**d.** Un jardin
**e.** Une licorne
**f.** Un peuple
**g.** L'adolescence
**h.** Un bateau

## *Exercice 7* Journées d'hiver

Raoul raconte des souvenirs de son enfance à Montréal. Complétez les phrases par le pronom relatif **qui, que** ou **où.**

Quand j'étais petit, nous habitions une ville _____ [1] était très belle en hiver. C'étaient le silence du matin et le mystère du paysage blanc _____ [2] j'aimais surtout. Je n'aimais pas sortir les jours _____ [3] il faisait très froid. Je restais à la maison _____ [4] je lisais des livres _____ [5] j'empruntais à la bibliothèque. Mon frère, _____ [6] n'aimait pas non plus sortir, restait lui aussi à la maison. En général, il chantait et jouait de la guitare. Mon père, _____ [7] travaillait, nous téléphonait toujours vers quatre heures. En fin d'après-midi, je passais de très bons moments dans la cuisine, _____ [8] ma mère préparait le dîner. Les gâteaux _____ [9] elle nous faisait sentaient si bon!

Voilà les bons souvenirs _____ [10] je garde de ces journées d'hiver.

## *Exercice 8* Souvenirs d'enfance

Sarah et Agnès racontent leurs souvenirs. Combinez les deux phrases en employant un pronom relatif **(qui, que, où).**

MODÈLE:   Je ne vais jamais oublier les gâteaux. Ma grand-mère faisait ces gâteaux. →
Je ne vais jamais oublier les gâteaux que ma grand-mère faisait.

1. J'avais deux cousines. Elles nous racontaient des histoires fascinantes.
2. Près de chez nous, il y avait un parc. Nous jouions souvent dans ce parc.
3. Je faisais aussi des promenades à bicyclette. J'aimais beaucoup ces promenades.
4. Il y avait une maîtresse. Elle nous apprenait les noms de toutes les plantes.
5. Je jouais avec une petite fille. Elle avait un gros chien.
6. J'adorais la colonie de vacances. J'allais dans cette colonie de vacances en été.
7. À l'école, j'avais une copine. J'aimais beaucoup cette copine.
8. Il y avait une piscine près de chez nous. Je nageais souvent dans cette piscine.

## **6.5** Indirect object pronouns

**Definition:** An indirect object is a noun indicating to whom or for whom an action is performed.

**A.** In French, an indirect object noun is always preceded by the preposition **à.**

Je posais beaucoup de questions à M$^{me}$ **Kaffès.**

*I asked Madame Kaffès a lot of questions.*

M$^{me}$ Kaffès expliquait les problèmes de maths **aux élèves.**

*Madame Kaffès explained the math problems to the pupils.*

★ *Review Grammaire 4.5 on direct object pronouns.*

**B.** Indirect object pronouns are used to avoid repeating an indirect object noun. You already know most of these pronouns because they are the same as the direct object pronouns. The only forms that are different are **lui** and **leur.**

```
┌─────────────────────────────────────────────────────────┐
│                  INDIRECT OBJECT PRONOUNS                 │
│                                                           │
│   me/m' (to) me                 nous (to) us              │
│   te/t' (to) you (familiar)     vous (to) you (formal or  │
│                                      plural)              │
│   lui (to) him, (to) her        leur (to) them            │
└─────────────────────────────────────────────────────────┘
```

| | |
|---|---|
| J'étais à côté de Madeleine et je **lui** donnais toujours la réponse. | *I was next to Madeleine, and I always gave her the answer.* |
| Emma et Florence étaient de l'autre côté de la salle. Je **leur** écrivais souvent des petits mots. | *Emma and Florence were on the other side of the room. I often wrote them little notes.* |

➤ **lui** = (to) him or her, depending on context

**C.** Indirect object pronouns, just like reflexive and direct object pronouns, are placed before conjugated verbs or between a conjugated verb and an infinitive.

| | |
|---|---|
| Georges **m'a expliqué** la leçon de français. | *Georges explained the French lesson to me.* |
| Je ne peux pas **te donner** le livre maintenant. | *I can't give you the book now.* |

**D.** In negative sentences, indirect objects precede their verb and are placed between **ne** and the verb.

| | |
|---|---|
| Je ne **lui** parle pas souvent. | *I don't talk to him/her often.* |
| Elle ne **leur** a pas dit ça. | *She didn't tell them that (say that to them).* |

★ Review **Grammaire 2.2** (**D** and **E**) and **4.5** (**C** and **D**) on placement of reflexive and direct object pronouns with negation and infinitives.

**E.** Some verbs require an indirect object in French although the equivalent English verb takes a direct object:

**obéir à... , répondre à... , téléphoner à...**

| | |
|---|---|
| —Tu as été poli quand tu as répondu **au professeur**? | *Were you polite when you answered the instructor?* |
| —Mais oui, je **lui** ai répondu très poliment! | *Oh yes, I answered him (her) very politely!* |

## Exercice 9 Mon adolescence

Un camarade vous pose des questions. Répondez en employant **lui** ou **leur.**

MODÈLE: Tu obéissais *à tes parents,* même si tu ne voulais pas? →
Oui, je leur obéissais toujours (en général). (Non, je ne leur obéissais pas toujours.)

1. Est-ce que tu écrivais *à ton acteur favori (ton actrice favorite)*?
2. Au lycée, est-ce que tu écrivais des textos *à tes camarades* pendant les cours?
3. Est-ce que tu posais beaucoup de questions *à tes professeurs*?
4. Est-ce que tu offrais des cadeaux *à ton professeur préféré*?
5. Est-ce que tu empruntais souvent des CD *à tes camarades*?
6. Est-ce que tu demandais de l'argent *à tes copains*?
7. Est-ce que tu rendais souvent visite *à tes grands-parents*?
8. Si tu voulais sortir, est-ce que tu devais demander la permission *à tes parents*?
9. Est-ce que tu pouvais téléphoner *à ton meilleur ami (ta meilleure amie)* tous les soirs?

## Exercice 10 La vie d'un enfant d'autrefois

Joël Colin pose des questions à son grand-père Francis Lasalle sur son enfance. Complétez les phrases avec **nous, vous** ou **leur.**

JOËL: Papi, est-ce que tu obéissais toujours à tes parents?

FRANCIS: Euh... oui, d'habitude je _____ [1] obéissais, mais pas toujours, tu sais.

JOËL: Est-ce que tes frères et toi, vous receviez de l'argent de poche?

FRANCIS: Non, nos parents ne _____ [2] donnaient pas d'argent régulièrement, mais ils _____ [3] donnaient de l'argent de poche de temps en temps.

JOËL: Et à Noël, ils _____ [4] offraient beaucoup de cadeaux, non?

FRANCIS: Oui, ils _____ [5] offraient des cadeaux, mais pas autant qu'à vous aujourd'hui.

## Exercice 11 L'interrogatoire

Claudine Colin pose des questions à son fils. Mettez-vous à la place de Joël et répondez de la façon indiquée.

MODÈLE: Est-ce que tu as téléphoné à ton père? →
Oui, je lui ai téléphoné. (Non, je ne lui ai pas téléphoné.)

Répondez affirmativement:

1. Est-ce que tu as écrit à ton grand-père?
2. As-tu rendu les CD à Clarisse et Marise?
3. Est-ce que tu as donné de l'eau au chien?
4. Est-ce que tu nous as laissé un morceau de gâteau?
5. Tu as rendu visite à M^{me} Avôké, n'est-ce pas?
6. Est-ce que tu as obéi à ton père et moi?

Répondez négativement:

7. Tu m'as promis de rester à la maison cet après-midi, n'est-ce pas?
8. Tu nous as dit, à ton père et à moi, que tu avais des devoirs à faire, hein?
9. Je t'ai prêté mon stylo, non?
10. Est-ce que Marise t'a demandé un service?

## 6.6 Idiomatic reflexive verbs

★ Review **Grammaire 2.2** on reflexive verbs.

For most of the reflexive verbs you have seen so far, the subject and the object refer to the same person: the subject is acting on himself or herself. **(Il se rase. Elle s'habille.)** However, some verbs are used with reflexive pronouns even though they have no obvious reflexive meaning; that is, the subject is not acting on himself or herself. Here are some examples.

| | |
|---|---|
| **s'en aller** | *to leave, go away* |
| **se battre** avec quelqu'un | *to fight with someone* |
| **se disputer** avec quelqu'un | *to quarrel with someone* |
| **s'énerver** | *to get irritated* |
| **s'ennuyer** | *to be bored* |
| **s'entendre** avec quelqu'un | *to get along with someone* |
| **se fâcher** avec quelqu'un | *to get angry with someone* |
| **s'inquiéter de** quelque chose | *to worry about something* |
| **s'intéresser à** quelque chose | *to be interested in something* |
| **s'occuper de** quelque chose | *to take care of something* |
| **se rappeler** quelque chose | *to remember something* |
| **se sentir (bien/mal)** | *to feel (good/bad)* |
| **se souvenir de** quelque chose | *to remember something* |

| | |
|---|---|
| Je **m'entendais** assez bien avec ma sœur, mais nous **nous disputions** quelquefois. | *I got along pretty well with my sister, but we used to quarrel sometimes.* |
| —Est-ce que tu **te rappelles** le prof de maths? | *Do you remember the math teacher?* |
| —Tu veux dire M. Morin, le professeur qui **se fâchait** tout le temps? | *You mean Mr. Morin, the teacher who was always getting angry?* |

## Exercice 12 Souvenirs d'adolescence

Comparez votre adolescence avec celle de Raoul Durand. Posez des questions et ensuite, répondez d'après votre expérience.

MODÈLE:   Raoul ne se battait pas avec ses frères et sœurs.
　　　　　—Et toi, tu te battais avec tes frères et sœurs?
　　　　　—Oui, je me battais avec mes frères et sœurs. (Non, je ne me battais pas avec mes frères et sœurs.)

Les souvenirs de Raoul:

1. Il s'entendait très bien avec ses professeurs et ses camarades de classe.
2. Il s'inquiétait de ses résultats aux examens.
3. Il ne se fâchait jamais avec ses copains.
4. Il se disputait de temps en temps avec ses parents.
5. Son père s'énervait assez souvent.
6. Il s'occupait de la voiture de ses parents.
7. Il s'intéressait beaucoup aux sports d'hiver.
8. Il s'ennuyait parfois en été.

Maintenant, posez les mêmes questions à votre professeur.

MODÈLE:   Est-ce que vous vous battiez avec vos frères et sœurs, madame (monsieur)?

## 6.7 The verbs **voir** and **croire**

**A.** The verbs **voir** and **croire** have the same conjugation pattern. Notice that the **i** changes to **y** in the **nous** and **vous** forms.

| **voir** (*to see*) | | **croire** (*to believe*) | |
|---|---|---|---|
| je vois | nous voyons | je crois | nous croyons |
| tu vois | vous voyez | tu crois | vous croyez |
| il/elle/on voit | ils/elles voient | il/elle/on croit | ils/elles croient |

PASSÉ COMPOSÉ: j'ai **vu**, j'ai **cru**
IMPARFAIT: je **voyais**, je **croyais**

**B.** When **croire** is used with **à**, it has the meaning *to believe in*.

➤ Exceptions: **croire en Dieu** = to *believe in God*; **croire en quelqu'un** = **avoir confiance en quelqu'un.**

Les petits enfants **croient au** père Noël.   *Little children believe in Santa Claus.*

Elle **ne croyait pas aux** licornes.   *She didn't believe in unicorns.*

**C.** If **croire** or **voir** is followed by a statement, the statement must be introduced by **que.**

Je **crois qu'**elle a eu une enfance très heureuse.   *I think (that) she had a very happy childhood.*

Je **vois que** j'avais bien tort.   *I see (that) I was really wrong.*

**D.** Here are a few useful expressions with **croire** and **voir:**

Je crois que oui (non).   *I think so. (I don't think so.)*
Tu crois? Moi, je ne crois pas.   *Do you think so? I don't.*
Tu vois? Je te l'avais dit!   *You see? I told you so!*

## Exercice 13 Principes

Faites des phrases en employant le présent de **croire à.**

MODÈLE:  Je suis toujours très poli(e). (les bonnes manières) →
Je crois aux bonnes manières.

Mes parents sont mariés depuis trente-deux ans. (le divorce) →
Ils ne croient pas au divorce.

1. Agnès Rouet est féministe. (l'égalité des sexes)
2. Les Lasalle ne donnent jamais de fessées à Nathalie. (la punition corporelle)
3. Toi et moi, nous votons à toutes les élections. (la démocratie)
4. Tu as beaucoup d'amis. (l'amitié)
5. J'adore toutes les fêtes de l'année. (les traditions)
6. Vous êtes fiancé(e). (le mariage)

## Exercice 14  Les fêtes et les traditions

Complétez par **voir** ou **croire** au présent.

1. À Noël, on _____ des arbres de Noël et des cadeaux enveloppés de papier coloré.
2. Aux États-Unis, nous _____ des enfants en déguisements* de toutes sortes à Halloween.
3. Dans votre famille, est-ce que vous _____ que la dinde est indispensable au dîner de Thanksgiving?
4. Moi, je ne _____ pas pourquoi on associe des lapins et des œufs colorés à la fête de Pâques.
5. Les musulmans _____ qu'il faut s'abstenir de manger entre le lever et le coucher du soleil pendant le Ramadan.
6. Dans les familles juives, on _____ à la tradition de l'hospitalité à la Pâque.†

## 6.8 Different perspectives on the past: Summary of **passé composé** and imperfect

**A.** The imperfect is used to say what one *used to do* or *did regularly* in the past. In English, this is sometimes expressed with *would*.

> **imparfait** = *used to do, did, would do regularly*

> À Noël, **nous allions** chez mes grands-parents.

> *Every Christmas, we went (would go) to my grandparents' house.*

**B.** The imperfect is often used to describe states of being and feelings in the past.

> **imparfait** = description of past state

> Quand **j'avais** 10 ans, **je détestais** encore les garçons.

> *When I was 10, I still hated boys.*

**C.** The **passé composé,** in contrast to the imperfect, presents an action as a single event, completed at one time in the past. It is used to say *what happened.*

> **passé composé** = completed past event

> À l'âge de 6 ans, **j'ai découvert** que le Père Noël n'existait pas.

> *At age 6, I discovered that Santa Claus did not exist.*

> Quand j'avais 15 ans, nous **sommes allés** à Dakar.

> *When I was 15, we went to Dakar.*

---

*costumes
†*Passover* ( ≠ Pâques *Easter*)

## Exercice 15  Mes activités du passé

Dites quelles activités de cette liste vous avez faites hier. Ensuite, dites si vous les faisiez quand vous étiez petit(e) et avec quelle fréquence.

*Vocabulaire utile*   souvent, tous les jours, de temps en temps, une fois par semaine, ne... jamais

> MODÈLE:  Hier, j'ai mangé des spaghettis. →
> Quand j'étais petit(e), je mangeais souvent des spaghettis.
> Quand j'étais petit(e), je ne mangeais jamais de spaghettis.

1. Hier, je me suis levé(e) avant 8 h.
2. Hier, j'ai porté un jean et un tee-shirt.
3. Hier, je suis allé(e) à l'université.
4. Hier, j'ai parlé au téléphone avec des amis.
5. Hier, j'ai conduit une voiture.
6. Hier, j'ai joué à des jeux vidéo.
7. Hier, je me suis couché(e) à minuit et demi.
8. Hier, j'ai lu les bandes dessinées dans le journal.

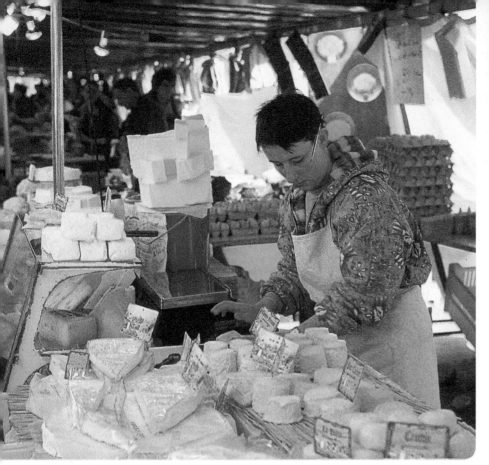

Le fromage français: on a l'embarras du choix!

# À table!

## Objectifs

In *Chapitre 7*, you will learn to talk about food, purchasing ingredients, preparing meals, and eating in restaurants.

## *Les aliments et les boissons*

✳ Attention! Étudier Grammaire 7.1 et 7.2

LE PETIT DÉJEUNER

du pain (une baguette)
du café au lait
du jus d'orange
du beurre
de la confiture
une tartine

LE DÉJEUNER

Du vin? Merci! Moi, je bois de l'eau minérale.

un sandwich au jambon
des fruits
de la soupe aux légumes
un bifteck et des pommes de terre frites
une glace
une salade

LE THÉ (LE GOÛTER)

Moi, j'aime le thé! J'en bois tous les jours.

une tarte aux pommes
du thé
un gâteau
un pain au chocolat
du sucre
du lait

## Activité 1 Discussion: Les aliments et les repas

Dites si vous mangez les aliments et les plats suivants au petit déjeuner, au déjeuner, au goûter ou au dîner.

MODÈLE: les crêpes avec du sirop d'érable →
Je les mange au petit déjeuner.

des tartines à la confiture
la blanquette de veau aux haricots verts
la soupe
le steak
le fromage
des [pommes de terre] frites
la glace à la vanille
le gâteau au chocolat

les concombres
un sandwich au jambon
des yaourts
le poisson grillé
la tarte aux pommes
des œufs
une côte de bœuf
les spaghettis à la bolognaise

### À vous la parole!

Avec un(e) partenaire, dites si vous aimez ces aliments ou ces plats et avec quelle fréquence vous les mangez (**souvent, tous les [jours], de temps en temps, ne... jamais, ...**).

MODÈLE: É1: Le steak grillé? J'adore ça! J'en mange très souvent.
É2: Moi aussi! Mais je préfère le poulet frit.

## Activité 2 Enquête: Les aliments et les plats

Faites ce petit test pour déterminer si vous êtes bien, passablement ou mal informé(e) sur la nutrition. En suite, mettez-vous en groupe de deux ou trois pour comparer vos réponses.

**1.** Lesquelles de ces boissons ne sont pas sucrées?
  **a.** l'eau minérale
  **b.** le café noir
  **c.** le jus d'orange
  **d.** le chocolat
  **e.** la limonade
**2.** Lequel de ces desserts a le moins de calories?
  **a.** une part de tarte aux pommes
  **b.** une coupe de fruits en compote
  **c.** un morceau de gâteau au chocolat
  **d.** une boule de sorbet à l'orange
  **e.** une boule de glace à la vanille

**3.** Lesquels de ces casse-croûte donnent le plus d'énergie?

    **a.** des biscottes avec du fromage      **d.** des bonbons et un coca

    **b.** du yaourt sans sucre      **e.** un pain au chocolat

    **c.** une part de pizza

**4.** Lesquels de ces aliments sont riches en protéines?

    **a.** le bifteck      **d.** l'agneau

    **b.** les spaghettis      **e.** la soupe aux légumes

    **c.** le poisson

**5.** Lesquels de ces plats ont peu de matières grasses?

    **a.** le poulet rôti      **d.** l'omelette aux champignons

    **b.** le steak-frites      **e.** le poisson grillé

    **c.** le gâteau à la crème

## Activité 3   Échanges: Qu'est-ce qu'on va manger aujourd'hui?

D'abord, regardez la liste d'aliments et de plats. Ensuite, préparez deux menus pour la journée (petit déjeuner, déjeuner et dîner): (1) un menu sain et équilibré et (2) un menu composé de vos plats et boissons préférés. Enfin, comparez vos menus avec ceux d'un(e) partenaire.

| PETIT DÉJEUNER | DÉJEUNER | DÎNER |
|---|---|---|
| • un smoothie: mangue, orange, banane, abricot<br>• des céréales avec du lait froid<br>• des crêpes au sirop d'érable<br>• des œufs<br>• des toasts<br>• du bacon<br>• du jambon<br>• du fromage<br>• du café<br>• du thé<br>• du lait<br>• des pains au chocolat<br>• des croissants<br>• des yaourts<br>• du pain complet | • de la soupe: au poulet, à la tomate, aux légumes<br>• une salade verte<br>• une salade de tomates et de concombres<br>• une salade de fruits<br>• un sandwich: au jambon, au rosbif, au poulet<br>• une omelette<br>• un hamburger-frites<br>• du jus de fruit<br>• un coca<br>• des spaghettis à la bolognaise<br>• du thé glacé<br>• une glace ou un sorbet<br>• des fruits<br>• du gâteau au chocolat | • une côte de bœuf et du riz<br>• du veau aux haricots verts<br>• des lasagnes<br>• une salade<br>• du poisson poché<br>• des pommes de terre<br>• des hors-d'œuvre: radis, saucisson, tomates<br>• du poulet rôti avec des carottes et des oignons<br>• des brocolis<br>• du vin<br>• du jus de fruit<br>• de l'eau minérale<br>• une bière<br>• une crème caramel<br>• des fruits frais<br>• une part de tarte aux pommes |

## Activité 4   Entretien: Mes habitudes

Posez les questions à votre camarade de classe, en lui demandant de vous expliquer ses réponses.

MODÈLE:   É1:  Qu'est-ce que tu bois quand tu vas au restaurant?
          É2:  Normalement, je bois de l'eau. Dans les grandes occasions, je prends parfois du vin.

Qu'est-ce que tu bois quand...

1. tu ne peux pas dormir?
2. tu retrouves tes amis au café?
3. ta famille fête une occasion importante?
4. tu as froid?
5. tu as sommeil le matin de bonne heure?

Qu'est-ce que tu manges...

6. au petit déjeuner quand tu es pressé(e)?
7. quand tu comptes les calories ou quand tu fais un régime?
8. dans ton restaurant préféré?
9. le soir, avant de te coucher?
10. maintenant mais que tu détestais quand tu étais petit(e)?

## Activité 5   Dans le monde francophone: La tartine de Normandie

Écoutez votre professeur et cherchez la bonne description du produit.

1. Ce produit coûte très cher. On le sert comme hors-d'œuvre.
2. Ce sont des produits faits principalement de lait.
3. Il est produit par des insectes. On le mange sur du pain beurré.
4. C'est un jus de pomme distillé et transformé en alcool.
5. C'est une espèce de saucisse faite avec des tripes.
6. Ce sont des fruits de mer qui produisent parfois des perles.
7. C'est un produit laitier. En France, il y en a approximativement 300 sortes.
8. Ce produit laitier est un des plus célèbres de la Normandie.

la tartine de Normandie
*Une tranche de terroir au creux de la main*

### Allons plus loin!
Préparez «la tartine» de votre état ou pays et expliquez-la à vos camarades de classe.

# On fait les provisions

✳ Attention! Étudier Grammaire 7.3 et 7.4

## Activité 6 Échanges: Les magasins d'alimentation

Regardez les dessins et posez des questions à votre camarade de classe.

MODÈLE:  É1: Où est-ce qu'on peut trouver des pommes?
  É2: Chez le marchand de fruits et légumes.
  É1: Tu aimes les pommes?
  É2: Oui, j'aime ça. J'en mange beaucoup.
      (Non, pas tellement. Je préfère les bananes.)

  É2: Où est-ce qu'on vend des homards?
  É1: Tu vas à la poissonnerie.
  É2: Tu aimes ça, toi?
  É1: Oui, j'adore le homard. Mais ça coûte très cher!
      (Ah non, pas du tout! Je n'aime pas le goût.)

## Activité 7  Casse-tête: Les aliments

De quel aliment s'agit-il dans chacune de ces définitions?

*Réponses possibles*   le jus d'orange, le sel, le yaourt, une carotte, la salade, le homard, les fraises, la farine, un croissant, les œufs, les cerises, les champignons

1. C'est un légume long et orange. Nous en mangeons la racine.
2. C'est un fruit de mer.
3. C'est une poudre à base de céréales. On l'utilise pour faire du pain.
4. On sert ce fruit rouge à la fin du printemps avec du gâteau et de la crème.
5. Nous utilisons ce condiment blanc pour assaisonner presque tous nos plats.
6. Il faut casser cet ingrédient avant de faire une omelette.
7. Pâtisserie croustillante, elle est délicieuse avec un café au lait.
8. Cette boisson, riche en vitamine C, vient d'un fruit.
9. En France, on la mange après le plat principal, souvent avec une sauce vinaigrette.
10. Ce produit laitier est riche en protéines et contient peu de calories.
11. Cet aliment ne contient pas de chlorophylle et se propage par des spores.
12. Ces petits fruits rouges poussent sur des arbres. On les aime dans une tarte.

### Ça fait réfléchir

Quelques proverbes «alimentaires»

- On reconnaît l'arbre à ses fruits.
- Il vaut mieux aller au boulanger qu'au médecin.
- On ne fait pas d'omelette sans casser des œufs.
- Il faut garder une poire pour la soif.

## Activité 8  Entretien: Le supermarché Casino

Vous allez faire des courses à Casino. Pour chaque liste, calculez combien vous allez dépenser. Attention aux quantités! (Un kilo = 1000 grammes.)

MODÈLE:   Le jambon coûte 8€ le kilo. 250g. Alors, ça fait 2€.

| LISTE 1 | LISTE 2 | LISTE 3 |
|---|---|---|
| 250 grammes de jambon | 1 bouteille de beaujolais | 1 pot de moutarde |
| 3 boîtes de petits pois | 3 kilos d'oignons | 500 grammes de beurre |
| 2 avocats | 250 grammes de gruyère | 4 yaourts aux fruits |
| 500 grammes de viande hachée | 2 kilos de pommes | 1 kilo de tomates |
| 2 kilos de mandarines | 6 boîtes de jus de tomate | 500 grammes de citrons |

## *Activité 9*  Entretien: Les provisions et la nourriture

1. C'est toi qui fais les provisions chez toi? Pourquoi?
2. Qui cuisine chez toi? Toi, tu aimes cuisiner? Quels plats aimes-tu préparer?
3. Tu achètes tout au supermarché? Sinon, où vas-tu? Tu achètes des repas congelés ou prêts à chauffer? Quand? Pourquoi?
4. Tu aimes les fruits et légumes? En achètes-tu souvent? Frais ou congelés?
5. Tu lis les étiquettes avant d'acheter un produit? Pourquoi?
6. Tu aimes grignoter entre les repas? Quelles sont tes faiblesses?
7. Est-ce que tu manges des aliments plutôt sains d'habitude? Lesquels?
8. Manges-tu trop de malbouffe (comme les chips, les frites, etc.)? Tu en achètes souvent? Quand? Quoi? Pourquoi?
9. Est-ce que tu connais des végétarien(ne)s? des végétalien(ne)s? Quelle est la différence entre ces deux façons de se nourrir?

## LES FRANCOPHONES SUR LE VIF

### Xavier Roy, en famille à Auriol

Le week-end, en été, on ne se presse pas et on prend un apéritif avant de commencer à manger. On boit du pastis[1]—léger, avec beaucoup d'eau. Pour les enfants, du sirop[2] à l'eau. Ou du vin d'ici, du vin rosé, de Provence. Avec l'apéro, on grignote plein de petites choses, comme des olives de toutes sortes, de la tapenade—c'est de la purée d'olives, préparée avec des épices, du saucisson et du jambon.

Comme plat principal, on mange souvent un poulet fermier[3] rôti; c'est un plat classique en France, le dimanche surtout. Un poulet avec des frites et de la ratatouille faite à la maison: des courgettes, des aubergines, des tomates, des oignons, des poivrons. La ratatouille, c'est vraiment un plat typique du sud de la France. Les olives aussi, c'est très méditerranéen... ; le fait de manger beaucoup d'olives, et de l'huile d'olive.

Dans le sud de la France, près d'Aix, il fait en général beau, plutôt chaud, et on mange dehors de mai à octobre. Même pendant l'hiver, ça arrive qu'on mange en plein air quand même, un jour ou deux par mois.

[1]boisson alcoolisée parfumée à l'anis
[2]liquide sucré aromatisé aux fruits ou aux plantes
[3]qui vient d'une ferme, pas industriel

# L'art de la cuisine

✳ Attention! Étudier Grammaire 7.5

## Des invités à dîner

Bernard et Christine cherchent des recettes intéressantes.

Bernard achète du pain à la boulangerie.

De retour chez eux, Christine commence à préparer les plats.

C'est Bernard qui met le couvert.

Ils vérifient que tout est prêt avant l'arrivée des invités.

Tout le monde se met à table et ils servent le dîner.

## Activité 10 Définitions: Se débrouiller dans la cuisine

_____ 1. Nous y mélangeons les ingrédients.
_____ 2. Nous nous en servons pour prendre de la soupe.
_____ 3. C'est l'ensemble des ustensiles utilisés lors d'un repas.
_____ 4. C'est le récipient où nous cuisinons des plats.
_____ 5. C'est les instructions pour préparer un plat.
_____ 6. Normalement, nous buvons notre café dans cet objet.
_____ 7. Nous l'utilisons pour couper de la viande.
_____ 8. On s'en sert pour s'essuyer la bouche pendant un repas.
_____ 9. Nous y mettons les aliments pour les manger.
_____10. On l'utilise pour manger de la salade.

a. un couteau
b. une assiette
c. un bol
d. un couvert
e. une serviette
f. une fourchette
g. une recette
h. une tasse
i. une cuillère
j. une poêle

## Activité 11    Échanges: Savez-vous cuisiner?

Nommez autant d'ingrédients que possible pour chaque plat.

MODÈLE:    Dans une purée de pommes de terre, il y a des pommes de terre, du lait, du beurre, du sel et un peu de poivre.

### Vocabulaire utile

| | | | |
|---|---|---|---|
| du beurre | du sucre | de la farine | des épices |
| des œufs | du vin | de l'huile | du sel |
| de l'ail | des oignons | du lait | du poivre |

1. Avec quoi est-ce qu'on fait une omelette aux champignons?
2. Qu'est-ce qui est indispensable pour faire les crêpes?
3. Que met-on dans la sauce tomate à la bolognaise?
4. Avec quoi est-ce qu'on fait un gâteau au chocolat?
5. Qu'est-ce qu'on met sur le steak au poivre?
6. Quels sont les ingrédients d'une tarte aux cerises?
7. De quoi est-ce qu'on a besoin pour préparer une sauce vinaigrette?

## Cliquez là!

Qu'est-ce que vous aimez manger—du chocolat, de l'agneau, des plats végétariens… ? Trouvez une bonne recette d'une culture francophone et apportez-la en cours. Quels en sont les ingrédients?

## Ça fait réfléchir

- En français, une casserole est l'ustensile de cuisine dans lequel on prépare un plat.
- La «French dressing» rouge et sucrée n'existe pas en France.
- Les Français mangent leur salade à la sauce vinaigrette.

## Activité 12

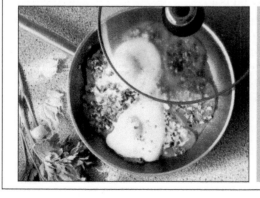

## Activité 13  Discussion: Quelques plats français

Que savez-vous de la cuisine française? Essayez d'identifier la description de chacun de ces plats traditionnels.

**a.** le coq au vin            **e.** les coquilles Saint-Jacques
**b.** la crème caramel         **f.** la bouillabaisse
**c.** la sauce hollandaise     **g.** le steak au poivre
**d.** la salade niçoise        **h.** la quiche lorraine

• La bouillabaisse, spécialité de la Provence

\_\_\_\_\_ **1.** Ce steak est bien poivré et grillé. On le sert avec une sauce au vin.

\_\_\_\_\_ **2.** Ce dessert léger est composé d'œufs, de sucre et de lait. Il est recouvert d'une sauce au sucre caramélisé.

\_\_\_\_\_ **3.** Cette tarte n'est pas sucrée, mais salée! Elle est faite d'œufs battus et de crème.

\_\_\_\_\_ **4.** C'est une soupe composée de poissons, de fruits de mer et d'épices.

\_\_\_\_\_ **5.** Le nom de ce plat vient de la ville de Nice. On le sert comme hors-d'œuvre ou comme déjeuner en été.

\_\_\_\_\_ **6.** On sert cette sauce très riche avec des œufs, du poisson ou des légumes.

\_\_\_\_\_ **7.** On sert ce plat avec des pommes de terre ou du riz; le poulet en est un des ingrédients principaux.

\_\_\_\_\_ **8.** Ce plat contient un fruit de mer délicieux. On le prépare dans des coquilles.

## Activité 14  Échanges: Que servir?

Lisez les menus et les descriptions des invités. Choisissez le menu pour chaque jour en fonction de vos invités. Vous pouvez modifier les menus selon vos goûts.

**Les menus**

| MENU 1 |
| --- |
| une soupe de poissons, une salade de tomates et de concombres, des spaghettis à la bolognaise avec du fromage et un gâteau au chocolat |

| MENU 3 |
| --- |
| une soupe aux tomates et au basilic, des escargots de Bourgogne, des blancs de poulet à la crème et aux champignons et une crème caramel |

| MENU 2 |
| --- |
| une soupe iranienne à base de yaourt, une assiette de crudités, des filets de sole pochés, des haricots verts et une tarte aux pêches |

| MENU 4 |
| --- |
| une soupe aux légumes, des coquilles Saint-Jacques, un rôti de porc avec des pommes de terre vapeur, des fraises avec de la crème Chantilly |

**Les invités**

vendredi 6: M^{me} Dubois, doit maigrir / adore le sucre
samedi 14: Pierre et Jean, cyclistes / doivent participer à une course le 15
mercredi 18: les Delachaux, riches / aiment bien manger!
samedi 28: les Grognon, le patron! / Madame ne mange pas de viande rouge

# À propos...

## Une spécialité culinaire du Maghreb: le tajine d'agneau

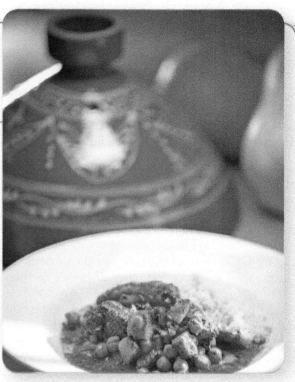

Le tajine est un plat traditionnel du Maghreb, et aussi le nom du récipient utilisé pour le préparer. Le tajine combine les épices orientales, le salé et le sucré: on peut y ajouter des abricots secs, des raisins, du miel, des amandes grillées...

Pour préparer un tajine d'agneau selon la recette marocaine, il vous faut 1,2 kg d'épaule d'agneau, 1 kg d'oignons, 4 cuillères à soupe d'huile d'olive, 1 cuillère à soupe de cumin, 1 cuillère à café de gingembre, 1 cuillère à café de coriandre, 1/2 cuillère à café de piment doux, 2 gousses d'ail, 2 citrons confits, le jus d'un citron et 100 g d'olives noires.

D'abord, pilez ensemble l'ail et les épices. Dans un tajine, disposez les morceaux de viande, les citrons confits coupés en quatre, 2 cuillères d'huile d'olive et le jus de citron. Ajoutez l'ail et les épices, puis couvrez et laissez mijoter pendant 3 heures. Dans un autre récipient, versez 2 cuillères d'huile et faites cuire les oignons à feu doux. Lorsque les oignons sont bien cuits, versez-les sur la viande avec les olives noires. Servez avec du riz ou du couscous.

● Un repas traditionnel au Maroc: le tajine

# LA LANGUE EN MOUVEMENT

## Emprunts de la gastronomie

**A**u cours des siècles, beaucoup de mots sont passés du français en anglais et vice versa, à cause des nombreux contacts entre ces deux cultures avoisinantes.[1] Les mots voyagent toujours avec les objets et les pratiques culturelles associées, et la cuisine française est un élément culturel très apprécié par les Anglais et les Américains. Il est assez facile de reconnaître l'origine française de mots comme *menu*, *cuisine*, *café* et *gourmet*. Quelquefois la prononciation du mot emprunté est très différente en anglais, comme dans le cas de *crêpe* et *bouillon*. D'ailleurs, le mot français a parfois aussi un autre sens, en plus de son sens alimentaire: par exemple, le sens littéral de l'expression *petit four* est "little oven."

<u>MISE EN PRATIQUE</u>

1. Pouvez-vous trouver les mots français qui sont à l'origine des mots anglais *purée*, *sauté* et *blanch*?
2. Cherchez dans un dictionnaire français le sens original des expressions suivantes: *mousse*, *fondu(e)*, *à la mode*.

[1] qui sont voisins (très proches)

# Au restaurant

✳ Attention! Étudier Grammaire 7.6 et 7.7

*Claudine et Victor vont au restaurant.*

> Des crudités, des escalopes de veau à la crème et aux champignons et des pommes vapeur, s'il vous plaît.

> Moi, je voudrais la terrine de saumon et le gigot aux flageolets.

Le maître d'hôtel les conduit à leur table.

Maintenant, ils sont en train de passer leur commande.

Le sommelier leur propose un vin de Bourgogne.

Le serveur leur apporte le dîner.

Avant le dessert, Victor prend du fromage.

Maintenant, le serveur est en train de donner l'addition à Victor.

Avant de partir, ils laissent un pourboire généreux.

## Cliquez là!

Les revenus de l'industrie du vin en France s'élèvent à plus de neuf milliards d'euros par an. Quelles régions produisent du vin? Choisissez une région à présenter en classe. Où se situe cette région? Quelle est sa ville principale et pourquoi est-ce un bon endroit pour cultiver la vigne? Quels types de vin y produit-on?

## Ça fait réfléchir

• En 600 avant J.-C., les Grecs se sont installés à Marseille. Ils ont planté les premiers pieds de vigne.

*Activité 15* Définitions: Au restaurant

_____ 1. la personne qui conduit les clients à leur table     **a.** les hors-d'œuvre

_____ 2. la personne responsable des vins dans un bon restaurant     **b.** des crudités

    **c.** l'entrée

_____ 3. les plats et les boissons commandés par le client     **d.** le maître d'hôtel

_____ 4. l'argent laissé par le client pour remercier le serveur     **e.** la commande

    **f.** le pourboire

_____ 5. offrir des suggestions     **g.** le serveur / la serveuse

_____ 6. la personne qui apporte et sert les plats     **h.** le plat principal

_____ 7. le plat servi au début d'un repas     **i.** le plat du jour

_____ 8. le plat servi entre les hors-d'œuvre et le plat principal     **j.** l'addition

    **k.** proposer

_____ 9. la note qu'on paie à la fin du repas     **l.** le sommelier

_____ 10. des légumes crus servis comme hors-d'œuvre

_____ 11. le plat uniquement servi un certain jour

_____ 12. le plat le plus important d'un repas

*Activité 16* Discussion: **Un repas français**

En France, dans un restaurant, quand est-ce qu'on...

**1.** prend la salade?
   **a.** après avoir terminé le plat principal.     **b.** avant de prendre le plat principal.
**2.** mange du fromage?
   **a.** après avoir fini la soupe.     **b.** avant de prendre le dessert.
**3.** prend des hors-d'œuvre?
   **a.** après avoir pris le dessert.     **b.** avant de manger le plat principal.
**4.** boit du café?
   **a.** après avoir pris le dessert.     **b.** avant de prendre le fromage.
**5.** goûte le vin présenté par le sommelier?
   **a.** après avoir vu le sommelier     **b.** avant de voir le sommelier.
**6.** mange le plat principal?
   **a.** après l'entrée.     **b.** avant l'entrée.

## Cliquez là!

Allez en Belgique! Choisissez un restaurant à Bruxelles où vous voudriez dîner, puis faites une description de ce restaurant et de ses plats pour vos camarades de classe.

*Activité 17* Entretien: **Se débrouiller au restaurant**

Vous êtes dans un restaurant français pour la première fois avec votre ami(e) et vous vous sentez un peu mal à l'aise. Vous posez des questions à votre ami(e). Ensuite votre ami(e), à son tour, va vous poser des questions.

*Suggestions* (1) le pourboire est compris dans le prix du repas; (2) la note qu'on paie après le repas; (3) le sommelier; (4) le plat spécial offert aujourd'hui; (5) le plat qui précède le plat principal; (6) l'argent qu'on laisse au serveur; (7) des légumes crus (pas cuits); (8) la serveuse

**Étudiant(e) 1**

**1.** Comment s'appelle la personne qui sert le vin?
**2.** Qu'est-ce que c'est que l'addition?
**3.** «Des crudités», qu'est-ce que ça veut dire?
**4.** C'est qui, cette femme qui sert à la table à côté de nous?
**5.** ?

**Étudiant(e) 2**

1. C'est quoi, le plat du jour?
2. Qu'est-ce que c'est qu'un pourboire?
3. Ça veut dire quoi, «service compris»?
4. L'entrée, c'est quoi?
5. ?

## Exprime-toi!

> C'est bon pour le café, merci.
> Sinon, je ne peux pas dormir.
> Merci. Il est délicieux, mais je n'ai plus faim.
> Je ne veux rien d'autre, merci. J'ai très bien mangé!
> Plus rien, merci. J'ai (bu) un peu trop de (vin).
> Merci. Je ne bois pas d'(alcool).

## Activité 18    Entretien: Formules de politesse

Vous avez dîné chez un ami (une amie) et vous avez trop mangé et trop bu. Qu'est-ce que vous lui répondez pour ne pas le/la vexer?

MODÈLE:    Tu veux encore du vin? →
           Merci, il est excellent, mais j'ai assez bu.

1. Un peu de cognac?
2. Tu as goûté ces chocolats?
3. Encore un peu de rôti à l'ail?
4. Tu veux du café?
5. Essaie ces escargots! Ils sont délicieux.
6. Encore de la salade?

# À propos...

## Le repas gastronomique français immortalisé

• La haute cuisine française: des plats élégants et raffinés

Depuis 2010, le repas gastronomique des Français est inscrit à la liste du patrimoine culturel immatériel de l'humanité. Dans ce repas festif, on pratique l'art du «bien manger» et du «bien boire», basé sur le choix attentif des mets à base de bons produits (de préférence locaux), le mariage harmonieux entre mets et vins et la décoration de la table. Le repas gastronomique commence par un apéritif et se termine par un digestif, avec entre les deux au moins quatre plats—une entrée, du poisson et/ou de la viande avec des légumes, du fromage et un dessert. Le ministre de la culture, Frédéric Mitterrand, commente cette distinction pour le journal *Le Figaro*.

*Le Figaro: Le repas français a-t-il besoin d'être protégé?* Inscrire le repas français au patrimoine mondial, ce n'est pas le protéger ni le muséifier,[1] c'est le valoriser. Nous en sommes fiers comme de quelque chose qui nous appartient, comme lorsque Marion Cotillard reçoit un Oscar.

*Le Figaro: On a parlé d'arrogance française...* Il n'y a aucune arrogance, et si les étrangers consolident la cuisine française, tant mieux.[2] Je me félicite[3] que le couscous soit l'un des plats préférés des Français. Cela correspond à notre tradition d'accueil et d'intégration. L'un des plus jolis mots de la langue française, c'est «avec»... toutes ces influences, toutes ces rencontres, c'est formidable.[4]

*Le Figaro: Comment maintenir une ligne claire entre un président qui ne boit pas d'alcool, les recommandations diététiques du ministère de la santé et le repas de fête célébré par l'UNESCO?* La vie française est souvent rythmée par ses repas soignés; pourtant, le repas s'est adapté à la vie sociale. Certes, il y a le repas de cérémonie, mais on n'en fait pas tous les jours.

[1] enfermer dans un musée
[2] c'est parfait
[3] Je... je suis très heureux
[4] extraordinaire

## *Activité 19* Entretien: Au restaurant «Chez Michel»

### Chez Michel
### Menu à 54 €*

#### Entrée au choix

**Hors-d'œuvre**
terrine du chef
œufs en gelée
terrine de saumon
consommé de légumes
crème d'asperges
avocat vinaigrette

**Salades**
salade du jardin
salade d'endives aux noix
salade niçoise
salade du chef

#### Plat garni au choix

**Viandes**
Châteaubriand aux pommes
tournedos béarnaise
gigot d'agneau aux flageolets
escalope de veau aux morilles

**Volailles**
coq au vin
cailles aux raisins
canard à l'orange

**Poissons et fruits de mer**
sole meunière pommes vapeur
turbot à l'oseille
homard à l'américaine
moules marinières
gratin d'écrevisses

**Fromages**
camembert
brie
plateau assorti

**Desserts**
mousse au chocolat
île flottante
orange givrée
crème caramel
tarte maison

#### Café ou thé

*boissons non comprises
service compris

Lisez le menu et choisissez des plats pour...

1. quelqu'un qui évite les matières grasses.
2. une personne robuste qui mange de tout.
3. une personne qui ne prend jamais de viande rouge.
4. des végétariens ou des végétaliens.

### À vous la parole!
Vous dînez avec des amis au restaurant «Chez Michel», un très bon restaurant parisien. Avec votre partenaire, jouez les rôles du client (de la cliente) et du serveur (de la serveuse).

LE SERVEUR: Vous désirez, (mademoiselle)?
CLIENT: Comme hors-d'œuvre, je voudrais...
LE SERVEUR: Et comme salade?
CLIENT: ...
LE SERVEUR: ...

LE SERVEUR: Et avec ça, c'est tout?
CLIENT: ...

### Vocabulaire utile

Quelle est la spécialité de la maison?
Il est comment, le (canard à l'orange)?
Monsieur (Madame, Mademoiselle), l'addition, s'il vous plaît!
Est-ce que le service est compris?

un bifteck cru    saignant    à point    bien cuit

# POUR RÉSUMER

## À vous de parler

**Cherchez l'intrus**

Dans chaque groupe, il y a un mot qui ne correspond pas à la liste. Avec un(e) camarade de classe, identifiez l'intrus et donnez les raisons pour votre choix.

> MODÈLE: la poire, la banane, l'artichaut, la fraise, la cerise, la pêche →
> C'est l'artichaut qui est l'intrus. Ce n'est pas un fruit.

1. le bœuf, l'agneau, le porc, le saucisson, le fromage, le jambon
2. les pommes de terre, la laitue, les framboises, les oignons, les radis, les haricots verts
3. le coq au vin, le rôti de bœuf, le poulet rôti, la mousse au chocolat, le gigot d'agneau
4. la tarte aux pommes, la compote de fruits, la tarte aux cerises, le bœuf en croûte, le gâteau au citron
5. le persil, l'ail, le sel, le basilic, le pain, la vanille, le poivre
6. le saumon, les sardines, la sole, le lapin, la carpe, le poisson-chat
7. le vin, le cognac, le lait, la bière, le champagne, le cidre
8. un éclair, un croissant, un gâteau, une tarte, un sandwich, un petit gâteau
9. le jambon, le rôti de porc, la saucisse, le pâté de campagne (porc), le bœuf haché
10. une pêche, une banane, une pomme, une cerise, une laitue, une fraise

## À vous de lire

### «Le Corbeau et le Renard» par Jean de La Fontaine

Maître Corbeau, sur un arbre perché,
    Tenait en son bec un fromage.
Maître Renard, par l'odeur alléché,[1]
    Lui tint à peu près ce langage[2]:
    «Hé! Bonjour, Monsieur du Corbeau,
Que vous êtes joli! que vous me semblez beau!
    Sans mentir, si votre ramage[3]
    se rapporte[4] à votre plumage,[5]
Vous êtes le phénix[6] des hôtes[7] de ces bois.[8]»
À ces mots, le Corbeau ne se sent pas de joie[9];
    Et pour montrer sa belle voix,
Il ouvre un large bec, laisse tomber sa proie.[10]
Le Renard s'en saisit[11] et dit: «Mon bon Monsieur,
    Apprenez que tout flatteur
    Vit aux dépens de celui qui l'écoute.[12]
Cette leçon vaut bien un fromage, sans doute.»
    Le Corbeau, honteux[13] et confus,
Jura,[14] mais un peu tard, qu'on ne l'y prendrait plus.[15]

Extrait des *Fables* (Livre I) de Jean de La Fontaine (1621–1695)

*Le Corbeau et le Renard*

---

[1]attiré   [2]tint... a parlé à peu près comme ça   [3]voix, chant   [4]se... est proportionnel   [5]les oiseaux ont des plumes, qui forment un plumage   [6]oiseau mythique   [7]habitants   [8]ces... cette forêt   [9]ne... est très content   [10]victime (le fromage)   [11]s'en... l'a pris rapidement   [12]Vit... Dépend de sa victime   [13]qui a honte   [14]A affirmé   [15]on... il avait appris sa leçon

### *Avez-vous compris?*

1. Que veut le renard?
   a. manger le corbeau
   b. prendre le fromage du corbeau
   c. se moquer du corbeau
   d. entendre chanter le corbeau
2. Quelle est la stratégie du renard?
   a. amuser le corbeau
   b. distraire le corbeau
   c. flatter le corbeau
   d. intimider le corbeau
3. Pourquoi est-ce que le corbeau accepte de chanter?
   a. Il est très sympathique.
   b. Il est très heureux.
   c. Il est vaniteux.
   d. Il a peur.
4. Comment est le corbeau à la fin de l'histoire? Il est...
   a. furieux.
   b. honteux.
   c. triste.
   d. surpris.
5. Quelle est la morale de cette fable?
   a. Les corbeaux sont idiots.
   b. Les flatteurs ont souvent des intérêts personnels.
   c. Les renards sont manipulateurs.
   d. Les corbeaux n'aiment pas la flatterie.

### *À vous la parole!*

La suite de l'histoire: Maître Corbeau rentre chez lui sans son fromage et raconte ses mésaventures à sa femme. Imaginez leur dialogue.

M^ME CORBEAU: Qu'est-ce qui est arrivé? Où est ton fromage?
MAÎTRE CORBEAU: Quelle histoire! J'étais perché sur un arbre, avec mon fromage dans le bec,...

## À vous d'écrire

Préparez un petit article publicitaire pour votre restaurant préféré. Dans votre article, donnez des renseignements importants aux clients potentiels, tels que les heures, le décor, le service, les spécialités et les prix. Inventez les détails si vous n'en êtes pas certain(e).

# Vocabulaire

## Les légumes
Vegetables

| | |
|---|---|
| l'ail (*m.*) | garlic |
| les avocats (*m.*) | avocados |
| le basilic | basil |
| les champignons (*m.*) | mushrooms |
| les haricots (*m.*) verts | green beans |
| la laitue | lettuce |
| les oignons (*m.*) | onions |
| le persil | parsley |
| les petits pois (*m.*) | peas |
| les pommes (*f.*) de terre | potatoes |
| les radis (*m.*) | radishes |

*Mots apparentés:* **les asperges** (*f.*), **les brocolis** (*m.*), **les carottes** (*f.*), **un concombre, les tomates** (*f.*)

## Les fruits et les desserts
Fruit and desserts

| | |
|---|---|
| les cerises (*f.*) | cherries |
| les citrons (*m.*) | lemons |
| les fraises (*f.*) | strawberries |
| les framboises (*f.*) | raspberries |
| les pêches (*f.*) | peaches |
| les poires (*f.*) | pears |
| les pommes (*f.*) | apples |
| les raisins (*m.*) | grapes |
| la crème caramel | flan, custard with a caramel sauce |
| la crème Chantilly | whipped cream |
| un gâteau | a cake |
| une pâtisserie | a pastry |
| une tarte aux pommes | an apple pie |

*Mots apparentés:* **les abricots** (*m.*), **les bananes** (*f.*), **les crêpes** (*f.*), **les mandarines** (*f.*), **les mangues** (*f.*), **les oranges** (*f.*), **le sorbet**

## Le pain, l'épicerie et les produits laitiers
Bread, grocery, and dairy products

| | |
|---|---|
| une baguette | *a long, thin loaf of bread* |
| le beurre | butter |
| la confiture | jam, jelly |
| les épices (*f.*) | spices |
| la farine | flour |
| le fromage | cheese |
| la glace (à la vanille) | (vanilla) ice cream |
| le gruyère | gruyere (*Swiss cheese*) |
| l'huile d'olive (*f.*) | olive oil |
| le lait | milk |
| la moutarde | mustard |
| les noix (*f.*) | walnuts |
| les œufs (*m.*) | eggs |
| un pain au chocolat | a chocolate croissant |
| le pain complet | whole-grain bread |
| le poivre | pepper |
| le riz | rice |
| le sel | salt |
| le sirop d'érable | maple syrup |
| le sucre | sugar |
| le yaourt | yogurt |

*Mots apparentés:* **le brie, le camembert, des céréales** (*f.*), **les chips** (*m.*), **le chocolat, la crème, un croissant, un sandwich**

## La viande, le poisson et les fruits de mer
Meat, fish, and seafood

| | |
|---|---|
| l'agneau (*m.*) | lamb |
| le bifteck | steak |
| le bœuf (haché) | (ground) beef |
| les coquilles (*f.*) Saint-Jacques | scallops |
| une côte de bœuf | a rib roast |
| les côtes (*f.*) de porc | pork chops |
| les crevettes (*f.*) | shrimp |
| les escargots (*m.*) | snails |
| le gigot | leg of lamb |
| le homard | lobster |
| les huîtres (*f.*) | oysters |
| le jambon | ham |
| les moules (*f.*) | mussels |
| le poisson-chat | catfish |
| le poulet | chicken |
| un rôti de porc | a pork roast |
| le saucisson | salami (hard sausage) |
| le saumon | salmon |
| le veau | veal |
| la volaille | poultry |

*Mots apparentés:* **le bacon, le crabe, un hamburger, le rosbif, la sole, le steak**

## Pour parler de la nourriture
Talking about food

| | |
|---|---|
| à point | medium (*medium well-done*) |
| battu(e) | beaten, whisked |
| beurré(e) | buttered |
| congelé(e) | frozen |
| croustillant(e) | crusty, crunchy |
| cru(e) | raw |
| cuit(e); bien cuit(e) | cooked; well-done |
| épicé(e) | spicy |
| équilibré(e) | balanced, even |
| frais/fraîche | fresh |
| frit(e) | fried |
| fumé(e) | smoked |
| garni(e) | garnished |
| haché(e) | chopped, ground |
| léger/légère | light, fluffy, delicate |
| nappé(e) de | covered with |
| poché(e) | poached |
| recouvert(e) de | covered (in) |
| saignant(e) | rare (*meat*) |
| sain(e) | healthy; healthful |
| salé(e) | salty, salted |
| sucré(e) | sweet |
| végétalien(ne) | vegan |
| les aliments (*m.*) | foods |
| une boîte (de) | a can (of) |
| une boule de sorbet | a scoop of sorbet |
| une étiquette | a label |
| un goût | a taste, flavor |
| la malbouffe | junk food; eating junk food |
| les matières (*f.*) grasses | fats (*in food*) |
| un morceau (de) | a piece (of) |
| une part (de) | a portion, a piece (of) |
| une poêle | a frying pan |
| une poudre | a powder |
| un produit laitier | a dairy product |
| une recette | a recipe |
| un récipient | a container |
| une tranche (de porc, de jambon) | a slice (of pork, of ham) |
| compter les calories | to count calories |
| contenir | to hold, contain |
| faire un régime | to go on a diet |
| grignoter | to eat a snack |
| J'aime ça. | I like that/them. |
| maigrir | to lose weight |
| mélanger | to mix |

*Mots apparentés:* **des calories** (*f.*), **caramélisé(e), composé(e) (de), en compote, la fibre, fin(e), un gramme, grillé(e), un ingrédient, un kilo, les protéines** (*f.*), **riche (en), un ustensile, végétarien(ne), les vitamines** (*f.*)

## Magasins d'alimentation
Food stores

| | |
|---|---|
| une boucherie | a butcher shop |
| une boulangerie | a bakery |
| une charcuterie | a delicatessen (pork) |
| une épicerie | a grocery store |
| un(e) marchand(e) | a merchant |
| une pâtisserie | a pastry shop |
| une poissonnerie | a fish market |

## Les repas, les boissons et la table
Meals and the table

| | |
|---|---|
| une assiette | a plate |
| une boisson | a drink |
| le casse-croûte | snack |
| un coca | a soft drink |
| un couteau | a knife |
| une cuillère | a spoon |
| le déjeuner | lunch |
| le dîner | dinner |
| l'eau (*f.*) | water |
| une fourchette | a fork |
| le goûter | (*afternoon*) snack |
| une limonade | soft drink (*like 7-up*) |
| le jus (de pommes, d'orange) | (apple, orange) juice |
| le petit déjeuner | breakfast |
| une serviette | a napkin |
| une tasse | a cup |
| le thé | tea |
| un verre | a glass |
| le vin | wine |
| couper | to cut |
| faire les provisions | to buy groceries |
| goûter | to taste |
| se mettre à table | to sit down at the table |
| mettre le couvert | to set the table |
| poivrer | to pepper |
| saler | to salt |
| verser | to pour |

*Mots apparentés:* **l'alcool** (*m.*), **le café au lait, le champagne, le cidre, le cognac, une sauce vinaigrette**

## Au restaurant
In a restaurant

| | |
|---|---|
| l'addition (*f.*) | tab, bill |
| l'entrée (*f.*) | first course |
| le maître d'hôtel | host (maître d') |
| le plat du jour | today's special |
| le plat principal | main course |
| le pourboire | tip |

| | |
|---|---|
| un serveur / une serveuse | a waiter, waitress |
| le sommelier / la sommelière | the wine steward |
| | |
| boire | to drink |
| commander | to order |
| conseiller | to recommend |
| coûter | to cost |
| laisser un pourboire | to leave a tip |
| se mettre à (+ *inf.*) | to start |
| passer la commande | to place an order |
| retrouver des amis | to meet up with friends |
| vexer | to offend |
| | |
| C'est bon pour (le café), merci. | No more (coffee), thanks. |
| Encore du / de la / de l'... ? | Would you like more . . . ? |
| Est-ce que le service est compris? | Is the tip included in the tab? |
| J'ai très bien mangé! | That was really good! |
| Je n'ai plus faim. | I'm no longer hungry. |
| Merci, j'ai assez mangé/bu. | I've had enough, thanks. |
| Rien de plus, merci. | Nothing else, thanks. |

*Mots apparentés:* **payer, recommander, suggérer**

## Les plats

### Menu items

| | |
|---|---|
| une blanquette de veau | a veal stew |
| la bouillabaisse | Mediterranean fish stew |

| | |
|---|---|
| le canard à l'orange | duck in orange sauce |
| la choucroute | sauerkraut |
| le coq au vin | chicken cooked in wine |
| une coupe de (fruits) | a (fruit) cup |
| les crudités (*f.*) | raw vegetables served as an appetizer |
| une escalope de veau | a veal cutlet |
| des frites (*f.*) | French fries |
| un gigot aux flageolets | a leg of lamb with beans |
| le pâté de foie gras | goose-liver pâté |
| les pommes (*f.*) vapeur | steamed potatoes |
| le rosbif | roast beef |
| la salade niçoise | salad of tomatoes, tuna, anchovies, potatoes, etc. |
| la soupe (aux légumes) | (vegetable) soup |
| les spaghettis (*m.*) à la bolognaise | spaghetti with meat sauce |
| le steak au poivre | pepper steak |
| un steak-frites | a steak with French fries |
| une tartine | *a slice of bread and butter* |
| une terrine de saumon | a cold salmon pâté |

*Mots apparentés:* **les endives** (*f.*)**, les hors-d'œuvre** (*m.*)**, une île flottante, la lasagne, la mousse au chocolat, la purée**

## Quand

### Saying when

| | |
|---|---|
| les grandes occasions | special occasions |
| d'habitude | usually |
| lors de | during, at the time of |
| sinon | or else, otherwise |

# Grammaire et exercices

## 7.1 Review of articles

⭐ Review *Première étape,* **Grammaire A.3** and **A.5** on articles.

➤ Definite articles: **le, la, l', les**

**A.** Definite articles (**le, la, l', les**) are used as the equivalent of *the* in English.

| | |
|---|---|
| **Le** lait que j'ai acheté est dans **le** réfrigérateur. | *The milk I bought is in the refrigerator.* |

Definite articles are also used to talk about people or things in general. In such cases, English generally uses no article at all.

| | |
|---|---|
| **La** mousse au chocolat est mon dessert préféré. | *Chocolate mousse is my favorite dessert.* |
| **Les** femmes boivent plus d'eau minérale que **les** hommes. | *Women drink more mineral water than men (do).* |

⭐ Review **Grammaire 3.6** on partitive articles.

➤ Countable nouns take indefinite articles: **un, une, des.** Mass nouns take partitive articles: **du, de la, de l'.**

**B.** Remember that indefinite articles (**un, une, des**) are used for countable nouns (*des* **croissants**), whereas partitive articles (**du, de la, de l'**) are used for mass nouns (*de la* **confiture**).

| | |
|---|---|
| J'ai acheté **des** provisions pour le petit déjeuner. J'ai pris **des** croissants, **du** beurre et **de la** confiture. | *I bought groceries for breakfast. I got (some) croissants, butter, and jam.* |

**C.** To choose the appropriate article, look at the kind of verb used in the sentence. With verbs describing likes or dislikes, such as **aimer, adorer, détester,** and **préférer,** use the definite article because you are talking about things in a general sense.

| | |
|---|---|
| Nathalie **aime** beaucoup **les** carottes et **les** petits pois, mais elle **déteste les** épinards. | *Nathalie likes carrots and peas a lot, but she detests spinach.* |
| Je n'**aime** pas **le** café fort. | *I don't like strong coffee.* |

➤ Verbs of preference: definite article

➤ Verbs of "consumption": indefinite or partitive article

On the other hand, if the verb deals with having, obtaining, or consuming, use **du, de la, de l',** or **des,** because you are talking about some amount of a thing. Such verbs include **avoir, acheter, manger, boire, prendre,** and many others.

| | |
|---|---|
| Les Français **boivent du** café après le dîner. | *The French drink coffee after dinner.* |
| Nous **mangeons de la** pizza tous les vendredis soir. | *We eat pizza every Friday night.* |

➤ Je mange *du* chocolat.

➤ Tu *ne* manges *pas de* chocolat.

➤ Je mange *trop de* chocolat!

➤ Tu *n'*aimes *pas le* chocolat.

**D.** In negative sentences, the indefinite or partitive article becomes **de.** Definite articles do not change.

| | |
|---|---|
| Je n'achète **jamais de** crème et je n'ai **plus de** lait. Est-ce que vous pouvez boire votre café noir? | *I never buy cream, and I don't have any milk left. Can you drink your coffee black?* |

De is also used after expressions of quantity.

➤ **un peu** vs. **peu:**
j'ai **un peu** de lait = *I have a little milk*
j'ai **peu** de lait = *I have little (not much) milk*

| QUELQUES EXPRESSIONS DE QUANTITÉ | |
|---|---|
| **beaucoup de** *a lot of* | **un peu de** *a little* |
| **assez de** *enough* | **trop de** *too much, too many* |
| **une livre de** *a pound of* | **un kilo(gramme) de** *a kilogram of* |
| **un litre de** *a liter of* | **une douzaine de** *a dozen* |
| **un verre de** *a glass of* | **une tasse de** *a cup of* |

Agnès a acheté **un litre de** lait et **un kilo de** gruyère.

*Agnès bought a liter of milk and a kilo of gruyère cheese.*

## Exercice 1 Vos goûts

Répondez par **oui** ou **non,** et puis indiquez un autre aliment de la même catégorie que vous préférez.

MODÈLE: Tu aimes le jus d'orange? →
Oui, j'aime le jus d'orange, mais j'aime mieux le jus de raisin. (Non, je n'aime pas le jus d'orange. J'aime mieux le jus de pomme.)

1. Tu aimes les petits pois?
2. Tu aimes les cerises?
3. Tu aimes le jambon?
4. Tu aimes la bière?
5. Tu aimes les huîtres?
6. Tu aimes le lait?
7. Tu aimes la tarte aux pommes?
8. Tu aimes le porc?
9. ?

## Exercice 2 Les courses

Avec votre ami(e), vous allez préparer un dîner pour des amis français. Votre ami(e) ne sait pas faire la cuisine mais il/elle va faire les courses. Répondez à ses questions.

**Le menu:** des spaghettis à la bolognaise, de la salade, une crème caramel

MODÈLES: J'achète des pâtes? →
Oui, achète des pâtes (pour les spaghettis).

J'achète du poisson? →
Non, n'achète pas de poisson. (Ce n'est pas nécessaire.)

1. J'achète de la sauce tomate?
2. ... du riz?
3. ... du bifteck?
4. ... du bœuf haché?
5. ... de la laitue?
6. ... des pommes de terre?
7. ... de l'huile et du vinaigre?
8. ... des oignons?
9. ... de la glace?
10. ... du lait?
11. ... des œufs?
12. ... du sucre?

## *Exercice 3* Combien en consommez-vous?

Utilisez l'expression de quantité appropriée.

*Vocabulaire utile*    assez de, trop de, beaucoup de, (un) peu de, une (demi-)livre de, un kilo de, un (deux, trois,... ) litre(s) de, une (demi-)douzaine de, une tasse de, un verre de, une bouteille de, une (deux, trois) portion(s) de

1. Je bois _____ café(s) par jour.
2. Je bois _____ eau chaque jour.
3. Je consomme _____ œufs par semaine.
4. Je consomme _____ beurre chaque mois.
5. Je mange _____ viande chaque semaine.
6. Je mange _____ fruits par jour.
7. Je mange _____ légumes par jour.

## *Exercice 4* Les préférences et les habitudes

Faites des questions et des réponses, en employant la forme appropriée de l'article.

MODÈLE:   manger souvent / frites (*f.*) →
       É1: Est-ce que tu manges souvent des frites?
       É2: Oui, je... (Non, je... )

1. acheter quelquefois / bonbons au chocolat
2. aimer / escargots
3. manger souvent / dinde (*f.*)
4. consommer beaucoup / fromage (*m.*)
5. détester / poisson (*m.*)
6. adorer / glace (*f.*)
7. boire trop / bière
8. manger souvent / pain

## 7.2 The verb boire

★ *Review* **Grammaire 6.7** *on* **voir** *and* **croire.**

The verb **boire** is similar to **croire** and **voir.** Note, however, its irregular plural forms.

| **boire** (*to drink*) ||
|---|---|
| je bois | nous **b**u**vons** |
| tu bois | vous **b**u**vez** |
| il/elle/on boit | ils/elles boivent |
| PASSÉ COMPOSÉ: j'ai **bu** ||
| IMPARFAIT: je **buvais** ||

—Monsieur, que voulez-vous **boire**?
—Du thé, s'il vous plaît.

*Sir, what would you like to drink?*
*Tea, please.*

Les Français **boivent** souvent de l'eau minérale.

*The French often drink mineral water.*

## *Exercice 5* Boissons favorites

Répondez aux questions par des phrases avec **boire.**

MODÈLE: Que boivent vos parents avec les repas? →
Ils boivent du thé glacé (du café).

1. Que buvez-vous le matin?
2. Que boivent vos amis quand ils se retrouvent au resto-U?
3. Quand vous sortez avec des amis, que buvez-vous? (Nous... )
4. Qui boit plus de thé, à votre avis, les Anglais ou les Français?
5. Qu'est-ce que vous avez bu ce matin avant d'aller en cours?
6. Que buviez-vous avec vos repas quand vous étiez petit(e)?
7. Qui buvait du café chez vous quand vous étiez petit(e)?
8. Qu'est-ce qu'on a bu à la dernière fête où vous êtes allé(e)?

## 7.3 Expressing quantities: The pronoun **en**

**A.** You are already familiar with the use of the pronoun **en** to replace a noun preceded by a number.

—Avez-vous trois enfants?     *Do you have three children?*
—Non, j'**en** ai **quatre.**     *No, I have four (of them).*

> ✷ Review **Deuxième étape, Grammaire B.1.C** on the use of **en** with **il y a.**

**B.** **En** also replaces a noun with a partitive article **(du, de la, de l')** or an indefinite article **(un, une, des).** The English equivalent is *some* or *any.*

—Est-ce que Raoul prend toujours du café après le dîner?     *Does Raoul always have coffee after dinner?*
—Oui, il **en** prend toujours.     *Yes, he always has some.*

—As-tu des fruits pour le dessert?     *Do you have some fruit for dessert?*
—Non, je n'**en** ai pas, mais Daniel va **en** apporter.     *No, I don't have any, but Daniel is going to bring some.*

In this use, **en** can refer to people or things.

> ✷ Review **Grammaire 4.5.D** on placement of pronouns with infinitives.

> ➤ Placement before infinitive: **Je veux *en* manger.**

**C.** Use **en** to replace nouns preceded by other expressions of quantity such as **un peu, beaucoup, assez, trop.**

—Est-ce qu'il y a encore de la glace au chocolat?     *Is there still some chocolate ice cream?*
—Oui, il y **en** a encore **beaucoup.**     *Yes, there's still a lot (of it).*

—Je dois acheter du lait à l'épicerie?     *Should I buy some milk at the grocery store?*
—Non, j'**en** ai **assez.**     *No, I already have enough.*

> ➤ Uses of en: **Tu as des œufs?**
> —**J'*en* ai trois.**
> (*I have three of them.*)
> —**J'*en* ai.**
> (*I have some.*)
> —**Je n'*en* ai pas.**
> (*I don't have any.*)
> —**J'*en* ai beaucoup.**
> (*I have a lot.*)

**D.** **En** is also used to replace the preposition **de** + the name of a thing. This often happens with expressions that require **de,** such as **avoir besoin (envie, peur) de.**

—Tu as besoin **de poivre** pour cette recette?     *Do you need pepper for this recipe?*
—Oui, j'**en** ai besoin.     *Yes, I need it (some).*

> ➤ **En** also replaces the preposition **de** + a thing: **j'*en* ai peur** = *I'm afraid of it/them*

## Exercice 6 Habitudes alimentaires

Vous passez quelques jours chez une nouvelle amie. Elle vous pose beaucoup de questions pour connaître vos goûts. Répondez-lui en utilisant le pronom **en.**

MODÈLE: Tu mets du lait dans ton café le matin? →
Oui, j'en mets. (Non, je n'en mets pas.)

1. Est-ce que tu voudrais des croissants pour ton petit déjeuner?
2. Tu bois du café le matin?
3. Tu aimes prendre de la viande à tous les repas?
4. Tu prends du vin à tous les repas?
5. Tu manges du poisson de temps en temps?
6. Tu manges beaucoup de desserts?

## Exercice 7 Quiz sur l'alimentation

Répondez aux questions en utilisant **en.**

MODÈLE: Il y a combien d'œufs dans une douzaine? → Il y en a douze.

1. Combien de grammes y a-t-il dans un kilo?
2. Est-ce qu'on a besoin de beurre pour faire une omelette?
3. Est-ce que les enfants ont souvent envie de bonbons?
4. Est-ce qu'il y a beaucoup de caféine dans le café?
5. Y a-t-il de la caféine dans le thé?
6. Combien d'œufs est-ce qu'il y a dans une demi-douzaine?
7. Est-ce qu'il y a du fromage dans la glace?
8. Combien de livres y a-t-il dans un kilo?
9. Combien de calories y a-t-il dans un verre de coca?
10. Est-ce qu'il y a beaucoup de vitamine C dans les œufs?

## 7.4 Expressing *all* and *everything*: Using **tout**

**Tout** can be used as an adjective or a pronoun.

**A.** As an adjective, **tout** corresponds to *all* or *the whole* in English. It agrees in gender and number with the word it modifies: **tout, toute, tous, toutes.**

| | |
|---|---|
| **Tout** le repas a été délicieux! | *The whole meal was delicious.* |
| **Tous** les œufs sont cassés. | *All the eggs are broken.* |
| Nous avons mangé **toute** la pizza. | *We ate the whole pizza.* |

**B.** As a pronoun, **tout** corresponds to *everything* in English. It is invariable in form.

| | |
|---|---|
| **Tout** est prêt pour le dîner. | *Everything is ready for dinner.* |
| Les enfants ont **tout** mangé. | *The children ate everything.* |

## *Exercice 8* Généralisations: Que pensez-vous?

Complétez la phrase avec **tout, tous, toute** ou **toutes**. Ensuite, dites si c'est vrai, et justifiez votre réponse.

MODÈLE:  Les Américains mangent des hamburgers *tous* les jours. →
Non, ce n'est pas vrai. Ils mangent des hamburgers de temps en temps, pas *tous* les jours.

1. Les Français boivent du vin à _____ les repas.
2. _____ les Françaises savent bien cuisiner.
3. En France, on boit du café pendant _____ le repas.
4. _____ les cuisines américaines sont équipées d'un four à micro-ondes.
5. _____ la viande rouge est mauvaise pour la santé.
6. Il est impoli de manger _____ un gâteau sans le partager avec ses amis.

## **7.5** More on asking questions: **Qui, que, quoi**

**A.** You are already familiar with various kinds of questions. Here is a summary of how to form questions with **qui, que,** and **quoi.** Notice that the question form depends not only on whether you are asking about people or things but also on the function of the person or thing in the sentence: subject, direct object, or object of a preposition.

★ Review *Deuxième étape, Grammaire B.2* and *Chapitre 3, Grammaire 3.2.*

---

**ASKING ABOUT PEOPLE**

*Subject:* **Qui... ?**

| Qui fait la vaisselle? | Who's doing the dishes? |
| Qui fait les meilleures crêpes? | Who makes the best crepes? |

*Direct object:* **Qui + est-ce que... ?, Qui** + inversion . . . ?

| Qui est-ce que tu as rencontré au restaurant? | Who(m) did you meet at the restaurant? |
| Qui as-tu rencontré au restaurant? | |

*Object of a preposition:* Preposition + **qui** + **est-ce que... ?**
Preposition + **qui** + inversion . . . ?

| Avec qui est-ce qu'il déjeune? | With whom is he having lunch? |
| Avec qui déjeune-t-il? | (Who is he having lunch with?) |

▶ French has two question forms:

• Informal: **est-ce que... ?**
**Qu'est-ce que tu fais?**
• Formal: subject-verb inversion: **Que fais-tu?**

▶ In French questions, the preposition must come first:

**De quoi/qui... ?**
**À quoi/qui... ?**
**Avec quoi/qui... ?**
**Pour quoi/qui... ?**

| ASKING ABOUT THINGS | |
|---|---|
| *Subject:* **Qu'est-ce qui... ?** | |
| Qu'est-ce qui brûle? | *What's burning?* |
| Qu'est-ce qui se passe? | *What's going on?* |
| *Direct object:* **Qu'est-ce que... ?, Que** + inversion . . . ? | |
| Qu'est-ce que tu bois au petit déjeuner? <br> Que bois-tu au petit déjeuner? | *What do you drink at breakfast?* |
| *Object of preposition:* Preposition + **quoi** + **est-ce que... ?** <br> Preposition + **quoi** + inversion . . . ? | |
| Avec quoi est-ce qu'on boit du vin blanc? <br> Avec quoi boit-on du vin blanc? | *What do you drink white wine with?* |

**B.** English questions of the form "What is (something)?" are expressed two ways in French, depending on the meaning:

1. If you are asking for a definition or explanation of an unfamiliar term, use **Qu'est-ce que c'est que... ?**

   —**Qu'est-ce que c'est qu'**une aubergine?     *What's an eggplant?*
   —C'est un gros légume à la peau violet foncé.     *It's a large vegetable with a dark purple skin.*

2. If you are asking someone to identify a particular item from a set of possible items, use **Quel(le) est... ?**

   —**Quel est** ton dessert préféré?     *What's your favorite dessert?*
   —C'est la tarte aux pêches.     *Peach pie.*

## Exercice 9  «Jeopardy»

Complétez chaque question, et puis trouvez la réponse correcte.

MODÈLE:   *Qu'est-ce qu'*on met dans une sauce mayonnaise? des œufs

| | | | |
|---|---|---|---|
| 1. | ＿＿＿ on prend quand on a très chaud? | **a.** | le sel |
| 2. | Avec ＿＿＿ est-ce qu'on fait une omelette? | **b.** | les enfants |
| 3. | ＿＿＿ donne plus de goût aux aliments? | **c.** | un dessert |
| 4. | ＿＿＿ on met dans une bouillabaisse? | **d.** | des œufs |
| 5. | Avec ＿＿＿ est-ce qu'on sert du vin rouge? | **e.** | la dinde |
| 6. | ＿＿＿ mange le plus de bonbons? | **f.** | de la viande rouge |
| 7. | ＿＿＿ on prend à la fin d'un bon dîner? | **g.** | de la limonade |
| 8. | Sur ＿＿＿ est-ce qu'on met de la confiture? | **h.** | du pain |
| 9. | ＿＿＿ prépare les repas dans un restaurant? | **i.** | des fruits de mer |
| 10. | ＿＿＿ est au four, le Thanksgiving? | **j.** | le chef de cuisine |

## Exercice 10 Une soirée

Les étudiants de M^me Martin arrivent chez Jacqueline pour une soirée. Voici les réponses de Jacqueline. Formulez les questions.

MODÈLE: *Denise* n'est pas encore là. → Qui n'est pas encore là?

1. Louis doit venir *avec Daniel*.
2. J'ai fait *une mousse au chocolat*.
3. J'ai demandé *à Denise* d'apporter des chips.
4. Nous avons besoin *de glace et de verres*.
5. *Louis* a apporté des CD de musique acadienne.
6. Je voudrais parler *du film que nous avons vu hier*.
7. *Le café* sent si bon.
8. Raoul a invité *son camarade de chambre*.

## Exercice 11 Questions gastronomiques

Vous êtes au restaurant avec des amis français et vous parlez de la nourriture. Trouvez la question appropriée pour chaque réponse.

MODÈLES: La spécialité d'Alsace, c'est la choucroute. →
Quelle est la spécialité d'Alsace?

Le calvados, c'est une liqueur faite de cidre. →
Qu'est-ce que c'est que le calvados?

1. Les carottes sont mon légume favori.
2. Le plat du jour, c'est les coquilles Saint-Jacques.
3. Une boulangerie, c'est un magasin où on ne vend que du pain.
4. La boisson que je préfère, c'est le lait.
5. Le meilleur type de café, c'est l'arabica.
6. Une mandarine, c'est une sorte de petite orange douce et parfumée.
7. Le nom de ce plat, c'est «la bouillabaisse».
8. Une salade niçoise, c'est une salade composée de légumes, d'œufs durs, de thon et d'olives.

# 7.6 Ongoing actions: Être en train de

**A.** As you know, the present tense in French **(je parle)** has several English equivalents, including the simple present (*I speak*) and the progressive present (*I am speaking*). Notice that where English uses the progressive present to indicate that an action is going on at the time of speaking, French generally uses just the simple present tense.

—M^me Martin est dans son bureau?      *Is Madame Martin in her office?*
—Oui. Elle **parle** avec Albert.      *Yes. She's speaking with Albert.*

**B.** If you wish to emphasize that the action is going on as you are speaking, you can use the expression **être en train de** + infinitive.

—Tu vas payer l'addition, Charles?      *Are you going to pay the bill, Charles?*
—Oui, je **suis en train de** le **faire**      *Yes, I'm doing it (right) now.*
maintenant.

> **je mange** = *I eat or I am eating*

> **je suis en train de manger** = *I am in the process of eating*

> **j'étais en train de manger** = *I was in the process of eating*

## *Exercice 12* Qu'est-ce qu'ils sont en train de faire?

Pour chaque dessin, dites ce que Bernard et Christine sont en train de faire.

MODÈLE: (Numéro 1.) Christine est en train de réserver une table.

*Vocabulaire utile*

se baigner
bavarder avec leurs amis
commander leur dîner
demander l'addition
entrer dans le restaurant
s'habiller
goûter le vin
régler l'addition
rentrer chez eux après avoir laissé le pourboire
retrouver leurs amis

## 7.7 Ordering events: Avant, après

**A.** The prepositions **avant** (*before*) and **après** (*after*) are often used with nouns to indicate the order of events.

| | |
|---|---|
| **Avant le dessert,** nous avons pris du fromage. | *We had cheese before dessert.* |
| Nous avons pris la salade **après le plat principal.** | *We had the salad after the main course.* |

**B.** To express *before doing something*, use **avant de** followed by an infinitive.

> On casse les œufs **avant de faire** une omelette.

> *One breaks the eggs before making an omelet.*

➤ **avant de** + infinitive

➤ **après** + past infinitive
Past infinitive:
**avoir parlé**
**être sorti(e)(s)**

**C.** To express *after doing something*, use **après** followed by a past infinitive. A past infinitive = **avoir** or **être** + past participle. With **être,** the past participle agrees with the understood subject.

> **Après avoir dîné** au restaurant chinois, nous sommes rentrés.
> **Après être allés** à l'épicerie, nous avons dû passer à la boulangerie.

> *After eating at the Chinese restaurant, we went home.*
> *After going to the grocery store, we had to go to the bakery.*

## Exercice 13 Du monde à dîner

Vous invitez des amis à dîner chez vous. Dans quel ordre faites-vous les actions suivantes? Répondez avec **avant de** + infinitif.

> MODÈLE: téléphoner aux amis / faire une liste des invités →
> Je fais une liste des invités avant de téléphoner aux amis.

1. inviter des amis / choisir un menu
2. faire les provisions / lire la recette
3. faire une liste / aller au supermarché
4. m'habiller pour la soirée / faire la cuisine
5. mettre la table / préparer le repas
6. servir le dessert / débarrasser la table (≠ mettre la table)

## Exercice 14 Priorités

Dans quel ordre l'étudiant sérieux fait-il les actions suivantes? Employez **après avoir/être** + un participe passé.

> MODÈLE: passer des examens / étudier →
> Un étudiant sérieux passe des examens après avoir étudié.

1. finir ses devoirs / regarder la télé
2. aller en cours / étudier
3. lire des articles / écrire une thèse
4. regarder son manuel de laboratoire / faire les activités
5. écrire une rédaction / réfléchir au sujet
6. répondre / écouter les questions du prof
7. aller à la bibliothèque / aller prendre un café
8. se coucher / rentrer de la bibliothèque

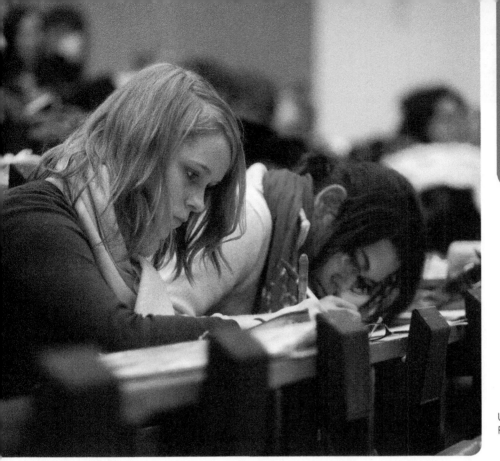

Un cours en amphi dans une fac en France

# L'enseignement, les carrières et l'avenir

## Objectifs

In *Chapitre 9*, you will talk about university life, jobs, and career plans. You will also learn more about how to express future time.

### ACTIVITÉS

L'enseignement et la formation professionnelle
Le travail et les métiers
L'avenir

### LECTURES

**À propos...** Passe ton bac d'abord!
**La langue en mouvement** La féminisation des noms de métier
**Les Francophones sur le vif** Flavien Puig
**À propos...** Le foulard islamique à l'école
**À vous de lire** Premier boulot

### GRAMMAIRE

**9.1** Other uses of **y: J'y pense**
**9.2** Emphatic pronouns
**9.3** Identifying and describing: **C'est** vs. **il/elle est**
**9.4** Saying what you've been doing: Present tense + **depuis**
**9.5** Saying what you will do: The future tense

## L'enseignement et la formation professionnelle

✳ Attention! Étudier Grammaire 9.1 et 9.2

### *La formation d'Agnès Rouet*

Agnès a réussi au bac à l'âge de 18 ans. Elle a dû bûcher dur avant de le passer.

— Qu'est-ce que je devrais faire?

— Tu devrais essayer une autre fois.

La cousine d'Agnès n'a pas été reçue. Elle a échoué à certains examens.

INSCRIPTIONS

Agnès s'est inscrite à la faculté des Sciences Humaines et Sociales de l'université Paris VII.

Elle a assisté à des cours d'amphi. Parfois, elle a séché ses cours.

## Cliquez là!

Visitez le site d'une université dans un pays de langue française et essayez d'obtenir des détails. Que faut-il faire pour s'inscrire à cette université? Y a-t-il des services d'orientation pour les nouveaux étudiants? Lesquels? Quelle faculté propose la formation que vous suivez dans votre université?

Diplôme universitaire

Au bout de trois ans, Agnès a reçu sa licence.

Maintenant, elle fait sa quatrième année d'études. Elle est en train de préparer un diplôme de Master Recherche en sociologie.

## Activité 1 Casse-tête: L'université française

1. On les paie quand on s'inscrit aux cours.
2. On y réfléchit, et puis on y répond.
3. Pour y réussir, il faut étudier.
4. On s'y inscrit au début de l'année scolaire.
5. C'est le domaine dans lequel on se spécialise.
6. En France, chaque étudiant à l'université y a réussi.
7. On le reçoit à la fin de trois ans d'études.
8. C'est l'état d'avoir réussi à un examen.
9. C'est le contraire d'être reçu(e). On doit repasser l'examen.

a. les examens
b. les cours
c. être reçu(e)
d. la spécialité
e. les frais d'inscription
f. le bac
g. échouer à une épreuve
h. la licence
i. les questions d'un examen

## Activité 2 Discussion: Conseils aux futurs étudiants

Lisez les soucis exprimés par des étudiants qui vont entrer en fac et les réponses proposées. Choisissez la meilleure réponse ou proposez-en une autre.

1. On se sent perdu. L'université paraît énorme.
   a. Trouvez un étudiant de deuxième année et suivez-le.
   b. Ne ratez pas les séances d'orientation.
2. On n'est pas certain d'avoir choisi les bons cours.
   a. Parlez-en avec les conseillers d'orientation.
   b. Téléphonez à vos parents.
3. On a peur de rater les examens.
   a. Travaillez régulièrement.
   b. Amusez-vous pendant l'année et bûchez avant les examens.
4. Au lycée, on est encadré. À la fac, on ne sait pas s'organiser.
   a. Observez vos copains, puis faites comme eux.
   b. Trouvez la manière d'étudier qui vous convient.
5. On va avoir trop de travail pour sortir avec les copains.
   a. C'est vrai. Restez à la maison. Au boulot!
   b. Il faut parfois se détendre! Sortez, mais n'exagérez pas.

## Activité 3 Sondage: Que pensez-vous de l'université?

Donnez des mentions à votre université. Regardez les catégories et ensuite, comparez vos réponses avec celles des autres étudiants. Enfin, expliquez vos raisons.

*Vocabulaire utile* Très Bien, Bien, Assez Bien, Passable, Insuffisant, Nul

1. le système d'inscription
2. l'accès aux professeurs
3. la qualité des cours
4. les résidences universitaires
5. le service de stages et d'emplois
6. les salles informatiques
7. le service de santé pour étudiants
8. le service information et orientation
9. le parking
10. le resto-U

**Allons plus loin!** Avec des camarades de classe, préparez le texte d'une brochure promotionnelle sur votre université.

*Activité 4* **Dans le monde francophone:
Paroles de jeunes**

Voici des étudiants choisis pour représenter la voix de la jeunesse à la Foire de Marseille. Écoutez votre professeur et dites le nom de la personne en question.

## Muriel
## LAMY (ALPES-MARITIMES) :

« *J'aime la rencontre, celle
avec le public, celle avec
les personnages* ».

22 ans - Master en arts du
spectacle à Nice.
Signe particulier : dingue de
théâtre.
S'intéresse de près à la mise en
scène.

## Hugo
## ZINK (ALPES-MARITIMES) :

« *Me nourrir du quotidien
pour vivre au gré de ma
plume* ».

21 ans - Master en arts du
spectacle à Nice.
Signe particulier : jeune
homme de plume.
Aime raconter des histoires.

## Jean-Matthieu
## RICŒUR (BOUCHES-DU-RHÔNE) :

« *L'amour de la mer m'a donné
le goût de la compétition et du
voyage* ».

17 ans - en terminale sport-
études au lycée Marseilleveyre de
Marseille.
Signe particulier : amoureux
de la mer.
Champion de France de voile,
série 420, 5e mondial -
6e européen.

## Anne
## CONSTANT (VAR) :

« *Apprendre pour réa-
liser des belles choses
et transmettre son
savoir* ».

20 ans - En 1ère année de
CAP-BEP menuiserie au CFA
des Compagnons du devoir
à Marseille.
Signe particulier : aime
le bois sous toutes ses
formes.
Entend assurer la relève
de sa famille de menui-
siers de père en fille.

1. Quel jeune homme prépare un Master en arts du spectacle?
2. Qui aime la rencontre avec le public?
3. Qui voudrait devenir écrivain?
4. Lesquelles de ces quatre personnes s'intéressent au théâtre?
5. Qui fait un bac en sport-études dans un lycée à Marseille?
6. Qui aime raconter des histoires?
7. Qui veut poursuivre le métier de son père et travailler le bois?
8. Qui s'intéresse à la production de pièces de théâtre?
9. Qui apprend pour pouvoir créer de belles choses?
10. Lequel de ces jeunes a le goût de la compétition et du voyage?

*Allons plus loin!*  En groupes de cinq, préparez des questions d'interview pour chacun des étudiants présentés dans ce texte. Ensuite, créez un sketch dans lequel un animateur (ou une animatrice) pose des questions et ces jeunes Français y répondent. Enfin, jouez votre sketch pour la classe.

# À propos...

## Passe ton bac d'abord!

S'il existe un symbole du système éducatif français, c'est bien le diplôme du baccalauréat. Chaque année en juin, pendant plusieurs jours, les candidats dans toute la France passent simultanément des examens écrits et oraux[1] dans diverses matières: littérature et langue françaises, philosophie, histoire, géographie, langues vivantes, mathématiques, sciences et autres matières plus spécialisées.

Pour réussir, il faut obtenir au moins 10/20 de moyenne[2] sur l'ensemble des épreuves.[3] Seuls ceux qui réussissent (environ 70 % d'une classe d'âge) ont le droit[4] de s'inscrire à l'université. Si «le bac» reste important, il a perdu une grande partie de son prestige parce qu'il ne représente plus une garantie d'emploi: près de la moitié[5] des bacheliers[6] n'ont toujours pas trouvé de travail au bout de[7] six mois.

[1]pluriel d'**oral**  [2]de... *average*  [3]parties d'un examen  [4]le... la possibilité  [5]50 %  [6]personnes qui ont le bac  [7]au... après une période de

---

## Activité 5 Dans le monde francophone: Comment préparer le bac

Le magazine *Phosphore* propose une méthode pour préparer le bac. Groupez les détails qui font partie de chaque stratégie.

**Stratégies**

_____ Faites un planning efficace.
4, 8, 10 Boostez votre mémoire.
_____ Trouvez le bon tempo pour vous.

_____ Musclez votre écriture.
_____ Révisez à plusieurs.
_____ Attention aux procédés mnémotechniques.

**Détails**

1. Soyez réaliste; faites une liste de vos priorités.
2. Reposez-vous souvent pour recharger vos batteries.
3. Profitez des moments de la journée où vous travaillez le mieux.
4. Développez des méthodes pour réactiver votre mémoire.
5. Évitez le stress; ne faites rien à la dernière minute.
6. Exprimez-vous d'une manière simple et claire.
7. Gardez dix minutes à la fin d'une épreuve pour vous relire.
8. Réexpliquez la matière à d'autres étudiants pour mieux la comprendre.
9. Préparez-vous avant de participer aux séances en groupe.
10. Inventez des exercices mentaux afin de mieux retenir la matière.

## Cliquez là!

Visitez un réseau pour étudiants francophones. Pour quelles raisons est-ce que ces réseaux existent? Est-ce que les sujets de discussion ressemblent aux sujets dont on discute sur votre campus?

# Le travail et les métiers

 Attention! Étudier Grammaire 9.3 et 9.4

Une avocate défend les accusés.

Un fonctionnaire travaille pour l'État.

Une conseillère conjugale aide les mariages en difficulté.

Un instituteur enseigne aux enfants.

Cette ouvrière travaille dans le bâtiment.

Un photographe prend des photos.

Un pompier éteint des incendies.

Un médecin s'occupe des malades.

Un cuisinier prépare des repas.

Un coiffeur coupe les cheveux.

● Des agents de police à Paris

## Activité 6  Interro: Qui est-ce?

Regardez les dessins à la page précédente et écoutez le professeur. Ensuite, identifiez la personne dans la description. (C'est un/une... Ce sont des... )

> MODÈLE:  Il travaille dans un salon de beauté et il coiffe les gens. →
> C'est un coiffeur.

1. Elle présente des arguments pour défendre ses clients.
2. Cette personne risque parfois sa vie pour éteindre des incendies.
3. Nous consultons cette personne si nous ne nous sentons pas bien.
4. Elle donne des conseils aux époux qui s'entendent mal.
5. Cette personne est le chef de cuisine dans un bon restaurant.
6. Elle fait un métier exigeant et peut-être dangereux.
7. Cette personne travaille avec des enfants pendant l'année scolaire.
8. Les membres de cette profession sont parfois des artistes qui exposent leurs œuvres.
9. Il travaille à la poste ou bien à la mairie.

**Allons plus loin!**  Préparez une description de votre future carrière. En groupes, lisez-la pour que les autres essaient de deviner ce que vous voudriez devenir.

## Activité 7  Associations: Les métiers

Dites ce que font ces personnes et les qualités importantes pour leur travail.

> MODÈLE:  Les instituteurs et les institutrices enseignent aux enfants. Ils ont besoin d'être patients et bien informés.

*Suggestions*  bien informé, calme, courageux, en bonne forme, patient...

1. les professeurs
2. les facteurs/factrices
3. les chauffeurs de taxi
4. les vétérinaires
5. les mécanicien(ne)s
6. les pompiers
7. les comptables
8. les chirurgien(ne)s
9. les ingénieurs informaticien(ne)s
10. les serveurs/serveuses

a. servent à table
b. éteignent les incendies
c. s'occupent des finances
d. opèrent les malades
e. s'occupent des animaux malades
f. distribuent le courrier
g. conduisent un taxi
h. enseignent à l'université ou au lycée
i. réparent les voitures
j. s'occupent des systèmes d'exploitation de l'ordinateur

## *Activité 8* Discussion: Les études et la formation

Avec un(e) partenaire, décidez de ce que ces personnes ont dû faire pour atteindre leur niveau d'expertise.

MODÈLE: Jean-Michel Cousteau, océanographe
    É1: Jean-Michel Cousteau a dû faire des études universitaires en sciences et mathématiques.
    É2: C'est vrai. En plus, il a dû faire des stages avec son père.

1. Paul Bocuse, chef cuisinier
2. Laure Manaudou, nageuse olympique
3. Léopold Senghor, écrivain sénégalais et premier président du Sénégal
4. Yves Duteil, chanteur
5. Émilie Ndogo, journaliste radio camerounaise
6. Denis Hallier, pisteur-secouriste suisse
7. Pierre Chaline, éducateur de rue (pour adolescents SDF)

- faire des études universitaires (dans quelles matières?)
- faire un stage (une période d'apprentissage) (en quoi? où?)
- suivre un programme d'entraînement physique (lequel?)
- faire des recherches (sur quel sujet?)
- prendre des leçons particulières (de quoi?)
- s'entraîner (à faire quoi?)
- ?

**À vous la parole!** En groupes de quatre, comparez les programmes d'études que vous devez suivre pour préparer la carrière de votre choix. Décidez quel programme est le plus compliqué et le plus long et...

## LA LANGUE EN MOUVEMENT

### La féminisation des noms de métier

Que faire quand les femmes exercent des professions traditionnellement masculines? Pour certaines professions, une désignation féminine a été trouvée et acceptée, comme *une avocate, une chirurgienne, une architecte.* Tout le monde dit en conversation *la prof,* et l'emploi de *madame la ministre* pour désigner une femme à la tête d'un ministère gouvernemental ne choque plus beaucoup de gens. Pourtant, l'Académie française et une grande partie de la société française ont résisté à certaines de ces innovations; par conséquent, un grand nombre de Français continuent à dire *un professeur, un écrivain* et *un juge,* même pour des femmes. Par contre, d'autres pays francophones, notamment la Belgique, la Suisse et le Québec, ont procédé assez rapidement à l'adoption de nouvelles formes telles qu'*une professeure* et *une écrivaine,* formes qui sont employées par certains Français, mais qui mettent du temps à entrer dans les dictionnaires en France.

MISE EN PRATIQUE Devinez la forme féminine recommandée en France pour les noms de métiers suivants:

| | | | | |
|---|---|---|---|---|
| un chimiste | un chauffeur | un technicien | un astronome | un banquier |
| un correcteur | un golfeur | un soldat | un policier | un fabricant |

## Activité 9 Casse-tête: Devinez leur métier

| LES PERSONNES | LES MÉTIERS | |
|---|---|---|
| les Hubert (Jacques et Anne) | avocat(e) | instituteur/institutrice |
| les Potin (René et Cécile) | dentiste | médecin |
| les Bodard (Serge et Michèle) | ingénieur(e) | secrétaire |

1. Anne travaille dans un hôpital, mais elle n'est pas médecin.
2. Serge enseigne à des enfants.
3. Jacques travaille avec des infirmiers et des infirmières.
4. La secrétaire est mariée au médecin.
5. Le mari de l'avocate est ingénieur.
6. Le mari de la dentiste travaille dans une école.

## Activité 10 Enquête: Le poste idéal

Déterminez l'ordre de priorité que ces critères vont avoir pour vous quand vous chercherez un poste à la fin de vos études. Indiquez ici leur ordre d'importance.

_____ un salaire élevé
_____ des chances d'avancement
_____ la possibilité de voyager
_____ les vacances et les congés
_____ la possibilité de travailler à la maison
_____ un niveau de tension modéré
_____ l'autonomie
_____ le prestige de l'entreprise
_____ la proximité de ma famille
_____ les avantages sociaux (l'assurance maladie... )
_____ un patron sympathique et raisonnable

**À vous la parole!** Maintenant, comparez vos réponses à celles de votre partenaire.

MODÈLE: É1: J'ai mis le niveau de tension en premier parce que je ne veux pas travailler dans un endroit où les gens sont inquiets et stressés.
É2: Moi non plus, mais un peu de tension est normal, à mon avis. Si le salaire est bon, je peux supporter un peu de stress.

*Activité 11* **Discussion: Les métiers et le passage du temps**

Depuis combien de temps (approximativement) existent ces métiers? Que font les gens qui les exercent?

MODÈLE: commerçant → Ce métier existe depuis le début de la civilisation.
Les commerçants achètent et revendent des marchandises.

*Vocabulaire utile* depuis (cinquante) ans, depuis le début (du XX$^e$ siècle), depuis l'époque de (Jules César)

1. créateur/créatrice de jeux vidéo
2. agriculteur
3. photographe
4. psychiatre
5. chef de cuisine
6. animateur/animatrice à la télé
7. couturier/couturière
8. professeur de lycée
9. chef d'orchestre
10. facteur/factrice

*Allons plus loin!* Faites une liste de métiers qui n'existent plus et expliquez pourquoi ils ont disparu.

## LES FRANCOPHONES SUR LE VIF

### Flavien Puig, artiste urbain à Marseille

Je m'appelle Flavien Puig, j'ai 29 ans et je suis artiste peintre, de profession et de passion. Mon atelier[1] se situe au Panier, le quartier le plus vieux de Marseille… et de France!

J'ai commencé tout petit à être attiré par le dessin. Mes parents ont fait les Beaux-Arts; ma mère est prof de dessin. Donc, dès[2] l'âge de six ans, je dessinais: je faisais ma maison, je faisais des plans. À neuf ans, je commençais déjà à peindre les vitrines[3] pour Noël dans les boulangeries. En tout, j'ai fait cinq années de Beaux-Arts, deux années à Marseille et trois années à Nîmes, histoire de partir un peu de la ville, de voir ce qui se passe ailleurs.

Je fais beaucoup de collages, beaucoup de photos. J'essaie de mélanger un peu tout, je détourne les pubs[4] et les slogans que je trouve dans la rue, et je leur donne une nouvelle identité. Mon travail est sur l'écriture urbaine, et même je pourrais dire la saleté des murs, finalement. Moi, j'adore le graffiti.

Je suis obligé d'avoir un autre travail, pour pouvoir payer le loyer de l'atelier. Je m'occupe de jeunes collégiens,[5] je suis intervenant[6] en arts plastiques. Ce qui me plaît dans mon travail, c'est avant tout la liberté d'action. Comme tout le monde, il faut travailler pour payer son loyer, se nourrir. Si par chance on a une passion à côté, et qu'on arrive à persister là-dedans, c'est que du bonus!

[1]lieu de travail  [2]depuis  [3]grandes fenêtres d'un magasin  [4]publicités (annonces commerciales)  [5]elèves de collège (10–14 ans)  [6]professeur assistant

## Activité 12 Échanges: Les secrets d'un CV réussi

Un curriculum vitæ peut vous ouvrir la porte à l'emploi que vous désirez. Avec un(e) partenaire, décidez si vous êtes d'accord ou non avec ces conseils. Sinon, expliquez pourquoi pas et corrigez la phrase.

1. Le CV doit paraître impeccable, imprimé au laser si possible.
2. Ne suivez pas l'ordre classique pour présenter les informations. Mélangez les détails.
3. La clarté est essentielle. Soyez précis au lieu de généraliser.
4. Précisez où vous avez étudié et les secteurs dans lesquels vous avez travaillé.
5. Utilisez le maximum de termes techniques.
6. L'honnêteté est essentielle. Vous devez être responsable du contenu de votre CV si l'on vous interroge.
7. Il faut que le CV soit très long pour augmenter vos chances d'être lu(e).
8. Montrez que votre formation a suivi un cours logique et que vous êtes une personne organisée.

# L'avenir

✳ Attention! Étudier Grammaire 9.5

> Je deviendrai professeur de génie mécanique.
> J'aurai une bourse.
> Je ferai de la recherche.

L'année dernière, Raoul a pris la décision de préparer un doctorat.

> Nous irons dans les pays scandinaves.
> Nous partirons fin juin, juste après les examens.
> Nous aurons besoin de combien d'argent?

Au mois de janvier, Sarah et Agnès ont décidé de voyager ensemble cet été.

> Les heures seront plus longues, mais le salaire sera bien meilleur.
> Je ne pourrai pas continuer dans ma capacité d'animateur.

Julien vient de recevoir une offre de poste. Acceptera-t-il de devenir vice-président chargé des relations publiques à TF1?

## Activité 13  Récit: L'avenir de Jean-Yves

Jean-Yves, Sarah et Agnès ont consulté une voyante. D'abord, écoutez votre professeur et ensuite, mettez les prédictions dans le bon ordre d'après les dessins.

### Les prédictions

_____ Vous aimerez votre travail et vous serez très content d'y aller tous les jours.

_____ Vous ferez un mariage de rêve et vous aurez cinq enfants. Ils seront tous très intelligents et _très_ actifs.

_____ Vous déciderez de chercher un travail qui vous permettra d'utiliser votre formation professionnelle.

_____ Vous aurez un très beau mariage. Sarah et Agnès seront parmi vos invités.

_____ Après vos études, vous chercherez l'aventure. Vous partirez pour découvrir le monde.

_____ Votre femme vous adorera et vous aurez une vie idéale ensemble. Pourtant, vous ne serez pas satisfait.

_____ Vous finirez vos études et vous recevrez un Master en sciences politiques.

_____ Vous rencontrerez une belle femme et ce sera le coup de foudre! Plus tard, vous découvrirez qu'elle est milliardaire!

_____ Vous serez riche et vous n'aurez pas besoin de travailler. Vous achèterez une maison énorme et vous aurez une vie de loisirs et de luxe.

**À vous la parole!**  Avec un(e) camarade de classe, racontez l'avenir prédit pour Jean-Yves. Ajoutez des détails intéressants pour embellir votre version. Ensuite, changez de partenaire et comparez votre version de l'histoire à la sienne. Utilisez le futur: **Vous aurez (serez, ferez,... ).**

*Activité 14*   Discussion: Que faire pour s'améliorer?

Vous avez promis à vos parents et à vos amis de changer certaines de vos mauvaises habitudes. Maintenant, vous faites une liste de ce que vous changerez. Écoutez le professeur et dites **oui** ou **non.**

1. Pour améliorer ma santé...
   **a.** je mangerai moins de chocolat.
   **b.** je ferai plus de gymnastique.
   **c.** je mangerai moins d'aliments sucrés.
   **d.** je boirai plus d'eau et moins de coca.
2. Dans mes rapports avec les autres...
   **a.** je passerai plus de temps avec mes parents.
   **b.** je ne me disputerai avec personne.
   **c.** je serai plus généreux/généreuse.
   **d.** je chercherai à connaître plus de gens.
3. Pour améliorer ma situation financière...
   **a.** je ferai des économies.
   **b.** je chercherai un travail.
   **c.** j'achèterai moins de vêtements.
   **d.** je mangerai moins souvent au restaurant.
4. À l'université, pour améliorer mes notes...
   **a.** j'arriverai en cours avec mes bouquins et mes devoirs.
   **b.** j'étudierai chez moi, et pas devant la télé.
   **c.** je n'aurai pas peur de poser des questions en cours.
   **d.** je ne sécherai pas mes cours.

*Activité 15*   Sondage: Prédictions

Est-ce que nous verrons les changements suivants dans les 25 ans à venir? Écoutez le professeur et dites **oui** ou **non.** Si vous dites **non,** expliquez pourquoi.

1. Nous trouverons le moyen d'éliminer les virus informatiques.
2. Tous les pays d'Amérique du Nord auront le même gouvernement.
3. Les médecins traiteront beaucoup de maladies par la thérapie génétique.
4. Les transports en commun auront plus d'importance que la voiture.
5. Avant de louer une chambre d'hôtel, on l'inspectera sur Internet.
6. Grâce à la vogue du recyclage, il n'y aura plus de déchets.
7. Il y aura moins de divorces et plus de mariages.
8. Tous les cours se feront sur ordinateur. Il n'y aura plus de profs ni de salles de classe.
9. Le tabac sera important dans la production des médicaments.
10. On ne pourra plus rouler en voiture dans le centre des grandes villes.

*Allons plus loin!*   En groupes, préparez une liste de prédictions pour vos camarades de classe et pour votre professeur. Présentez-les à la classe.

## Activité 16  Entretien: Le travail et l'avenir

1. Tu travailles maintenant? Où et depuis combien de temps? Qu'est-ce que tu fais? Est-ce que ton travail te plaît?
2. Tu vas chercher quel type de poste quand tu auras fini tes études? Quels facteurs seront les plus importants dans ta décision?
3. Est-ce que tu aimerais travailler à la maison? Pourquoi ou pourquoi pas?
4. Comment est-ce que ta vie va changer quand tu auras trouvé un travail stable et que tu commenceras à gagner un bon salaire?
5. Tu penses faire le même travail toute ta vie? Pourquoi ou pourquoi pas?
6. Que veut dire «réussir dans la vie» pour toi?

# À propos...
## Le foulard islamique à l'école

En octobre 1989, trois jeunes filles d'origine maghrébine,[1] élèves au lycée de Creil dans la banlieue parisienne, sont venues à l'école coiffées[2] d'un foulard, nommé «hidjab», porté par les femmes de religion musulmane. Les lycéennes, qui ont refusé d'enlever leur foulard à la demande du proviseur,[3] ont été expulsées. Cet incident a provoqué «l'affaire du voile[4]»: dans un système éducatif laïque[5] depuis 1905, les élèves ont-ils le droit de porter des «signes ostentatoires d'appartenance religieuse»? Un décret officiel autorisant le port[6] du voile n'a pas arrêté la polémique: que faire des autres signes religieux comme la kippa juive ou la croix des chrétiens? Certains ont argumenté que le foulard était sexiste; d'autres ont affirmé qu'il fallait accepter la culture des Maghrébins, la plus grande minorité ethnique et religieuse de France. En 2004, le gouvernement français a interdit le voile dans les écoles. Ce débat qui continue aujourd'hui n'est pas seulement religieux, mais aussi politique et social. Plus récemment, la loi du 11 octobre 2010 a interdit la dissimulation du visage dans l'espace public, avec le slogan «La République se vit à visage découvert».

[1]originaire d'Afrique du Nord
[2]la tête couverte
[3]directeur d'un lycée
[4]foulard
[5]≠ religieux
[6]<porter

● Deux jeunes filles portent leur foulard à l'entrée d'un lycée français.

# POUR RÉSUMER

## À vous de parler

### A. On bosse dans ma famille!

1. Tu travailles après les cours? Pendant les vacances? Tu fais quoi?
2. Que font tes parents comme travail? Depuis combien de temps? Ils aiment ce qu'ils font?
3. Tes grands-parents travaillent toujours? Que font-ils? Et tes arrière-grands-parents?
4. Qui dans ta famille a eu le travail le plus intéressant? C'était quoi?
5. Toi, tu poursuis une formation professionnelle? Laquelle?
6. Tu as l'intention de faire le même travail que ton père ou ta mère? Pourquoi ou pourquoi pas?
7. Tu comptes finir tes cours quand? Tu devras faire un stage? Tu le feras où?
8. Tu auras quelles compétences?
9. Lesquelles de ces compétences n'avaient pas d'importance pour tes parents?

### B. Un poste imaginaire

D'abord, avec deux camarades de classe, créez la description d'une profession ou d'un métier intéressant mais totalement imaginaire. Il faut savoir expliquer tout sur ce travail: les heures, où et quand on fait ce travail, le salaire, les avantages sociaux (l'assurance maladie... ), etc. N'oubliez pas de mentionner ses petits inconvénients. Ensuite, présentez votre création à la classe, et répondez aux questions.

## À vous de lire
## Premier boulot

*Élodie Montaygnac, 23 ans, raconte comment elle a obtenu son premier emploi.*

En juillet, j'ai enfin terminé mes études avec un Master de Gestion de l'université Montesquieu (Bordeaux IV). J'étais très fière, et prête à me lancer sur le marché de l'emploi. J'ai commencé à regarder les petites annonces dans les journaux et sur Internet, et j'ai pris rendez-vous au service commun universitaire d'information et d'orientation (SCUIO) de l'université, qui est chargé de l'insertion professionnelle des étudiants. Le service a un espace documentaire sur les formations[1] et les métiers où on peut s'informer soi-même, et propose des sessions sur les techniques de recherche d'emploi. J'ai également parlé à un conseiller pour avoir une orientation personnalisée, et je me suis inscrite à Pôle Emploi. J'ai préparé mon CV. Bref, je m'étais bien organisée.

Seul problème: je me suis rendu compte que, dans le monde de l'entreprise, il ne se passe presque rien au mois d'août: la plupart des Français sont en vacances! En septembre, l'activité a repris[2] et j'ai répondu à plusieurs annonces en envoyant mon CV et des lettres de motivation manuscrites avec une photo. J'ai obtenu trois entretiens, assez rapidement: j'étais très optimiste, car j'ai entendu dire qu'il fallait candidater à des dizaines de postes pour avoir une chance de recevoir une réponse.

[1]préparations professionnelles  [2]recommencé

**Premier entretien:** une chaîne de grande distribution alimentaire.[3] Ce n'est pas mon secteur préféré, mais les hypermarchés sont en pleine expansion et recrutent beaucoup... Le bureau se trouvait dans une tour impressionnante à la Défense. Mon interlocuteur m'a posé de nombreuses questions sur mes qualifications et mes diplômes, et mon expérience:

—Vous aurez une cinquantaine de personnes sous votre responsabilité. Vous devrez prendre des décisions importantes tous les jours. Vous verrez, c'est un travail stimulant! Nous vous donnerons une voiture de fonction, et vos frais de repas seront remboursés. Bien sûr, il y aura des possibilités d'avancement rapide, si vous êtes performante.

Ça ne m'intéressait pas particulièrement, car il était nécessaire de quitter la région bordelaise pour commencer. Dommage! C'était un boulot[4] bien payé...

**Deuxième entretien:** un constructeur automobile. Ça tombait bien, mon père était garagiste et je connais bien les voitures; c'est un avantage car on ne trouve pas beaucoup de femmes dans cette branche d'activité. Le DRH[5] était un monsieur assez nerveux:

—Vous le savez, notre secteur est en crise. Alors, nous cherchons quelqu'un qui pourra dynamiser la vente de nos modèles auprès d'une clientèle jeune, qui travaillera *beaucoup*. Il faudra s'investir! Vous avez des questions?
—Euh... Est-ce que j'aurai des vacances? Est-ce que je pourrai rester tranquillement chez moi le week-end?
—Éventuellement,[6] mais autant vous dire qu'on ne pratique pas les 35 heures chez nous!

● Au boulot! L'arche de la Défense à Paris

Il m'a remerciée un peu froidement d'être venue. Je n'ai pas été engagée et je ne sais pas s'il trouvera quelqu'un d'assez «motivé» pour travailler autant!

**Troisième entretien:** la FNAC, où l'ambiance est apparemment beaucoup plus relaxe. J'ai été reçue par une dame souriante; elle m'a demandé quel était mon projet professionnel, et ce que je faisais pendant mon temps libre—c'était plutôt bon signe! Je lui ai parlé de ma passion pour le cinéma.

—Très bien. Vous n'aurez probablement pas l'occasion d'utiliser votre connaissance du cinéma, mais nous aimons que nos cadres s'intéressent vraiment aux produits culturels que nous vendons, littérature, musique ou film.

Finalement, j'ai été engagée, et j'étais ravie parce que c'était de loin ma compagnie préférée. Je suis consciente d'avoir pas mal de chance: plusieurs de mes camarades d'université qui ont le même diplôme que moi sont encore au chômage.

---

[3]chaîne... chaîne de supermarchés et hypermarchés    [4]travail    [5]Directeur des Ressources Humaines
[6]C'est possible

## Avez-vous compris?

Dans quel ordre est-ce qu'Élodie a fait les étapes de la préparation à la recherche d'un emploi?

\_\_\_\_\_ **a.** se présenter aux entretiens

\_\_\_\_\_ **b.** rédiger des lettres de motivation manuscrite

\_\_\_\_\_ **c.** regarder les petites annonces dans les journaux et sur Internet

\_\_\_\_\_ **d.** finir ses études pour obtenir un diplôme

\_\_\_\_\_ **e.** visiter le service d'information et d'orientation de son université

\_\_\_\_\_ **f.** s'inscrire à Pôle Emploi

\_\_\_\_\_ **g.** préparer un CV à jour

\_\_\_\_\_ **h.** envoyer des dossiers de candidature

## Allons plus loin!

Poursuivre ses études ou chercher du travail? C'est parfois une décision difficile à prendre... Avec un(e) partenaire, déterminez les avantages et les inconvénients de chaque possibilité.

MODÈLE: Si on poursuit ses études, on n'est pas assuré de...
Si on cherche un travail, on est plus...

## À vous d'écrire

Imaginez votre situation professionnelle dans dix ans, lorsque vous aurez trouvé votre emploi idéal. En employant des verbes au futur, décrivez vos activités, vos conditions de travail, votre lieu de travail, vos collègues, etc.

MODÈLE: *Dans dix ans, je travaillerai dans un grand cabinet d'avocats à New York. J'aurai un immense bureau avec vue sur Central Park. J'arriverai chaque matin vers 10 heures...*

# Vocabulaire

## L'université et le lycée

University and high school

| | |
|---|---|
| l'année (f.) scolaire | the school year |
| les arts (m.) du spectacle | theater arts |
| le bac (le baccalauréat) | *national exam in France at the end of* **lycée** |
| une bourse | a scholarship |
| un conseil | a piece of advice |
| un cours d'amphi (d'amphithéâtre) | *a course held in a large lecture hall* |
| un domaine | an area (of study) |
| une épreuve | a test; part of an exam |
| la formation | training |
| les frais (m.) d'inscription | tuition |
| une leçon particulière | a private lesson |
| la licence | *diploma awarded in France upon completion of third-year university exams* |
| le Master | *diploma awarded in France for two years of study beyond the* **licence** |
| une matière | a school subject |
| une mention | a grade (distinction) |
| un resto-U | a university restaurant |
| une séance (d'orientation) | an (orientation) meeting |
| une spécialité | a major (*subject*) |
| améliorer | to improve |
| assister à une réunion | to attend a meeting |
| bûcher (*fam.*) | to cram, study hard |
| découvrir | to discover |
| échouer à | to flunk, fail (*an exam*) |
| être reçu(e) (à) | to pass (*a course, exam*) |
| être encadré(e) | to be supervised |
| faire des recherches | to do research |
| faire un apprentissage | to do an apprenticeship |
| un stage | to do an internship |
| s'inscrire à (la fac) | to enroll in (college) |
| poursuivre un métier | to pursue a career |
| préparer un doctorat | to work towards a Ph.D. |
| rater (une conférence) | to miss (a lecture) |
| recevoir un diplôme | to get a degree |
| se spécialiser (en) | to major (in) |

*Mots apparentés:* **un amphi(théâtre) s'organiser, payer, poser une question**

## Les métiers

Professions

| | |
|---|---|
| un animateur / une animatrice | a talk-show host |
| un(e) avocat(e) | a lawyer |
| un(e) chef d'orchestre | a conductor |
| un(e) chef de cuisine | a head chef (*restaurant*) |
| un(e) chirurgien(ne) | a surgeon |
| un coiffeur / une coiffeuse | a hairdresser |
| un(e) comptable | an accountant |
| un conseiller / une conseillère | a counselor |
| un couturier / une couturière | a fashion designer |
| un cuisinier / une cuisinière | a cook |
| un écrivain / une écrivaine | a writer |
| un(e) fonctionnaire | a government employee |
| un(e) ingénieur informaticien(ne) | a computer engineer |
| un instituteur / une institutrice | a primary school teacher |
| un médecin / une femme médecin | a doctor |
| un ouvrier / une ouvrière | a worker |
| un(e) patron(ne) | a boss, employer |
| un(e) photographe | a photographer |
| un(e) pisteur secouriste | a ski-patrol member |
| un pompier | a firefighter |

*Mots apparentés:* **un agriculteur / une agricultrice, un(e) dentiste, un(e) journaliste, un(e) mécanicien(ne), un(e) océanographe, un(e) psychiatre, un(e) secrétaire, un(e) vétérinaire**

## Le travail

Work

| | |
|---|---|
| l'assurance (f.) maladie | health insurance |
| les avantages (m.) sociaux | benefits (*work*) |
| un boulot | a job (*fam.*) |
| un congé | a leave, time off |
| un emploi | a job |
| les loisirs (m.) | leisure |
| le luxe | luxury |
| un métier exigeant | a demanding job |

| | |
|---|---|
| le niveau de tension | stress level |
| la réussite | success |
| le système d'exploitation | the operating system |

| | |
|---|---|
| bosser | to work (*fam.*) |
| couper les cheveux | to cut hair |
| distribuer le courrier | to deliver the mail |
| enseigner (aux enfants) | to teach (children) |
| établir | to establish |
| éteindre un incendie | to extinguish a fire |
| être chargé(e) de | to be in charge of |
| exposer une œuvre | to exhibit a piece of (art)work |
| s'exprimer | to express oneself |
| gagner un salaire (élevé) | to earn a (high) salary |
| marchander | to bargain |
| prendre une décision | to make a decision |
| réfléchir (à) | to think (about) |
| supporter (le stress) | to bear, withstand (the stress) |

*Mots apparentés:* l'autonomie (*f.*), l'avancement (*m.*), un CV, défendre les accusés, une entreprise, inspecter, une offre, opérer, un poste, la production, les relations (*f.*) publiques, réparer

## La description

| | |
|---|---|
| insuffisant(e) | insufficient |
| malade | sick |
| nul(le) (en chimie) | weak (in chemistry) |
| prédit(e) | predicted |
| satisfait(e) | satisfied |

*Mots apparentés:* conjugal(e), courageux/courageuse, énorme, financier/financière, généreux/généreuse, modéré(e), passable, précis(e), scandinave, stressé(e)

## Substantifs

| | |
|---|---|
| l'avenir (*m.*) | the future |
| un bouquin (*fam.*) | a book |
| les époux (*m.*) | married couple |
| l'État (*m.*) | the state |
| le génie mécanique | mechanical engineering |
| l'honnêteté (*f.*) | honesty |
| un mariage | a marriage; a wedding |
| un(e) milliardaire | a billionaire |
| une sortie | an outing |
| le tabac | tobacco |
| un virus informatique | a computer virus |
| une voyante | a fortune teller |

*Mots apparentés:* un argument, une capacité, une carrière, le gouvernement, une maladie, la marchandise, l'océanographie (*f.*), une prédiction, le prestige, la priorité, la proximité, un risque, la thérapie

## Verbes

| | |
|---|---|
| arrêter de fumer | to stop smoking |
| avoir lieu | to take place |
| se détendre | to relax |
| paraître | to seem |
| raconter des histoires | to tell stories |

*Mots apparentés:* accepter (de), augmenter, diminuer, éliminer, traiter

## Mots et expressions utiles

| | |
|---|---|
| Au boulot! | Get to work! Let's get to work! |
| au bout de | at the end of |
| au début | in the beginning |
| Ça me convient. | That suits me. |
| Ça te plaît? | Do you like that? |
| le coup de foudre | love at first sight |
| Depuis combien de temps? | For how long? (How long?) |
| grâce à | thanks to |
| N'exagérez pas! | Don't overdo it! |
| On se sent perdu(e). | You feel lost. (One feels lost). |
| parfois | sometimes |
| parmi | among |

# Grammaire et exercices

## 9.1 Other uses of y: J'y pense

**A.** The pronoun **y** is used to replace a prepositional phrase referring to a place. In this case, **y** is equivalent to English *there*. **Y** must be used in French, although *there* is sometimes omitted in English.

★ Review **Grammaire 2.3.C** on the pronoun **y**.

> —As-tu fait des études **en France**?
> —Oui, j'**y** ai fait deux ans d'études.

> *Did you study in France?*
> *Yes, I studied there for two years.*

**B.** **Y** can also replace any phrase made up of **à** + a noun indicating an idea or thing.

> —Est-ce qu'Albert réussit **à tous ses examens**?
> —Oui, il **y** réussit toujours.

> *Does Albert pass all his exams?*
> *Yes, he always passes them.*

> —Pensez-vous déjà **à votre future carrière**?
> —Oui, j'**y** pense beaucoup.

> *Are you already thinking about your future profession?*
> *Yes, I think about it a lot.*

➤ **Rappel: y** comes just before the conjugated verb. **je + y = j'y**

**C.** Here are some of the verbs with which you are likely to use **y**.

➤ **Y** has two uses:
**y** = *there* (**à Lyon, dans ma chambre**)
**y** = **à** + a thing (**j'y pense**)

| | |
|---|---|
| **assister à** *to attend* | **penser à** *to think about* |
| **échouer à un examen** *to fail a test* | **réfléchir à** *to think about* |
| **jouer à (un jeu)** *to play (a game)* | **répondre à** *to answer* |
| **participer à** *to participate in* | **réussir à un examen** *to pass a test* |

## Exercice 1 Votre vie à l'université

Répondez en employant le pronom **y**.

MODÈLE: En général, réussissez-vous à vos examens? →
Oui, j'y réussis. (Non, je n'y réussis pas.)

1. Habitez-vous à la cité universitaire?
2. Est-ce que vous êtes déjà allé(e) à la bibliothèque cette semaine?
3. Est-ce que vous participez beaucoup aux discussions en classe?
4. Répondez-vous souvent aux questions?
5. Assistez-vous parfois aux matchs de basket?
6. Jouez-vous souvent à des jeux vidéo?
7. Pensez-vous souvent à votre future carrière?

## 9.2 Emphatic pronouns

**A.** The emphatic pronouns (**pronoms accentués**) are **moi, toi, lui** (*him*), **elle, nous, vous, eux** (*them, m.*), **elles.** They are often used to emphasize the subject, and after **c'est.**

> **Moi,** je m'appelle Denise.
> C'est Étienne? Oui, c'est **lui.**

> *My name is Denise.*
> *Is that Étienne? Yes, that's him.*

➤ Emphatic pronouns:
| | |
|---|---|
| moi | nous |
| toi | vous |
| lui/elle | eux/elles |

➤ Use emphatic pronouns after all prepositions except **à: avec eux, pour elles, sans moi.**

➤ Indirect object pronoun: verb + **à** + person (*m.* or *f.*) = **lui** (placed before the verb)
**J'ai parlé à *Marise*.** → **Je *lui* ai parlé.**

★ *Review **Grammaire 4.2** on how to make comparisons.*

**B.** Emphatic pronouns also replace nouns after prepositions other than **à.**

—Tu sors **avec** tes copains ce soir?    *Are you going out with your friends tonight?*

—Oui, je sors **avec eux.**    *Yes, I'm going out with them.*

Tu peux faire des courses **pour moi**?    *Can you do some errands for me?*

**C.** Emphatic pronouns are used in comparisons, after **que.**

Mes amis sont plus sérieux **que moi.**    *My friends are more serious than I am.*

**D.** Emphatic pronouns are used to form short questions and answers and can be combined with **aussi** and **non plus.**

—J'ai reçu une bonne note. Et **toi**?    *I got a good grade. Did you?*
—**Moi aussi!**    *Me too!*

—Je n'aime pas bûcher avant un examen.    *I don't like to cram for a test.*
—**Moi non plus!**    *Me neither!*

**E.** They also replace subject pronouns if there is more than one subject.

Charles et **moi,** nous sommes copains.    *Charles and I are good friends.*
Sophie et **lui** se sont rencontrés l'année dernière.    *He and Sophie met last year.*

## *Exercice 2* Comparaisons

Écrivez les réponses en utilisant des pronoms accentués. En classe, posez les questions à des camarades et comparez vos réponses.

MODÈLE:    Tu es aussi conservateur/conservatrice que tes parents? →
Oui, je suis aussi conservateur/conservatrice qu'*eux.* (Non, je suis moins... )

1. Tu es plus intelligent(e) que ton père?
2. Tu es moins sportif (sportive) que tes frères et sœurs?
3. Tu es aussi dynamique que ton meilleur ami (ta meilleure amie)?
4. Est-ce que tes camarades de classe sont aussi intelligents que toi?
5. Est-ce que tes professeurs sont aussi sympathiques que tes parents?
6. Tu es aussi équilibré(e) que ton meilleur ami (ta meilleure amie)?
7. Est-ce que tes frères et sœurs sont plus courageux que toi?
8. Ton (ta) camarade de chambre est aussi facile à vivre que toi?

## *Exercice 3* À l'université: Tes rapports avec les autres

Répondez aux questions avec des pronoms accentués. Ensuite, posez les questions à votre partenaire.

MODÈLE:    Est-ce que tu sors souvent avec tes ami(e)s?
Oui, je sors souvent avec eux (elles). (Non, je ne sors pas souvent avec eux [elles].)

1. Est-ce que tu t'entends bien avec tes professeurs?
2. Tu te fâches souvent avec ton (ta) camarade de chambre?
3. Tu parles toujours français avec ton (ta) prof de français?
4. Tu dialogues avec tes camarades de lycée sur Facebook?

**5.** Tu te souviens de la première personne que tu as rencontrée sur le campus?

**6.** Tu as déjà dîné avec le président (la présidente) de l'université?

**7.** Tu ne t'es jamais disputé(e) avec les conseillers d'orientation?

## Exercice 4 Opinions

Résumez en une seule phrase avec des pronoms accentués.

MODÈLE: Mylène Farmer chante bien. Yves Duteil aussi chante bien. →
Elle et lui, ils chantent bien.

**1.** Mon copain va au cinéma ce soir. Sa petite amie va au cinéma avec lui.

**2.** La prof lit le journal tous les jours. Son mari le lit aussi.

**3.** Les enfants aiment *Astérix*. Nous aussi, nous aimons *Astérix*.

**4.** Emmanuelle Béart est vedette.* Gérard Depardieu est aussi vedette.

**5.** Tu paniques avant les examens. Moi aussi, je panique avant les examens.

**6.** L'écrivain Marc Lévy a du talent. Amélie Nothomb en a aussi.

**7.** Marion Bartoli est dynamique. Karim Benzema aussi est dynamique.

## 9.3 Identifying and describing: C'est vs. il/elle est

**A.** **C'est** and **ce sont** are used with *nouns* to identify people and things.

> —Qu'est-ce que c'est?
> —**C'est un ordinateur.**

*What is that?*
*It's a computer.*

➤ C'est/Ce sont + article + noun

**B.** **Il/elle est** and **ils/elles sont** are used with *adjectives* to describe people and things.

> —Cet ordinateur est cher?
> —Oui, **il est cher.**

*Is this computer expensive?*
*Yes, it's expensive.*

➤ Il/Elle est, Ils/Elles sont + adjective

**C.** Either of these constructions can be used to identify someone's profession. Note that with **c'est** and **ce sont,** an article is always used; with a proper name or **il/elle,** no article is used.

> Adrienne **est secrétaire.**
> Jean-Yves? **Il est étudiant.**
> Julien Leroux? **C'est un journaliste.**
> Ces gens-là? **Ce sont des ouvriers.**

*Adrienne is a secretary.*
*Jean-Yves? He's a student.*
*Julien Leroux? He's a reporter.*
*Those people? They are workers.*

➤ C'est/Ce sont + article + profession
➤ Il/Elle est + profession
Note: No article is used here.

**D.** If an adjective is included to describe the person or profession, **c'est/ce sont** is used instead of **il/elle est, ils/elles sont.**

> Raoul Durand? **C'est** un étudiant **très sérieux.**
> Ces femmes-là? **Ce sont des journalistes canadiennes.**

*Raoul Durand? He's a very serious student.*
*Those women? They are Canadian journalists.*

➤ C'est/Ce sont + article + profession + adjective

*a star

## Exercice 5 Personnages célèbres

Identifiez le métier de ces gens. Utilisez **il/elle est** ou **il/elle était.**

MODÈLE:   Jean-Paul Sartre → Il était philosophe.

1. Christian Dior
2. Marie Curie
3. Charlemagne
4. Simone de Beauvoir
5. Francis Cabrel
6. Charles de Gaulle

a. empereur
b. écrivain/écrivaine
c. couturier/couturière
d. chanteur/chanteuse
e. physicien(ne)
f. homme/femme d'État

## Exercice 6 Qui est-ce?

Identifiez les personnages dans la liste de gauche et puis ajoutez quelques détails. (Si vous en avez besoin, consultez la liste des personnages dans «To the Student» au début du livre.)

MODÈLE:   Sarah Thomas →
C'est une étudiante américaine. C'est la camarade de chambre d'Agnès Rouet.

1. Claudine Colin
2. Christine Lasalle
3. Bernard Lasalle
4. Clarisse Colin
5. Joël Colin
6. Jean-Yves Lescart

a. petit garçon
b. étudiant à l'université Paris VII
c. professeur dans un lycée
d. infirmière
e. étudiante en hôtellerie
f. ingénieur

## 9.4 Saying what you've been doing: Present tense + depuis

➤ Use *present tense* + **depuis** + *time expression* for an action that continues into the present.

**A.** To talk about an action or state that began in the past and is still going on, use the *present* tense + **depuis** + a length of time or a date.

Agnès **étudie** l'anglais **depuis six ans.**
Le bac **existe depuis 1808.**

*Agnès has been studying English for six years.*
*The "bac" has existed since 1808.*

**B.** To ask a question about an action or situation continuing into the present, use **depuis quand... ?** or **depuis combien de temps... ?** + the *present* tense.

—**Depuis quand étudies**-tu le génie civil?
—**Depuis** l'année dernière.

*Since when have you been studying civil engineering?*
*Since last year.*

—**Depuis combien de temps** est-ce que tu **habites** à La Nouvelle-Orléans?
—**Depuis** trois **ans.**

*How long have you lived in New Orleans?*
*For three years.*

**C.** Note the contrast with the **passé composé + pendant,** which is used for an action or situation that *ended* at some time in the past.

> J'**habite** ici **depuis** dix ans.
> Avant, j'**ai habité pendant** deux ans dans l'Ohio.

> *I have lived here for ten years.*
> *Before that, I lived for two years in Ohio.*

> ➤ Use **passé composé +**
> **pendant** + *time expression* for an action that ended in the past.

## Exercice 7  L'histoire de Julien Leroux

Reformulez chaque phrase pour changer le point de vue du passé au présent. *À noter:* Julien a maintenant 32 ans.

> MODÈLE:  Julien est venu habiter à Paris à l'âge de 22 ans.
> (Julien / habiter à Paris... ) →
> Julien habite à Paris *depuis dix ans.*

1. Julien a acheté un appartement à la Défense à l'âge de 28 ans.
   (Julien / habiter à la Défense... )
2. Sa mère est venue habiter à Paris il y a cinq ans. (Sa mère / être à Paris... )
3. Julien a pris un poste à TF1 à l'âge de 25 ans. (Julien / travailler pour TF1... )
4. Il a rencontré Bernard il y a huit ans. (Il / connaître Bernard... )
5. Julien a appris à faire de la voile à l'âge de 20 ans. (Julien / faire de la voile... )

## Exercice 8  À ton tour!

Répondez en employant le présent + **depuis.**

1. Depuis quand fais-tu des études dans cette université?
2. Où habites-tu? Depuis combien de temps y habites-tu?
3. Où habitent tes parents? Depuis combien de temps?
4. Depuis combien de temps est-ce que tu étudies le français?
5. Depuis quand as-tu ton permis de conduire? ta propre voiture?

## 9.5  Saying what you will do: The future tense

**A.** You have already learned to talk about plans and future actions with **aller +** infinitive.

> Je **vais sécher** mes cours demain.

> *I'm going to cut class tomorrow.*

> ✳ Review **Grammaire 2.3.D** on **aller** + *infinitive* for a future action.

➤ Future stems:
**parler-**
**finir-**
**attendr-**

✳ See **Appendix A** for spelling changes in **acheter, appeler,** etc.

➤ Future endings: **nous, vous** = same as present-tense endings (-ons, -ez); others = same as present-tense forms of **avoir (-ai, -as, -a, -ont)**

➤ All future stems, both regular and irregular, end in **-r.**

**B.** Both French and English also have a future tense (*will go, will read,* etc.). To form the French future tense, add the following endings to the future stem. For most verbs, the future stem is the infinitive. Infinitives ending in **-re** drop the final **-e** before adding the future endings.

| FUTURE TENSE | | |
|---|---|---|
| **parler** | **finir** | **attendre** |
| je parler**ai** | je finir**ai** | j'attendr**ai** |
| tu parler**as** | tu finir**as** | tu attendr**as** |
| il/elle/on parler**a** | il/elle/on finir**a** | il/elle/on attendr**a** |
| nous parler**ons** | nous finir**ons** | nous attendr**ons** |
| vous parler**ez** | vous finir**ez** | vous attendr**ez** |
| ils/elles parler**ont** | ils/elles finir**ont** | ils/elles attendr**ont** |

J'en **parlerai** à mon patron demain matin.

*I'll speak to my boss about it tomorrow morning.*

Nous **finirons** ce projet cette semaine.

*We'll finish this project this week.*

Tu **comprendras** mieux dans quelques jours.

*You will understand better in a few days.*

**C.** Some verbs form the future tense with an irregular stem.

| IRREGULAR FUTURE STEMS | | | | | |
|---|---|---|---|---|---|
| aller | **ir-** | j'**ir**ai | devoir | **devr-** | je **devr**ai |
| être | **ser-** | je **ser**ai | recevoir | **recevr-** | je **recevr**ai |
| faire | **fer-** | je **fer**ai | venir | **viendr-** | je **viendr**ai |
| avoir | **aur-** | j'**aur**ai | vouloir | **voudr-** | je **voudr**ai |
| savoir | **saur-** | je **saur**ai | voir | **verr-** | je **verr**ai |
| pouvoir | **pourr-** | je **pourr**ai | envoyer | **enverr-** | j'**enverr**ai |

Après mes études, je **ferai** un voyage en Europe.

*After college, I will take a trip to Europe.*

Est-ce que ton ami **pourra** t'accompagner?

*Will your friend be able to go with you?*

➤ **quand, lorsque** = *when*
➤ **aussitôt que, dès que** = *as soon as*
➤ If the action introduced by **quand,** etc., takes place in future time, French requires use of the future tense.

**D.** The future tense is generally used in the same way as the English future with *will.* However, in some cases French requires the future tense where English uses the present: in particular, after **quand** and **lorsque** (*when*) and after **aussitôt que** and **dès que** (*as soon as*).

**Quand** j'**aurai** plus de temps, je t'**écrirai.**

*When I have more time, I'll write you.*

Nous **pourrons** partir **aussitôt que** Sarah **arrivera.**

*We can (will be able to) leave as soon as Sarah arrives.*

➤ C'est aujourd'hui le 1ᵉʳ juin. Je partirai en France le 1ᵉʳ juillet. Je partirai *dans* un mois.

**E.** Use **dans** with a length of time to say when something will happen in the future.

Albert **finira** ses études **dans deux ans.**

*Albert will finish his studies in two years.*

Sarah **rentrera** aux États-Unis **dans trois mois.**

*Sarah will go back home to the United States in three months.*

## Exercice 9 Intentions et impossibilités

Faites des questions et répondez-y vous-même en employant le futur. Ensuite, interrogez votre partenaire.

> MODÈLE: aller au restaurant ce soir →
> Est-ce que tu iras au restaurant ce soir?
> Oui, j'irai au restaurant ce soir. (Non, je n'irai pas... ) Et toi?

1. te coucher tôt ce soir
2. dormir jusqu'à 10 h demain
3. finir tous tes devoirs avant le week-end
4. réussir à tous tes examens ce semestre
5. sortir ce week-end
6. gagner beaucoup d'argent cet été
7. acheter une voiture cette année
8. prendre des vacances la semaine prochaine

## Exercice 10 Études à Montpellier

Vous assistez à une réunion pour les étudiants de votre université qui vont aller faire des études à Montpellier, dans le sud de la France, le semestre prochain. Vous posez beaucoup de questions. Employez le futur des verbes indiqués.

> MODÈLE: Est-ce que nous (aller) visiter Paris? →
> Est-ce que nous irons visiter Paris?

1. Est-ce que nous (être) tous ensemble dans les cours?
2. Est-ce que nous (faire) des activités avec des étudiants français?
3. Est-ce que nous (recevoir) d'autres renseignements avant le départ?
4. Est-ce que nous (voir) souvent la directrice du programme?
5. Est-ce que nous (avoir) le temps de voyager dans le reste de l'Europe?
6. Est-ce que nous (savoir) bientôt quels cours nous (pouvoir) suivre?
7. Est-ce que nous (devoir) déjeuner au resto-U?

## Exercice 11 Quel avenir!

Les étudiants de M$^{me}$ Martin imaginent l'avenir de leurs camarades. Employez le futur des verbes logiques pour compléter les phrases ci-dessous et à la page suivante.

**DENISE ALLMAN**

Denise _____[1] de la chance. Elle _____[2] la première femme candidate à être élue à la présidence américaine. Elle _____[3] facilement les élections, et son mari et elle _____[4] vivre à la Maison Blanche.

Denise _____[5] travailler de longues heures, mais son mari et elle _____[6] visiter beaucoup de pays dans le monde. En France, elle _____[7] un discours* en français qui _____[8] tous les Français.

aller
avoir
être
gagner

devoir
faire
épater†
pouvoir

---

*speech
†to impress

**LOUIS THIBAUDET**

Un jour, en faisant un dîner pour des amis, Louis _____[9] ses talents culinaires. Il _____[10] en France pour travailler avec un chef, et puis il _____[11] en Louisiane. Il _____[12] un restaurant, où nous _____[13] tous dîner.

aller (twice)
découvrir
ouvrir
revenir

Au bout de quelques années, Louis _____[14] un des chefs les plus connus des États-Unis, du monde même! Il _____[15] beaucoup de livres et il _____[16] sa propre émission à la télé qui _____[17] «Thibaudet's Kitchen».

s'appeler
avoir
devenir
écrire

## Exercice 12   Soyez plus optimiste!

Le pessimiste parle de son avenir, mais sans beaucoup de confiance. L'optimiste essaie de l'encourager. Donnez les réponses de l'optimiste en employant le futur.

MODÈLE:   Je serai surpris si mes copains se souviennent de mon anniversaire. →
Tu seras surpris *quand* tes copains se *souviendront* de ton anniversaire.

1. Je serai heureux si je réussis à l'examen demain.
2. Je serai très surpris si je reçois un A en cours de français.
3. Je serai surpris si mes amis m'invitent à sortir ce week-end.
4. Je serai étonné si j'ai assez d'argent pour payer mes études.
5. Je serai surpris si je finis mon devoir d'histoire ce soir.

Lyon, France: Un médecin ausculte son jeune patient.

# La santé et les urgences

## Objectifs

In *Chapitre 12,* you will talk about fitness and staying healthy. You will learn how to describe illnesses and accidents, and more ways to talk about past experiences.

### ACTIVITÉS

La santé et le bien-être
Les maladies et les traitements
Les accidents et les urgences

### LECTURES

**La langue en mouvement**
   Le latin: Lien entre le français et l'anglais
**À propos...**   Vivre bien, vivre bio
**Les Francophones sur le vif**   Anne-Claire Allard
**À propos...**   Le vaudou
**À vous de lire**   Le Malade imaginaire

### GRAMMAIRE

12.1  Saying what you want others to do: More on the subjunctive
12.2  Changes of state: **Passé composé** vs. imperfect
12.3  The present participle
12.4  Expressing events in the recent past: **Venir de** + infinitive
12.5  Narrating in the past tense: **Passé composé** vs. imperfect

# Activités et lectures

## *La santé et le bien-être*

✳ Attention! Étudier Grammaire 12.1

Je voudrais que vous mangiez plus de fruits et de légumes.

Mon entraîneur exige que je fasse de l'exercice tous les jours.

Les médecins recommandent que nous ne consommions pas trop d'alcool.

Je suggère que vous vous détendiez tous les jours.

Il vaut mieux que vous ne maigrissiez pas trop.

Les dentistes préfèrent que leurs clients aient un peu de courage!

## Activité 1  Interros: Les parties du corps

**A.** Regardez les dessins et dites quelles parties du corps on utilise pour faire les activités suivantes.

1. jouer au tennis
2. jouer aux échecs
3. dormir
4. conduire une voiture
5. faire de l'escalade
6. danser
7. respirer
8. digérer un repas
9. passer un examen
10. ?

**B.** Dites comment s'appellent ces parties du corps.

1. la masse nerveuse contenue dans le crâne
2. les organes de la respiration
3. les poils fins qui protègent l'œil
4. le liquide rouge qui circule dans les veines et les artères
5. l'articulation principale de la jambe
6. l'organe central du système de circulation
7. ?

## LA LANGUE EN MOUVEMENT

### Le latin: Lien entre le français et l'anglais

Le latin constitue un lien utile entre l'anglais et le français parce que les deux langues ont beaucoup utilisé le latin comme source de mots savants[1] et techniques. Puisque le latin était, dans l'Europe du Moyen Âge, la langue des sciences et de toutes les connaissances, il était normal que les érudits se tournent vers cette langue quand il leur manquait des mots dans leur propre langue. Ce recours à la langue latine a continué en anglais et en français jusqu'à l'époque présente. Prenons, par exemple, les adjectifs *pulmonary* et *pulmonaire*, dont l'origine commune est évidente. Comme le nom *poumon*, ces deux adjectifs viennent du latin *pulmo* = *lung* (mot d'origine germanique). Grâce à ces liens de parenté, vous pourrez souvent comprendre un nouveau mot français en pensant à un mot anglais d'origine latine qui a une forme semblable.

MISE EN PRATIQUE Quels sont les mots apparentés dans ces deux listes?
*Mots français:* (1) doigt (2) pied (3) dos (4) cerveau (5) vertige (6) os
*Mots anglais:* (a) cerebral (b) dorsal (c) pedicure (d) osteoporosis (e) digit (f) vertigo.

---

[1] érudits

## Activité 2  Discussion: La santé

Quelles recommandations vous semblent les plus logiques? Pourquoi?

1. Qu'est-ce que le médecin nous dit si nous voulons perdre du poids?
   **a.** Je veux que vous évitiez les matières grasses.
   **b.** Je suggère que vous fassiez deux heures de gym chaque jour.
   **c.** Je propose que vous preniez des pilules.

2. Que dit un médecin à ceux qui voudraient améliorer leur mémoire?
    **a.** Il faut que vous suiviez un régime équilibré.
    **b.** Je voudrais que vous fassiez des casse-têtes.
    **c.** Il vaut mieux que vous ne fassiez pas beaucoup d'exercice.
3. Que recommande l'entraîneur à son équipe de tennis?
    **a.** J'aimerais que vous dormiez huit heures par nuit.
    **b.** Je voudrais que vous mangiez une nourriture riche en sucres.
    **c.** J'exige que vous buviez un verre de vin rouge tous les jours.
4. Que propose la conseillère à l'étudiant stressé?
    **a.** Il vaut mieux que vous vous couchiez à la même heure tous les soirs.
    **b.** Je suggère que vous n'étudiiez pas trop.
    **c.** J'aimerais que vous appreniez des techniques pour vous détendre.

## Activité 3 Discussion: C'est bon pour la santé?

Est-ce que ces activités nous aident à rester en forme ou pas? Pourquoi?

1. faire la sieste l'après-midi
2. choisir des boissons sans sucre
3. se doucher à l'eau froide le matin
4. manger de la viande
5. se faire bronzer au soleil
6. prendre un somnifère le soir
7. se promener tous les jours
8. éviter la malbouffe
9. boire du vin au dîner
10. dormir huit heures par nuit
11. soulever des poids
12. consommer des boissons énergisantes

## Activité 4 Enquête: Êtes-vous facile à vivre?

Répondez aux questions suivantes, puis calculez vos points pour savoir comment les autres vous perçoivent.

| | oui | non | parfois |
|---|---|---|---|
| • Je m'énerve quand je perds mes affaires. | **oui** | **non** | **parfois** |
| • Je me mets en colère quand on me contredit. | **oui** | **non** | **parfois** |
| • Je me fâche si le téléphone sonne pendant que je suis sous la douche. | **oui** | **non** | **parfois** |
| • Je m'impatiente aux feux rouges. | **oui** | **non** | **parfois** |
| • Ça m'irrite d'être obligé(e) d'attendre quelqu'un. | **oui** | **non** | **parfois** |
| • Je m'inquiète avant un examen. | **oui** | **non** | **parfois** |

**Valeurs: oui** = 2 points, **parfois** = 1 point, **non** = 0 points

**De 8 à 12 points:** Il faut que vous vous détendiez. La tension est mauvaise pour la santé.

**De 6 à 10 points:** Vous avez un tempérament assez équilibré.

**De 0 à 4 points:** Vous êtes une personne très calme et équilibrée.

Activité 5   Dans le monde francophone:
Marchez, nagez, roulez...

## Marchez, Nagez, Roulez...

La sédentarité, le travail de bureau sont les pires ennemis de votre forme. Même si vous ne pouvez pratiquer un sport régulièrement, vous pouvez au moins marcher. Prenez l'habitude de descendre à la station précédente, ne vous garez pas juste devant chez vous, montez vos étages à pied (c'est bon pour les chevilles), accroupissez-vous pour ramasser quelque chose (c'est bon pour les cuisses), respirez plusieurs fois par jour très profondément pour oxygéner tout votre corps.
Et le week-end essayez d'aller à la piscine avec les enfants ou faites un peu de bicyclette: vous vous sentirez tellement mieux après.

Corrigez les phrases incorrectes.

L'auteur de ce guide pratique recommande que...

**1.** nous garions notre voiture tout près de chez nous.
**2.** nous nous accroupissions quand nous ramassons des objets.
**3.** nous prenions l'escalier au lieu de l'ascenseur.
**4.** nous courions si nous ne pouvons pas pratiquer un sport régulièrement.
**5.** nous respirions profondément plusieurs fois par jour.
**6.** nous menions une vie sédentaire.

*Allons plus loin!*   Faites-vous assez d'exercice tous les jours? Est-ce que vous suivez les conseils offerts par ce guide? Quelles autres formes d'exercice faites-vous chaque semaine?

## Ça fait réfléchir

- Plus de 80 % des Français disent pratiquer au moins une activité pour rester en forme.
- Il semble y avoir un rapport entre la consommation de tabac et la tendance politique. On fume plus lorsqu'on est de gauche que de droite, et beaucoup plus si l'on se situe à l'extrême gauche ou à l'extrême droite.
- Le tabac reste la première cause de mortalité évitable en France. Soixante-six mille (66.000) morts par an sont liées au tabac en France (5 millions dans le monde).

## Activité 6 Entretien: Pour rester en forme

1. Combien d'heures est-ce que tu dors la nuit, d'habitude? Tu fais parfois la sieste?
2. Qu'est-ce que tu fais pour combattre le stress? Quand est-ce que tu te sens le plus stressé(e)? Pendant les examens?
3. Pour toi, est-ce que manger est plus un plaisir ou une nécessité? Tu manges sainement, d'habitude? Où manges-tu? Pourquoi?
4. Tu fumes de temps en temps? Est-ce que tu fumais quand tu étais plus jeune? À ton avis, est-ce qu'on devrait interdire de fumer dans tous les endroits publics? Dans lesquels?
5. Qu'est-ce que tu aimes faire pour te remonter le moral quand tu te sens triste ou déprimé(e)? Tu te fâches facilement? Que fais-tu pour rester calme?

● La randonnée, c'est bon pour la forme.

# Les maladies et les traitements

✱ Attention! Étudier Grammaire 12.2 et 12.3

Il se mouche.

un rhume

la toux

Il a mal à la gorge.

la fièvre

la grippe

Il a mal au ventre.

des médicaments

du sirop

des gouttes

de la pommade

des comprimés

des gélules

Aïe! Non, merci!
Les fleurs me
rendent malade!

le nez bouché

une allergie

# À propos...

## Vivre bien, vivre bio

Après avoir pris le goût du sport, les Français du début du XXIe siècle ont celui des produits naturels. Pas les produits allégés[1] qui faisaient fureur[2] dans les années 80 (à l'époque de l'aérobic et du jogging), mais les produits authentiques. La nourriture bio (légumes, volailles, fromages—même le vin!) envahit[3] les supermarchés et les restaurants, particulièrement depuis que les problèmes de la «vache folle» et du maïs transgénique[4] ont renforcé le sentiment que la qualité des produits de base était essentielle. Les succès politiques du parti écologiste (les Verts) et les manifestations contre la globalisation à Seattle en 1999 ont accentué cette tendance. L'ennemi désigné est devenu le fast-food et la «malbouffe». Au contraire, les produits naturels, bio et «du terroir» (régionaux) ont la cote.[5]

[1] avec moins de matières grasses
[2] faisaient... avaient beaucoup de succès
[3] < invasion
[4] génétiquement modifié
[5] ont... sont populaires

## Cliquez là!

> Comment se soigner si on a la grippe ou un rhume? Quelles précautions doit-on prendre pour éviter ces maladies? Consultez des médecins en ligne pour obtenir des réponses à vos questions médicales.

## Activité 7  Associations: Les maladies et les symptômes

Identifiez les symptômes de ces maladies.

MODÈLE:  la rougeole →
On a des rougeurs et une température élevée. Parfois, on a mal à la gorge et on tousse.

### Vocabulaire utile

| | | | |
|---|---|---|---|
| le nez bouché | des rougeurs | des vertiges | éternuer |
| de la fièvre | des vomissements | un gonflement | avoir mal |
| des douleurs | une toux | des frissons | (partout) |

1. un rhume
2. une grippe intestinale
3. une entorse
4. une tendinite
5. l'appendicite
6. une piqûre de guêpe

## Activité 8  Discussion: Les remèdes

Identifiez le meilleur remède dans chaque situation. Si vous n'êtes pas d'accord avec les suggestions, proposez-en d'autres à leur place.

1. On peut arrêter une toux persistante...
   a. en prenant des somnifères.
   b. en prenant du sirop.
2. On peut se déboucher le nez...
   a. en prenant des comprimés.
   b. en y mettant des gouttes.
3. On guérit la grippe intestinale...
   a. en prenant des antibiotiques.
   b. en se reposant et en attendant que ça passe.
4. Les insomniaques peuvent mieux dormir...
   a. en buvant du lait chaud avant de se coucher.
   b. en regardant la télé avant d'aller au lit.
5. On peut guérir un mal de tête...
   a. en se mettant du vinaigre sur les tempes.
   b. en prenant de l'aspirine.
6. On peut soulager des muscles endoloris...
   a. en les frottant avec de l'alcool.
   b. en les massant avec une pommade chauffante.
7. On peut soigner une tendinite au poignet...
   a. en faisant des exercices pour étirer le tendon.
   b. en buvant des tisanes.
8. On guérit une foulure à la cheville...
   a. en prenant de la vitamine D.
   b. en y mettant de la glace.

## LES FRANCOPHONES SUR LE VIF

### Anne-Claire Allard, pharmacienne à Marseille

J'ai eu mon diplôme il y a quinze ans et je suis propriétaire de cette pharmacie depuis deux ans, associée avec un autre pharmacien. En France, les pharmacies sont indépendantes, et donc on en est propriétaire.

Le travail d'un pharmacien est essentiellement de délivrer des médicaments et de vérifier la prescription ordonnée par le médecin. On surveille les médicaments, les interactions, les posologies,[1] et on explique aux clients comment ils doivent le prendre, à quel moment de la journée. On a aussi un rôle de conseil: Les patients peuvent venir nous voir directement sans aller voir le médecin, et on leur donne des conseils plutôt simples. Si ça dépasse[2] nos compétences, on les envoie chez le médecin.

C'est un quartier très populaire, ici, à Marseille, et la pharmacie reste un commerce de proximité; donc les clients viennent assez régulièrement—une ou deux fois par mois, pour leur ordonnance, mais aussi pour des petites choses de tous les jours. Donc ils sont souvent là, et on a des liens assez privilégiés avec nos clients. Ils sont très reconnaissants quand on leur donne des conseils. C'est très rassurant pour eux.

[1]doses suggérées  [2]surpasse

## Activité 9  Sondage: Savez-vous vous soigner?

Dites **oui** ou **non**. Ensuite, discutez de vos réponses avec d'autres étudiant(e)s pour savoir si vous avez raison.

1. Si un médicament est bon pour vous, il est bon pour votre ami(e).
2. Pour avoir un bon diagnostic, il faut consulter un second médecin.
3. On se soigne en pratiquant une activité physique.
4. Il faut arrêter de prendre un antibiotique dès qu'on se sent mieux.
5. Il ne faut pas ennuyer le médecin en lui racontant tous vos symptômes.
6. On doit prendre un médicament sur un estomac vide.
7. On peut faire tomber la fièvre en prenant de l'aspirine.
8. La gymnastique d'entretien aide à rester en forme.
9. Les vaccins sont dangereux. Il vaut mieux prendre des pilules.
10. On peut éviter les rhumes en se lavant fréquemment les mains.

## Activité 10  Échanges: Quand je ne vais pas bien

Avec un(e) partenaire, discutez de ce que vous préférez faire quand vous avez les maladies ou les problèmes suivants.

MODÈLE:  É1: Quand j'ai un rhume, je prends de la vitamine C.
         É2: Quelle superstition! Moi, je nourris les rhumes. Je mange beaucoup quand j'ai un rhume.
         É1: Tu parles de superstition! Ça, c'est...

1. Quand je tousse beaucoup, je...
2. Si j'ai mal à la tête...
3. Contre une éruption de boutons...
4. Si j'ai mal au cœur...
5. Quand j'ai mal à la gorge...
6. Quand je suis trop fatigué(e)...
7. Les nuits où j'ai de l'insomnie...
8. Quand je suis trop stressé(e)...
9. Pour la grippe, je préfère...
10. Quand j'ai les sinus bouchés...

*Activité 11* Entretien: Une maladie d'enfance

Utilisez les questions suivantes comme guides pour décrire une maladie que vous avez eue quand vous étiez enfant.

1. **La maladie:** Quelle maladie as-tu eue? Quand? Qu'est-ce qui t'a rendu(e) malade?
2. **Les symptômes:** Quels symptômes avais-tu? Comment te sentais-tu?
3. **Les soins médicaux:** Es-tu allé(e) chez le médecin? Est-ce qu'il/elle t'a fait une ordonnance? Tu as pris le médicament? Comment était-il?
4. **Les soins chez toi:** Qui t'a soigné(e) pendant cette maladie? Es-tu resté(e) au lit?
5. **La durée de la maladie:** Tu as été malade pendant combien de temps? Qu'est-ce que tu as fait pendant cette période?

## Ça fait réfléchir

- Il y a environ 5.000 centenaires en France. Plus de la moitié de ces personnes d'âge vénérable sont en bonne santé.
- L'espérance de vie moyenne des Français augmente d'environ 100 jours chaque année.
- Les démographes prédisent que la moitié des filles qui naissent en France aujourd'hui deviendront centenaires.

*Activité 12* Situations: Chez le docteur

Vous ne vous sentez pas bien et vous allez consulter le médecin. Avec votre partenaire, jouez les rôles du médecin et du malade. Le médecin aura besoin de faire un diagnostic et de prescrire un traitement.

MÉDECIN: Comment allez-vous aujourd'hui?
VOUS: Je ne me sens pas très bien, docteur. J'ai...
MÉDECIN: Et depuis quand est-ce que vous... ?
VOUS: Depuis...
MÉDECIN: Eh bien, je pense que vous avez... Il faut que vous... et vous avez besoin de...
VOUS: Et quand est-ce que je pourrai... ?
MÉDECIN: ...

# À propos...
## Le vaudou

● Des pratiquants du vaudou aux Antilles

Souvent caricaturé au cinéma ou dans la littérature, le vaudou est une véritable religion, mais aussi une forme de médecine. Elle a ses origines en Afrique de l'ouest, chez le peuple Yoruba, au royaume de Dahomey.[1] Importée en Amérique au XVIIe siècle par les esclaves noirs, elle y a subi l'influence du catholicisme. De nos jours, on estime que 60 millions de personnes pratiquent une des variantes du vaudou dans la région des Caraïbes et des Antilles. Le vaudou considère que nous sommes entourés d'esprits, comme ceux de la mer (*Agwe*), des forêts (*Erinle*), des eaux (*Yemanja*) ou des tempêtes (le célèbre *Shango*). On adore aussi des hommes et des femmes exceptionnels transformés en esprit après leur mort, les *loa*. L'image populaire du vaudou—rituels bizarres, poupées maléfiques,[2] zombies (cadavres ressuscités par un sorcier[3])—résulte de déformations et d'exagérations, principalement dans les films d'horreur. Aujourd'hui, l'Organisation mondiale de la santé (OMS) reconnaît le vaudou comme une forme de «médecine traditionnelle», qui utilise des plantes, des parties d'animaux et de minéraux mais aussi des techniques manuelles et des thérapies spirituelles pour traiter les maladies physiques et mentales.

[1] royaume < roi; actuellement le Togo, le Bénin et le Nigéria
[2] diaboliques
[3] magicien

# Les accidents et les urgences

⭐ Attention! Étudier Grammaire 12.4 et 12.5

## Qu'est-ce qui s'est passé?

Moi, je me suis cassé le bras!

un plâtre

le bras cassé

Je viens de me blesser! Je me suis coupé au bras!

une blessure

le sang

Moi aussi! J'ai une belle cicatrice!

Envoyez une ambulance, s'il vous plaît! C'est une urgence!

le témoin

Au secours!

Ils allaient trop vite et n'ont pas pu s'arrêter à temps.

Le conducteur allait bien, mais l'enfant avait l'air blessé.

le pouls

Il s'est évanoui.

L'enfant était sans connaissance quand on lui a pris le pouls.

le blessé

la civière

L'ambulance est arrivée et on a emmené l'enfant à l'hôpital.

## Activité 13 Discussion: Au service des urgences

Lesquelles de ces victimes ont probablement reçu les soins indiqués? Pourquoi?

1. Qui a été opéré d'urgence?
   a. un homme qui vient d'avoir une crise cardiaque
   b. une femme qui vient de se fouler la cheville
2. Qui a dû se faire faire une piqûre?
   a. un campeur qui vient de se couper à la main
   b. une fille qui vient d'être mordue par un chien
3. Qui est sorti de l'hôpital avec des béquilles?
   a. un petit garçon qui vient de tomber d'un arbre
   b. un homme qui vient de souffrir d'une réaction allergique
4. À qui a-t-on mis un pansement?
   a. à un coureur souffrant d'une tendinite
   b. à quelqu'un qui vient de se brûler la main
5. Qui a dû passer la nuit à l'hôpital?
   a. quelqu'un qui vient de se casser le poignet
   b. un pompier qui a inhalé trop de fumée

## Activité 14 Récits: Voilà ce qui s'est passé.

Voici des accidents qui sont arrivés à quelques personnages de ce livre. Expliquez tout ce qui se passait avant et au moment de leur accident, puis dites ce qui s'est probablement passé à la fin.

MODÈLE: Claudine s'est cassé le bras. Elle descendait l'escalier avec une collègue. C'était une journée normale. Elles parlaient et elles ne faisaient pas très attention. Tout à coup, Claudine a fait un faux pas et... Finalement, elle a dû téléphoner à Victor pour qu'il vienne la chercher.

1. Jean-Yves a avalé une arête. Il...
2. Joël a eu un accident de vélo. Il...
3. Charles s'est cassé la jambe. Il...
4. Agnès s'est évanouie pendant une manifestation. Elle...
5. Emmanuel s'est foulé la cheville. Il...

Emmanuel

## À vous la parole!

Demandez à votre partenaire de vous décrire un accident qu'il (qu'elle) a eu et de vous expliquer la cause de cet accident. Ensuite, changez de partenaire et décrivez-lui ce même incident.

## Activité 15   Échanges: Accidents

Connaissez-vous quelqu'un (peut-être vous-même) qui a eu un accident? Qu'est-ce qui s'est passé? Décrivez les circonstances en utilisant les suggestions suivantes.

*Vocabulaire utile*   glisser, tomber, se heurter contre, se couper, se casser le bras, laisser tomber, renverser

1. à la maison
2. à l'université
3. pendant des vacances
4. à l'école primaire
5. dans la rue
6. dans une salle de gym

## Activité 16   Récit: Une mauvaise expérience

Dites quels événements ont eu lieu et ce qui se passait à chaque fois.

MODÈLE:   (Numéro un.) Francis est sorti de la maison. Il faisait beau...

*Vocabulaire utile*   une civière, être étendu(e) par terre, une échelle, être sans connaissance, des béquilles, peindre

# POUR RÉSUMER

## À vous de parler

### Comment soigner les petits ennuis

**A.** Voici des remèdes proposés par des particuliers sur un site Web au sujet des ennuis de santé pas graves. Pour chaque affection, lisez le remède proposé. Ensuite, ajoutez le remède dont on se sert dans votre famille.

| AFFECTION | REMÈDE | REMÈDE PRÉFÉRÉ DE MA FAMILLE |
|---|---|---|
| mal à la gorge | l'application d'un produit analgésique et antiseptique | |
| le nez bouché | respirer la vapeur d'un baume au camphre dans de l'eau bouillante | |
| une toux | une infusion d'eau chaude avec du miel et du citron | |
| mal au dos | un médicament antidouleur comme le paracétamol et du repos | |
| un mal de dent | l'application de chaleur et d'un clou de girofle directement sur la dent | |
| la grippe | la prise d'un médicament antidouleur et un grog avec du citron, du rhum (un peu!) et du miel dans de l'eau bouillante | |
| les sinus bloqués | l'application de chaleur humide sur la partie affectée | |

**B.** Maintenant, parlez de vos remèdes préférés avec un(e) camarade de classe.

MODÈLE:    É1:  Que fait ta famille contre un rhume?
     É2:  Chez moi, on prend du jus de citron chaud et on dort.
     É1:  Nous, on mange beaucoup de soupe au poulet.
     É2:  Tiens! J'aime bien cette idée. J'adore la soupe au poulet.

## À vous de lire

### Le Malade imaginaire par Molière

*L*e Malade imaginaire (*1673*) *est la dernière comédie de Molière, le plus grand auteur dramatique français. Molière jouait le rôle d'Argan, mais il était vraiment malade et il est mort à la fin d'une représentation de cette pièce.*

*Dans la pièce, Argan croit qu'il est très malade et consulte de nombreux médecins. Son frère Béralde n'est pas du tout d'accord avec lui. (Acte III, scène 3)*

BÉRALDE:  Est-il possible que vous serez toujours embéguiné[1] de vos apothicaires[2] et de vos médecins, et que vous vouliez être malade en dépit des[3] gens et en dépit de la nature?

ARGAN:  Comment l'entendez-vous mon frère?

---

[1]passionné  [2]pharmaciens  [3]en... malgré les

• Argan et Béralde discutent de la médecine.

BÉRALDE: J'entends, mon frère, que je ne vois point d'homme qui soit moins malade que vous, et que je ne demanderais point une meilleure constitution que la vôtre. [...] C'est qu'avec tous les soins que vous avez pris, vous n'avez pu parvenir[4] encore à gâter[5] la bonté de votre tempérament, et que vous n'êtes point crevé[6] de toutes les médecines qu'on vous a fait prendre.

ARGAN: Mais savez-vous, mon frère, que c'est cela qui me conserve, et que Monsieur Purgon dit que je succomberais s'il était seulement trois jours sans prendre soin de moi?

BÉRALDE: Si vous n'y prenez garde,[7] il prendra tant de soin de vous qu'il vous enverra en l'autre monde.

ARGAN: Mais raisonnons un peu, mon frère. Vous ne croyez donc point à la médecine? [...] Vous ne tenez pas véritable une chose établie par tout le monde, et que tous les siècles ont révérée?

BÉRALDE: Bien loin de la tenir véritable, je la trouve, entre nous, l'une des plus grandes folies qui soit parmi les hommes, et à regarder les choses en philosophe, je ne vois point une plus plaisante momerie,[8] je ne vois rien de plus ridicule qu'un homme qui se veut mêler[9] d'en guérir un autre. [...]

ARGAN: Les médecins ne savent donc rien, à votre compte?

BÉRALDE: Si fait, mon frère. Ils savent [...] parler en beau latin, savent nommer en grec toutes les maladies, les définir et les diviser; mais pour ce qui est de les guérir, c'est ce qu'ils ne savent pas du tout.

---

[4]arriver à   [5]affecter, altérer   [6]mort   [7]Si... Si vous ne faites pas attention   [8]mascarade, spectacle ridicule
[9]qui... qui veut essayer

### Avez-vous compris?

**A.** Pour ou contre les médecins?

Dans chaque cas, dites s'il s'agit de l'opinion de Béralde ou d'Argan.

1. Les pharmaciens et les médecins sont des charlatans.
2. Il y a des gens en bonne santé qui veulent être malades.
3. Si une personne est très malade, il faut qu'elle consulte un médecin.
4. Si on va tout le temps chez le médecin, on se rend malade.
5. Les médecins sont parfois dangereux et il leur arrive de tuer les malades.
6. La médecine est une science respectable qui existe depuis des siècles.
7. Les médecins ne comprennent rien au fonctionnement du corps humain.
8. Les médecins cherchent à mystifier les patients avec des mots grecs et latins.

**B.** Avez-vous compris ces expressions de la langue du XVII<sup>e</sup> siècle?

1. *Comment l'entendez-vous... ?*
   a. Qui vous a dit cela?
   b. Que voulez-vous dire?
   c. De quoi vous méfiez-vous?
2. *Il vous envoiera en l'autre monde.*
   a. Il va vous tuer.
   b. Il va vous envoyer en voyage.
   c. Il va vous ruiner.
   d. Il va vous rendre fou.
3. *à votre compte*
   a. en conclusion
   b. en général
   c. à votre avis
   d. dans votre intérêt

**À vous la parole!**   Avec un(e) partenaire, jouez le rôle d'un médecin et d'un patient (d'une patiente) qui ne se sent pas bien et qui ne mène pas une vie très saine: il/elle est sédentaire, fume, mange gras... Le médecin essaie de lui expliquer comment changer ses habitudes, mais le patient (la patiente) n'est pas très coopératif/coopérative: il/elle trouve l'exercice fatigant et ennuyeux, adore regarder la télé...

MODÈLE:   MÉDECIN: Monsieur (Madame), il faut absolument que vous mangiez moins gras...
PATIENT(E): Mais docteur, je déteste la salade! J'aime mieux un bon bifteck avec des frites...

## À vous d'écrire

La lettre que vous venez de recevoir de votre correspondant français contient le paragraphe suivant. Répondez à ses questions sur les Américains et la santé.

*...Je viens de lire un autre article consacré aux Américains et à leur santé. Franchement, je n'arrive pas à les comprendre. Pourquoi est-ce qu'ils continuent à utiliser autant leur voiture alors qu'ils cherchent par tous les moyens à faire de l'exercice dans des clubs de gym? Pourquoi est-ce que les gens qui mangent du poisson afin de réduire leur taux de cholestérol vont aussi dans des fast-foods? Tu peux m'expliquer tout ça?*

# Vocabulaire

## Le corps humain

The human body

| | |
|---|---|
| **les articulations** (*f.*) | joints |
| **la bouche** | mouth |
| **le bras** | arm |
| **le cerveau** | brain |
| **la cheville** | ankle |
| **les cils** (*m.*) | eyelashes |
| **le cœur** | heart |
| **le cou** | neck |
| **le coude** | elbow |
| **le crâne** | skull |
| **la cuisse** | thigh |
| **le doigt** | finger |
| **le dos** | back |
| **l'épaule** (*f.*) | shoulder |
| **les fesses** (*f.*) | buttocks |
| **le foie** | liver |
| **le front** | forehead |
| **le genou** | knee |
| **les hanches** (*f.*) | hips |
| **la jambe** | leg |
| **la joue** | cheek |
| **les lèvres** (*f.*) | lips |
| **la main** | hand |
| **le menton** | chin |
| **le mollet** | calf |
| **l'œil** (*m.*; *pl.* **les yeux**) | eye (eyes) |
| **l'ongle** (*m.*) | fingernail, toenail |
| **l'oreille** (*f.*) | ear |
| **l'orteil** (*m.*) | toe |
| **un os** | a bone |
| **le pied** | foot |
| **le poignet** | wrist |
| **un poil** | a body hair |
| **la poitrine** | chest |
| **les poumons** (*m.*) | lungs |
| **les reins** (*m.*) | kidneys |
| **le sang** | blood |
| **le sourcil** | eyebrow |
| **la taille** | waist |

*Mots apparentés:* **l'artère** (*f.*), **les sinus** (*m.*), **le système de circulation**, **les tempes** (*f.*), **un tendon**, **les veines** (*f.*)

## Les maladies et les accidents

Illnesses and accidents

| | |
|---|---|
| **une blessure** | a wound |
| **une cicatrice** | a scar |
| **une crise cardiaque** | a heart attack |
| **une entorse** | a sprain |
| **une foulure** | a light sprain |
| **la grippe (intestinale)** | (stomach) flu |
| **le mal au cœur** | nausea, heartburn |
| **un mal de tête** (**des maux...** ) | a headache (headaches) |
| **mordu(e)** | bitten |
| **une piqûre** | an injection, a shot; a sting |
| **la rougeole** | rubella (German measles) |
| **une urgence** | an emergency |
| **attraper un rhume** | to catch a cold |
| **avaler une arête** | to swallow a fish bone |
| **avoir mal à la tête** | to have a headache |
| **se blesser** | to get injured |
| **se brûler** | to get burned |
| **se casser (le bras)** | to break (an arm) |
| **se couper** | to cut oneself |
| **être renversé(e)** | to be knocked over |
| **se fouler la cheville** | to sprain an ankle |
| **glisser** | to slip, slide |
| **se heurter contre** | to hit, bump against |
| **inhaler de la fumée** | to inhale smoke |
| **laisser tomber** | to drop (*something*) |
| **rendre malade** | to make (*someone*) ill |
| **renverser** | to knock over |
| **respirer** | to breathe |
| **se sentir** | to feel |
| **tomber** | to fall |
| **blessé(e)** | injured; wounded |

*Mots apparentés:* **une allergie**, **une ambulance**, **l'appendicite** (*f.*), **la tendinite**

## Les symptômes et les émotions

Symptoms and emotions

| | |
|---|---|
| **des boutons** (*m.*) | pimples, zits |
| **une douleur** | a pain |
| **des frissons** (*m.*) | chills |
| **un gonflement** | swelling |
| **des muscles** (*m.*) **endoloris** | aching muscles |

| | |
|---|---|
| le nez bouché | a stuffy nose |
| des rougeurs (f.) | a rash |
| une toux | a cough |
| des vertiges (m.) | dizziness |

*Mots apparentés:* **une éruption, de la fièvre, un(e) insomniaque, l'insomnie** (f.), **persistant(e), sédentaire, des vomissements** (m.)

| | |
|---|---|
| avoir mal à la gorge | to have a sore throat |
| avoir mal au ventre | to have a stomachache |
| éternuer | to sneeze |
| être déprimé(e) | to be depressed |
| être sans connaissance | to be unconscious |
| s'évanouir | to faint |
| se mettre en colère | to get angry |
| souffrir (de) | to suffer (from) |
| tousser | to cough |

## Les remèdes, les traitements et les services médicaux

Medications, treatments, and medical services

| | |
|---|---|
| des béquilles (f.) | crutches |
| une civière | a stretcher |
| un comprimé | a tablet (*pill*) |
| un estomac vide | an empty stomach |
| une gélule | a capsule |
| des gouttes (f.) | drops |
| la gymnastique d'entretien | fitness exercise |
| un médicament | a medicine |
| une ordonnance | a prescription |
| un pansement | a bandage |
| une pilule | a pill |
| une piqûre | a shot |
| un plâtre | a cast |
| la pommade (chauffante) | (heat) cream |
| des soins (m.) médicaux | medical care |
| un somnifère | a sleeping pill |
| une tisane | an herbal tea |

*Mots apparentés:* **les antibiotiques** (m.), **l'aspirine** (f.), **une clinique, un remède efficace, le sirop, un vaccin, le vinaigre**

| | |
|---|---|
| se déboucher le nez | to unclog one's nose |
| défendre | to forbid |
| digérer (bien) | to digest (well) |
| emmener à l'hôpital | to take (*someone*) to the hospital |
| étirer | to stretch |

| | |
|---|---|
| exiger | to require |
| faire tomber (une fièvre) | to lower (a fever) |
| faire un diagnostic | to make a diagnosis |
| frotter | to rub |
| guérir | to heal; to recover (from) |
| interdire | to forbid |
| manger sainement | to eat "healthy" |
| masser | to massage |
| se moucher | to blow one's nose |
| perdre du poids | to lose weight |
| prendre le pouls à quelqu'un | to take someone's pulse |
| prescrire un traitement | to prescribe a treatment |
| remonter le moral à quelqu'un | to cheer someone up |
| rester en forme | to stay in shape |
| (se) soigner | to care for (oneself) |
| soulager | to ease, make feel better |
| soulever des poids | to lift weights |
| suivre un régime équilibré | to eat a balanced diet |

*Mots apparentés:* **administrer, nourrir, opérer**

## Substantifs

| | |
|---|---|
| une boisson énergisante | an energy drink |
| un coureur / une coureuse | a runner |
| la durée (de) | the duration (of) |
| une échelle | a ladder |
| des ennuis (m.) | troubles |
| une guêpe | a wasp |
| un témoin | a witness |

*Mots apparentés:* **un campeur, une circonstance, la respiration**

## Verbes

| | |
|---|---|
| se bronzer | to tan, sunbathe |
| se faire bronzer | to get tanned |
| ennuyer | to bother |
| fumer | to smoke |

*Mots apparentés:* **circuler, contredire**

## Mots et expressions utiles

| | |
|---|---|
| Aïe! | Ouch! Ow! |
| Au secours! | Help! |
| étendu(e) par terre | stretched out on the ground |
| partout | everywhere |

# Grammaire et exercices

## 12.1 Saying what you want others to do: More on the subjunctive

**A.** The verb **vouloir** is used with an infinitive to tell what someone wants to do.

Je **veux maigrir.**      *I want to lose weight.*

✳ Review *Grammaire 2.5* for forms of *vouloir*.

**B.** To say what someone wants *someone else* to do, you must use **que** + a subject (referring to the other person) + a verb in the subjunctive mood.

| | |
|---|---|
| Mon petit ami **veut que j'arrête** de fumer. | *My boyfriend wants me to quit smoking.* |
| Ma femme **voudrait que je mange** moins de viande. | *My wife would like me to eat less meat.* |

✳ Review *Grammaire 10.1* and *10.2* for the formation of the present subjunctive.

**C.** Other verbs taking this same construction include the following:

| | |
|---|---|
| demander que *(to ask)* | proposer que |
| désirer que | recommander que |
| exiger que *(to require)* | souhaiter que *(to want, wish)* |
| préférer que | suggérer que |

j'aimerais (tu aimerais, etc.) que
je voudrais (tu voudrais, etc.) que

| | |
|---|---|
| Le médecin **recommande que je dorme** plus. | *The doctor recommends that I get more sleep.* |
| Je **souhaite que tu te sentes** mieux bientôt. | *I hope you'll feel better soon.* |

*Exception:* **espérer** *(to hope)* always takes a verb in the indicative: **J'espère que tu viendras demain.**

**D.** Here are the subjunctive forms of the verbs **pouvoir, savoir,** and **venir. Pouvoir** and **savoir** have only one subjunctive stem; **venir (devenir, revenir)** has two.

➤ Subjunctive stem of **pouvoir: puiss-**

| pouvoir (puiss-) | |
|---|---|
| que je **puiss**e | que nous **puiss**ions |
| que tu **puiss**es | que vous **puiss**iez |
| qu'il/elle/on **puiss**e | qu'ils/elles **puiss**ent |

➤ Subjunctive stem of **savoir: sach-**

| savoir (sach-) | |
|---|---|
| que je **sach**e | que nous **sach**ions |
| que tu **sach**es | que vous **sach**iez |
| qu'il/elle/on **sach**e | qu'ils/elles **sach**ent |

➤ Subjunctive stems of **venir: ven-** and **vienn-**

| venir (vienn-, ven-) | |
|---|---|
| que je **vienn**e | que nous **ven**ions |
| que tu **vienn**es | que vous **ven**iez |
| qu'il/elle/on **vienn**e | qu'ils/elles **vienn**ent |

## Exercice 1 Les désirs des autres

Identifiez la personne qui s'intéresse le plus à votre vie: par exemple, votre mère, votre père, votre petit ami (petite amie). Posez des questions sur les choses que cette personne désire pour vous dans la vie et répondez-y.

MODÈLE:    Est-ce que *ton père* voudrait que tu fasses plus d'exercice? →
Oui, *mon père* voudrait que je fasse plus d'exercice. (Non, *mon père* ne voudrait pas que... Ça lui est égal.)

Est-ce que _____ voudrait que...

1. tu fasses plus de sport?
2. tu dormes moins?
3. tu perdes du poids?
4. tu sois plus sérieux/sérieuse dans tes études?
5. tu dépenses moins d'argent?
6. tu deviennes médecin?
7. tu puisses le/la voir plus souvent?

## Exercice 2 Qu'en pensez-vous?

Qu'est-ce que votre université devrait faire pour améliorer la qualité de la vie sur le campus? Employez le subjonctif avec une des expressions suivantes: **je désire, je demanderais, j'aimerais, je préférerais, je voudrais.**

MODÈLE:    L'université devrait *fournir* gratuitement des vaccins contre la grippe chaque automne. →
Oui, *je voudrais que* l'université *fournisse* gratuitement des vaccins contre la grippe chaque automne. (Non, je ne voudrais pas que... )

1. On devrait enlever toutes les aliments malsains des distributeurs.
2. On devrait servir des plats végétariens dans tous les resto-U.
3. On devrait installer une salle de gym dans chaque résidence.
4. L'université devrait dépenser moins d'argent pour le football américain et plus pour les cours de yoga et de taï-chi.
5. Les cours ne devraient pas commencer avant 9 h du matin.
6. Les examens de fin d'année devraient être mieux espacés.

## 12.2 Changes of state: Passé composé vs. imperfect

**A.** As you know, the imperfect is used to describe an ongoing past state, whereas the **passé composé** expresses a well-defined punctual event in the past. Although verbs expressing states of being are more often used in the imperfect, they can be used in the **passé composé** to express a sudden change of state. Often a different verb is used in English to express this meaning.

★ Review **Grammaire 4.7** for **avoir** expressions describing states, and **Grammaire 6.8** and **8.5** for a summary of the uses of **passé composé** and imperfect.

➤ J'**avais** chaud, et tout à coup, j'**ai eu** froid. (*I was warm, and suddenly I got cold.*)

| IMPARFAIT (Ongoing state) | PASSÉ COMPOSÉ (Change of state) |
|---|---|
| **j'avais** *I had* | **j'ai eu** *I got, received* |
| **je connaissais** *I knew* | **j'ai connu** *I met* |
| **je pouvais** *I could* | **j'ai pu** *I was able, succeeded* |
| **je savais** *I knew* | **j'ai su** *I learned, found out* |
| **je voulais** *I wanted* | **je n'ai pas voulu** *I refused* |

Je ne **savais** pas que Raoul était malade. Je l'**ai su** seulement hier.
J'**ai eu** peur quand j'ai entendu ce bruit.

*I didn't know Raoul was sick. I found out only yesterday.*
*I became frightened when I heard that noise.*

**B.** There is a similar difference in meaning when **devoir** is used in the imperfect or **passé composé: Je devais** often means *I was supposed to*, whereas **j'ai dû** means either *I had to* or *I must have*.

Je **devais** aller au concert hier, mais **j'ai dû** rester à la maison à cause de mon rhume.
M^me Martin n'est pas là. Elle **a dû** tomber malade.

*I was supposed to go to the concert yesterday, but I had to stay home because of my cold.*
*Madame Martin isn't here. She must have gotten sick.*

➤ **je devais** = *I was supposed to*

➤ **j'ai dû** = *I had to, must have*

### Exercice 3 Une journée horrible!

Jacqueline raconte sa journée d'hier. Conjuguez le premier verbe à l'imparfait et le deuxième au passé composé.

MODÈLE: Le matin, *j'avais* (avoir) très mal à la tête, donc *j'ai pris* (prendre) des comprimés.

1. À midi, je _____ (ne pas avoir) faim, donc je _____ (ne rien manger).
2. L'après-midi, j'_____ (avoir) tellement sommeil que je _____ (s'endormir) en cours de français.
3. Je _____ (se sentir) si mal que j'_____ (devoir) rentrer tout de suite après mes cours.
4. Je _____ (devoir) aller à une soirée, mais évidemment, je _____ (ne pas pouvoir) y aller.
5. Je _____ (ne pas avoir) de voix, donc je _____ (ne pas téléphoner) à mes amies.
6. Je _____ (vouloir) voir un film, mais j'_____ (devoir) me coucher au milieu du film.

# 12.3 The present participle

➤ **En parlant** = *while/by speaking*

**A.** Every French verb has a present participle form ending in **-ant.** This form is most commonly used with the preposition **en** to express a simultaneous action or the means of doing something.

> Je me détends **en lisant** un bon roman.     *I relax by reading a good novel.*
>
> Marise s'est cassé la jambe **en faisant** du ski.     *Marise broke her leg while skiing.*

**B.** Although the English equivalent is the *-ing* form of the verb, note that *-ing* forms have many other uses in English that are *not* expressed with the present participle in French.

> Elle **souriait** quand je l'ai trouvée.     *She was smiling when I found her.*
>
> Il parle **sans réfléchir** à ce qu'il dit.     *He talks without thinking about what he's saying.*

➤ Present participle stem = stem of present-tense **nous** form

➤ Present participle ending = **-ant**

**C.** To form the present participle, use the stem of the present-tense **nous** form with the ending **-ant.**

| | | | | | |
|---|---|---|---|---|---|
| parler | **parl**ons | → parl**ant** | partir | **part**ons → part**ant** |
| finir | **finiss**ons | → finiss**ant** | faire | **fais**ons → fais**ant** |
| attendre | **attend**ons | → attend**ant** | | |

**D.** Three verbs have irregular present participles.

> avoir → **ayant**     être → **étant**     savoir → **sachant**

## *Exercice 4* Pour guérir

Associez l'action et le moyen de l'accomplir, puis faites une phrase avec **en** + un participe présent. Finalement, indiquez si vous êtes d'accord.

MODÈLE: confirmer un diagnostic / *aller* voir un deuxième médecin →
On peut confirmer un diagnostic *en allant* voir un deuxième médecin. Oui, c'est vrai. (Non, ce n'est pas vrai. Les médecins ne sont pas toujours d'accord.)

On peut...

1. soulager les yeux irrités
2. transmettre des microbes
3. éviter les rhumes
4. guérir une grippe
5. arrêter le hoquet*

a. tousser et éternuer
b. prendre beaucoup de vitamine C
c. y mettre des gouttes
d. se mettre un sac sur la tête
e. manger de la soupe au poulet

---

*hiccups

## 12.4 Expressing events in the recent past: Venir de + infinitive

To express *to have just (done something)*, use the present tense of **venir** + **de** + infinitive.

Joël **vient de tomber** dans l'escalier.

Nous **venons de faire** de la gym.

Je **viens de voir** un reportage sur l'homéopathie.

*Joël just fell (has just fallen) down the stairs.*

*We just (have just) worked out.*

*I've just seen a TV report on homeopathy.*

★ Review **Grammaire 1.4** for present-tense forms of **venir**.

➤ **Venir** (present) + **de** + infinitive = *to have just done something*

Note that the meaning of **venir de** + infinitive is completely different from that of **venir** (*to come*), and that the action you are talking about is expressed by the infinitive.

## Exercice 5 Sur les lieux d'un incendie

Julien Leroux fait un reportage en direct d'un immeuble en flammes. Complétez ses phrases avec **venir de** + l'infinitif indiqué.

MODÈLE: Nous _____ arriver sur place. → Nous *venons d'*arriver sur place.

1. Deux voitures de pompiers _____ arriver.
2. L'explosion que vous _____ voir provenait du sous-sol.
3. Nous _____ apprendre que l'immeuble était vide.
4. Le propriétaire de l'immeuble _____ arriver à l'instant.
5. Les pompiers _____ éteindre le feu.

## 12.5 Narrating in the past tense: Passé composé vs. imperfect

**A.** You have already seen some of the ways in which the two past tenses, the **passé composé** and the imperfect, are used to present different perspectives on a past action or state. Both of these past tenses are used to tell a story in the past.

• The imperfect is used to *set the scene: to give background information, to describe a situation (in the past), and to indicate that a past action was in progress.*

**C'était** le dernier jour de nos vacances à Megève. Il **faisait** froid et les pistes **étaient** très glissantes.

Nous **descendions** la grande piste pour la dernière fois...

*It was the last day of our vacation at Megève. It was cold, and the slopes were very slippery.*

*We were going down the big slope for the last time . . .*

• The **passé composé** is used to relate a *single event* in the *main story line*.

...quand je **suis tombée** et je me **suis cassé** le bras. J'**ai dû** aller à l'hôpital.

*. . . when I fell down and broke my arm. I had to go to the hospital.*

★ Review **Grammaire 8.5** on uses of **passé composé** and imperfect.

➤ The imperfect sets the scene and gives background information.

➤ The **passé composé** relates events of the main story line.

**B.** Read the following narrative by Sarah Thomas and notice how the **passé composé** and the imperfect are combined. Identify each past tense, and then tell why that tense is used.

Je n'oublierai jamais mon voyage à Châlon-sur-Saône. J'avais[1] deux changements de train à faire. À Lyon, je me suis trompée[2] de train et je suis partie[3] dans une direction opposée à celle de Châlon! Il était[4] déjà neuf heures et demie du soir et l'auberge où je devais[5] passer la nuit fermait[6] à neuf heures et demie! J'ai dû[7] téléphoner rapidement à l'auberge pour leur demander de m'attendre avant de fermer les portes. La dame qui a répondu[8] au téléphone était[9] vraiment aimable. Elle m'a dit[10] que je n'avais[11] pas à m'inquiéter. Quand je suis arrivée[12] à l'auberge, il était[13] une heure du matin! Mais la dame m'attendait[14] et elle m'a même offert[15] une tasse de thé à la camomille. Finalement, mon voyage s'est assez bien terminé.[16]

## Exercice 6 Soir d'hiver au Canada

Raoul raconte une aventure qui lui est arrivée pendant des vacances d'hiver. Lisez les phrases, puis transformez son histoire du présent au passé.

MODÈLE: Il fait froid, alors nous mettons des vêtements chauds. →
Il faisait froid, alors nous avons mis des vêtements chauds.

1. C'est l'hiver, il ne fait pas froid et il y a un beau clair de lune.
2. Sylvie et moi, nous décidons d'aller faire une randonnée à ski.
3. Nous mettons nos skis et nous partons.
4. La neige est couverte d'une couche de glace et nos skis glissent très vite.
5. Après une demi-heure, nous arrivons en haut d'une colline très abrupte.
6. En descendant la colline, je tombe et un de mes skis se casse.
7. Heureusement, je n'ai rien de cassé.
8. Ensuite, nous devons marcher longtemps pour rentrer, mais nous sommes contents de notre soirée.

## Exercice 7 Quels ennuis!

Marise Colin raconte les difficultés qu'elle a eues pour aller à la fac. Mettez les verbes entre parenthèses au passé composé ou à l'imparfait.

C'(être)[1] un jeudi après-midi et j'(avoir)[2] cours à la fac. Je/J' (prendre)[3] la voiture parce que j'(être)[4] pressée.

    Malheureusement, je (ne pas trouver)[5] de place pour garer la voiture. Alors, je/j' (prendre)[6] une petite rue à côté de la fac. La rue (être)[7] très petite et il y (avoir)[8] tant de voitures des deux côtés qu'il (être)[9] presque impossible de passer. Pas de chance! Une autre voiture venait dans l'autre direction et (s'avancer)[10] vers moi. J'(mal estimer)[11] les distances et ma voiture (toucher)[12] le côté de cette voiture. Je/J' (chercher)[13] une place de stationnement quand j'(entendre)[14] quelqu'un m'appeler. C'(être)[15] la conductrice de l'autre voiture. Elle (penser)[16] que je/j' (aller)[17] partir sans m'arrêter. Quelle journée horrible!

## Verbs ending in -er with spelling changes

A few regular **-er** verbs have minor spelling changes in the present-tense stem. Most of these changes correspond to changes in pronunciation that occur when the verb has an ending that is not pronounced.

- *Verbs like **préférer**:* The second **é** of the stem is pronounced as /e/ in the infinitive and the **nous** and **vous** forms. However, when the verb ending is silent, this second **é** is changed to **è** and is pronounced as /ɛ/.

  | | |
  |---|---|
  | *with pronounced endings:* | préférer, nous préférons, vous préférez |
  | *with silent endings:* | je préf**è**re, tu préf**è**res, il/elle/on préf**è**re, ils/elles préf**è**rent |

- *Verbs like **acheter**:* The unaccented **e** of the stem (a mute **e**) is not normally pronounced in the infinitive or the **nous** and **vous** forms. However, when the verb ending is silent, this **e** becomes an **è** and is pronounced as /ɛ/.

  | | |
  |---|---|
  | *with pronounced endings:* | achǿter, nous achǿtons, vous achǿtez |
  | *with silent endings:* | j'ach**è**te, tu ach**è**tes, il/elle/on ach**è**te, ils/elles ach**è**tent |

- *Verbs like **appeler**:* The unaccented **e** of this stem is also a mute **e** and is silent in the infinitive and the **nous** and **vous** forms. However, when the verb ending is silent, the **l** is doubled, and the **e** is pronounced as /ɛ/.

  | | |
  |---|---|
  | *with pronounced endings:* | appǿler, nous appǿlons, vous appǿlez |
  | *with silent endings:* | j'appe**ll**e, tu appe**ll**es, il/elle/on appe**ll**e, ils/elles appe**ll**ent |

- *Verbs like **manger**:* An **e** is added after the **g** before **-ons** and endings starting with **-a** to preserve the soft pronunciation (/ʒ/) of the letter **g.**

  nous mang**e**ons

- *Verbs like **commencer**:* A cedilla ( ͕ ) is added to the **c** before **-ons** and endings starting with **-a** to preserve the soft pronunciation (/s/) of the letter **c.**

  nous commen**ç**ons

A chart showing the full conjugation of these verbs, with lists of other verbs that have similar conjugation patterns, follows in Appendix C, Part 3.

# Appendix B

## Verb + verb constructions

1. Some verbs directly precede an infinitive, with no intervening preposition **(J'aime danser).**

| | | | |
|---|---|---|---|
| aimer | espérer | pouvoir | valoir (il vaut mieux) |
| aller | faire | préférer | venir* |
| désirer | falloir (il faut) | savoir | vouloir |
| détester | laisser | souhaiter | |
| devoir | penser | | |

2. Some verbs require the preposition **à** before the infinitive **(Il commence à parler).**

| | | | |
|---|---|---|---|
| aider à | commencer à | hésiter à | se préparer à |
| s'amuser à | continuer à | s'intéresser à | réussir à |
| apprendre à | se décider à | inviter à | servir à |
| arriver à | encourager à | se mettre à | tenir à |
| chercher à | s'habituer à | | |

3. Some verbs require the preposition **de** before the infinitive **(Nous essayons de travailler).**

| | | | |
|---|---|---|---|
| accepter de | demander de | interdire de | proposer de |
| s'arrêter de | dire de | offrir de | refuser de |
| avoir peur de | empêcher de | oublier de | regretter de |
| cesser de | essayer de | parler de | remercier de |
| choisir de | éviter de | permettre de | rêver de |
| conseiller de | s'excuser de | persuader de | risquer de |
| décider de | finir de | promettre de | venir de* |

---

*When used as a verb of motion, **venir** has no preposition before an infinitive: **Je viens vous aider.** *I'm coming to help you.* However, the preposition **de** is used before the infinitive in the **passé récent** construction: **Je viens de l'aider.** *I've just helped him/her.*

# Appendix C

## Conjugations of regular and irregular verbs

### 1. Auxiliary verbs

| VERB | INDICATIVE | | | CONDITIONAL | SUBJUNCTIVE | IMPERATIVE |
|---|---|---|---|---|---|---|
| | *Present* | *Imperfect* | *Future* | *Present* | *Present* | |
| **avoir**\* | ai | avais | aurai | aurais | aie | |
| (*to have*) | as | avais | auras | aurais | aies | aie |
| ayant | a | avait | aura | aurait | ait | |
| eu | avons | avions | aurons | aurions | ayons | ayons |
| | avez | aviez | aurez | auriez | ayez | ayez |
| | ont | avaient | auront | auraient | aient | |
| | *Passé composé* | | *Pluperfect* | *Past* | | |
| | ai eu | | avais eu | aurais eu | | |
| | as eu | | avais eu | aurais eu | | |
| | a eu | | avait eu | aurait eu | | |
| | avons eu | | avions eu | aurions eu | | |
| | avez eu | | aviez eu | auriez eu | | |
| | ont eu | | avaient eu | auraient eu | | |
| | *Present* | *Imperfect* | *Future* | *Present* | *Present* | |
| **être** | suis | étais | serai | serais | sois | |
| (*to be*) | es | étais | seras | serais | sois | sois |
| étant | est | était | sera | serait | soit | |
| été | sommes | étions | serons | serions | soyons | soyons |
| | êtes | étiez | serez | seriez | soyez | soyez |
| | sont | étaient | seront | seraient | soient | |
| | *Passé composé* | | *Pluperfect* | *Past* | | |
| | ai été | | avais été | aurais été | | |
| | as été | | avais été | aurais été | | |
| | a été | | avait été | aurait été | | |
| | avons été | | avions été | aurions été | | |
| | avez été | | aviez été | auriez été | | |
| | ont été | | avaient été | auraient été | | |

\*The leftmost column of each chart contains the infinitive, the present participle, and the past participle of each verb. Conjugated verbs are shown without subject pronouns.

## 2. Regular verbs

| VERB | | INDICATIVE | | CONDITIONAL | SUBJUNCTIVE | IMPERATIVE |
|---|---|---|---|---|---|---|
| **-er Verbs** | *Present* | *Imperfect* | *Future* | *Present* | *Present* | |
| **parler** | parle | parlais | parlerai | parlerais | parle | |
| (*to speak*) | parles | parlais | parleras | parlerais | parles | parle |
| parlant | parle | parlait | parlera | parlerait | parle | |
| parlé | parlons | parlions | parlerons | parlerions | parlions | parlons |
| | parlez | parliez | parlerez | parleriez | parliez | parlez |
| | parlent | parlaient | parleront | parleraient | parlent | |
| | *Passé composé\** | | *Pluperfect* | *Past* | | |
| | ai parlé | | avais parlé | aurais parlé | | |
| | as parlé | | avais parlé | aurais parlé | | |
| | a parlé | | avait parlé | aurait parlé | | |
| | avons parlé | | avions parlé | aurions parlé | | |
| | avez parlé | | aviez parlé | auriez parlé | | |
| | ont parlé | | avaient parlé | auraient parlé | | |
| **-ir Verbs** | *Present* | *Imperfect* | *Future* | *Present* | *Present* | |
| **finir** | finis | finissais | finirai | finirais | finisse | |
| (*to finish*) | finis | finissais | finiras | finirais | finisses | finis |
| finissant | finit | finissait | finira | finirait | finisse | |
| fini | finissons | finissions | finirons | finirions | finissions | finissons |
| | finissez | finissiez | finirez | finiriez | finissiez | finissez |
| | finissent | finissaient | finiront | finiraient | finissent | |
| | *Passé composé\** | | *Pluperfect* | *Past* | | |
| | ai fini | | avais fini | aurais fini | | |
| | as fini | | avais fini | aurais fini | | |
| | a fini | | avait fini | aurait fini | | |
| | avons fini | | avions fini | aurions fini | | |
| | avez fini | | aviez fini | auriez fini | | |
| | ont fini | | avaient fini | auraient fini | | |
| **-re Verbs** | *Present* | *Imperfect* | *Future* | *Present* | *Present* | |
| **perdre** | perds | perdais | perdrai | perdrais | perde | |
| (*to lose*) | perds | perdais | perdras | perdrais | perdes | perds |
| perdant | perd | perdait | perdra | perdrait | perde | |
| perdu | perdons | perdions | perdrons | perdrions | perdions | perdons |
| | perdez | perdiez | perdrez | perdriez | perdiez | perdez |
| | perdent | perdaient | perdront | perdraient | perdent | |
| | *Passé composé\** | | *Pluperfect* | *Past* | | |
| | ai perdu | | avais perdu | aurais perdu | | |
| | as perdu | | avais perdu | aurais perdu | | |
| | a perdu | | avait perdu | aurait perdu | | |
| | avons perdu | | avions perdu | aurions perdu | | |
| | avez perdu | | aviez perdu | auriez perdu | | |
| | ont perdu | | avaient perdu | auraient perdu | | |

\*Certain intransitive verbs are conjugated with **être** instead of **avoir** in compound tenses. Regular verbs conjugated with **être** include **arriver, descendre, monter, passer, rentrer, rester, retourner,** and **tomber.**

## 3. -er Verbs with spelling changes

Certain verbs ending in **-er** require spelling changes in the verb stem in certain forms and tenses. Models for each kind of change are listed here. Forms with spelling changes in the stem are in boldface type.

| VERB | PRESENT | IMPERFECT | PASSÉ COMPOSÉ | FUTURE | CONDITIONAL | PRESENT SUBJUNCTIVE | IMPERATIVE |
|------|---------|-----------|---------------|--------|-------------|---------------------|------------|
| **commencer*** | commence | **commençais** | ai commencé | commencerai | commencerais | commence | |
| (to begin) | commences | **commençais** | as commencé | commenceras | commencerais | commences | commence |
| **commençant** | commence | **commençait** | a commencé | commencera | commencerait | commence | |
| commencé | **commençons** | commencions | avons commencé | commencerons | commencerions | commencions | **commençons** |
| | commencez | commenciez | avez commencé | commencerez | commenceriez | commenciez | commencez |
| | commencent | **commençaient** | ont commencé | commenceront | commenceraient | commencent | |
| **manger*** | mange | **mangeais** | ai mangé | mangerai | mangerais | mange | |
| (to eat) | manges | **mangeais** | as mangé | mangeras | mangerais | manges | mange |
| **mangeant** | mange | **mangeait** | a mangé | mangera | mangerait | mange | |
| mangé | **mangeons** | mangions | avons mangé | mangerons | mangerions | mangions | **mangeons** |
| | mangez | mangiez | avez mangé | mangerez | mangeriez | mangiez | mangez |
| | mangent | **mangeaient** | ont mangé | mangeront | mangeraient | mangent | |
| **appeler†** | **appelle** | appelais | ai appelé | **appellerai** | **appellerais** | **appelle** | |
| (to call) | **appelles** | appelais | as appelé | **appelleras** | **appellerais** | **appelles** | **appelle** |
| appelant | **appelle** | appelait | a appelé | **appellera** | **appellerait** | **appelle** | |
| appelé | appelons | appelions | avons appelé | **appellerons** | **appellerions** | appelions | appelons |
| | appelez | appeliez | avez appelé | **appellerez** | **appelleriez** | appeliez | appelez |
| | **appellent** | appelaient | ont appelé | **appelleront** | **appelleraient** | **appellent** | |
| **essayer††** | **essaie** | essayais | ai essayé | **essaierai** | **essaierais** | **essaie** | |
| (to try) | **essaies** | essayais | as essayé | **essaieras** | **essaierais** | **essaies** | **essaie** |
| essayant | **essaie** | essayait | a essayé | **essaiera** | **essaierait** | **essaie** | |
| essayé | essayons | essayions | avons essayé | **essaierons** | **essaierions** | essayions | essayons |
| | essayez | essayiez | avez essayé | **essaierez** | **essaieriez** | essayiez | essayez |
| | **essaient** | essayaient | ont essayé | **essaieront** | **essaieraient** | **essaient** | |
| **acheter‡** | **achète** | achetais | ai acheté | **achèterai** | **achèterais** | **achète** | |
| (to buy) | **achètes** | achetais | as acheté | **achèteras** | **achèterais** | **achètes** | **achète** |
| achetant | **achète** | achetait | a acheté | **achètera** | **achèterait** | **achète** | |
| acheté | achetons | achetions | avons acheté | **achèterons** | **achèterions** | achetions | achetons |
| | achetez | achetiez | avez acheté | **achèterez** | **achèteriez** | achetiez | achetez |
| | **achètent** | achetaient | ont acheté | **achèteront** | **achèteraient** | **achètent** | |
| **préférer§** | **préfère** | préférais | ai préféré | préférerai | préférerais | **préfère** | |
| (to prefer) | **préfères** | préférais | as préféré | préféreras | préférerais | **préfères** | **préfère** |
| préférant | **préfère** | préférait | a préféré | préférera | préférerait | **préfère** | |
| préféré | préférons | préférions | avons préféré | préférerons | préférerions | préférions | préférons |
| | préférez | préfériez | avez préféré | préférerez | préféreriez | préfériez | préférez |
| | **préfèrent** | préféraient | ont préféré | préféreront | préféreraient | **préfèrent** | |

*Verbs like **commencer**: dénoncer, divorcer, menacer, placer, prononcer, remplacer, tracer
**Verbs like **manger**: bouger, changer, dégager, engager, exiger, juger, loger, mélanger, nager, obliger, partager, voyager
†Verbs like **appeler**: épeler, jeter, projeter, (se) rappeler
††Verbs like **essayer**: employer, (s')ennuyer, nettoyer, payer
‡Verbs like **acheter**: achever, amener, emmener, (se) lever, promener
§Verbs like **préférer**: célébrer, considérer, espérer, (s')inquiéter, pénétrer, posséder, répéter, révéler, suggérer

## 4. Reflexive verbs

| VERB | INDICATIVE | | | CONDITIONAL | SUBJUNCTIVE | IMPERATIVE |
|---|---|---|---|---|---|---|
| | *Present* | *Imperfect* | *Future* | *Present* | *Present* | |
| **se laver** | me lave | me lavais | me laverai | me laverais | me lave | |
| (*to wash* | te laves | te lavais | te laveras | te laverais | te laves | lave-toi |
| *oneself*) | se lave | se lavait | se lavera | se laverait | se lave | |
| se lavant | nous lavons | nous lavions | nous laverons | nous laverions | nous lavions | lavons-nous |
| lavé | vous lavez | vous laviez | vous laverez | vous laveriez | vous laviez | lavez-vous |
| | se lavent | se lavaient | se laveront | se laveraient | se lavent | |
| | *Passé composé* | | *Pluperfect* | | *Past* | |
| | me suis lavé(e) | | m'étais lavé(e) | | me serais lavé(e) | |
| | t'es lavé(e) | | t'étais lavé(e) | | te serais lavé(e) | |
| | s'est lavé(e) | | s'était lavé(e) | | se serait lavé(e) | |
| | nous sommes lavé(e)s | | nous étions lavé(e)s | | nous serions lavé(e)s | |
| | vous êtes lavé(e)(s) | | vous étiez lavé(e)(s) | | vous seriez lavé(e)(s) | |
| | se sont lavé(e)s | | s'étaient lavé(e)s | | se seraient lavé(e)s | |

## 5. Irregular verbs

| VERB | PRESENT | PASSÉ COMPOSÉ | IMPERFECT | FUTURE | CONDITIONAL | PRESENT SUBJUNCTIVE | IMPERATIVE |
|---|---|---|---|---|---|---|---|
| **aller** | vais | suis allé(e) | allais | irai | irais | aille | |
| (*to go*) | vas | es allé(e) | allais | iras | irais | ailles | va |
| allant | va | est allé(e) | allait | ira | irait | aille | |
| allé | allons | sommes allé(e)s | allions | irons | irions | allions | allons |
| | allez | êtes allé(e)(s) | alliez | irez | iriez | alliez | allez |
| | vont | sont allé(e)s | allaient | iront | iraient | aillent | |
| **boire** | bois | ai bu | buvais | boirai | boirais | boive | |
| (*to drink*) | bois | as bu | buvais | boiras | boirais | boives | bois |
| buvant | boit | a bu | buvait | boira | boirait | boive | |
| bu | buvons | avons bu | buvions | boirons | boirions | buvions | buvons |
| | buvez | avez bu | buviez | boirez | boiriez | buviez | buvez |
| | boivent | ont bu | buvaient | boiront | boiraient | boivent | |
| **conduire*** | conduis | ai conduit | conduisais | conduirai | conduirais | conduise | |
| (*to lead;* | conduis | as conduit | conduisais | conduiras | conduirais | conduises | conduis |
| *to drive*) | conduit | a conduit | conduisait | conduira | conduirait | conduise | |
| conduisant | conduisons | avons conduit | conduisions | conduirons | conduirions | conduisions | conduisons |
| conduit | conduisez | avez conduit | conduisiez | conduirez | conduiriez | conduisiez | conduisez |
| | conduisent | ont conduit | conduisaient | conduiront | conduiraient | conduisent | |
| **connaître** | connais | ai connu | connaissais | connaîtrai | connaîtrais | connaisse | |
| (*to be* | connais | as connu | connaissais | connaîtras | connaîtrais | connaisses | connais |
| *acquainted* | connaît | a connu | connaissait | connaîtra | connaîtrait | connaisse | |
| *with*) | connaissons | avons connu | connaissions | connaîtrons | connaîtrions | connaissions | connaissons |
| connaissant | connaissez | avez connu | connaissiez | connaîtrez | connaîtriez | connaissiez | connaissez |
| connu | connaissent | ont connu | connaissaient | connaîtront | connaîtraient | connaissent | |

*Verbs like **conduire**: **détruire, réduire, traduire**

| VERB | PRESENT | PASSÉ COMPOSÉ | IMPERFECT | FUTURE | CONDITIONAL | PRESENT SUBJUNCTIVE | IMPERATIVE |
|---|---|---|---|---|---|---|---|
| **courir** | cours | ai couru | courais | courrai | courrais | coure | |
| *(to run)* | cours | as couru | courais | courras | courrais | coures | cours |
| courant | court | a couru | courait | courra | courrait | coure | |
| couru | courons | avons couru | courions | courrons | courrions | courions | courons |
| | courez | avez couru | couriez | courrez | courriez | couriez | courez |
| | courent | ont couru | couraient | courront | courraient | courent | |
| **craindre*** | crains | ai craint | craignais | craindrai | craindrais | craigne | |
| *(to fear)* | crains | as craint | craignais | craindras | craindrais | craignes | crains |
| craignant | craint | a craint | craignait | craindra | craindrait | craigne | |
| craint | craignons | avons craint | craignions | craindrons | craindrions | craignions | craignons |
| | craignez | avez craint | craigniez | craindrez | craindriez | craigniez | craignez |
| | craignent | ont craint | craignaient | craindront | craindraient | craignent | |
| **croire** | crois | ai cru | croyais | croirai | croirais | croie | |
| *(to believe)* | crois | as cru | croyais | croiras | croirais | croies | crois |
| croyant | croit | a cru | croyait | croira | croirait | croie | |
| cru | croyons | avons cru | croyions | croirons | croirions | croyions | croyons |
| | croyez | avez cru | croyiez | croirez | croiriez | croyiez | croyez |
| | croient | ont cru | croyaient | croiront | croiraient | croient | |
| **devoir** | dois | ai dû | devais | devrai | devrais | doive | |
| *(to have to;* | dois | as dû | devais | devras | devrais | doives | dois |
| *to owe)* | doit | a dû | devait | devra | devrait | doive | |
| devant | devons | avons dû | devions | devrons | devrions | devions | devons |
| dû | devez | avez dû | deviez | devrez | devriez | deviez | devez |
| | doivent | ont dû | devaient | devront | devraient | doivent | |
| **dire**** | dis | ai dit | disais | dirai | dirais | dise | |
| *(to say;* | dis | as dit | disais | diras | dirais | dises | dis |
| *to tell)* | dit | a dit | disait | dira | dirait | dise | |
| disant | disons | avons dit | disions | dirons | dirions | disions | disons |
| dit | dites | avez dit | disiez | direz | diriez | disiez | dites |
| | disent | ont dit | disaient | diront | diraient | disent | |
| **dormir**† | dors | ai dormi | dormais | dormirai | dormirais | dorme | |
| *(to sleep)* | dors | as dormi | dormais | dormiras | dormirais | dormes | dors |
| dormant | dort | a dormi | dormait | dormira | dormirait | dorme | |
| dormi | dormons | avons dormi | dormions | dormirons | dormirions | dormions | dormons |
| | dormez | avez dormi | dormiez | dormirez | dormiriez | dormiez | dormez |
| | dorment | ont dormi | dormaient | dormiront | dormiraient | dorment | |
| **écrire**†† | écris | ai écrit | écrivais | écrirai | écrirais | écrive | |
| *(to write)* | écris | as écrit | écrivais | écriras | écrirais | écrives | écris |
| écrivant | écrit | a écrit | écrivait | écrira | écrirait | écrive | |
| écrit | écrivons | avons écrit | écrivions | écrirons | écririons | écrivions | écrivons |
| | écrivez | avez écrit | écriviez | écrirez | écririez | écriviez | écrivez |
| | écrivent | ont écrit | écrivaient | écriront | écriraient | écrivent | |
| **envoyer** | envoie | ai envoyé | envoyais | enverrai | enverrais | envoie | |
| *(to send)* | envoies | as envoyé | envoyais | enverras | enverrais | envoies | envoie |
| envoyant | envoie | a envoyé | envoyait | enverra | enverrait | envoie | |
| envoyé | envoyons | avons envoyé | envoyions | enverrons | enverrions | envoyions | envoyons |
| | envoyez | avez envoyé | envoyiez | enverrez | enverriez | envoyiez | envoyez |
| | envoient | ont envoyé | envoyaient | enverront | enverraient | envoient | |

*Verbs like **craindre: atteindre, éteindre, plaindre**
**Verbs like **dire: contredire** (but: **vous contredisez**), **interdire** (but: **vous interdisez**), **prédire** (but: **vous prédisez**)
†Verbs like **dormir: mentir, partir, repartir, sentir, servir, sortir.** (**Partir, repartir,** and **sortir** are conjugated with **être** in the **passé composé.**)
††Verbs like **écrire: décrire**

| VERB | PRESENT | PASSÉ COMPOSÉ | IMPERFECT | FUTURE | CONDITIONAL | PRESENT SUBJUNCTIVE | IMPERATIVE |
|---|---|---|---|---|---|---|---|
| **faire** | fais | ai fait | faisais | ferai | ferais | fasse | |
| (*to do;* | fais | as fait | faisais | feras | ferais | fasses | fais |
| *to make*) | fait | a fait | faisait | fera | ferait | fasse | |
| faisant | faisons | avons fait | faisions | ferons | ferions | fassions | faisons |
| fait | faites | avez fait | faisiez | ferez | feriez | fassiez | faites |
| | font | ont fait | faisaient | feront | feraient | fassent | |
| **falloir** | il faut | il a fallu | il fallait | il faudra | il faudrait | il faille | |
| (*to be* | | | | | | | |
| *necessary*) | | | | | | | |
| fallu | | | | | | | |
| **lire** | lis | ai lu | lisais | lirai | lirais | lise | |
| (*to read*) | lis | as lu | lisais | liras | lirais | lises | lis |
| lisant | lit | a lu | lisait | lira | lirait | lise | |
| lu | lisons | avons lu | lisions | lirons | lirions | lisions | lisons |
| | lisez | avez lu | lisiez | lirez | liriez | lisiez | lisez |
| | lisent | ont lu | lisaient | liront | liraient | lisent | |
| **mettre*** | mets | ai mis | mettais | mettrai | mettrais | mette | |
| (*to put*) | mets | as mis | mettais | mettras | mettrais | mettes | mets |
| mettant | met | a mis | mettait | mettra | mettrait | mette | |
| mis | mettons | avons mis | mettions | mettrons | mettrions | mettions | mettons |
| | mettez | avez mis | mettiez | mettrez | mettriez | mettiez | mettez |
| | mettent | ont mis | mettaient | mettront | mettraient | mettent | |
| **mourir** | meurs | suis mort(e) | mourais | mourrai | mourrais | meure | |
| (*to die*) | meurs | es mort(e) | mourais | mourras | mourrais | meures | meurs |
| mourant | meurt | est mort(e) | mourait | mourra | mourrait | meure | |
| mort | mourons | sommes mort(e)s | mourions | mourrons | mourrions | mourions | mourons |
| | mourez | êtes mort(e)(s) | mouriez | mourrez | mourriez | mouriez | mourez |
| | meurent | sont mort(e)s | mouraient | mourront | mourraient | meurent | |
| **ouvrir**** | ouvre | ai ouvert | ouvrais | ouvrirai | ouvrirais | ouvre | |
| (*to open*) | ouvres | as ouvert | ouvrais | ouvriras | ouvrirais | ouvres | ouvre |
| ouvrant | ouvre | a ouvert | ouvrait | ouvrira | ouvrirait | ouvre | |
| ouvert | ouvrons | avons ouvert | ouvrions | ouvrirons | ouvririons | ouvrions | ouvrons |
| | ouvrez | avez ouvert | ouvriez | ouvrirez | ouvririez | ouvriez | ouvrez |
| | ouvrent | ont ouvert | ouvraient | ouvriront | ouvriraient | ouvrent | |
| **plaire** | plais | ai plu | plaisais | plairai | plairais | plaise | |
| (*to please*) | plais | as plu | plaisais | plairas | plairais | plaises | plais |
| plaisant | plaît | a plu | plaisait | plaira | plairait | plaise | |
| plu | plaisons | avons plu | plaisions | plairons | plairions | plaisions | plaisons |
| | plaisez | avez plu | plaisiez | plairez | plairiez | plaisiez | plaisez |
| | plaisent | ont plu | plaisaient | plairont | plairaient | plaisent | |
| **pleuvoir** | il pleut | il a plu | il pleuvait | il pleuvra | il pleuvrait | il pleuve | |
| (*to rain*) | | | | | | | |
| pleuvant | | | | | | | |
| plu | | | | | | | |
| **pouvoir** | peux (puis) | ai pu | pouvais | pourrai | pourrais | puisse | |
| (*to be able*) | peux | as pu | pouvais | pourras | pourrais | puisses | |
| pouvant | peut | a pu | pouvait | pourra | pourrait | puisse | |
| pu | pouvons | avons pu | pouvions | pourrons | pourrions | puissions | |
| | pouvez | avez pu | pouviez | pourrez | pourriez | puissiez | |
| | peuvent | ont pu | pouvaient | pourront | pourraient | puissent | |

*Verbs like **mettre**: permettre, promettre, remettre
**Verbs like **ouvrir**: couvrir, découvrir, offrir, souffrir

| VERB | PRESENT | PASSÉ COMPOSÉ | IMPERFECT | FUTURE | CONDITIONAL | PRESENT SUBJUNCTIVE | IMPERATIVE |
|---|---|---|---|---|---|---|---|
| **prendre*** | prends | ai pris | prenais | prendrai | prendrais | prenne | |
| (*to take*) | prends | as pris | prenais | prendras | prendrais | prennes | prends |
| prenant | prend | a pris | prenait | prendra | prendrait | prenne | |
| pris | prenons | avons pris | prenions | prendrons | prendrions | prenions | prenons |
| | prenez | avez pris | preniez | prendrez | prendriez | preniez | prenez |
| | prennent | ont pris | prenaient | prendront | prendraient | prennent | |
| **recevoir**** | reçois | ai reçu | recevais | recevrai | recevrais | reçoive | |
| (*to receive*) | reçois | as reçu | recevais | recevras | recevrais | reçoives | reçois |
| recevant | reçoit | a reçu | recevait | recevra | recevrait | reçoive | |
| reçu | recevons | avons reçu | recevions | recevrons | recevrions | recevions | recevons |
| | recevez | avez reçu | receviez | recevrez | recevriez | receviez | recevez |
| | reçoivent | ont reçu | recevaient | recevront | recevraient | reçoivent | |
| **rire**† | ris | ai ri | riais | rirai | rirais | rie | |
| (*to laugh*) | ris | as ri | riais | riras | rirais | ries | ris |
| riant | rit | a ri | riait | rira | rirait | rie | |
| ri | rions | avons ri | riions | rirons | ririons | riions | rions |
| | riez | avez ri | riiez | rirez | ririez | riiez | riez |
| | rient | ont ri | riaient | riront | riraient | rient | |
| **savoir** | sais | ai su | savais | saurai | saurais | sache | |
| (*to know*) | sais | as su | savais | sauras | saurais | saches | sache |
| sachant | sait | a su | savait | saura | saurait | sache | |
| su | savons | avons su | savions | saurons | saurions | sachions | sachons |
| | savez | avez su | saviez | saurez | sauriez | sachiez | sachez |
| | savent | ont su | savaient | sauront | sauraient | sachent | |
| **suivre** | suis | ai suivi | suivais | suivrai | suivrais | suive | |
| (*to follow*) | suis | as suivi | suivais | suivras | suivrais | suives | suis |
| suivant | suit | a suivi | suivait | suivra | suivrait | suive | |
| suivi | suivons | avons suivi | suivions | suivrons | suivrions | suivions | suivons |
| | suivez | avez suivi | suiviez | suivrez | suivriez | suiviez | suivez |
| | suivent | ont suivi | suivaient | suivront | suivraient | suivent | |
| **tenir**†† | tiens | ai tenu | tenais | tiendrai | tiendrais | tienne | |
| (*to hold;* | tiens | as tenu | tenais | tiendras | tiendrais | tiennes | tiens |
| *to keep*) | tient | a tenu | tenait | tiendra | tiendrait | tienne | |
| tenant | tenons | avons tenu | tenions | tiendrons | tiendrions | tenions | tenons |
| tenu | tenez | avez tenu | teniez | tiendrez | tiendriez | teniez | tenez |
| | tiennent | ont tenu | tenaient | tiendront | tiendraient | tiennent | |
| **venir**‡ | viens | suis venu(e) | venais | viendrai | viendrais | vienne | |
| (*to come*) | viens | es venu(e) | venais | viendras | viendrais | viennes | viens |
| venant | vient | est venu(e) | venait | viendra | viendrait | vienne | |
| venu | venons | sommes venu(e)s | venions | viendrons | viendrions | venions | venons |
| | venez | êtes venu(e)(s) | veniez | viendrez | viendriez | veniez | venez |
| | viennent | sont venu(e)s | venaient | viendront | viendraient | viennent | |

*Verbs like **prendre: apprendre, comprendre, surprendre**
**Verbs like **recevoir: apercevoir, s'apercevoir de, décevoir**
†Verbs like **rire: sourire**
††Verbs like **tenir: maintenir, obtenir**
‡Verbs like **venir: devenir, revenir, se souvenir de**

| VERB | PRESENT | PASSÉ COMPOSÉ | IMPERFECT | FUTURE | CONDITIONAL | PRESENT SUBJUNCTIVE | IMPERATIVE |
|---|---|---|---|---|---|---|---|
| **vivre*** | vis | ai vécu | vivais | vivrai | vivrais | vive | |
| (*to live*) | vis | as vécu | vivais | vivras | vivrais | vives | vis |
| vivant | vit | a vécu | vivait | vivra | vivrait | vive | |
| vécu | vivons | avons vécu | vivions | vivrons | vivrions | vivions | vivons |
| | vivez | avez vécu | viviez | vivrez | vivriez | viviez | vivez |
| | vivent | ont vécu | vivaient | vivront | vivraient | vivent | |
| **voir**** | vois | ai vu | voyais | verrai | verrais | voie | |
| (*to see*) | vois | as vu | voyais | verras | verrais | voies | vois |
| voyant | voit | a vu | voyait | verra | verrait | voie | |
| vu | voyons | avons vu | voyions | verrons | verrions | voyions | voyons |
| | voyez | avez vu | voyiez | verrez | verriez | voyiez | voyez |
| | voient | ont vu | voyaient | verront | verraient | voient | |
| **vouloir** | veux | ai voulu | voulais | voudrai | voudrais | veuille | |
| (*to wish,* | veux | as voulu | voulais | voudras | voudrais | veuilles | veuille |
| *want*) | veut | a voulu | voulait | voudra | voudrait | veuille | |
| voulant | voulons | avons voulu | voulions | voudrons | voudrions | voulions | veuillons |
| voulu | voulez | avez voulu | vouliez | voudrez | voudriez | vouliez | veuillez |
| | veulent | ont voulu | voulaient | voudront | voudraient | veuillent | |

*Like **vivre: survivre**
**Like **voir: prévoir, revoir**

# Appendix D

## Answers to grammar exercises

### PREMIÈRE ÉTAPE

**Ex. 1.** 1. oui 2. non 3. non 4. oui 5. oui 6. non 7. oui 8. non **Ex. 2.** 1. c 2. a 3. b 4. d **Ex. 3.** 1. petit, petite 2. grande, grand 3. vieille 4. beau 5. noir 6. brune **Ex. 4.** 1. un, Le 2. un, L' 3. un, un, un, le 4. une, une, une 5. une, la 6. une, la **Ex. 5.** 1. Je, je 2. Il 3. Elle, Ils 4. nous 5. Elles 6. Tu **Ex. 6.** 1. suis 2. est 3. sommes 4. sont 5. es 6. êtes **Ex. 7.** 1. ne sont pas 2. n'es pas 3. n'êtes pas 4. ne suis pas 5. ne sommes pas 6. n'est pas **Ex. 8.** 1. L' 2. Les 3. Les 4. La 5. Le **Ex. 9.** 1. une, une 2. une, un, un, un 3. des, des 4. un, des, un, des 5. une, un, une, un **Ex. 10.** 1. a 2. a 3. b 4. a 5. b

### DEUXIÈME ÉTAPE

**Ex. 1.** 1. des 2. un 3. des 4. un 5. des 6. de 7. de **Ex. 2.** 1. Oui, il y a une bicyclette. (Non, il n'y a pas de bicyclette.) 2. Oui, il y a une grande fenêtre. (Non, il n'y a pas de grande fenêtre.) 3. Oui, il y a une horloge. (Non, il n'y a pas d'horloge.) 4. Oui, il y a une plante. (Non, il n'y a pas de plante.) 5. Oui, il y a un bureau. (Non, il n'y a pas de bureau.) 6. Oui, il y a une lampe. (Non, il n'y a pas de lampe.) 7. Oui, il y a un ordinateur. (Non, il n'y a pas d'ordinateur.) 8. Oui, il y a un projecteur. (Non, il n'y a pas de projecteur.) **Ex. 3.** 1. Qui est-ce 2. Qu'est-ce que c'est 3. Qui est-ce 4. Qui est-ce 5. Qu'est-ce 6. Qu'est-ce que c'est **Ex. 4.** 1. c 2. e 3. a 4. b 5. d **Ex. 5.** 1. Il est quatre heures vingt. 2. Il est quatre heures moins vingt. 3. Il est huit heures treize. 4. Il est cinq heures et demie. 5. Il est midi. 6. Il est neuf heures moins dix. 7. Il est onze heures moins le quart. 8. Il est sept heures sept. 9. Il est six heures et quart. 10. Il est une heure dix. **Ex. 6.** 1. Il est quinze heures. Il est trois heures de l'après-midi. 2. Il est sept heures quinze. Il est sept heures et quart du matin. 3. Il est treize heures trente. Il est une heure et demie de l'après-midi. 4. Il est vingt heures. Il est huit heures du soir. 5. Il est vingt-deux heures trente. Il est dix heures et demie du soir. 6. Il est dix heures quarante-cinq. Il est onze heures moins le quart du matin. 7. Il est dix-huit heures vingt. Il est six heures vingt du soir. 8. Il est dix-neuf heures. Il est sept heures du soir. 9. Il est seize heures quarante-cinq. Il est cinq heures moins le quart de l'après-midi. 10. Il est onze heures cinquante. Il est midi moins dix. **Ex. 7.** 1. avons 2. avons 3. ai 4. a 5. ont 6. avez 7. avez 8. as 9. as **Ex. 8.** 1. des, de 2. un, de 3. un, de 4. un, de 5. un, de 6. un, d' **Ex. 9.** 1. Oui, j'ai un dictionnaire français. (Non, je n'ai pas de dictionnaire français.) 2. Oui, j'ai un appartement. (Non, je n'ai pas d'appartement.) 3. Oui, j'ai des amis français. (Non, je n'ai pas d'amis français.) 4. Oui, j'ai une télévision dans ma chambre. (Non, je n'ai pas de télévision dans ma chambre.) 5. Oui, j'ai une bicyclette. (Non, je n'ai pas de bicyclette.) 6. Oui, j'ai un cours de biologie. (Non, je n'ai pas de cours de biologie.) 7. Oui, j'ai des cours ennuyeux.

(Non, je n'ai pas de cours ennuyeux.) 8. Oui, j'ai une guitare. (Non, je n'ai pas de guitare.) **Ex. 10.** 1. une 2. un 3. une 4. un 5. une 6. un 7. une 8. une 9. une 10. un **Ex. 11.** 1. Daniel est sympathique et intelligent. 2. Barbara est sportive et généreuse. 3. Louis est beau et raisonnable. 4. Albert est grand et mince. 5. Denise est blonde et belle. 6. Jacqueline est petite et intelligente. **Ex. 12.** 1. Juliette Binoche est (n'est pas) belle. Un tigre est (n'est pas) beau. Une vieille Ford est (n'est pas) belle. Une peinture de Matisse est (n'est pas) belle. 2. Le chocolat est (n'est pas) bon. La programmation à la radio publique est (n'est pas) bonne. La télévision est (n'est pas) bonne. Le fast-food est (n'est pas) bon. 3. Une motocyclette est (n'est pas) dangereuse. Une bombe est dangereuse. Le tennis est (n'est pas) dangereux. La politique est (n'est pas) dangereuse. 4. Un livre de science-fiction est (n'est pas) amusant. La politique est (n'est pas) amusante. Un examen de physique est (n'est pas) amusant. Une comédie est amusante. 5. L'astronomie est vieille. Le Louvre est vieux. Le président américain est (n'est pas) vieux. L'université où je suis est (n'est pas) vieille. **Ex. 13.** *Answers may vary.* 1. sérieux, nerveux, intelligents, amusants 2. patient, intéressant, raisonnable, amusant 3. long, compliqué, amusant, intéressant 4. beaux, amusants, sportifs, individualistes 5. belle, compliquée, facile, mystérieuse

### CHAPITRE 1

**Ex. 1.** 1. ta, tes 2. Mon, mes 2. tes, Ma, mon 3. ta, son, ses 4. Ton, son **Ex. 2.** *Answers may vary.* 1. Il y a trente garçons dans notre classe. 2. Nos camarades de classe sont timides (extravertis). 3. Notre professeur s'appelle... 4. Notre cours est à... heures. 5. Nos devoirs sont difficiles (faciles). **Ex. 3.** 1. Ses 2. Sa 3. Son, son 4. Leur 5. ses, Son **Ex. 4.** 1. aime 2. aiment 3. aimons 4. aime 5. aimez 6. aimes **Ex. 5.** *Answers may vary.* 1. Mes amis aiment surfer sur Internet, mais ils aiment aussi regarder la télé. (Mes amis n'aiment pas surfer sur Internet, mais ils aiment regarder la télé.) 2. Ma mère aime jouer du piano, mais elle aime aussi lire des livres. (Ma mère n'aime pas jouer du piano, mais elle aime lire des livres.) 3. Mon père aime écouter du rock, mais il aime aussi écouter de la musique classique. (Mon père n'aime pas écouter du rock, mais il aime écouter de la musique classique.) 4. Mon petit ami / Ma petite amie aime faire une promenade, mais il/elle aime aussi lire le journal. (Mon petit ami / Ma petite amie n'aime pas faire une promenade, mais il/elle aime lire le journal.) 5. Mon professeur de français aime aller au cinéma, mais il/elle aime aussi regarder la télé. (Mon professeur de français n'aime pas aller au cinéma, mais il/elle aime regarder la télé.) 6. J'aime jouer au tennis le week-end, mais j'aime aussi danser. (Je n'aime pas jouer au

tennis le week-end, mais j'aime danser.) **Ex. 6.** 1. Quel âge a Francis Lasalle? Il a soixante-dix ans. 2. Quel âge a Claudine Colin? Elle a quarante-cinq ans. 3. Quel âge a Victor Colin? Il a quarante-sept ans. 4. Quel âge ont Marise et Clarisse? Elles ont dix-neuf ans. 5. Quel âge a Charles? Il a dix-sept ans. 6. Quel âge a Emmanuel? Il a quatorze ans. **Ex. 7.** 1. zéro deux, soixante-cinq, dix, quatre-vingts, trente 2. zéro trois, quatre-vingt-sept, cinquante-trois, quarante, seize 3. zéro un, vingt, cinquante-cinq, soixante-dix, quatre-vingt-un 4. zéro un, quatre-vingt-dix-huit, soixante-quinze, vingt et un, soixante 5. zéro deux, soixante-dix-sept, trente-huit, quatre-vingt-deux, quatre-vingt-dix-sept 6. zéro quatre, quatre-vingt-onze, dix-huit, trente-neuf, soixante-dix-huit 7. zéro quatre, quarante-cinq, soixante-deux, quatre-vingt-six, quarante-trois 8. zéro trois, quatre-vingt-trois, soixante-seize, soixante-quatre, quatre-vingt-dix 9. zéro deux, cinquante-trois, soixante-sept, zéro sept, onze **Ex. 8.** 1. quarante-quatre mille 2. soixante-sept mille 3. soixante-neuf mille neuf 4. treize mille deux 5. cinquante-neuf mille 6. soixante-quatre mille deux cents 7. soixante-quinze mille quinze 8. trente-trois mille **Ex. 9.** 1. Quelle est la date de naissance d'Elvis Presley? C'est le 8 janvier 1935 (le huit janvier mille neuf cent trente-cinq). 2. Quelle est la date de naissance de Serena Williams? C'est le 26 septembre 1981 (le vingt-six septembre mille neuf cent quatre-vingt-un). 3. Quelle est la date de naissance de Frédéric Chopin? C'est le 1er mars 1810 (le premier mars mille huit cent dix). 4. Quelle est la date de naissance de Paul McCartney? C'est le 18 juin 1942 (le dix-huit juin mille neuf cent quarante-deux). 5. Quelle est la date de naissance de Sigmund Freud? C'est le 6 mai 1856 (le six mai mille huit cent cinquante-six). 6. Quelle est la date de naissance de Mickey Mouse? C'est le 18 novembre 1928 (le dix-huit novembre mille neuf cent vingt-huit). 7. Quelle est la date de naissance de Magic Johnson? C'est le 14 août 1959 (le quatorze août mille neuf cent cinquante-neuf). 8. Quelle est la date de naissance d'Yves Saint-Laurent? C'est le 1er août 1936 (le premier août mille neuf cent trente-six). 9. Quelle est la date de naissance de MC Solaar? C'est le 5 mars 1969 (le cinq mars mille neuf cent soixante-neuf). 10. Quelle est la date de naissance d'Édith Piaf? C'est le 19 décembre 1915 (le dix-neuf décembre mille neuf cent quinze). **Ex. 10.** 1. vient 2. viennent 3. vient, vient 4. viennent 5. venons 6. viens, viens **Ex. 11.** 1. nage 2. parle 3. parles 4. dînons 5. travaille 6. habitent 7. chantons 8. voyage 9. jouent 10. invitent **Ex. 12.** 1. a. travailles; Oui, je travaille... (Non, je ne travaille pas...) b. parles; Oui, je parle... (Non, je ne parle pas... ) 2. a. regardons; Oui, nous regardons... (Non, nous ne regardons pas... ) b. dînons; Oui, nous dînons... (Non, nous ne dînons pas... ) 3. a. écoutent; Oui, ils écoutent... (Non, ils n'écoutent pas... ) b. jouent; Oui, ils jouent... (Non, ils ne jouent pas... ) 4. a. étudiez; Oui, nous étudions... (Non, nous n'étudions pas... ) b. préparez; Oui, nous préparons... (Non, nous ne préparons pas... ) 5. a. habite; Oui, j'habite... (Non, je n'habite pas... ) b. déjeune; Oui, je déjeune... (Non, je ne déjeune pas... ) 6. a. donnent; Oui, ils donnent... (Non, ils ne donnent pas... ) b. parle; Oui, il parle... (Non, il ne parle pas... ) **Ex. 13.** 1. de Paul 2. des petites filles 3. de la femme blonde 4. de M^me Haddad 5. du cousin de mon père 6. de Claire **Ex. 14.** 1. La grand-mère, c'est la femme du grand-père. 2. La tante, c'est la femme de l'oncle. 3. Le cousin, c'est le fils de l'oncle et de la tante. 4. La belle-sœur, c'est la femme du frère. 5. Le grand-père, c'est le père de la mère ou du père. 6. L'oncle, c'est le père du cousin (des cousins) (de la cousine) (des cousines).

## CHAPITRE 2

**Ex. 1.** 1. font, font 2. fais, fais 3. fait 4. fait 5. faites, faites 6. faites **Ex. 2.** 1. Est-ce que tu te lèves tôt? Oui, je me lève tôt. (Non, je ne me lève pas tôt. / Non, je me lève tard.) 2. Est-ce que tu te maquilles tous les jours? Oui, je me maquille tous les jours. (Non, je ne me maquille pas tous les jours.) 3. Est-ce que tu te laves les cheveux tous les jours? Oui, je me lave les cheveux tous les jours. (Non, je ne me lave pas les cheveux tous les jours. / Non, je me lave les cheveux trois fois par semaine.) 4. Est-ce que tu te brosses les dents trois fois par jour? Oui, je me brosse les dents trois fois par jour. (Non, je ne me brosse pas les dents trois fois par jour. / Non, je me brosse les dents deux fois par jour.) 5. Tu aimes te coucher tard? Oui, j'aime me coucher tard. (Non, je n'aime pas me coucher tard. / Non, j'aime me coucher tôt.) 6. Tu préfères te doucher le soir? Oui, je préfère me doucher le soir. (Non, je ne préfère pas me doucher le soir. / Non, je préfère me doucher le matin.) 7. Tu aimes te détendre après les cours? Oui, j'aime me détendre après les cours. (Non, je n'aime pas me détendre après les cours.) 8. Tu préfères te lever tard le week-end? Oui, je préfère me lever tard le week-end. (Non, je ne préfère pas me lever tard le week-end. / Non, je préfère me lever tôt le week-end.) **Ex. 3.** 1. Oui, en général, les étudiants s'amusent bien le vendredi soir. Mes copains et moi, nous nous amusons bien le vendredi soir (nous ne nous amusons pas le vendredi soir / nous nous amusons le samedi soir). 2. Oui, en général, les étudiants s'habillent toujours en jean. Mes copains et moi, nous nous habillons toujours en jean (nous ne nous habillons pas toujours en jean). 3. Oui, en général, les étudiants ne se reposent pas assez. Mes copains et moi, nous ne nous reposons pas assez (nous nous reposons assez). 4. Oui, en général, les étudiants se couchent après minuit. Mes copains et moi, nous nous couchons après minuit (nous ne nous couchons pas après minuit). 5. Oui, en général, les étudiants se lèvent tard le week-end. Mes copains et moi, nous nous levons tard le week-end (nous ne nous levons pas tard le week-end). **Ex. 4.** 1. vais 2. allons 3. allez 4. vont 5. vas 6. va **Ex. 5.** *Answers in all cases:* Oui, j'y vais souvent/quelquefois. (Non, je n'y

vais pas.) 1. Tu vas à la piscine? 2. Tu vas au théâtre? 3. Tu vas au bar? 4. Tu vas à l'hôpital? 5. Tu vas au gymnase? 6. Tu vas à la banque? 7. Tu vas au café? 8. Tu vas à l'église? **Ex. 6.** *Answers may vary.* 1. Ce soir, je vais faire mes devoirs. / je vais sortir avec des amis. (Ce soir, je vais regarder la télé. Je suis fatigué[e].) 2. Demain matin, je vais me lever à 7 h. / je vais dormir jusqu'à 9 h. (Demain matin, je vais rester au lit. C'est le week-end.) 3. Demain soir, je vais regarder mon émission préférée à la télé. / je vais me coucher de bonne heure. (Demain soir, je vais sortir avec des amis.) 4. Ce week-end, mes amis vont faire du ski. / mes amis vont regarder un DVD ensemble. (Ce week-end, ils vont se promener à la campagne. Il va faire beau.) 5. Samedi soir, il/elle va rester à la maison et jouer aux cartes. / il/elle va aller à un concert. (Samedi soir, il/elle va dîner au restaurant. Il/Elle ne va pas faire la cuisine!) **Ex. 7.** 1. Oui, on regarde beaucoup la télévision. 2. Non, on ne mange pas toujours des hamburgers. 3. Non, on ne va pas au restaurant tous les jours. 4. Non, on ne dîne pas à huit heures du soir. 5. Oui, on aime les films français. 6. Non, on ne fait pas de promenades en famille le dimanche après-midi. 7. Oui, on aime parler de (la) politique. (Non, on n'aime pas parler de [la] politique.) 8. Oui, on étudie beaucoup la géographie. (Non, on n'étudie pas beaucoup la géographie.) **Ex. 8.** 1. Oui, je veux aller en Europe l'été prochain. (Non, je ne veux pas aller en Europe l'été prochain.) Oui, je peux aller en Europe l'été prochain. (Non, je ne peux pas aller en Europe l'été prochain.) 2. Oui, mes parents veulent passer l'hiver en Floride. (Non, mes parents ne veulent pas passer l'hiver en Floride.) Oui, mes parents peuvent passer l'hiver en Floride. (Non, mes parents ne peuvent pas passer l'hiver en Floride.) 3. Oui, le professeur veut se lever tard en semaine. (Non, le professeur ne veut pas se lever tard en semaine.) Oui, le professeur peut se lever tard en semaine. (Non, le professeur ne peut pas se lever tard en semaine.) 4. Oui, nous voulons comprendre un film en français. Oui, nous pouvons comprendre un film en français. 5. Oui, mon ami(e) veut m'aider avec mes devoirs de français. (Non, mon ami[e] ne veut pas m'aider avec mes devoirs de français.) Oui, il/elle peut m'aider avec mes devoirs de français. (Non, il/elle ne peut pas m'aider avec mes devoirs de français.) **Ex. 9.** 1. Oui, je voudrais dîner dans un bon restaurant français. (Non, je ne voudrais pas dîner dans un bon restaurant français.) 2. Oui, je voudrais manger des escargots. (Non, je ne voudrais pas manger des escargots / d'escargots.) 3. Oui, je voudrais habiter à Paris. (Non, je ne voudrais pas habiter à Paris.) 4. Oui, je voudrais faire de la plongée sous-marine. (Non, je ne voudrais pas faire de [la] plongée sous-marine.) 5. Oui, je voudrais visiter une autre planète. (Non, je ne voudrais pas visiter une autre planète.) 6. Oui, je voudrais être président(e) des États-Unis. (Non, je ne voudrais pas être président[e] des États-Unis.) **Ex. 10.** 1. savez; Oui, je sais faire de l'escalade. (Non, je ne sais pas faire de l'escalade.) 2. sait; Oui, il sait faire la cuisine. (Non, il ne sait pas faire la cuisine.) 3. sait; Oui, elle sait réparer une voiture. (Non, elle ne sait pas réparer une voiture.) 4. savez; Oui, nous

savons jouer au billard. (Non, nous ne savons pas jouer au billard.) 5. savent; Oui, ils savent utiliser un ordinateur. (Non, ils ne savent pas utiliser un ordinateur.) 6. Savez; Oui, je sais / nous savons allumer un feu. (Non, je ne sais pas / nous ne savons pas allumer un feu.)

## CHAPITRE 3

**Ex. 1.** 1. Le bureau de M^me Martin est *devant* le tableau noir. 2. Les livres de M^me Martin sont *sur* son bureau. 3. ... Elle est *devant* la classe. 4. ... Elle est *près du* tableau. 5. ... Les papiers de Daniel sont *à côté des* papiers d'Albert. 6. ... Il regarde un match de football dans le parc *en face de* la salle de classe. 7. Barbara est trop *loin du* tableau; ... . 8. La salle 300A se trouve *entre* les salles 300 et 301. **Ex. 2.** 1. c 2. e 3. a 4. h 5. b 6. g 7. f 8. d **Ex. 3.** 1. Comment 2. Que 3. Où 4. Que 5. Qui 6. Comment 7. Comment 8. Comment 9. Quand 10. Pourquoi **Ex. 4.** 1. Où est-ce qu'ils logent? (Où logent-ils?) 2. Comment est-ce qu'ils se déplacent? (Comment se déplacent-ils?) 3. Pourquoi est-ce qu'ils sont contents? (Pourquoi sont-ils contents?) 4. Quand est-ce qu'ils quittent Paris? (Quand quittent-ils Paris?) 5. Qu'est-ce qu'ils veulent visiter? (Que veulent-ils visiter?) 6. Qu'est-ce qu'ils achètent pour leurs amis? (Qu'achètent-ils pour leurs amis?) 7. Quel musée est-ce qu'ils visitent? (Quel musée visitent-ils?) 8. Quels restaurants est-ce qu'ils préfèrent? (Quels restaurants préfèrent-ils?) 9. Quel est le numéro de l'hôtel? **Ex. 5.** 1. prends 2. prennent 3. apprends 4. comprends 5. prendre 6. comprennent 7. apprenons (comprenons) 8. Prenez **Ex. 6.** 1. Julien et son amie prennent du vin. Moi, je prends du vin de temps en temps. (Moi, je ne prends jamais de vin.) 2. Denise voudrait apprendre à faire du ski. Moi, je (ne) voudrais (pas) apprendre à faire du ski. 3. Joël prend trop de risques. Moi, je prends quelquefois trop de risques. (Moi, je ne prends jamais trop de risques.) 4. Barbara ne comprend pas la leçon. Moi, je comprends toujours la leçon. (Moi, je ne comprends pas toujours la leçon.) 5. Jean-Yves et ses camarades prennent un café. Moi, je prends souvent un café. (Moi, je ne prends pas souvent un/de café.) 6. Nathalie prend un bain. Moi, je prends quelquefois un bain. (Moi, je ne prends jamais de bain.) **Ex. 7.** *Answers may vary.* 1. Alors, tu dois aller au travail à pied / appeler un taxi / prendre le bus / te déplacer à bicyclette. 2. Vous devez appeler un taxi. 3. Bon, vous devez étudier le plan du métro de la ville. 4. On doit arriver plus tôt. 5. Il doit aller au travail à pied / se déplacer à bicyclette. **Ex. 8.** 1. Ce, ces 2. Ces, ces 3. Cette 4. Ces, Cette, ce 5. Ces, cette 6. Cette 7. Ce, cet **Ex. 9.** 1. un, des, des 2. des 3. de l', du, du, de la 4. de 5. du, de l' 6. de l' **Ex. 10.** *Answers may vary.* 1. Je prends du lait / du café / du vin / de l'eau minérale. 2. Je prends une tasse de thé / de chocolat chaud / de café / d'eau chaude. 3. Je ne prends jamais de whisky / de champagne / de coca / de café. 4. J'aime commander de la bière / du jus de fruits / du coca / du vin. 5. J'aime prendre un verre de thé glacé / de coca / d'eau froide / de jus de fruits. 6. Je prends de l'eau / du jus de fruits / du thé / du coca. **Ex. 11.** *Answers may vary.* 1. Oui, je cours régulièrement. (Non, je ne cours pas régulièrement.) a. Je cours tous les matins, en été comme en hiver, dans un parc qui se trouve près de chez moi. b. Je ne cours pas parce que j'ai des problèmes de santé. Je fais d'autres sports. 2. Oui, ma mère court deux ou trois fois par semaine dans un gymnase. Mon père et mon frère ne courent pas. Ils préfèrent regarder des émissions de sport à la télé! 3. J'ai quelques amis qui courent, mais nous ne courons pas souvent ensemble parce que nous n'avons pas le(s) même(s) emploi(s) du temps. 4. On court pour rester en forme et pour oublier ses problèmes. On court aussi pour maigrir. **Ex. 12.** 1. Tu pars en vacances en été? Oui, je pars en vacances en été. (Non, je ne pars pas en vacances en été.) 2. Tu sors du cinéma si un film est mauvais? Oui, je sors du cinéma si un film est mauvais. (Non, je ne sors pas du cinéma si un film est mauvais.) 3. Tu cours dans des marathons? Oui, je cours dans des marathons. (Non, je ne cours pas dans des marathons.) 4. Tu sers du vin chez toi? Oui, je sers du vin chez moi. (Non, je ne sers pas de vin chez moi.) 5. Tu mens quand tu ne veux pas révéler un secret? Oui, je mens quand je ne veux pas révéler un secret. (Non, je ne mens pas quand je ne veux pas révéler un secret.) 6. Tu sens les fruits au supermarché? Oui, je sens les fruits au supermarché. (Non, je ne sens pas les fruits au supermarché.) 7. Tu sors souvent le samedi soir? Oui, je sors souvent le samedi soir. (Non, je ne sors pas souvent le samedi soir.) 8. Tu dors pendant la journée quelquefois? Oui, je dors pendant la journée quelquefois. (Non, je ne dors jamais pendant la journée.) *Second part; answers may vary.* 1. Vous partez en vacances en été? Oui, nous partons en vacances en été. (Non, nous ne partons pas en vacances en été.) 2. Vous sortez du cinéma si un film est mauvais? Oui, nous sortons du cinéma si un film est mauvais. (Non, nous ne sortons pas du cinéma si un film est mauvais.) 3. Vous courez dans des marathons? Oui, nous courons dans des marathons. (Non, nous ne courons pas dans des marathons.) 4. Vous servez du vin chez vous? Oui, nous servons parfois du vin chez nous. (Non, nous ne servons pas de vin chez nous.) 5. Vous mentez quand vous ne voulez pas révéler un secret? Oui, nous mentons quelquefois... (Non, nous ne mentons jamais... ) 6. Vous sentez les fruits au supermarché? Oui, nous sentons les fruits... (Non, nous ne sentons pas les fruits... ) 7. Vous sortez souvent le samedi soir? Oui, nous sortons souvent le samedi soir. (Non, nous ne sortons pas souvent le samedi soir.) 8. Vous dormez pendant la journée quelquefois? Oui, nous dormons pendant la journée quelquefois. (Non, nous ne dormons jamais pendant la journée.) **Ex. 13.** *Answers may vary.* 1. Non, ils ne sortent pas seuls la nuit. (Si, ils sortent quelquefois seuls la nuit.) Moi, je ne sors jamais seul(e). 2. Au printemps, beaucoup d'étudiants américains partent en vacances en Floride, mais la majorité des étudiants ne partent pas en vacances. Moi, je pars en vacances en Californie. 3. Non, la plupart des Américains ne partent pas en Europe en été. Moi, je pars à la campagne. 4. Non, ils ne sortent pas tous les soirs. Moi, je sors seulement le week-end. 5. Non, ils s'endorment vers neuf ou dix heures. Moi, je m'endors vers onze heures. 6. Si, ils servent souvent du vin au dîner. Moi, je sers quelquefois du vin au dîner. 7. Oui, beaucoup d'Américains

courent pour être en forme, mais la majorité des gens ne font pas assez d'exercice. Moi, je préfère nager.

## CHAPITRE 4

**Ex. 1.** 1. une vieille maison 2. une belle cheminée 3. un petit réfrigérateur 4. une bonne cuisinière 5. un grand sauna 6. un nouveau numéro de téléphone **Ex. 2.** 1. Tu as une petite chambre, n'est-ce pas? Mais non, j'ai une grande chambre. 2. Tu as un nouvel appartement, n'est-ce pas? Mais non, j'ai un vieil appartement. 3. Tu as un vieux jean, n'est-ce pas? Mais non, j'ai un nouveau jean. 4. Tu as des nouvelles chaussures, n'est-ce pas? Mais non, j'ai des vieilles chaussures. 5. Tu as une grande étagère, n'est-ce pas? Mais non, j'ai une petite étagère. 6. Tu as un bon dictionnaire de français, n'est-ce pas? Mais non, j'ai un mauvais dictionnaire de français. 7. Tu as un jeune professeur de français, n'est-ce pas? Mais non, j'ai un vieux professeur de français. 8. Tu as des nouveaux amis, n'est-ce pas? Mais non, j'ai des vieux amis. **Ex. 3.** *Answers may vary.* 1. Un lave-vaisselle est aussi utile qu'un réfrigérateur, mais un réfrigérateur est plus important qu'un lave-vaisselle. 2. Un appartement est moins cher qu'une maison, mais une maison est plus agréable qu'un appartement. 3. Un aspirateur est plus important qu'un four à micro-ondes, mais un four à micro-ondes est plus pratique qu'un aspirateur. 4. Un immeuble moderne est plus confortable qu'un vieil immeuble, mais un vieil immeuble est plus beau qu'un immeuble moderne. 5. Un téléphone portable est plus utile qu'un téléphone fixe, mais un téléphone fixe est moins cher qu'un téléphone portable. 6. Un répondeur téléphonique est plus utile qu'un lecteur DVD, mais un lecteur DVD est plus amusant qu'un répondeur téléphonique. **Ex. 4.** 1. plus de 2. plus de 3. moins d' 4. autant de 5. moins de 6. plus de 7. plus de 8. autant de **Ex. 5.** 1. bon (mauvais) 2. bonne (mauvaise) 3. bonne (mauvaise) 4. bien (mal) 5. mauvaise 6. mal 7. bien (mal) **Ex. 6.** *Answers may vary.* 1. Oui, les étudiants d'aujourd'hui sont moins bons que les étudiants d'il y a vingt ans. (Non, les étudiants d'aujourd'hui sont meilleurs / aussi bons que les étudiants d'il y a vingt ans.) 2. Oui, les diplômés d'aujourd'hui sont moins bien préparés pour le monde du travail que leurs parents. (Non, les diplômés d'aujourd'hui sont mieux / aussi bien préparés pour le monde du travail que leurs parents.) 3. Oui, mes notes en maths sont meilleures que mes notes en français. (Non, mes notes en maths sont moins bonnes /aussi bonnes que mes notes en français.) 4. Oui, en général, les petites universités sont moins bonnes que les grandes. (Non, en général, les petites universités sont meilleures / aussi bonnes que les grandes.) 5. Oui, je travaille mieux à la bibliothèque que chez moi. (Non, je travaille moins bien / aussi bien à la bibliothèque que chez moi.) 6. Oui, les jeunes professeurs sont meilleurs que les professeurs plus âgés. (Non, les jeunes professeurs sont moins bons / aussi bons que les professeurs plus âgés.) **Ex. 7.** *The second part of the answer may vary.* 1. réfléchit; Moi, je (ne) réfléchis (pas) avant de parler. 2. finit; Moi, je (ne) finis (pas) toujours mes devoirs. 3. obéit;

Moi, j'obéis / je n'obéis pas toujours à ma conscience. 4. choisissent; Dans notre classe aussi, nous choisissons nos partenaires pour travailler en groupes. 5. réussissent; Dans notre classe aussi, en général, nous réussissons à nos examens. 6. finissent; Dans notre classe aussi, nous allons au café quand nous finissons nos cours. **Ex. 8.** 1. Chez toi, est-ce que tu mets la table pour dîner? Oui, je mets la table pour dîner. (Non, je ne mets pas la table pour dîner.) 2. Chez toi, est-ce que tu prends le petit déjeuner dans la cuisine? Oui, je prends le petit déjeuner dans la cuisine. (Non, je ne prends pas le petit déjeuner dans la cuisine.) 3. Chez toi, est-ce que tu tonds le gazon en été? Oui, je tonds le gazon en été. (Non, je ne tonds pas le gazon en été.) 4. Chez toi, est-ce que tu permets au chien de dormir sur ton lit? Oui, je permets au chien de dormir sur mon lit. (Non, je ne permets pas au chien de dormir sur mon lit.) 5. Chez toi, est-ce que tu apprends à faire la cuisine? Oui, j'apprends à faire la cuisine. (Non, je n'apprends pas à faire la cuisine.) 6. Chez toi, est-ce que tu ranges ta chambre tous les jours? Oui, je range ma chambre tous les jours. (Non, je ne range pas ma chambre tous les jours.) 7. Chez toi, est-ce que tu réponds toujours au téléphone? Oui, je réponds toujours au téléphone. (Non, je ne réponds pas toujours au téléphone.) 8. Chez toi, est-ce que tu perds souvent tes clés? Oui, je perds souvent mes clés. (Non, je ne perds pas souvent mes clés.) *Second part.* 1. Chez vous, est-ce que vous mettez la table pour dîner? 2. Chez vous, est-ce que vous prenez le petit déjeuner dans la cuisine? 3. Chez vous, est-ce que vous tondez le gazon en été? 4. Chez vous, est-ce que vous permettez au chien de dormir sur votre lit? 5. Chez vous, est-ce que vous apprenez à faire la cuisine? 6. Chez vous, est-ce que vous rangez votre chambre tous les jours? 7. Chez vous, est-ce que vous répondez toujours au téléphone? 8. Chez vous, est-ce que vous perdez souvent vos clés? **Ex. 9.** 1. vendent; a. vend (ne vend pas) ses livres... b. vendons (ne vendons pas) nos livres... 2. attendent; a. attend (n'attend pas)... b. attendons (n'attendons pas)... 3. remettent; a. remet (ne remet pas)... b. remettons (ne remettons pas)... 4. perdent; a. perd (ne perd pas)... b. perdons (ne perdons pas)... 5. permettent; a. permet (ne permet pas)... b. permettons (ne permettons pas)... 6. rendent; a. rend (ne rend pas)... b. rend (ne rend pas)... **Ex. 10.** 1. La voilà! 2. Les voilà! 3. La voilà! 4. Le voilà! 5. Les voilà! 6. La voilà! **Ex. 11.** *Answers may vary.* 1. Oui, je les arrose quelquefois / souvent / une fois par semaine. (Non, moi, je ne les arrose jamais, mais ma sœur les arrose.) 2. Oui, je la fais quelquefois / souvent / une fois par semaine. (Non, moi, je ne la fais jamais, mais mon père la fait.) 3. Oui, je le fais quelquefois / souvent / une fois par semaine. (Non, moi, je ne le fais jamais, mais ma mère le fait.) 4. Oui, je les repasse quelquefois / souvent / une fois par semaine. (Non, moi, je ne les repasse jamais, mais ma sœur les repasse.) 5. Oui, je le fais quelquefois / souvent / une fois par semaine. (Non, moi, je ne le fais jamais, mais mes frères et sœurs le font.) 6. Oui, je la nettoie quelquefois / souvent / une fois par semaine. (Non, moi, je ne la nettoie jamais, mais ma mère la nettoie.) 7. Oui, je les fais quelquefois / souvent / une fois par semaine. (Non, moi, je ne les fais jamais, mais mon père le fait.) 8. Oui, je le passe quelquefois / souvent / une fois par semaine. (Non, moi, je ne le passe jamais, mais mon frère le passe.) **Ex. 12.** 1. Oui, je vais la ranger ce matin. (Non, je ne vais pas la ranger.) 2. Oui, je vais la faire aujourd'hui. (Non, je ne vais pas la faire.) 3. Oui, je vais les repasser. (Non, je ne vais pas les repasser.) 4. Oui, je vais les faire ce soir. (Non, je ne vais pas les faire ce soir.) 5. Oui, je l'aime bien. (Non, je ne l'aime pas bien.) 6. Oui, je les prends tous les jours. (Non, je ne les prends pas tous les jours.) 7. Oui, je viens vous voir le week-end prochain. (Non, je ne viens pas vous voir le week-end prochain.) 8. Je vais l'inviter à la maison la semaine prochaine. (Je ne vais pas l'inviter à la maison.) **Ex. 13.** 1. me; Oui, je te trouve belle! 2. m'; Oui, je t'écoute quand tu parles. 3. me; Oui, je te trouve intelligente. 4. m'; Oui, je veux t'aider à faire tes devoirs. 5. me; Oui, je te préfère à toutes les autres petites filles du monde. 6. me; Non, je ne te trouve pas difficile. 7. m'; Oui, je vais toujours t'aimer! **Ex. 14.** 1. connaissez, connaissons 2. connais, connais 3. connaît, connaît 4. connaissez, connais 5. connaissent, connaissent **Ex. 15.** 1. sait; Moi aussi, je sais faire du canoë. (Moi, je ne sais pas faire du canoë.) 2. sait; Moi aussi, je sais la date de l'anniversaire de ma mère. (Moi, je ne sais pas la date de l'anniversaire de ma mère.) 3. sait; Moi aussi, je sais faire de l'escalade. (Moi, je ne sais pas faire de l'escalade.) 4. connaît; Moi aussi, je connais bien La Nouvelle-Orléans. (Moi, je ne connais pas bien La Nouvelle-Orléans.) 5. connaît; Moi aussi, je connais l'histoire de ma famille. (Moi, je ne connais pas l'histoire de ma famille.) 6. connaît; Moi aussi, je connais bien les poèmes de Jacques Prévert. (Moi, je ne connais pas bien les poèmes de Jacques Prévert.) **Ex. 16.** 1. besoin 2. envie 3. l'air 4. honte 5. peur 6. tort **Ex. 17.** 1. il a faim 2. il a soif 3. il a sommeil 4. il a chaud 5. il a froid 6. il a envie 7. il a besoin 8. il a peur

## CHAPITRE 5

**Ex. 1.** 1. Est-ce que tu as acheté un journal hier? Oui, j'ai acheté un journal hier. (Non, je n'ai pas acheté de journal hier.) 2. Est-ce que tu as écouté la radio hier? Oui, j'ai écouté la radio hier. (Non, je n'ai pas écouté la radio hier.) 3. Est-ce que tu as envoyé beaucoup de textos hier? Oui, j'ai envoyé beaucoup de textos hier. (Non, je n'ai pas envoyé beaucoup de textos hier.) 4. Est-ce que tu as mangé un hamburger hier? Oui, j'ai mangé un hamburger hier. (Non, je n'ai pas mangé de hamburger hier.) 5. Est-ce que tu as préparé ton dîner hier? Oui, j'ai préparé mon dîner hier. (Non, je n'ai pas préparé mon dîner hier.) 6. Est-ce que tu as promené ton chien hier? Oui, j'ai promené mon chien hier. (Non, je n'ai pas promené mon chien hier.) 7. Est-ce que tu as séché un cours hier? Oui, j'ai séché un cours hier. (Non, je n'ai pas séché un/de cours hier.) 8. Est-ce que tu as regardé la télé hier? Oui, j'ai regardé la télé hier. (Non, je n'ai pas regardé la télé hier.) 9. Est-ce que tu as travaillé à ton job hier? Oui, j'ai travaillé à mon job hier. (Non, je n'ai pas travaillé à mon job hier.) 10. Est-ce que tu as nettoyé ta chambre hier? Oui, j'ai nettoyé ma chambre hier. (Non, je n'ai pas nettoyé ma

chambre hier.) **Ex. 2.** *Answers may vary.* 1. Moi, je n'ai pas oublié de prendre mes vitamines. (Moi aussi, j'ai oublié de prendre mes vitamines.) 2. Moi, je n'ai pas fini un/de devoir pour mon cours d'anglais. (Moi aussi, j'ai fini un devoir pour mon cours d'anglais.) 3. Moi, je n'ai pas choisi de nouveau CD. (Moi aussi, j'ai choisi un nouveau CD.) 4. Moi, je n'ai pas répondu à tous mes courriels. (Moi aussi, j'ai répondu à tous mes courriels.) 5. Moi, je n'ai pas perdu mes clés. (Moi aussi, j'ai perdu mes clés.) 6. Moi, je n'ai pas dormi pendant un cours ennuyeux. (Moi aussi, j'ai dormi pendant un cours ennuyeux.) 7. Moi, je n'ai pas attendu le bus pendant une demi-heure. (Moi aussi, j'ai attendu le bus pendant une demi-heure.) 8. Moi, je n'ai pas très bien réussi à un examen. (Moi aussi, j'ai très bien réussi à un examen.) 9. Moi, je n'ai pas utilisé un tchat vidéo. (Moi aussi, j'ai utilisé un tchat vidéo.) **Ex. 3.** *Answers will vary.* 1. Oui, nous avons écouté une chanson française. (Non, nous n'avons pas écouté de chanson française.) 2. Oui, nous avons étudié des nouveaux points de grammaire. (Non, nous n'avons pas étudié de nouveaux points de grammaire.) 3. Oui, nous avons parlé seulement en français. (Non, nous n'avons pas parlé seulement en français.) 4. Oui, nous avons envoyé des textos. (Non, nous n'avons pas envoyé de textos.) 5. Oui, nous avons travaillé au laboratoire informatique. (Non, nous n'avons pas travaillé au laboratoire informatique.) 6. Oui, nous avons fini le chapitre 4. (Non, nous n'avons pas fini le chapitre 4.) 7. Oui, nous avons répondu au courriel d'un correspondant français. (Non, nous n'avons pas répondu au courriel d'un correspondant français.) 8. Oui, nous avons passé un examen. (Non, nous n'avons pas passé d'examen.) **Ex. 4.** 1. Daniel et Louis ont acheté des boissons. 2. Nous avons mangé des crêpes. 3. Barbara et Jacqueline ont apporté des CD français. 4. Tout le monde a parlé français. 5. Même M^me Martin a dansé. 6. Nous avons regardé des photos de cette année. 7. Denise a donné un album de photos à Pierre. 8. Quelques étudiants ont pleuré. **Ex. 5.** 1. Oui, j'ai dû me lever de bonne heure. (Non, je n'ai pas dû me lever de bonne heure.) 2. Oui, j'ai fait mon lit. (Non, je n'ai pas fait mon lit.) 3. Oui, j'ai pris le petit déjeuner. (Non, je n'ai pas pris le petit déjeuner.) 4. Oui, j'ai lu le journal. (Non, je n'ai pas lu le journal.) 5. Oui, j'ai bu un coca. (Non, je n'ai pas bu de coca.) 6. Oui, j'ai reçu un texto. (Non, je n'ai pas reçu de texto.) 7. Oui, j'ai conduit ma voiture. (Non, je n'ai pas conduit ma voiture.) 8. Oui, j'ai eu un accident. (Non, je n'ai pas eu d'accident.) 9. Oui, j'ai été en retard pour un cours. (Non, je n'ai pas été en retard pour un cours.) 10. Oui, j'ai mis un manteau pour sortir. (Non, je n'ai pas mis de manteau pour sortir.) *Second part:* 1. Est-ce que vous avez dû vous lever de bonne heure? 2. Est-ce que vous avez fait votre lit? 3. Est-ce que vous avez pris le petit déjeuner? 4. Est-ce que vous avez lu le journal? 5. Est-ce que vous avez bu un coca? 6. Est-ce que vous avez reçu un texto? 7. Est-ce que vous avez conduit votre voiture? 8. Est-ce que vous avez eu un accident? 9. Est-ce que vous avez été en retard pour un cours? 10. Est-ce que vous avez mis un manteau pour sortir? **Ex. 6.** *Answers may*

vary. 1. Les clients dans un bar ont pris un cocktail. 2. Les spectateurs qui sortent du cinéma ont vu un film. 3. L'explorateur célèbre a découvert une ville perdue. 4. Les bons étudiants ont lu leurs leçons. 5. Le fils affectueux a offert un cadeau à sa mère. 6. Les acteurs au théâtre ont appris leur rôle. 7. L'auteur connu a écrit un nouveau livre. 8. La femme élégante a mis une nouvelle robe. **Ex. 7.** 1. À 9 h, j'ai reçu... 2. À 10 h, j'ai rencontré... 3. Sarah nous a offert... 4. Nous avons eu... 5. Enfin, nous avons pris... 6. Je leur ai dit... j'ai dû... 7. J'ai ouvert... j'ai vu... j'ai été... 8. J'ai mis... j'ai fait... **Ex. 8.** *Answers may vary.* 1. Je suis sorti(e)... (Je ne suis jamais sorti[e]... ) (Je ne me souviens pas de la dernière fois que je suis sorti[e]... ) 2. Je suis allé(e)... (Je ne suis jamais allé[e]... ) (Je ne me souviens pas de la dernière fois que je suis allé[e]... ) 3. Je suis monté(e)... (Je ne suis jamais monté[e]... ) (Je ne me souviens pas de la dernière fois que je suis monté[e]... ) 4. Je suis tombé(e)... (Je ne suis jamais tombé[e].) (Je ne me souviens pas de la dernière fois que je suis tombé[e].) 5. Je suis parti(e)... (Je ne suis jamais parti[e]... ) (Je ne me souviens pas de la dernière fois que je suis parti[e]... ) 6. Je suis arrivé(e)... (Je ne suis jamais arrivé[e]... ) (Je ne me souviens pas de la dernière fois que je suis arrivé[e]... ) 7. Je suis passé(e)... (Je ne suis jamais passé[e]... ) (Je ne me souviens pas de la dernière fois que je suis passé[e]... ) 8. Je suis entré(e)... (Je ne suis jamais entré[e]... ) (Je ne me souviens pas de la dernière fois que je suis entré[e]... ) 9. Je suis resté(e)... (Je ne suis jamais resté[e]... ) (Je ne me souviens pas de la dernière fois que je suis resté[e]... ) 10. Je suis rentré(e)... (Je ne suis jamais rentré[e]... ) (Je ne me souviens pas de la dernière fois que je suis rentré[e]... ) **Ex. 9.** 1. Nous sommes partis à 5 h vendredi soir. 2. Nous sommes arrivés à Megève vers 10 h. 3. Samedi matin, les enfants sont allés sur les pistes de bonne heure. 4. Victor et moi, nous sommes restés au lit un peu plus longtemps. 5. Marise et Clarisse sont montées et descendues plusieurs fois. 6. Elles ne sont pas tombées, heureusement. 7. Samedi soir, nous sommes revenus au chalet pour dîner. 8. Dimanche matin, les enfants sont retournés sur les pistes à 9 h. 9. Nous sommes rentrés à Clermont-Ferrand dimanche soir, fatigués mais très contents de notre week-end. **Ex. 10.** 1. suis né 2. suis née 3. ai habité 4. ai habité 5. ai quitté 6. suis allé 7. n'ai jamais quitté 8. es arrivée 9. suis arrivée 10. suis arrivé 11. es rentrée 12. suis restée 13. ai pu **Ex. 11.** 1. Moi aussi, je suis allé(e) chez le coiffeur. (Je ne suis pas allé[e] chez le coiffeur.) 2. Moi aussi, je me suis reposé(e). (Je ne me suis pas reposé[e].) 3. Moi aussi, je me suis douché(e). (Je ne me suis pas douché[e].) 4. Moi aussi, je me suis brossé les dents. (Je ne me suis pas brossé les dents.) 5. Moi aussi, je me suis maquillée, mais je ne me suis pas rasée avec mon rasoir électrique. (Moi aussi, je me suis rasé avec mon rasoir électrique, mais je ne me suis pas maquillé.) 6. Moi aussi, je me suis habillé(e) en vitesse. (Je ne me suis pas habillé[e] en vitesse.) 7. Moi aussi, je me suis bien amusé(e) et je suis rentré(e) après minuit. (Je ne me suis pas bien amusé[e] et je ne suis pas rentré[e] après minuit.) 8. Moi aussi, je me suis couché(e) et je me suis tout de suite endormi(e). (Je ne me suis pas couché[e] et je ne me suis pas tout de suite endormi[e].) **Ex. 12.** 1. Caroline s'est baignée. 2. Caroline s'est séchée. 3. Caroline s'est brossé les dents. 4. Albert est arrivé chez elle. 5. Ils sont sortis ensemble. 6. Ils sont arrivés à la fête. 7. Ils sont partis à 2 h du matin. 8. Caroline s'est déshabillée. 9. Caroline s'est couchée. 10. Caroline s'est endormie. **Ex. 13.** Dans la ville où tout va mal,... 1. les enfants n'obéissent jamais à leurs parents. 2. rien n'est simple et calme. 3. personne n'est dynamique. 4. on ne fait jamais la fête. 5. on n'a pas encore éliminé la pollution de l'air. 6. les habitants n'aiment personne. 7. on n'a rien d'intéressant à faire. 8. la ville n'est plus prospère. **Ex. 14.** 1. Non, je n'ai qu'une chambre. 2. Non, je n'ai qu'un vélo. 3. Non, ils n'ont qu'un appartement. 4. Non, il n'y a que des autobus. 5. Non, ils n'ont que quinze jours de vacances. 6. Non, je n'ai étudié que le français. 7. Non, je n'ai visité que la côte est.

## CHAPITRE 6

**Ex. 1.** 1. Julien 2. Sarah 3. Jean-Yves 4. Julien 5. Jean-Yves 6. Julien 7. Sarah 8. Jean-Yves 9. Sarah **Ex. 2.** 1. j'allais... 2. j'adorais... 3. j'aimais... 4. je m'amusais... 5. je rentrais... 6. je mettais... 7. j'attendais... 8. nous allions... 9. nous faisions... 10. nous nous promenions... 11. nous faisions... 12. nous finissions... **Ex. 3.** 1. Tous les matins, M. et M^me Rouet se levaient à cinq heures. 2. M^me Rouet prenait le bus pour aller au travail. 3. Quelquefois, elle devait attendre l'autobus une demi-heure. 4. M. Rouet allait au travail en voiture, dans sa vieille Deux Chevaux. 5. Il y avait toujours beaucoup de circulation. 6. M. Rouet arrivait au bureau furieux. 7. Il était obligé de déjeuner en ville et ça coûtait cher. 8. Leurs enfants allaient à l'école en bus. 9. Ils finissaient les cours à 16 h 30. 10. Ils rentraient à la maison et restaient seuls jusqu'à 19 h. **Ex. 4.** 1. lisons (ne lisons pas) 2. écrivons (n'écrivons pas de rédactions) 3. lit (ne nous lit pas de poèmes) 4. lis (ne lis pas de journal) 5. dis (ne dis pas) 6. disent (ne disent pas de) 7. J'écris (Je n'écris pas/jamais de phrases) 8. écrit (n'écrit pas) **Ex. 5.** 1. était (a été) 2. étais 3. avais 4. avais 5. avais 6. devais 7. voulais 8. était 9. savais 10. avais 11. voulais 12. était **Ex. 6.** 1. (e) Une licorne, qu'... 2. (f) Un peuple, qui... 3. (g) L'adolescence, que... 4. (h) Un bateau, qui... 5. (a) Un pitre, qui... 6. (c) La vaisselle, que... 7. (b) Un carnet, qu'... 8. (d) Un jardin, qui... **Ex. 7.** 1. qui 2. que 3. où 4. où 5. que 6. qui 7. qui 8. où 9. qu' 10. que **Ex. 8.** 1. J'avais deux cousines qui nous racontaient des histoires fascinantes. 2. Près de chez nous, il y avait un parc où nous jouions souvent. 3. Je faisais aussi des promenades à bicyclette que j'aimais beaucoup. 4. Il y avait une maîtresse qui nous apprenait les noms de toutes les plantes. 5. Je jouais avec une petite fille qui avait un gros chien. 6. J'adorais la colonie de vacances où j'allais en été. 7. À l'école, j'avais une copine que j'aimais beaucoup. 8. Il y avait une piscine près de chez nous où je nageais souvent. **Ex. 9.** 1. Oui, je lui écrivais. (Non, je ne lui écrivais pas.) 2. Oui, je leur écrivais des textos au lycée. (Non, je ne leur écrivais pas de textos au lycée.) 3. Oui, je leur posais beaucoup de questions. (Non, je ne leur posais pas beaucoup de questions.) 4. Oui, je lui offrais

des cadeaux. (Non, je ne lui offrais pas de cadeaux.) 5. Oui, je leur empruntais souvent des CD. (Non, je ne leur empruntais pas souvent de CD.) 6. Oui, je leur demandais de l'argent. (Non, je ne leur demandais pas d'argent.) 7. Oui, je leur rendais souvent visite. (Non, je ne leur rendais pas souvent visite.) 8. Oui, je devais leur demander la permission. (Non, je n'avais pas besoin de leur demander la permission.) 9. Oui, je pouvais lui téléphoner tous les soirs. (Non, je ne pouvais pas lui téléphoner tous les soirs.) **Ex. 10.** 1. leur 2. nous 3. nous 4. vous 5. nous **Ex. 11.** 1. Oui, maman, je lui ai écrit. 2. Oui, maman, je leur ai rendu les CD. 3. Oui, maman, je lui ai donné de l'eau. 4. Oui, maman, je lui ai laissé un morceau de gâteau. 5. Oui, maman, je lui ai rendu visite. 6. Oui, maman, je vous ai obéi. 7. Non, maman, je ne t'ai pas promis de rester à la maison. 8. Non, maman, je ne vous ai pas dit que j'avais des devoirs à faire. 9. Non, maman, tu ne m'as pas prêté ton stylo. 10. Non, maman, elle ne m'a pas demandé de service. **Ex. 12.** 1. Et toi, tu t'entendais très bien avec tes professeurs et tes camarades de classe? Oui, je m'entendais... (Non, je ne m'entendais pas... ) 2. Et toi, tu t'inquiétais de tes résultats aux examens? Oui, je m'inquiétais... (Non, je ne m'inquiétais pas... ) 3. Et toi, tu ne te fâchais jamais avec tes copains? Si, je me fâchais... (Non, je ne me fâchais jamais... ) 4. Et toi, tu te disputais de temps en temps avec tes parents? Oui, je me disputais... (Non, je ne me disputais pas... ) 5. Et toi, ton père s'énervait assez souvent? Oui, mon père s'énervait... (Non, mon père ne s'énervait pas... ) 6. Et toi, tu t'occupais de la voiture de tes parents? Oui, je m'occupais... (Non, je ne m'occupais pas... ) 7. Et toi, tu t'intéressais beaucoup aux sports d'hiver? Oui, je m'intéressais... (Non, je ne m'intéressais pas... ) 8. Et toi, tu t'ennuyais parfois en été? Oui, je m'ennuyais... (Non, je ne m'ennuyais pas... ) *Second part:* 1. Est-ce que vous vous entendiez très bien avec vos professeurs et vos camarades de classe, madame (monsieur)? 2. Est-ce que vous vous inquiétiez de vos résultats aux examens? 3. Est-ce que vous ne vous fâchiez jamais avec vos copains? 4. Est-ce que vous vous disputiez de temps en temps avec vos parents? 5. Est-ce que votre père s'énervait assez souvent? 6. Est-ce que vous vous occupiez de la voiture de vos parents? 7. Est-ce que vous vous intéressiez beaucoup aux sports d'hiver? 8. Est-ce que vous vous ennuyiez parfois en été? **Ex. 13.** 1. Elle croit à l'égalité des sexes. 2. Ils ne croient pas à la punition corporelle. 3. Nous croyons à la démocratie. 4. Tu crois à l'amitié. 5. Je crois aux traditions. 6. Vous croyez au mariage. **Ex. 14.** 1. voit 2. voyons 3. croyez 4. vois 5. croient 6. croit **Ex. 15.** *Answers may vary.* 1. Hier, je (ne) me suis (pas) levé(e) avant huit heures. Quand j'étais petit(e), je me levais souvent avant huit heures. 2. Hier, j'ai (je n'ai pas) porté un jean et un tee-shirt. Quand j'étais petit(e), je portais de temps en temps un jean et un tee-shirt. 3. Hier, je (ne) suis (pas) allé(e) à l'université. Quand j'étais petit(e), je n'allais jamais à l'université. 4. Hier, j'ai (je n'ai pas) parlé au téléphone avec des amis. Quand j'étais petit(e), je parlais de temps en temps au téléphone avec des amis. 5. Hier, j'ai conduit

une (je n'ai pas conduit de) voiture. Quand j'étais petit(e), je conduisais jamais de voiture. 6. Hier, j'ai (je n'ai pas) joué à des jeux vidéo. Quand j'étais petit(e), je jouais tous les jours à des jeux vidéo. 7. Hier, je me suis (je ne me suis pas) couché(e) à minuit et demi. Quand j'étais petit(e), je ne me couchais jamais à minuit et demi. 8. Hier, j'ai (je n'ai pas) lu les bandes dessinées dans le journal. Quand j'étais petit(e), je lisais les bandes dessinées dans le journal une fois par semaine.

## CHAPITRE 7

**Ex. 1.** *Answers will vary.* 1. Oui, j'aime les petits pois, mais j'aime mieux (les asperges.) (Non, je n'aime pas les petits pois. J'aime mieux... ) 2. Oui, j'aime les cerises, mais j'aime mieux (les pommes). (Non, je n'aime pas les cerises. J'aime mieux... ) 3. Oui, j'aime le jambon, mais j'aime mieux (le poulet). (Non, je n'aime pas le jambon. J'aime mieux ... ) 4. Oui, j'aime la bière, mais j'aime mieux (le vin). (Non, je n'aime pas la bière. J'aime mieux ... ) 5. Oui, j'aime les huîtres, mais j'aime mieux (le homard). (Non, je n'aime pas les huîtres. J'aime mieux... ) 6. Oui, j'aime le lait, mais j'aime mieux (l'eau minérale). (Non, je n'aime pas le lait. J'aime mieux... ) 7. Oui, j'aime la tarte aux pommes, mais j'aime mieux (le gâteau au chocolat). (Non, je n'aime pas la tarte aux pommes. J'aime mieux... ) 8. Oui, j'aime le porc, mais j'aime mieux (le poulet). (Non, je n'aime pas le porc. J'aime mieux... ) **Ex. 2.** 1. Oui, achète de la sauce tomate (pour la bolognaise). 2. Non, n'achète pas de riz. 3. Non, n'achète pas de bifteck. 4. Oui, achète du bœuf haché (pour la bolognaise). 5. Oui, achète de la laitue (pour la salade). 6. Non, n'achète pas de pommes de terre. 7. Oui, achète de l'huile et du vinaigre (pour la salade). 8. Oui, achète des oignons (pour la bolognaise et la salade). 9. Non, n'achète pas de glace. 10. Oui, achète du lait (pour la crème caramel). 11. Oui, achète des œufs (pour la crème caramel). 12. Oui, achète du sucre (pour la crème caramel). **Ex. 3.** *Answers will vary.* 1. deux tasses de 2. trois verres d' 3. une demi-douzaine d' 4. une demi-livre de 5. un peu de 6. une portion de 7. trois portions de **Ex. 4.** *Answers will vary.* 1. Est-ce que tu achètes quelquefois des bonbons au chocolat? Oui, j'achète quelquefois des... (Non, je n'achète jamais de... ) 2. Est-ce que tu aimes les escargots? Oui, j'aime les escargots. (Non, je n'aime pas les escargots.) 3. Est-ce que tu manges souvent de la dinde? Oui, je mange souvent de la dinde. (Non, je ne mange pas de dinde.) 4. Est-ce que tu consommes beaucoup de fromage? Oui, je consomme beaucoup de fromage. (Non, je ne consomme pas beaucoup de fromage.) 5. Est-ce que tu détestes le poisson? Oui, je déteste le poisson. (Non, je ne déteste pas le poisson.) 6. Est-ce que tu adores la glace? Oui, j'adore la glace. (Non, je n'adore pas la glace.) **Ex. 5.** *Answers will vary.* 1. Je bois du café. 2. Ils boivent de l'eau minérale. 3. Nous buvons du thé. 4. Les Anglais boivent plus de thé. 5. J'ai bu du jus d'orange. 6. Je buvais du lait. 7. Mes parents buvaient du café. 8. On a bu du champagne et de l'eau minérale. **Ex. 6.** *Answers will vary.* 1. Oui, j'en voudrais. (Non, je n'en voudrais pas.) 2. Oui, j'en bois. (Non, je n'en bois pas.) 3. Oui, j'aime en prendre à tous les repas. (Non, je n'aime pas en prendre à tous les repas.) 4. Oui, j'en prends à tous les repas. (Non, je n'en prends pas à tous les repas.) 5. Oui, j'en mange de temps en temps. (Non, je n'en mange pas.) 6. Oui, j'en mange beaucoup. (Non, je n'en mange pas beaucoup.) **Ex. 7.** 1. Il y en a 1.000 (mille). 2. Oui, on en a besoin. 3. Oui, les enfants en ont souvent envie. 4. Oui, il y en a beaucoup dans le café. 5. Oui, il y en a dans le thé. (Non, il n'y en a pas. Il y a de la théine.) 6. Il y en a six. 7. Non, il n'y en a pas. 8. Il y en a 2,2. 9. Il y en a 105. 10. Non, il n'y en a pas. **Ex. 8.** 1. tous 2. Toutes 3. tout 4. Toutes 5. Toute 6. tout *Opinions and reasons for them will vary.* **Ex. 9.** 1. Qu'est-ce qu': g 2. quoi: d 3. Qu'est-ce qui: a 4. Qu'est-ce qu': i 5. quoi: f 6. Qui: b 7. Qu'est-ce qu': c 8. quoi: h 9. Qui: j 10. Qu'est-ce qui: e **Ex. 10.** 1. Avec qui est-ce que Louis doit venir? (Avec qui Louis doit-il venir?) 2. Qu'est-ce que tu as fait? (Qu'as-tu fait?) 3. À qui est-ce que tu as demandé d'apporter des chips? (À qui as-tu demandé d'apporter des chips?) 4. De quoi est-ce que vous avez besoin? (De quoi avez-vous besoin?) 5. Qui a apporté des CD de musique acadienne? 6. De quoi est-ce que tu voudrais parler? (De quoi voudrais-tu parler?) 7. Qu'est-ce qui sent si bon? 8. Qui est-ce que Raoul a invité? (Qui Raoul a-t-il invité?) **Ex. 11.** 1. Quel est ton légume favori? 2. Quel est le plat du jour? 3. Qu'est-ce que c'est qu'une boulangerie? 4. Quelle est la boisson que tu préfères? 5. Quel est le meilleur type de café? 6. Qu'est-ce que c'est qu'une mandarine? 7. Quel est le nom de ce plat? 8. Qu'est-ce que c'est qu'une salade niçoise? (Quels sont les ingrédients d'une salade niçoise?) **Ex. 12.** 1. Christine est en train de réserver une table. 2. Christine est en train de se baigner. 3. Christine est en train de s'habiller. 4. Christine et Bernard sont en train de retrouver leurs amis. 5. Christine, Bernard et leurs amis sont en train d'entrer dans le restaurant. 6. Ils sont en train de commander leur dîner. 7. Bernard est en train de goûter le vin. 8. Christine et Bernard sont en train de bavarder avec leurs amis. 9. Bernard est en train de demander l'addition. 10. Bernard est en train de régler l'addition. 11. Christine et Bernard sont en train de rentrer chez eux après avoir laissé le pourboire. **Ex. 13.** *Answers may vary and sentences may begin with the "Avant de" clause.* 1. Je choisis un menu avant d'inviter des amis. 2. Je lis la recette avant de faire les provisions. 3. Je fais une liste avant d'aller au supermarché. 4. Je fais la cuisine avant de m'habiller pour la soirée. 5. Je prépare le repas avant de mettre la table. 6. Je sers le dessert avant de débarrasser la table. **Ex. 14.** *Answers may vary.* 1. Un étudiant sérieux regarde la télé après avoir fini ses devoirs. 2. Un étudiant sérieux étudie après être allé en cours. 3. Un étudiant sérieux écrit une thèse après avoir lu des articles. 4. Un étudiant sérieux fait les activités après avoir regardé son manuel de laboratoire. 5. Un étudiant sérieux écrit une rédaction après avoir réfléchi au sujet. 6. Un étudiant sérieux répond après avoir écouté les questions du prof. 7. Un étudiant sérieux va prendre un café après être allé à la bibliothèque. 8. Un étudiant sérieux se couche après être rentré du cinéma.

## CHAPITRE 8

**Ex. 1.** 1. De Reims, je vais à Strasbourg, en Alsace. 2. De Strasbourg, je vais à Dijon, en Bourgogne. 3. De Dijon, je vais à Grenoble, en Savoie. 4. De Grenoble, je vais à Arles, en Provence. 5. D'Arles, je vais à Clermont-Ferrand, en Auvergne. 6. De Clermont-Ferrand, je vais à La Rochelle, au Poitou. 7. De La Rochelle, je vais à Tours, en Touraine. **Ex. 2.** 1. Est-ce que tu vas en Europe? Oui, je vais au Portugal et en Espagne. 2. Est-ce que tu vas en Asie? Oui, je vais en Chine et en Inde. 3. Est-ce que tu vas en Afrique? Oui, je vais en Côte d'Ivoire et au Sénégal. 4. Est-ce que tu vas en Afrique du Nord? Oui, je vais en Tunisie et au Maroc. 5. Est-ce que tu vas en Louisiane? Oui, je vais à Bâton Rouge et à La Nouvelle-Orléans. 6. Est-ce que tu vas au Canada? Oui, je vais à Montréal et à Toronto. 7. Est-ce que tu vas en Amérique du Sud? Oui, je vais au Brésil et en Argentine. 8. Est-ce que tu vas en Amérique du Nord? Oui, je vais aux États-Unis: en Californie et au (dans le) Texas. **Ex. 3.** 1. D'où viennent les Volkswagen? Les Volkswagen viennent d'Allemagne. 2. D'où viennent les appareils Sony? Les appareils Sony viennent du Japon. 3. D'où vient le jambalaya? Le jambalaya vient de Louisiane. 4. D'où viennent les vins de Bourgogne? Les vins de Bourgogne viennent de France. 5. D'où viennent les enchiladas et les tacos? Les enchiladas et les tacos viennent du Mexique. 6. D'où vient le cappuccino? Le cappuccino vient d'Italie. 7. D'où viennent les Cadillac? Les Cadillac viennent des États-Unis. 8. D'où vient le sucre d'érable? Le sucre d'érable vient du Canada et des États-Unis (du Vermont). **Ex. 4.** 1. vivent 2. vit 3. vivent 4. vit 5. survivre (vivre) 6. ont vécu 7. ont survécu 8. vivait 9. vivons **Ex. 5.** 1. à / Oui, je vais lui écrire. 2. — / Non, je ne les écoute pas. 3. à / Oui, je leur téléphone toutes les semaines. 4. — / Oui, je les regarde. 5. à / Je voudrais lui dire que tout le monde doit protéger l'environnement. 6. aux associations / Oui, je leur donne de l'argent. **Ex. 6.** 1. Je la lui donne. (Je ne la lui donne pas.) 2. Je les leur envoie. (Je ne les leur envoie pas.) 3. Je la lui promets. (Je ne la lui promets pas.) 4. Je le leur accorde. (Je ne le leur accorde pas.) 5. Je le lui donne. (Je ne le lui donne pas.) **Ex. 7.** *Answers will vary.* 1. a. devrions / Oui, je suis d'accord, parce que les émissions toxiques sont mauvaises pour la santé. (Non, je ne suis pas d'accord, parce que les entreprises ne peuvent pas le faire sans réduire leur production.) b. devrais / Oui, je suis d'accord, parce que j'habite près de mon lieu de travail. (Non, je ne suis pas d'accord, parce que je préfère prendre la voiture.) 2. a. devrais / Oui, je suis d'accord, parce que c'est facile à faire. (Non, je ne suis pas d'accord, parce que je ne voudrais pas changer mes habitudes!) b. devraient / Oui, je suis d'accord, parce que ce n'est pas nécessaire, sauf quand il fait très chaud! (Non, je ne suis pas d'accord, parce que mon jardin a besoin d'être arrosé tous les jours.) 3. a. devraient / Oui, je suis d'accord, parce que je préfère manger des produits naturels. (Non, je ne suis pas d'accord, parce qu'il faut tuer les insectes.) b. devrions / Oui, je suis d'accord, parce que ces détergents sont bons. (Non, je ne suis pas d'accord, parce qu'ils ne sont pas aussi bons que les

autres.) 4. a. devrait / Oui, je suis d'accord, parce que c'est bon pour la planète. (Non, je ne suis pas d'accord, parce que je n'aime pas le faire.) b. devrait / Oui, je suis d'accord, parce qu'il y a trop de plastique. (Non, je ne suis pas d'accord. Il faut le recycler, c'est tout.) **Ex. 8.** 1. étaient, portaient 2. vivaient 3. empêchaient, émettaient, 4. grimpaient 5. pique-niquaient 6. trouvait 7. étaient 8. comprenaient **Ex. 9.** 1. faisait, s'est arrêté 2. envoyait, s'est éteint 3. écoutait, n'a... entendu 4. parlait, a été 5. écoutait, s'est arrêté

## CHAPITRE 9

**Ex. 1.** *Answers will vary.* 1. Oui, j'y habite. (Non, je n'y habite pas.) 2. Oui, j'y suis déjà allé(e) cette semaine. (Non, je n'y suis pas encore allé[e] cette semaine.) 3. Oui, j'y participe beaucoup. (Non, je n'y participe pas beaucoup.) 4. Oui, j'y réponds souvent. (Non, je n'y réponds pas souvent.) 5. Oui, j'y assiste parfois. (Non, je n'y assiste jamais.) 6. Oui, j'y joue souvent. (Non, je n'y joue pas souvent.) 7. Oui, j'y pense souvent. (Non, je n'y pense pas souvent.) **Ex. 2.** *Answers will vary.* 1. Oui, je suis plus intelligent(e) que lui. (Non, je suis moins/ aussi... ) 2. Oui, je suis moins sportif/sportive qu'eux. (Non, je suis plus/aussi... ) 3. Oui, je suis aussi dynamique que lui / qu'elle. (Non, je suis moins/plus... ) 4. Oui, ils sont aussi intelligents que moi. (Non, ils sont plus/ moins... ) 5. Oui, mes professeurs sont aussi sympathiques qu'eux. (Non, ils sont plus/ moins... ) 6. Oui, je suis aussi équilibré(e) que lui / qu'elle. (Non, je suis moins/plus... ) 7. Oui, ils sont plus courageux que moi. (Non, ils sont moins/aussi... ) 8. Oui, il/elle est aussi facile à vivre que moi. (Non, il/elle est plus/ moins... ) **Ex. 3.** 1. Oui, je m'entends bien avec eux. (Non, je ne m'entends pas bien avec eux.) 2. Oui, je me fâche souvent avec lui/elle. (Non, je ne me fâche pas souvent avec lui/elle.) 3. Oui, je parle toujours français avec lui/elle. (Non, je ne parle pas toujours français avec lui/elle.) 4. Oui, je dialogue avec eux sur Facebook. (Non, je ne dialogue pas avec eux sur Facebook.) 5. Oui, je me souviens de lui / d'elle. (Non, je ne me souviens pas de lui / d'elle.) 6. Oui, j'ai déjà dîné avec lui/elle. (Non, je n'ai pas encore dîné avec lui/elle.) 7. Si, je me suis disputé(e) avec eux. (Non, je ne me suis jamais disputé[e] avec eux.) **Ex. 4.** 1. Lui et elle, ils vont au cinéma ce soir. 2. Elle et lui, ils lisent le journal tous les jours. 3. Eux et nous, nous aimons *Astérix.* 4. Elle et lui, ils sont vedettes. 5. Toi et moi, nous paniquons avant les examens. 6. Lui et elle, ils ont du talent. 7. Elle et lui, ils sont dynamiques. **Ex. 5.** 1. Il était couturier. 2. Elle était physicienne. 3. Il était empereur. 4. Elle était écrivaine. 5. Il est chanteur. 6. Il était homme d'État. **Ex. 6.** *Answers will vary.* 1. C'est un professeur dans un lycée. C'est la femme de Victor. (C'est la sœur de Bernard.) 2. C'est une infirmière. C'est la femme de Bernard. 3. C'est un ingénieur. C'est le fils de Francis Lasalle. (C'est le frère de Claudine.) 4. C'est une étudiante en hôtellerie. C'est la sœur de Marise. 5. C'est un petit garçon. C'est le frère de Clarisse et Marise. 6. C'est un étudiant à l'Université Paris VII. C'est l'ami d'Agnès Rouet. **Ex. 7.** 1. Julien habite à la Défense depuis quatre ans. 2. Sa mère est à Paris depuis cinq ans. 3. Julien travaille pour

TF1 depuis sept ans. 4. Il connaît Bernard depuis huit ans. 5. Julien fait de la voile depuis douze ans. **Ex. 8.** *Answers will vary.* 1. Je fais des études dans cette université depuis (deux ans). 2. J'habite (à la cité universitaire). J'y habite depuis (un an). 3. Mes parents habitent (à la campagne). Ils y habitent depuis (vingt-cinq ans). 4. J'étudie le français depuis (six mois). 5. J'ai mon permis de conduire depuis (l'année dernière). J'ai ma propre voiture depuis (l'année dernière). **Ex. 9.** 1. Est-ce que tu te coucheras tôt ce soir? Oui, je me coucherai tôt ce soir. (Non, je ne me coucherai pas... ) Et toi? 2. Est-ce que tu dormiras jusqu'à 10 h demain? Oui, je dormirai... (Non, je ne dormirai pas... ) 3. Est-ce que tu finiras tous tes devoirs avant le week-end? Oui, je finirai... (Non, je ne finirai pas... ) 4. Est-ce que tu réussiras à tous tes examens ce semestre? Oui, je réussirai à... (Non, je ne réussirai pas à... ) 5. Est-ce que tu sortiras ce week-end? Oui, je sortirai... (Non, je ne sortirai pas... ) 6. Est-ce que tu gagneras beaucoup d'argent cet été? Oui, je gagnerai... (Non, je ne gagnerai pas... ) 7. Est-ce que tu achèteras une voiture cette année? Oui, j'achèterai... (Non, je n'achèterai pas... ) 8. Est-ce que tu prendras des vacances la semaine prochaine? Oui, je prendrai... (Non, je ne prendrai pas... ) **Ex. 10.** 1. serons 2. ferons 3. recevrons 4. verrons 5. aurons 6. saurons, pourrons 7. devrons **Ex. 11.** 1. aura 2. sera 3. gagnera 4. iront 5. devra 6. pourront 7. fera 8. épatera 9. découvrira 10. ira 11. reviendra 12. ouvrira 13. irons 14. deviendra 15. écrira 16. aura 17. s'appellera **Ex. 12.** 1. Tu seras heureux quand tu réussiras à l'examen demain. 2. Tu seras très surpris quand tu recevras un A en cours de français. 3. Tu seras surpris quand tes amis t'inviteront à sortir ce week-end. 4. Tu seras étonné quand tu auras assez d'argent pour payer tes études. 5. Tu seras surpris quand tu finiras ton devoir d'histoire ce soir.

## CHAPITRE 10

**Ex. 1.** 1. Il faut que je passe à la banque. 2. Il faut que j'écrive des instructions pour la voisine. 3. Il faut que je visite un site Web marocain. 4. Il faut que je choisisse une nouvelle valise. 5. Il faut que je lise le guide touristique sur le Maroc. 6. Il faut que je finisse ma dissertation de français. 7. Il faut que je rende des livres à la bibliothèque. 8. Il faut que j'organise mes affaires. **Ex. 2.** 1. Il faut que nous vérifiions l'heure du départ. 2. Il faut que nous achetions des magazines. 3. Il ne faut pas que nous oubliions la valise en consigne. 4. Il faut que nous téléphonions aux enfants ce soir. 5. Il faut que nous écrivions une carte postale à Julien demain. 6. Il ne faut pas que nous laissions nos chèques de voyage dans la valise. 7. Il faut que nous relisions les brochures. 8. Il faut que nous nous reposions dans l'avion. **Ex. 3.** *Answers will vary but should end as shown.* 1. ... que je connaisse des gens du pays. 2. ... que je lise mon courriel tous les jours. 3. ... que je dorme bien chaque nuit. 4. ... que je voyage dans une voiture confortable. 5. ... que j'achète des beaux souvenirs. 6. ... que je rapporte beaucoup de belles photos. 7. ... que je sorte tous les soirs. 8. ... que j'organise des projets à l'avance. 9. ... que j'obéisse aux règles de la route. **Ex. 4.** 1. Il ne faut pas que tu boives de l'alcool. 2. Il ne faut pas que tu ailles

dans les quartiers dangereux le soir. 3. Il ne faut pas que tu sortes seul(e). 4. Il faut que tu t'endormes à une heure raisonnable. 5. Il ne faut pas que tu fasses du bruit à l'hôtel. 6. Il faut que tu sois ponctuel(le). 7. Il faut que tu aies ton passeport sur toi à tout moment. 8. Il faut que tu nous téléphones tous les jours. 9. Il faut que tu prennes tes vitamines. **Ex. 5.** *Answers may vary.* 1. Est-ce qu'il vaut mieux que je prenne les billets à l'aéroport ou que je les télécharge sur Internet? Il vaut mieux que vous les téléchargiez sur Internet pour éviter de longues queues à l'aéroport. (Il vaut mieux que vous preniez les billets à l'aéroport.) 2. Est-ce qu'il vaut mieux que je mette mon passeport dans ma petite valise ou dans ma poche? Il vaut mieux que vous le mettiez dans votre poche, parce qu'il faut que vous le montriez à la douane. (Il vaut mieux que vous le mettiez dans votre petite valise pour ne pas le perdre.) 3. Est-ce qu'il vaut mieux que je sois à l'aéroport trois heures avant le départ ou non? Il vaut mieux que vous y soyez trois heures avant le départ. Ainsi, vous aurez le temps de passer par le contrôle de sûreté. (Il vaut mieux que vous y soyez une ou deux heures avant votre départ. Comme ça, vous n'aurez pas besoin d'attendre longtemps.) 4. Est-ce qu'il vaut mieux que je boive beaucoup ou non, pendant le voyage en avion? Il vaut mieux que vous buviez beaucoup pour ne pas être déshydraté(e). (Il vaut mieux que vous ne buviez pas beaucoup de liquides.) 5. Est-ce qu'il vaut mieux que j'utilise des chèques de voyage ou une carte de crédit? Il vaut mieux que vous utilisiez des chèques de voyage. Ainsi, si vous les perdez, vous pourrez les remplacer facilement. (Il vaut mieux que vous utilisiez une carte de crédit. C'est plus pratique.) 6. Est-ce qu'il vaut mieux que j'aie du liquide (de l'argent) pour laisser des pourboires? Oui, il vaut mieux que vous en ayez pour laisser des pourboires. (Il vaut mieux que vous n'ayez pas trop de liquide. Mettez le pourboire sur votre carte de crédit.) 7. Est-ce qu'il vaut mieux que je fasse mes valises deux ou trois jours avant ou à la dernière minute? Il vaut mieux que vous les fassiez deux ou trois jours avant pour ne rien oublier. (Il vaut mieux que vous ne les fassiez pas trop tôt si vous voulez que vos vêtements soient en bon état.) 8. Est-ce qu'il vaut mieux que j'aille prendre des brochures à l'agence de voyages ou que je visite les pages Web? Il vaut mieux que vous alliez à l'agence de voyages. (Il vaut mieux que vous visitiez des pages Web.) **Ex. 6.** *Answers will vary.* 1. Un jeune homme (Une jeune fille) de dix-huit ans conduit trop vite. Il/Elle ne respecte pas toujours le code de la route. 2. Les chauffeurs de taxi conduisent prudemment. En général, ils respectent le code de la route. 3. Mon meilleur ami (Ma meilleure amie) conduit bien. Il/Elle respecte toujours le code de la route. 4. Mes copains conduisent comme des fous. Ils respectent rarement le code de la route. 5. Les personnes âgées conduisent lentement. Elles respectent toujours le code de la route. 6. Les gens de ma ville conduisent assez bien. En général, ils respectent le code de la route. 7. Un agent de police conduit bien. Il respecte toujours le code de la route. 8. Je conduis prudemment. Je respecte toujours le code de la route. **Ex. 7.** 1. Est-ce que tu le lui

donnes? Oui, je le lui donne. (Non, je ne le lui donne pas.) 2. Est-ce que tu le leur montres? Oui, je le leur montre. (Non, je ne le leur montre pas.) 3. Est-ce que tu les lui laisses? Oui, je les lui laisse. (Non, je ne les lui laisse pas.) 4. Est-ce que tu la lui prêtes? Oui, je la lui prête. (Non, je ne la lui prête pas.) 5. Est-ce que tu lui en donnes? Oui, je lui en donne. (Non, je ne lui en donne pas.) 6. Est-ce que tu lui en demandes? Oui, je lui en demande. (Non, je ne lui en demande pas.) 7. Tu lui en offres? Oui, je lui en offre. (Non, je ne lui en offre pas.) 8. Tu leur en laisses? Oui, je leur en laisse. (Non, je ne leur en laisse pas.) **Ex. 8.** *Answers will vary.* 1. Oui, elle/il nous en donne beaucoup. (Non, elle/il ne nous en donne pas beaucoup.) 2. Oui, elle/il nous en apporte. (Non, elle/il ne nous en apporte pas.) 3. Oui, elle/il nous les rend promptement. (Non, elle/il ne nous les rend pas promptement.) 4. Oui, elle/il nous les lit. (Non, elle/il ne nous les lit pas.) 5. Oui, elle/il nous en envoie beaucoup. (Non, elle/il ne nous en envoie pas beaucoup.) **Ex. 9.** 1. le plus 2. le plus, le moins 3. le plus 4. les, les moins 5. les plus, les plus 6. le plus **Ex. 10.** 1. Le polyester coûte le moins cher. 2. Le nylon se lave le mieux. 3. Les diamants coûtent le plus cher. 4. La porcelaine se casse le plus facilement. 5. Le cuir s'utilise le moins dans les vêtements pour enfants. **Ex. 11.** 1. Le Cameroun a le plus d'habitants francophones. Le Mali en a le moins. 2. La Belgique a le plus d'habitants francophones. Le Luxembourg en a le moins. 3. Le Québec a le plus d'habitants francophones. La Louisiane en a le moins. **Ex. 12.** *Answers may vary.* 1. Laquelle de ces montres préfères-tu? d. Celle en or parce que... 2. Laquelle de ces bagues préfères-tu? c. Celle avec une turquoise parce que... 3. Lequel de ces portefeuilles préfères-tu? a. Celui en cuir marron parce que... 4. Lequel de ces foulards préfères-tu? e. Celui en soie parce que... 5. Lequel de ces vases préfères-tu? b. Celle en terre cuite parce que... **Ex. 13.** *Responses to questions may vary.* 1. ceux, ceux / Moi, je préfère ceux qui ont beaucoup de fonctions. 2. celles, celles / Moi, je préfère celles qui sont comiques. 3. celles, celles / Moi, je préfère celles qui sont plus discrètes. 4. ceux, ceux / Moi, je préfère ceux en cuir. 5. ceux, ceux / Moi, je préfère ceux qui sont confortables.

## CHAPITRE 11

**Ex. 1.** *Answers will vary.* 1. aurait / Oui, c'est vrai, parce qu'on n'aurait pas d'exemples de crimes violents. (Non, ce n'est pas vrai... ) 2. lirais / Oui, c'est vrai, parce que je ne serais pas aussi distrait(e) par la télévision. (Non,... ) 3. seraient / Oui, c'est vrai, parce qu'ils passeraient plus de temps à faire de l'exercice. (Non,... ) 4. saurions / Non, ce n'est pas vrai, parce que nous aurions encore des journaux et des ordinateurs! (Oui,... ) 5. connaîtrait / Non, ce n'est pas vrai, parce qu'on pourrait lire des journaux et des livres. (Oui,... ) 6. feraient / Oui, c'est vrai, parce qu'il n'y aurait pas de publicité. (Non,... ) 7. dormirions / Oui, c'est vrai, parce que nous ne regarderions pas d'émissions à minuit. (Non,... ) 8. iraient / Non, ce n'est pas vrai, parce qu'ils loueraient des DVD. (Oui,... ) 9. achèterait / Non, ce n'est pas vrai, parce qu'on pourrait lire des journaux sur Internet. (Oui,... ) 10. dépenseraient / Oui, c'est vrai, parce qu'elles n'auraient pas les mêmes possibilités offertes par la télévision. (Non,... ) **Ex. 2.** 1. Pourriez 2. auriez 3. voudrais 4. pourriez 5. devrais 6. pourrais 7. Sauriez **Ex. 3.** 1. ... , on pourrait toujours croire ce qu'on vous dit. 2. ... , nous ne serions pas influencés par des messages subtils ou subliminaux. 3. ... , on ne profiterait jamais de la crédulité des gens. 4. ... , les gens ne dépenseraient pas beaucoup d'argent pour des produits inutiles. 5. ... , le travail n'occuperait pas une très grande partie de notre vie. 6. ... , il y aurait assez d'emplois pour tous ceux qui veulent travailler. 7. ... , mentir ne serait jamais utile. **Ex. 4.** 1. C'est le magazine dont je parlais l'autre jour. 2. C'est le livre dont on discutait à la télé. 3. C'est un metteur en scène dont je connais d'autres films. 4. C'est un réalisateur dont j'ai vu tous les films. 5. C'est un titre dont je ne me souviens jamais. **Ex. 5.** 1. Ce qui: c 2. Ce qui: f 3. Ce que: d 4. Ce qui: e 5. Ce qu': b 6. Ce qu': a 7. Ce qui: f 8. Ce qu': e **Ex. 6.** 1. ce qu' 2. ce qui 3. Ce qui 4. ce qu' 5. ce qui 6. ce qu' 7. ce qui 8. ce dont **Ex. 7.** 1. Aie quelque chose à dire sur ta page Web. (Informe et intéresse le visiteur; ne le déçois point!) 2. Ne fais pas une/de liste de listes. 3. Rappelle-toi que tes visiteurs n'ont pas tous une connexion puissante. (Et ne fournis pas trop d'informations sur la même page.) 4. Vérifie tes liens pour éliminer les liens morts. 5. Permets les commentaires par courriel sur ta page. 6. Améliore constamment tes connaissances en HTML. 7. Sois créatif/créative malgré toutes ces directives. **Ex. 8.** 1. Montrez-leur donc comment l'utiliser. 2. En cas d'invasion de très jeunes, bloquez les fentes de CD/DVD, rangez le clavier et mettez la souris en cage. 3. N'apportez votre travail à la maison qu'en cas de nécessité absolue. 4. Asseyez-vous souvent avec vos enfants quand ils utilisent l'ordinateur. 5. Si les enfants sont branchés en ligne, sachez où ils vont et combien cela va coûter. 6. Donnez-leur une chaise confortable. Essayez aussi de placer l'ordinateur dans un endroit facile d'accès. **Ex. 9.** 1. C'est une bonne idée. Posez-en. (Ce n'est pas nécessaire. N'en posez pas.) 2. C'est une bonne idée. Vérifiez-la. (Regardez-le.) (Ce n'est pas nécessaire. Ne la vérifiez pas. [Ne le regardez pas.]) 3. C'est une bonne idée. Appréciez-la. (Évaluez-la.) (Ce n'est pas nécessaire. Ne l'appréciez pas. [Ne l'évaluez pas.]) 4. C'est une bonne idée. Vérifiez-le. (Ce n'est pas nécessaire. Ne le vérifiez pas.) 5. C'est une bonne idée. Groupez-les. (Ce n'est pas nécessaire. Ne les groupez pas.) 6. C'est une bonne idée. Parlez-en. (Ce n'est pas nécessaire. N'en parlez pas.) **Ex. 10.** 1. Si je voulais vraiment acheter quelque chose, je serais (je ne serais pas) très impatient(e). 2. Si j'étais déprimé(e), j'aurais (je n'aurais pas) envie de faire des achats. 3. Si j'avais envie de faire des achats, je laisserais (je ne laisserais pas) mes cartes de crédit à la maison. 4. Si je faisais beaucoup d'achats, je serais encore plus (je ne

serais plus) déprimé(e). 5. Si j'achetais quelque chose de cher, j'irais (je n'irais pas) dans tous les magasins pour trouver le meilleur prix. 6. Si je n'aimais pas quelque chose, je le rendrais (je ne le rendrais pas) au magasin.

## CHAPITRE 12

**Ex. 1.** 1. Oui, il/elle voudrait que je fasse plus de sport. (Non, il/elle ne voudrait pas que je fasse... ) 2. Oui, il/elle voudrait que je dorme moins. (Non, il/elle ne voudrait pas que je dorme... ) 3. Oui, il/elle voudrait que je perde du poids. (Non,... ) 4. Oui, il/elle voudrait que je sois plus sérieux/sérieuse dans mes études. (Non,... ) 5. Oui, il/elle voudrait que je dépense moins d'argent. (Non,... ) 6. Oui, il/elle voudrait que je devienne médecin. (Non,... ) 7. Oui, il/elle voudrait que je puisse le/la voir plus souvent. (Non,... ) **Ex. 2.** *Answers will vary.* 1. Oui, je demanderais qu'on enlève... (Non, je ne demanderais pas qu'on enlève... ) 2. Je désire qu'on serve... (Non, je ne désire pas qu'on serve... ) 3. J'aimerais qu'on installe... (Non, je n'aimerais pas qu'on installe... ) 4. Je préférerais que l'université dépense... (Non, je ne préférerais pas que l'université dépense... ) 5. Oui, je voudrais que les cours ne commencent pas... (Non, je ne voudrais pas que les cours ne commencent pas... ) 6. Oui, je demanderais que les examens de fin d'année soient... (Non, je ne demanderais pas que les examens de fin d'année soient... ) **Ex. 3.** 1. n'avais pas, n'ai rien mangé 2. avais, me suis endormie 3. me sentais, ai dû 4. devais, n'ai pas pu 5. n'avais pas, n'ai pas téléphoné 6. voulais, ai dû **Ex. 4.** 1. c / On peut soulager les yeux irrités en y mettant des gouttes. Oui, c'est vrai. (Non,... ) 2. a / On peut transmettre des microbes en toussant et en éternuant. Oui, c'est vrai. (Non,... ) 3. b / On peut éviter les rhumes en prenant beaucoup de vitamine C. Oui, c'est vrai. (Non,... ) 4. e / On peut guérir une grippe en mangeant de la soupe au poulet. Oui, c'est vrai. (Non,... ) 5. d / On peut arrêter le hoquet en se mettant un sac sur la tête. Non, ce n'est pas vrai. (Oui,... ) **Ex. 5.** 1. viennent d' 2. venez de 3. venons d' 4. vient d' 5. viennent d' **Ex. 6.** 1. C'était l'hiver, il ne faisait pas froid et il y avait un beau clair de lune. 2. Sylvie et moi, nous avons décidé d'aller faire une randonnée à ski. 3. Nous avons mis nos skis et nous sommes partis. 4. La neige était couverte d'une couche de glace et nos skis glissaient très vite. 5. Après une demi-heure, nous sommes arrivés en haut d'une colline très abrupte. 6. En descendant la colline, je suis tombé et un de mes skis s'est cassé. 7. Heureusement, je n'avais rien de cassé. 8. Ensuite, nous avons dû marcher longtemps pour rentrer, mais nous étions contents de notre soirée. **Ex. 7.** 1. était 2. avais 3. ai pris 4. étais 5. n'ai pas trouvé 6. ai pris 7. était 8. avait 9. était 10. s'avançait 11. ai mal estimé 12. a touché 13. cherchais 14. ai entendu 15. était 16. pensait 17. allais

## CHAPITRE 13

**Ex. 1.** 1. se sont rencontrés 2. se sont détestés 3. se revoir 4. se sont rencontrés 5. se sont aidés 6. se quitter 7. s'entendent **Ex. 2.** 1. nous disons 2. vous écoutez 3. se parlent 4. se téléphonent 5. nous invitons 6. s'écrivent **Ex. 3.** 1. patiemment 2. sérieusement 3. nerveusement 4. attentivement 5. élégamment 6. (très) calmement 7. discrètement **Ex. 4.** *Expressions of opinion will vary.* 1. C'est étonnant que les jeunes et les vieux ne s'entendent pas bien. 2. C'est naturel que les jeunes ne fassent pas attention aux conseils de leurs parents. 3. C'est inévitable que les jeunes ne puissent pas profiter de l'expérience de leurs aînés. 4. C'est regrettable que nous soyons obligés de répéter les erreurs de nos parents. 5. C'est rare qu'un jeune Américain ait envie d'habiter longtemps chez ses parents. 6. C'est regrettable que les personnes âgées ne croient plus pouvoir contribuer à la société. 7. C'est honteux qu'un certain nombre de personnes âgées soient abandonnées par leurs enfants. **Ex. 5.** *Expressions of emotion will vary.* 1. Je suis triste que tes parents soient séparés. 2. Je suis désolée que ton grand-père soit à l'hôpital. 3. C'est dommage que tu n'aies pas encore ton baccalauréat. 4. Il est regrettable que tu doives repasser tes examens le mois prochain. 5. Je suis heureuse que tous tes amis partent à l'étranger cet été. 6. Je regrette que toi, tu ne puisses pas y aller. 7. Je suis désolée que tu te sentes vraiment triste. **Ex. 6.** 1. b / avait perdu 2. e / avait oublié 3. a / avait bu 4. d / avait oublié 5. c / avait mangé **Ex. 7.** 1. était parti 2. avait oubliée 3. avait vendu 4. avait vu 5. s'était déjà couchée **Ex. 8.** *Answers will vary.* 1. La mienne est propre (sale). La sienne est propre (sale). 2. La mienne est en ordre (en désordre). La sienne est en ordre (en désordre). 3. Les miens sont chic (pratiques). Les siens sont chic (pratiques). 4. Le mien / La mienne est facile (difficile) à vivre. Le sien / La sienne est facile (difficile) à vivre. 5. Les miennes sont très bonnes (moyennes). Les siennes sont très bonnes (moyennes).

## CHAPITRE 14

**Ex. 1.** 1. auraient dû 2. aurions dû 3. auriez dû 4. aurait dû 5. aurais dû 6. aurais dû **Ex. 2.** 1. n'aurais pas acheté 2. aurait été 3. n'aurait pas été 4. aurais pu 5. ne serais pas rentré 6. te serais rendu compte **Ex. 3.** 1. à moins que 2. à condition que 3. Bien que 4. jusqu'à ce que 5. quoique 6. pour que **Ex. 4.** *Answers may vary.* 1. a. C'est possible que les étudiants de mon université suivent... b. C'est impossible que les étudiants de mon université suivent... 2. a. C'est impossible que tous les Américains parlent... b. C'est probable que tous les Américains parleront... 3. a. Je crois que nous éliminerons... b. C'est peu probable que nous éliminions... 4. a. Je pense que tout le monde travaillera... b. Ce n'est pas possible que tout le monde travaille... 5. a. C'est peu probable que toutes les familles du monde aient... b. C'est possible que toutes les familles du monde aient...

## Vocabulaire français-anglais

This vocabulary contains French words and expressions used in this book, with their contextual meanings. The gender of nouns is indicated by the abbreviations *m.* and *f.* Both masculine and feminine forms of adjectives are shown.

All words and expressions from chapter vocabulary lists are included, with the exception of exact cognates. Conjugated verb forms, present participles, and regular past participles are not included. In general, regular adverbs do not appear if the adjectives upon which they are based are included (*e.g.*, **lent[e], lentement**); regular past participles used as adjectives do not appear if the verbs upon which they are based are included (*e.g.*, **varier, varié[e]**). Words beginning with aspirate *h* are preceded by an asterisk (*).

### Abbreviations

| | | | | | |
|---|---|---|---|---|---|
| *A.* | archaic | *gram.* | grammar term | *p.p.* | past participle |
| *ab.* | abbreviation | *interj.* | interjection | *prep.* | preposition |
| *adj.* | adjective | *intr.* | intransitive (verb) | *pron.* | pronoun |
| *adv.* | adverb | *inv.* | invariable | *Q.* | Quebec usage |
| *art.* | article | *irreg.* | irregular (verb) | *s.* | singular |
| *conj.* | conjunction | *lit.* | literary | *s.o.* | someone |
| *f.* | feminine | *m.* | masculine | *s.th.* | something |
| *fam.* | familiar, colloquial | *num.* | number | *subj.* | subjunctive |
| *fig.* | figurative | *pl.* | plural | *trans.* | transitive (verb) |

**à** *prep.* to; at; in; with
**abandonner** to drop (*a course of study, a class*); to give up; to abandon, desert
**abattre** (*like* **battre**) *irreg.* to cut down (*trees*)
**abîmer** to damage; to spoil
**abolir** (*like* **finir**) to abolish, do away with
**abondance** *f.* abundance
**abonné(e) (à)** *adj.,* subscribed (to); *m., f.* subscriber
**abonnement** *m.* subscription; service contract
**s'abonner (à)** to subscribe (to)
**aboutir** (*like* **finir**) **(à)** to end up (in)
**abréger (j'abrège, nous abrégeons)** to abbreviate, shorten
**abri** *m.* shelter; **mettre à l'abri de** to shelter from, shield from
**abricot** *m.* apricot
**abriter** to shelter; **s'abriter** to take shelter
**abrupt(e)** *adj.* abrupt; steep
**absence** *f.* absence; lack
**absolu(e)** *adj.* absolute
**s'abstenir** (*like* **tenir**) **(de)** *irreg.* to abstain (from)
**abstrait(e)** *adj.* abstract
**absurde** *adj.* absurd
**abus** *m.* abuse; misuse; **abus de la drogue** drug abuse
**abuser de** to misuse, abuse; **abuser des règlements** to break the rules

**académie** *f.* academy
**Acadie** *f.* Acadia (Nova Scotia)
**acadien(ne)** *adj.* Acadian; **Acadien(ne)** *m., f.* Acadian (*person*)
**acajou** *m.* mahogany
**accéder (j'accède) (à)** to access
**accélérer (j'accélère, nous accélérons)** to accelerate
**accentué(e)** *adj.* accentuated, stressed
**accentuer** to increase; to emphasize
**accepter (de)** to accept; to agree (to)
**accès** *m.* access; **accès limité** limited access
**accessoires** *m. pl.* accessories
**accompagner** to accompany
**accomplir** (*like* **finir**) to accomplish, fulfill, carry out
**accord** *m.* agreement; **d'accord** all right, okay; **être d'accord** to agree, be in agreement; **se mettre d'accord** to reconcile, come to an agreement
**accordéon** *m.* accordion
**accorder** to grant, bestow, confer; **s'accorder avec** to agree with
**accouchement** *m.* childbirth
**accroché(e)** *m., f.,* (*fam.* **accro**) fanatic; **accro de Facebook** Facebook addict
**accroissement** *m.* **(de)** increase (in)
**s'accroupir** (*like* **finir**) to squat; to stoop over
**accueil** *m.* greeting, welcome; **page** (*f.*) **d'accueil** home page

**accueillir** (*like* **cueillir**) *irreg.* to welcome, greet
**accumuler** to accumulate
**accusé(e)** *m., f.* accused, defendant; **défendre les accusés** to defend the accused
**achat** *m.* purchase; **faire des achats** to go shopping
**acheter (j'achète)** to buy; **acheter des provisions** to buy groceries
**acide** *adj.* acid; tart, sour; *m.* acid; **pluie** (*f.*) **acide** acid rain
**acidulé(e)** *adj.* slightly acid, tart
**acier** *m.* steel
**acquérir** (*p.p.* **acquis**) *irreg.* to acquire, obtain
**acte** *m.* act
**acteur/actrice** *m., f.* actor/actress
**actif/active** *adj.* active; working
**action** *f.* action, gesture
**activité** *f.* activity
**actualité** *f.* piece of news; news; current event; **suivre les actualités** to keep up with the news
**actuel(le)** *adj.* present, current; **à l'heure actuelle** at the present time
**actuellement** *adv.* currently, now, at the present time
**adapter** to adapt; **s'adapter** to adapt (oneself)
**addition** *f.* bill, tab (*restaurant*)

**adieu** *interj.* farewell; **soirée** ( *f.* ) **d'adieu** farewell party, going-away party

**adjectif** *m.* adjective

**adjoint(e)** *m., f.* assistant; **adjoint(e) au maire** deputy mayor

**admettre** (*like* **mettre**) *irreg.* to admit, accept

**administratif/administrative** *adj.* administrative

**administrer** to administer

**admiratif/admirative** *adj.* admiring

**admirer** to admire; **s'admirer** to admire oneself, one another

**adolescent(e)** *m., f.* ( *fam.* **ado**) adolescent

**adopter** to adopt

**adorer** to adore, worship; to admire; to be fond of

**adresse** *f.* address; **adresse électronique** e-mail address

**adresser** to address, speak to; **s'adresser à** to speak to; to appeal to; to inquire

**adulte** *m., f.* adult

**adverbe** *m.* adverb

**adversaire** *m., f.* opponent, adversary

**adverse** *adj.* opposing; **joueur** (*m.*) **adverse** player on the opposing team

**aérobic** *f.* aerobics; **faire de l'aérobic** to do aerobics

**aéroport** *m.* airport

**affaire** *f.* affair; (business) matter; *pl.* belongings; business; **chiffre** (*m.*) **d'affaires** total sales; **homme** (*m.*) **d'affaires / femme** (*f.*) **d'affaires** businessman/businesswoman

**affecter** to affect

**affectueux/affectueuse** *adj.* affectionate

**affichage** *m.* display, billposting; **tableau** (*m.*) **d'affichage** display board

**affiche** *f.* poster

**afficher** to display, post

**affirmatif/affirmative** *adj.* affirmative

**affirmation** *f.* statement

**affirmer** to affirm, assert

**affluence** *f.* crowd(s)

**affronter** to confront, deal with, face

**afin de** *prep.* to, in order to; **afin que** *conj.* so, so that

**africain(e)** *adj.* African; **Africain(e)** *m., f.* African (*person*)

**Afrique** *f.* Africa

**âge** *m.* age; **le Moyen Âge** Middle Ages; **personne** (*f.*) **du troisième âge** senior citizen; **quel âge avez-vous / as-tu?** how old are you?

**âgé(e)** *adj.* aged; old; elderly

**agence** *f.* agency; **agence bénévole** volunteer agency, organization; **agence de voyages** travel agency; **agence matrimoniale** marriage/dating service

**agenda** *m.* appointment book; agenda

**agent** *m.* agent; **agent conservateur** (food) preservative; **agent de police** police officer; **agent de voyages** travel agent; **agent immobilier** real estate agent

**aggraver** to aggravate, worsen; **s'aggraver** to grow worse

**agir** (*like* **finir**) to act, take action; **s'agir: il s'agit de** it is a question/matter of; it is about

**agité(e)** *adj.* agitated; hectic; **heures** (*f.*) **agitées** troubled times

**agneau** *m.* lamb; **gigot** (*m.*) **d'agneau** leg of lamb

**agréable** *adj.* pleasant, nice, agreeable

**agréer** to accept; **je vous prie d'agréer l'expression de mes sentiments distingués** yours truly

**agressif/agressive** *adj.* aggressive

**agricole** *adj.* agricultural, farming

**agriculteur/agricultrice** *m., f.* cultivator, farmer

**ah bon? / ah oui?** *interj.* really? is that right? (*expression of skepticism*)

**aide** *f.* help, assistance

**aider (à)** to help (to); to provide aid; **aider à la maison** to help around the house; **s'aider** to help one another

**aigle** *m.* eagle; **aigle royal** golden eagle

**aigre** *adj.* sour

**aigu(ë)** *adj.* acute; **accent** (*m.*) **aigu** acute accent

**ail** *m.* garlic

**ailleurs** *adv.* elsewhere; **d'ailleurs** *adv.* moreover; furthermore

**aimable** *adj.* likeable, friendly

**aimer** to like; to love; **aimer bien** to like; **aimer mieux** to prefer; **j'aime ça** I like that/them

**aîné(e)** *adj.* older, oldest (*child*)

**ainsi** *conj.* thus, so, such as; **ainsi que** *conj.* as well as, in the same way as

**air** *m.* air; look; tune; **avoir l'air (de)** to seem, appear; **en plein air** outdoors, in the open air; **hôtesse** ( *f.* ) **de l'air** flight attendant, stewardess

**aise** *f.* ease, comfort; **être mal à l'aise** to be uncomfortable; **se sentir à l'aise** to feel at ease

**aisé(e)** *adj.* comfortable; well-off; easy, effortless

**ajouter** to add

**alcool** *m.* alcohol; alcoholic beverage

**alcoolisé(e)** *adj.* alcoholic, containing alcohol

**Algérie** *f.* Algeria

**algérien(ne)** *adj.* Algerian; **Algérien(ne)** *m., f.* Algerian (*person*)

**algue** *f.* seaweed

**aliéner (j'aliène, nous aliénons)** to alienate

**aliment** *m.* food, nourishment; food item

**alimentaire** *adj.* alimentary, pertaining to food; **chaîne** ( *f.* ) **alimentaire** food chain

**alimentation** *f.* food, feeding, nourishment; **magasin** (*m.*) **d'alimentation** food store

**allaiter** to nurse, breastfeed

**allécher (j'allèche, nous alléchons)** to tempt; to attract

**allégé(e)** *adj.* light, low-fat

**Allemagne** *f.* Germany

**allemand(e)** *adj.* German; *m.* German (*language*); **Allemand(e)** *m., f.* German (*person*)

**aller** *irreg.* to go; **aller** + *inf.* to be going to + *inf.*; **aller-retour** *m.* round-trip (*ticket*); **allons-y!** let's go!; **comment allez-vous?** how are you?; **s'en aller** to leave

**allergie** *f.* allergy

**allergique** *adj.* allergic

**alliance** *f.* union; wedding ring

**s'allier (à)** to be/become united, allied (with)

**allô** *interj.* hello (*phone greeting*)

**allocation** *f.* allotment; pension; **allocations** (*pl.*) **familiales** family subsidy

**allongé(e)** *adj.* stretched out, lying (down)

**allumer** to light (*a cigarette, a fire*); **allumer la télé** to turn on the TV

**alors** *adv.* then, in that case, therefore; **alors que** *conj.* while, whereas

**Alpes** *f. pl.* the Alps

**alpin(e)** *adj.* alpine; **ski** (*m.*) **alpin** downhill skiing

**alpiniste** *m., f.* mountaineer, climber

**Alsace** *f.* Alsace (*eastern French province*)

**alsacien(ne)** *adj.* Alsatian, from Alsace; *m.* Alsatian (*language*); **Alsacien(ne)** *m., f.* Alsatian (*person*)

**altérer ( j'altère, nous altérons)** to alter, change

**alternance** *f.* alternation; **des cours en alternance** cooperative-education courses

**alterner** to alternate

**amande** *f.* almond

**amateur** *m.* (**d'art**) (art) lover

**amazonien(ne)** *adj.* Amazonian, from/of the Amazon

**ambassade** *f.* embassy

**ambiance** *f.* atmosphere; surroundings

**ambitieux/ambitieuse** *adj.* ambitious

**ambulant(e)** *adj.* able to walk; traveling

**âme** *f.* soul; spirit

**améliorer** to improve, better; **s'améliorer** to improve (oneself), get better

**aménagé(e)** *adj.* laid out; set up

**aménagement** *m.* planning, development; **aménagement du territoire** national and regional development

**amende** *f.* fine, penalty

**amener ( j'amène)** to bring; to take (*a person*)

**amer/amère** *adj.* bitter

**américain(e)** *adj.* American; **Américain(e)** *m., f.* American (*person*)

**Amérindien(ne)** *m., f.* American Indian

**Amérique** *f.* America; **Amérique centrale** Central America; **Amérique du Nord (du Sud)** North (South) America

**ami(e)** *m., f.* friend; **petit(e) ami(e)** boyfriend/girlfriend

**amitié** *f.* friendship; **amitiés** your friend, best wishes (*in correspondence*)

**amour** *m.* love

**amoureux/amoureuse** *adj.* in love; **tomber amoureux/amoureuse (de)** to fall in love (with)

**amphithéâtre** *m.* (*fam.* **amphi**) amphitheater; **cours** (*m.*) **d'amphi(théâtre)** *a course held in a large lecture hall*

**ampoule** *f.* (light) bulb; blister

**amusant(e)** *adj.* amusing, fun

**amuser** to entertain, amuse; **s'amuser (à)** to have fun, have a good time

**an** *m.* year; **avoir (20) ans** to be (20) years old; **jour** (*m.*) **de l'An** New Year's Day; **nouvel an** New Year('s); **par an** per year, each year; **tous les ans** every year

**analgésique** *adj.* pain-killing, analgesic

**analyse** *f.* analysis

**ananas** *m.* pineapple

**anarchiste** *adj., m., f.* anarchist

**ancêtre** *m., f.* ancestor

**ancien(ne)** *adj.* old, antique; former; ancient

**andouille** *f. sausage made from pork tripe*

**anesthésie** *f.* anesthesia

**anglais(e)** *adj.* English; *m.* English (*language*); **Anglais(e)** *m., f.* English (*person*)

**Angleterre** *f.* England; **Nouvelle-Angleterre** New England

**anglicisme** *m.* Anglicism

**anglophone** *adj.* English-speaking, Anglophone

**animal** (*m.*) **domestique** pet

**animateur/animatrice** *m., f.* host/hostess (*radio, TV*)

**animation** *f.* animation; **film** (*m.*) **d'animation** animated film

**animé(e)** *adj.* animated; lively; motivated; **dessins** (*m. pl.*) **animés** (*film*) cartoons

**animer** to animate; to run, present (*a festival, show*)

**année** *f.* year; **l'année dernière** last year; **l'année prochaine** next year; **l'année scolaire** academic, school year; **les années cinquante (soixante)** the fifties (sixties)

**anniversaire** *m.* anniversary; birthday

**annonce** *f.* announcement, ad; **petites annonces** classified ads, classifieds

**annoncer (nous annonçons)** to announce, declare

**annuaire** *m.* phone book; directory

**annuel(le)** *adj.* annual, yearly

**anonyme** *adj.* anonymous

**anorak** *m.* windbreaker; ski jacket

**antarctique** *adj.* antarctic

**antérieur(e)** *adj.* previous, anterior; **futur** (*m.*) **antérieur** *gram.* future perfect (tense)

**antibiotique** *m.* antibiotic

**anticiper** to expect, anticipate

**antidouleur** *adj.* pain-alleviating; **médicament** (*m.*) **antidouleur** pain medication

**Antilles** *f. pl.* the West Indies

**antique** *adj.* ancient; antique

**antiquité** *f.* antiquity; **magasin** (*m.*) **d'antiquités** antique store

**août** August

**apercevoir** (*like* **recevoir**) *irreg.* to catch a glimpse of

**apéritif** *m.* (*fam.* **apéro**) before-dinner drink, aperitif

**apolitique** *adj.* apolitical

**apothicaire** *m.* apothecary, pharmacist

**Appalaches** *m. pl.* Appalachian Mountains, the Appalachians

**apparaître** (*like* **connaître**) *irreg.* to appear

**appareil** *m.* apparatus; device; appliance; **appareil photo (numérique)** *m.* (digital) camera

**apparemment** *adv.* apparently

**apparence** *f.* appearance

**apparenté(e)** *adj.* related; **mot** (*m.*) **apparenté** related word, cognate

**apparition** *f.* appearance

**appartement** *m.* (*fam.* **appart**) apartment

**appartenance** *f.* belonging, membership

**appartenir** (*like* **tenir**) **à** *irreg.* to belong to

**appelé(e)** *adj.* called; named

**appeler** (**j'appelle, nous appelons**) to call; to name; **s'appeler** (**je m'appelle, nous nous appelons**) to be named, called; **comment s'appelle-t-il/elle?** what's his/her name? **comment vous appelez-vous?** what's your name? **je m'appelle...** my name is . . .

**appendicite** *f.* appendicitis

**applaudir** (*like* **finir**) to applaud

**appliqué(e)** *adj.* applied

**s'appliquer à** to apply to

**apporter** to bring; to furnish

**apprécier** to appreciate; to value

**appréhender** to seize, arrest

**apprendre** (*like* **prendre**) *irreg.* to learn; to find out; to teach; **apprendre à** to learn (how) to

**apprentissage** *m.* apprenticeship; learning, training

**apprivoisé(e)** *adj.* tame(d)

**s'approcher de** to approach, draw near

**approfondir** (*like* **finir**) to deepen; to increase

**approprié(e)** *adj.* appropriate, proper, suitable

**approximativement** *adv.* approximately

**appuyer** (**j'appuie**) to lean; to press; **appuyer sur les freins** to step on the brakes

**après** *prep.* after; **après avoir (être)...** after having (being) . . . ; **après tout** after all; **d'après** *prep.* according to

**après-midi** (*m. or f.*) afternoon

**aquatique** *adj.* aquatic

**arabe** *adj.* Arabic, Arab; *m.* Arabic (*language*); **Arabe** *m., f.* Arab (*person*)

**Arabie** (*f.*) **Saoudite** Saudi Arabia

**arachide** *f.* peanut

**Arawaks** *m. pl.* Arawaks (*indigenous people of the Caribbean*)

**arbitre** *m.* referee, umpire; arbitrator

**arbitrer** to referee; to arbitrate

**arbre** *m.* tree

**arc** *m.* arch

**archéologie** *f.* archeology

**archipel** *m.* archipelago

**architecte** *m., f.* architect

**arête** *f.* fish bone; **avaler une arête** to swallow a fish bone

**argent** *m.* money; silver; **argent de poche** allowance, pocket money; **argent liquide** cash; **déposer de l'argent** to deposit money

**Argentine** *f.* Argentina

**argot** *m.* slang

**argumenter** to argue

**Ariège** *f.* Ariège department (*in the Pyrenees, southwestern France*)

**arme** *f.* weapon; **armes** (*pl.*) **à feu** firearms; **armes nucléaires** nuclear weapons

**armée** *f.* army

**armement** *m.* armament, arms

**arménien(ne)** *adj.* Armenian

**armer** to arm; to equip

**arôme** *m.* aroma

**arranger (nous arrangeons)** to arrange; to accommodate

**arrêt** *m.* stop; **arrêt d'autobus** bus stop; **sans arrêt** incessantly, nonstop

**arrêter** to stop; to arrest; **s'arrêter de** to stop (oneself)

**arrière-grands-parents** *m. pl.* great-grandparents

**arrivée** *f.* arrival

**arriver** to arrive; to happen; **arriver à** (+ *inf.*) to manage to, succeed in

**arrondissement** *m.* ward, section, district

**arroser** to water (*plants*)

**art** *m.* art; **art dramatique** theater; **arts du spectacle** performing arts; **beaux-arts** *m. pl.* fine arts; **œuvre** (*f.*) **d'art** work of art

**artère** *f.* artery

**arthrose** *f.* osteoarthritis

**artichaut** *m.* artichoke

**articulation** *f.* joint (*limb*)

**artifice** *m.* artifice, scheme, strategy; **feu** (*m. s.*) **d'artifice** fireworks display

**artificiel(le)** *adj.* artificial; synthetic

**artisanat** *m. s.* artisans (*as a group*)

**artiste** *m., f.* artist

**artistique** *adj.* artistic

**ascenseur** *m.* elevator

**Ascension** *f.* Ascension Day (*public and/or religious holiday in May or June*)

**asiatique** *adj.* Asian

**Asie** *f.* Asia

**asperges** *f. pl* asparagus

**aspirateur** *m.* vacuum cleaner; **passer l'aspirateur** to vacuum

**aspirine** *f.* aspirin

**assaisonner** to season

**assemblée** *f.* assembly; **Assemblée nationale** French national assembly

**asseoir** (*p.p.* **assis**) *irreg.* to seat; **asseyez-vous** sit down; **s'asseoir** to sit down

**assez (de)** *adv.* enough; rather; quite; **j'en ai assez pris** I've had enough; **merci, j'ai assez mangé/bu** I've had enough, thanks

**assiette** *f.* plate

**assistant(e)** *m., f.* assistant; helper; teaching assistant

**assister à** to attend, go to; to be present at (*concert, etc.*)

**associer** to associate

**assorti(e)** *adj.* assorted

**assumer** to assume; to take on; to fulfill

**assurance** *f.* insurance; **assurance maladie** health insurance

**assuré(e)** *adj.* insured; assured

**assurer** to insure; to assure; **s'assurer** to make sure, check

**astronaute** *m., f.* astronaut

**astronome** *m., f.* astronomer

**astronomie** *f.* astronomy

**atelier** *m.* workshop, studio

**athée** *m., f.* atheist

**Athènes** Athens

**athlétisme** *m.* track and field; athletics

**Atlantide** *f.* Atlantis (*legendary Greek island*)

**atlantique** *adj.* Atlantic; **Atlantique** *m.* Atlantic Ocean

**atmosphère** *f.* atmosphere

**atome** *m.* atom

**atomique** *adj.* atomic

**attacher** to tie; to attach; to buckle

**attaquer** to attack; **s'attaquer à** to attack; to tackle (*a problem*)

**atteindre** (*like* **craindre**) *irreg.* to attain; to reach, arrive at

**atteint(e)** *adj.* affected (by); stricken; **atteinte** *f.* attack

**attendre** to wait; to wait for; to expect

**attente** *f.* wait; expectation; **salle** (*f.*) **d'attente** waiting room

**attentif/attentive** *adj.* attentive

**attention** *f.* attention; **attention (à)** *interj.* watch out (for); **attirer l'attention** to attract attention; **faire attention à** to pay attention to

**atterrir** (*like* **finir**) to land; to touch down (*storm*)

**attirer** to attract; to draw; **attirer l'attention** to attract attention

**attrait** *m.* attraction; charm

**attraper** to catch; **attraper un rhume** to catch a cold

**attribuer** to attribute

**auberge** *f.* inn; **auberge de jeunesse** youth hostel

**aubergine** *f.* eggplant

**aucun(e)** (**ne... aucun[e]**) *adj., pron.* none; no one, not one, not any; **aucune idée!** I've no idea!

**audacieux/audacieuse** *adj.* daring, audacious

**au-delà** *adv.* beyond

**augmentation** *f.* increase, raise

**augmenter** to increase, raise; to rise

**aujourd'hui** *adv.* today; nowadays; at present; **aujourd'hui encore** still

**auparavant** *adv.* previously

**auprès de** *prep.* with, for

**aussi** *adv.* too, also; so; as; **aussi... que** as . . . as; **moi aussi** me too

**aussitôt** *adv.* immediately, at once; **aussitôt que** *conj.* as soon as

**austral(e)** *adj.* southern, austral

**Australie** *f.* Australia

**australien(ne)** *adj.* Australian; **Australien(ne)** *m., f.* Australian (*person*)

**autant** *adv.* as much, so much, as many, so many; **autant de** as many . . . as; **autant que** *conj.* as much as, as many as; **d'autant plus** all the more

**auteur(e)** *m., f.* author

**authentique** *adj.* authentic, genuine

**auto** *f.* car, auto; **auto-école** *f.* driving school; **faire de l'auto-stop** to hitchhike; **salon** (*m.*) **de l'auto** auto show

**autobus** (*fam.* **bus**) *m.* bus; **arrêt** (*m.*) **d'autobus** bus stop; **ligne** (*f.*) **d'autobus** bus line

**autocar** *m.* (interurban) bus

**autographe** *m.* autograph

**automne** *m.* autumn, fall; **en automne** in autumn

**autonome** *adj.* autonomous

**autonomie** *f.* autonomy

**autopartage** *m.* car-sharing

**autorisation** *f.* permission; authorization

**autoriser** to allow; to authorize

**autoritaire** *adj.* authoritarian

**autorité** *f.* authority; **faire autorité** to be authoritative, be accepted as an authority

**autoroute** *f.* freeway

**autour (de)** *prep.* around

**autre** *adj., pron.* other; another; **autre chose** *f.* something else; **d'autres** other(s); **l'un(e) l'autre** one another; **ni l'un(e) ni l'autre** neither one; **quelqu'un d'autre** somebody, someone else

**autrefois** *adv.* in the past; **d'autrefois** of the past; past

**autrement** *adv.* otherwise

**Autriche** *f.* Austria

**autrichien(ne)** *adj.* Austrian; **Autrichien(ne)** *m., f.* Austrian (*person*)

**autrui** *pron.* others

**avaler** to swallow

**avance** *f.* advance; **à l'avance** beforehand; **d'avance** in advance; **en avance** early

**avancement** *m.* promotion; advancement

**avancer** (**nous avançons**) *intrans.* to approach; *trans.* to advance, move up

**avant** *adv.* before (*in time*); *prep.* before, in advance of; *m.* front; **avant de** *prep.* before; **avant que** *conj.* before; **av. J.-C.** (**avant Jésus-Christ**) B.C.E.

**avantage** *m.* advantage, benefit; **avantages** (*pl.*) **sociaux** benefits (*employment*)

**avantager** (**nous avantageons**) to favor, give an advantage to

**avec** *prep.* with

**avenir** *m.* future; **à l'avenir** in the future, henceforth

**aventure** *f.* adventure; **film** (*m.*) **d'aventure(s)** adventure movie

**avertir** (*like* **finir**) to warn

**avilir** (*like* **finir**) to degrade, debase, demean

**avion** *m.* airplane; **en avion** by plane

**avis** *m.* opinion; **à son (mon, votre) avis** in his/her (my, your) opinion

**avocat** *m.* avocado

**avocat(e)** *m., f.* lawyer; **cabinet** (*m.*) **d'avocats** lawyers' practice

**avoir** (*p.p.* **eu**) *irreg.* to have; to be; *m. s.* holdings, assets; **avoir à** to have to, be obliged to; **avoir (20) ans** to be (20) years old; **avoir besoin de** to need; **avoir chaud (froid)** to be warm (cold); **avoir raison (tort)** to be right (wrong)

**avoisinant(e)** *adj.* neighboring

**avortement** *m.* abortion

**avouer** to confess, admit

**avril** April; **poisson** (*m.*) **d'avril** April Fool's joke

**azur** *m.* azure, blue; **Côte** (*f.*) **d'Azur** the French Riviera

**babillard(e)** *m., f.* chatterbox; *m.* chatroom

**baccalauréat** (*fam.* **bac**) *m. French secondary school degree*

**bachelier/bachelière** *m., f. holder of the French secondary school degree* (**baccalauréat**)

**bagages** *m. pl.* luggage; **bagages en soute** checked luggage; **enregistrer les bagages** to check in luggage; **l'excédent** (*m.*) **de bagages** excess baggage

**bagagiste** *m.* porter

**bague** *f.* ring (*jewelry*)

**baguette** *f.* baguette (*long thin loaf of French bread*); wand, baton

**baie** *f.* bay (*geography*)

**baigner** to bathe; **se baigner** to take a bath; to swim

**baignoire** *f.* bathtub; **baignoire balnéo** Jacuzzi tub

**bâiller** to yawn

**bain** *m.* bath; **prendre un bain** to take a bath; **salle** (*f.*) **de bain(s)** bathroom

**baisser** to lower

**bal** *m.* dance, ball

**se balader** to stroll

**baladeur** *m.* portable player; **baladeur MP3** portable MP3 player

**balafon** *m. type of xylophone from West Africa*

**balai** *m.* broom, brush; **balai d'essuie-glace** windshield wiper blade

**balancer (nous balançons)** to swing; to fling; **balancer à la poubelle** *fam.* to toss in the garbage; to abandon

**balcon** *m.* balcony

**ballerines** *f. pl.* flat shoes, slippers

**ballon** *m.* ball (*inflated*); balloon

**banane** *f.* banana

**banc** *m.* bench; **au banc des accusés** on trial, on the stand

**bande** *f.* group; gang; **bande dessinée** comic strip; *pl.* comics; **en bande** in a group

**banlieue** *f.* suburbs; **en banlieue** in the suburbs

**banni(e) (de)** *adj.* banished, banned (from)

**banque** *f.* bank

**banquier/banquière** *m., f.* banker

**baptême** *m.* baptism

**baptiser** to baptize, christen

**baquet** *m.* tub, bucket

**barbant(e)** *adj., fam.* boring; **c'est barbant** *fam.* it's really boring

**barbe** *f.* beard

**barde** *m.* bard (*poet*)

**barman** *m.* bartender

**barrière** *f.* wall; fence; **barrière de sécurité** firewall; **récif-barrière** *m.* barrier reef

**bas(se)** *adj.* low; *m.* stocking(s); **bas** (*m. pl.*) **de nylon** nylon stocking(s); **en bas** at the bottom, below; **là-bas** *adv.* over there; **Pays-Bas** *m. pl.* Holland, the Netherlands; **table** (*f.*) **basse** coffee table

**base** *f.* basis; base; **à base de produits naturels** made of natural products; **base de données** database

**basilic** *m.* basil (*herb*)

**basilique** *f.* basilica (*church*)

**basket** *m., fam.* basketball; **jouer au basket** to play basketball; **baskets** *f. pl.* sneakers, athletic shoes

**basque** *adj.* Basque; *m.* Basque (*language*); **Basque** *m., f.* Basque (*person*); **pays** (*m.*) **Basque** the Basque country

**bastide** *f.* country house (*in Provence*)

**bataille** *f.* battle

**bateau** *m.* boat; **en bateau** by boat, in a boat; **faire du bateau** to go boating

**bâtiment** *m.* building

**bâtir** (*like* **finir**) to build

**batterie** *f.* battery (*car*)

**battre** (*p.p.* **battu**) *irreg.* to beat; **se battre (avec)** to fight (with)

**baume** *m.* ointment, balm

**bavarder** to chat; to talk

**beau (bel, belle [beaux, belles])** *adj.* beautiful; handsome; **il fait beau** it's nice (weather) out

**beaucoup** *adv.* much, many

**beau-fils** *m.* son-in-law; stepson

**beau-frère** *m.* brother-in-law

**beau-père** *m.* father-in-law; stepfather

**beauté** *f.* beauty

**beaux-arts** *m. pl.* fine arts

**bébé** *m.* baby

**bec** *m.* beak; spout

**belge** *adj.* Belgian; **Belge** *m., f.* Belgian (*person*)

**Belgique** *f.* Belgium

**belle-fille** *f.* daughter-in-law; stepdaughter

**belle-mère** *f.* mother-in-law; stepmother

**belle-sœur** *f.* sister-in-law

**bénéficier de (certains avantages)** to have, enjoy (certain advantages)

**bénéfique** *adj.* beneficial

**bénévole** *adj.* volunteer; **agence** (*f.*) **bénévole** volunteer agency, organization

**Bénin** *m.* Benin

**béquille** *f.* crutch

**berbère** *adj.* Berber

**besoin** *m.* need; **avoir besoin de** to need

**bête** *adj.* silly; stupid, dumb; *n. f.* beast, animal; **bête puante** *Q.* skunk

**bêtise** *f.* foolishness; foolish thing; **quelle bêtise** *interj.* how silly

**betterave** *f.* beet

**Beur/Beurette** *m., f., fam. young French person of North African descent*

**beurre** *m.* butter; **beurre de cacahuètes** peanut butter

**beurré(e)** *adj.* buttered

**biais** *m.* way, means; **par le biais de** by means of

**bibelot** *m.* trinket

**biberon** *m.* baby bottle

**bibliothèque** *f.* library

**biculturel(le)** *adj.* bicultural

**bicyclette** *f.* bicycle; **faire de la bicyclette** to ride a bike; **promenade** (*f.*) **à bicyclette** bicycle ride

**bien** *adv.* well, quite; comfortable; *m. pl.* goods, belongings; **bien que** *conj.* (+ *subj.*) although; **bien sûr** *interj.* of course; **eh bien!** *interj.* well!; **merci bien** thanks a lot; **ou bien** or else

**bien-être** *m.* well-being; welfare

**bientôt** *adv.* soon; **à bientôt!** *interj.* see you soon!

**bienvenu(e)** *adj.* welcome; **être le/la bienvenu(e)** to be (most) welcome; **bienvenue** *f.* welcome

**bière** *f.* beer

**bifteck** *m.* steak

**bijou** *m.* jewel

**bijouterie** *f.* jewelry

**bijoutier/bijoutière** *m., f.* jeweler

**bilingue** *adj.* bilingual

**bilinguisme** *m.* bilingualism

**billard** *m. s.* billiards, pool; **jouer au billard** to play pool

**billet** *m.* ticket; **billet aller-retour** roundtrip ticket

**biodégradable** *adj.* biodegradable

**biodiversité** *f.* biodiversity

**biologie** *f.* biology

**biologique** (*fam., inv.* **bio**) organic, natural (*foods, etc.*); biological

**biscotte** *f.* rusk (*cracker*)

**biscuit (sec)** *m.* cookie

**bisous** *interj., fam.* love; 'bye

**bissap** *m. Senegalese term for hibiscus flower or tea*

**bistrot** *m.* bistro, café, bar

**blague** *f.* joke; **sans blague!** *interj.* no kidding!

**blanc(he)** *adj.* white; **blanc** (*m.*) **de poulet** chicken breast; **blanc** (*m.*) **d'œuf** egg white; **case** (*f.*) **blanche** blank square, box (*on form*)

**blé** *m.* wheat

**blanquette** (*f.*) **de veau** veal stew

**blessé(e)** *adj.* wounded, injured; *m., f.* wounded person

**blesser** to injure; **se blesser** to get injured

**blessure** *f.* wound

**bleu(e)** *adj.* blue

**bloc** *m.* block; **en bloc** as a whole

**blocage** *m.* block, blockage

**bloguer** to blog

**blogueur/blogueuse** *m., f.* blogger

**blond(e)** *adj.* blond

**bloquer** to block

**blotti(e)** *adj.* nestled, huddled up

**blouson** *m.* windbreaker; jacket

**blue-jean** *m. s.* jeans

**bœuf** *m.* beef; ox; **bœuf haché** ground beef; **côte** (*f.*) **de bœuf** rib roast; **rôti** (*m.*) **de bœuf** roast beef

**boire** (*p.p.* **bu**) *irreg.* to drink; **merci, j'ai assez mangé/bu** I've had enough, thanks

**bois** *m.* wood; forest; **en bois** wooden, made of wood

**boisé(e)** *adj.* wooded, woody

**boisson** *f.* drink, beverage; **boisson énergisante** energy drink; **boisson gazeuse** soft drink

**boîte** *f.* box; can; **boîte de nuit** nightclub

**bol** *m.* bowl

**bolognais(e)** *adj.* from Bologna (Italy); **spaghettis** (*m. pl.*) **à la bolognaise** spaghetti with meat sauce

**bombe** *f.* bomb

**bon(ne)** *adj.* good; right, correct; **ah bon?** is that so? really?; **bon** well, okay; **bon anniversaire** happy birthday; **bon chic bon genre (BCBG)** preppy; **bon marché** *adj. inv.* cheap, inexpensive; **bonne chance** good luck; **bonne journée** (have a) good day; **bonne nouvelle** good news; **bon(ne) vivant(e)** *m., f.* person who enjoys life; **c'est bon pour (le café), merci** no more (coffee), thanks; **de bonne heure** early; **de bonne humeur** in a good mood; **en bonne forme** fit, healthy; **en bonne santé** in good health

**bonbon** *m.* (piece of) candy

**bonheur** *m.* happiness

**bonhomme** (*m.*) **de neige** snowman

**bonjour** *interj.* hello; good morning

**bonne** *f.* maid, chambermaid

**bonnet** (*m.*) **phrygien** Phrygian cap (*worn by French revolutionaries of 1789*)

**bonsoir** *interj.* good evening, good-bye

**bonté** *f.* kindness, goodness

**bord** *m.* edge; **à bord** on board (*a ship*); **au bord de la mer** at the beach (seashore); **sur les bords de** on the banks of

**bordé(e) (de)** *adj.* lined (with), bordered (by)

**bordelais(e)** *adj.* of/from Bordeaux

**bordure** *f.* border, edge; **en bordure de** on the edge of

**bosser** *fam.* to work (hard)

**botte** *f.* boot

**bouche** *f.* mouth

**bouché(e)** *adj.* plugged up; **nez** (*m.*) **bouché** stuffy nose

**boucher** to block; to fill; **se boucher les oreilles** to plug one's ears

**boucherie** *f.* butcher shop

**boucle** *f.* curl; loop; buckle; **boucle d'oreille** earring

**boue** *f.* mud

**bouffer** *fam.* to eat

**bougainvillée** *f.* bougainvillea

**bouger (nous bougeons)** to move

**bougie** *f.* candle

**bouillabaisse** *f.* bouillabaisse (*fish soup from Provence*)

**bouillir** (*p.p.* **bouilli**) *irreg.* to boil; **faire bouillir** to boil, bring to a boil

**bouilloire** *f.* kettle; **bouilloire-électrique** electric kettle

**bouillon** *m.* broth

**boulanger/boulangère** *m., f.* baker

**boulangerie** *f.* bakery

**boule** *f.* bowl; ball; **boule de glace** scoop of ice cream; ball of ice; **boule de sorbet** scoop of sorbet

**bouleverser** to disrupt, change drastically

**boulot** *m., fam.* job; work; **au boulot!** (let's) get to work!

**bouquin** *m., fam.* book

**bouquiner** *fam.* to read

**bourgeois(e) bohème** (*fam.* **bobo**) *n., m., f. person with an affluent lifestyle but a nontraditional attitude*

**Bourgogne** *f.* Burgundy (*French province*)

**bourse** *f.* scholarship; **Bourse** stock exchange

**bousculade** *f.* jostling, crush; rush

**bousculer** to push, bump against; **se bousculer** to jostle each other

**bout** *m.* end; **au bout (de)** at the end (of)

**bouteille** *f.* bottle

**boutique** *f.* store

**bouton** *m.* button; *pl.* acne

**bovins** *m. pl.* cattle

**boxe** *f.* boxing

**branche** *f.* branch

**branché(e)** *adj., fam.* hip, cool, trendy, in fashion; connected (*technology*)

**bras** *m.* arm

**brasserie** *f.* pub, bar

**bref/brève** *adj.* short, brief; **(en) bref** in short

**Brésil** *m.* Brazil

**brésilien(ne)** *adj.* Brazilian; **Brésilien(ne)** *m., f.* Brazilian (*person*)

**Bretagne** *f.* Brittany (*region of France*)

**breton(ne)** *adj.* from Brittany (*French province*); *m.* Breton (*language*); **Breton(ne)** *m., f.* Breton (*person*)

**brevet** *m.* diploma; certificate

**bricolage** *m.* do-it-yourself home projects

**bricoler** to putter around the house

**brièvement** *adv.* briefly

**brillant(e)** *adj.* brilliant; shining

**briller** to shine, gleam

**brin** *m.* sprig; **brin de muguet** sprig of lily of the valley

**brindille** *f.* twig

**brique** *f.* brick

**briser** to break; to shatter; to wreck, ruin

**britannique** *adj.* British

**broderie** *f.* embroidery

**bronzer** to tan, sunbathe; **se faire bronzer** to get tanned

**brosse** *f.* brush; chalkboard eraser; **brosse à cheveux** hairbrush; **brosse à dents** toothbrush

**brosser** to brush; **se brosser les cheveux** to brush one's hair; **se brosser les dents** to brush one's teeth

**brouillard** *m.* fog; **il y a du brouillard** it's foggy

**se brouiller (avec)** to quarrel, break up (with)

**brousse** *f.* bush, wilderness

**bruit** *m.* noise

**brûler** to burn (up); **brûler le feu rouge** to run a red light; **se brûler** to get burned

**brun(e)** *adj.* brown; dark-haired

**brunir** (*like* **finir**) to tan

**Bruxelles** Brussels

**bruyant(e)** *adj.* noisy

**bûcher** *fam.* to cram, study hard

**buffet** *m.* buffet (*furniture, self-serve meal*)

**buissonnière: faire l'école buissonnière** to play hooky

**bulletin** (*m.*) **météorologique** weather forecast

**bureau** *m.* office; (teacher's) desk; **bureau de change** (*foreign*) currency exchange; **bureau de poste** post office

**but** *m.* goal

**buteur** *m.* goal-scorer

**ça** this, that; it; **à quoi ça sert?** what's that/it used for?; **ça fait penser** it makes one think; **ça m'est égal** it's all the same to me; **ça te va?** is that O.K. with you?; **ça va?** *fam.* how's it going?; **ça va** fine; it's going well; **comme ci, comme ça** so-so; **j'aime ça** I like that/them

**cabane** *f.* hut; cabin

**cabine** *f.* cabin; booth; **cabine à cartes** *phone booth accepting calling cards*; **cabine téléphonique** phone booth

**cabinet** *m.* practice; office; **cabinet d'avocats** lawyers' practice

**câble** *m.* cable (*TV*)

**câblé(e)** *adj.* wired (up)

**cacahuète** *f.* peanut; **beurre** (*m.*) **de cacahuètes** peanut butter

**cache-cache** *m.* hide-and-seek; **jouer à cache-cache** to play hide-and-seek

**cacher** to hide (*s.th.*); **se cacher les yeux** to cover one's eyes

**cadavre** *m.* corpse, cadaver

**cadeau** *m.* present, gift; **offrir un cadeau** to give a present

**cadien(ne)/cadjin(e)** *adj.* Cajun; Acadian; **Cadien(ne)/Cadjin(e)** *m., f.* Cajun, Acadian (*person*)

**cadre** *m.* frame; setting; (business) executive, manager; **cadre de vie** lifestyle

**café** *m.* coffee; café; **café au lait** coffee with milk; **café en poudre** instant coffee; **café-tabac** *m.* café-tobacconist (*government-licensed*); **c'est bon pour (le café), merci** no more (coffee), thanks; **cuillère** (*f.*) **à café** teaspoon

**caféine** *f.* caffeine

**cafétéria** *f.* cafeteria; dining hall; self-service restaurant

**cafetière** *f.* coffeepot; **cafetière espresso** espresso maker

**cahier** *m.* notebook, workbook

**cahoter** to jolt, shake, bump

**caille** *f.* quail

**caillou** *m.* **(poli)** (polished) stone, pebble

**Caire (Le)** *m.* Cairo

**caisse** *f.* cash register

**caissier/caissière** *m., f.* cashier

**calcul** *m.* calculation; calculus; **faire les calculs** to do arithmetic, calculations

**calculatrice** *f.* calculator

**calculer** to calculate, figure

**calebasse** *f.* calabash, gourd

**caleçon** *m. s.* boxer shorts

**calendrier** *m.* calendar

**Californie** *f.* California

**câlin** *m.* cuddle, hug

**calme** *adj., m.* calm

**se calmer** to quiet down

**camarade** *m., f.* friend, companion; **camarade de chambre** roommate; **camarade de classe** classmate, schoolmate

**Cambodge** *m.* Cambodia

**cambriolage** *m.* burglary

**caméra** *f.* **(numérique)** (digital) movie camera

**Cameroun** *m.* Cameroon

**camomille** *f.* chamomile

**campagne** *f.* countryside, country; campaign; **à la campagne** in the country; **en pleine campagne** out in the country

**campement** *m.* camp; encampment

**camper** to camp

**campeur/campeuse** *m., f.* camper

**camping** *m.* camping; campground; **faire du camping** to go camping; **terrain** (*m.*) **de camping** campground

**canadien(ne)** *adj.* Canadian; **Canadien(ne)** *m., f.* Canadian (*person*)

**canal** *m.* channel; canal

**canapé** *m.* sofa, couch

**canard** *m.* duck; **canard à l'orange** duck with orange sauce

**candidat(e)** *m., f.* candidate; applicant

**candidater** to apply (*for a job*)

**candidature** *f.* candidacy; **dossier** (*m.*). **de candidature** application; **poser sa candidature** to apply; to run (*for office*)

**canne** *f.* cane; **canne à sucre** sugarcane

**canoë** *m.* canoe; **faire du canoë** to canoe, go canoeing

**cantatrice** *f.* singer; ***La Cantatrice chauve*** *The Bald Soprano (play by Ionesco)*

**cantine** *f.* cafeteria (*school*)

**caoutchouc** *m.* rubber

**cap** *m.* cape (*geography*); point, headland

**capacité** *f.* ability; capacity

**capitaine** *m.* captain

**capital(e)** *adj.* capital, chief; **capitale** *f.* capital (*city*)

**capitalisme** *m.* capitalism

**capot** *m.* hood (*of car*)

**capricieux/capricieuse** *adj.* capricious; erratic

**captif/captive** *m., f.* captive, prisoner; *adj.* captive

**captivité** *f.* captivity; bondage

**capturer** to capture

**car** *conj.* for, because

**car** *m.* (interurban) bus

**caractère** *m.* character; nature

**caractériser** to characterize

**Caraïbes** *f. pl.* Caribbean (islands)

**caramel** *m.* caramel; **crème** (*f.*) **caramel** caramel custard

**caramélisé(e)** *adj.* caramelized

**caravane** *f.* (camping) trailer

**carbonique** *adj.* carbonic; **gaz** (*m.*) **carbonique** carbon dioxide

**cardiaque** *adj.* cardiac; **crise** (*f.*) **cardiaque** heart attack

**Carême** *m.* Lent

**Caribs** *m. pl. indigenous people of the Caribbean*

**caricaturer** to caricature

**carnaval** *m.* carnival

**carnet** *m.* booklet; **carnet d'adresses** address book

**carotte** *f.* carrot

**carré(e)** *adj.* square; *m.* square; scarf; **kilomètre** (*m.*) **carré** square kilometer

**carreau** *m.* (floor) tile

**carrefour** *m.* intersection, crossroad

**carrelage** *m.* (tile) floor

**carrière** *f.* career

**carriole** *f., Q.* sleigh

**carte** *f.* card; map; menu; playing card; **carte à puce** smart card; **carte bancaire** bank card, credit card; **carte de crédit** credit card; **carte de débit** debit card; **carte d'embarquement** boarding pass; **carte de vœux** greeting card; **carte**

**d'identité** identification card; **carte orange** *type of bus/métro pass in France*; **carte postale** postcard; **carte prépayée** prepaid card; **carte routière** road map; **carte SIM** SIM card (*smart card inside a cell phone*); **jouer aux cartes** to play cards; **tireuse** (*f.*) **de cartes** fortune-teller

**cas** *m.* case; **cas d'urgence** emergency; **en cas de** in case of, in the event of; **en tout cas** in any case

**casbah** *f.* casbah (*old part of an Arab city*)

**case** *f.* square, box (*in a board game, puzzle, form*)

**casque** *m.* helmet; **casque Blue Tooth** Blue Tooth headset

**casquette** *f.* cap

**cassé(e)** *adj.* broken

**casse-croûte** *m. inv.* snack

**casse-pieds** *m., f., inv., fam.* bore; pain in the neck

**casse-tête** *m. inv.* puzzle, brainteaser

**casser** *trans.* to break; **se casser le bras (la jambe)** to break an arm (a leg)

**castor** *m.* beaver

**catalan** *m.* Catalan (*language*)

**catastrophe** (*fam.* **cata**) *f.* catastrophe; **quelle cata!** *fam.* what a disaster!

**catastrophique** *adj.* catastrophic, disastrous

**catégorie** *f.* category, class

**catégoriser** to categorize

**cathédrale** *f.* cathedral

**catholicisme** *m.* Catholicism

**catholique** *adj.* Catholic

**cauchemar** *m.* nightmare

**cause** *f.* cause; **à cause de** *prep.* because of

**causer** to cause

**causerie** *f.* discussion

**cavalier/cavalière** *adj.* cavalier; *m., f.* horseback rider

**cave** *f.* cellar; wine cellar; **cave à vins** winery

**CD** *m. inv.* CD

**ce (cet, cette, ces)** *adj.* this, that; these, those; *pron.* it, this; **c'est** he/she/it is

**ceci** *pron.* this

**céder ( je cède, nous cédons)** to give up; to give away

**cédérom** *m.* CD-ROM; **lecteur** (*m.*) **cédérom** CD-ROM player

**cédille** *f.* cedilla

**ceinture** *f.* belt; **ceinture de sécurité** seat belt, safety belt

**cela** *pron.* that

**célèbre** *adj.* famous

**célébrer ( je célèbre, nous célébrons)** to celebrate

**célébrité** *f.* celebrity

**céleri** *m.* celery

**célibataire** *adj., m., f.* single, unmarried

**celte** *adj.* Celtic

**celtique** *adj.* Celtic

**celui (celle, ceux, celles)** *pron.* the one, the ones; this one, that one; these, those

**cendre** *f.* ash

**cendrier** *m.* ashtray

**cent** one hundred

**centaines** *f. pl.* hundreds

**centenaire** *m., f.* hundred-year-old person

**central(e)** *adj.* central, main; **centrale** (*f.*) **nucléaire** nuclear power plant

**centre** *m.* center; **centre commercial** shopping center, mall; **centre-ville** *m.* downtown

**cependant** *conj.* yet, still, however, nevertheless

**cercle** *m.* circle

**céréales** *f. pl.* cereal(s); grains

**cérémonie** *f.* ceremony

**cerise** *f.* cherry

**cerisier** *m.* cherry tree

**certain(e)** *adj.* certain; **d'un certain âge** middle-aged

**certes** *adv.* admittedly, of course

**certifié(e)** *adj.* certified, guaranteed

**cerveau** *m.* brain

**cesse** *f.* cease; **sans cesse** *adv.* constantly

**cesser (de)** to stop, cease, end

**chacun(e)** *pron.* each, each one, every one

**chaîne** *f.* TV or radio channel; chain; **chaîne alimentaire** food chain; **chaîne de montagnes** mountain range; **chaîne stéréo** stereo system

**chaise** *f.* chair

**chaleur** *f.* heat; warmth

**chambre** *f.* bedroom; room; **camarade** (*m., f.*) **de chambre** roommate; **chambre à coucher** bedroom

**champignon** *m.* mushroom

**champion/championne** *m., f.* champion

**championnat** *m.* championship

**chance** *f.* luck; possibility; opportunity; **avoir de la chance** to be lucky; **bonne chance** good luck; **pas de chance!** *interj.* no way! out of luck!

**Chandeleur** *f.* Candlemas (*Catholic festival on February 2*)

**changement** *m.* change; **changement climatique** climate change

**changer (nous changeons) (de)** to change; to exchange; **changer de direction** to change direction; **changer de l'argent** to exchange currency; **changer de vitesse** to change gears

**chanson** *f.* song

**chant** *m.* song; birdsong

**chanter** to sing

**chanteur/chanteuse** *m., f.* singer

**chapeau** *m.* hat

**chapitre** *m.* chapter

**chaque** *adj.* each, every

**char** *m., fam., Q.* car

**charcuterie** *f.* cold cuts; deli; pork butcher's shop, delicatessen

**chargé(e) (de)** *adj.* in charge of, responsible for

**charger (nous chargeons)** to load

**chariot** *m.* pushcart (*at airport, supermarket*)

**charmant(e)** *adj.* charming

**charme** *m.* charm

**chasse** *f.* **(au bison)** (bison) hunting
**chassé(e)** *adj.* driven out, expelled
**chasseur** *m.* bellhop
**chat(te)** *m., f.* cat
**châtain** *adj. inv.* chestnut-colored (*hair*)
**château** *m.* castle
**chaud(e)** *adj.* warm; hot; **avoir chaud** to feel warm, hot; **il fait chaud** it (the weather) is warm, hot
**chauffage** *m.* heat; heating system
**chauffant(e)** *adj.* warming, heating
**chauffer** to heat; **faire chauffer** to warm up, heat up; **se chauffer** to get warm
**chauffeur/chauffeuse** *m., f.* chauffeur; driver; **chauffeur de taxi** taxi(cab) driver
**chaussée** *f.* pavement; **chaussée glissante** slippery pavement
**chaussettes** *f. pl.* socks
**chaussures** *f. pl.* shoes; **chaussures à talons plats** flat-heeled shoes
**chauve** *adj.* bald; *La Cantatrice chauve* The Bald Soprano (*play by Ionesco*); **chauve-souris** (*f.*) bat
**chauvin(e)** *adj.* chauvinistic; prejudiced; *m., f.* chauvinist
**chef** *m., f.* leader; head; *fam.* boss; **chef de cuisine** (head) chef; **chef de gouvernement** head of government; **chef d'État** head of state; **chef d'orchestre** conductor; **chef-lieu** *m.* county seat (*town*)
**chemin** *m.* way; road; path; **chemin de fer** railroad; **demander le/son chemin** to ask for directions; **montrer le chemin** to show the way/route
**cheminée** *f.* chimney; fireplace
**chemise** *f.* shirt
**chemisier** *m.* blouse
**chèque** *m.* (bank) check; **chèque de voyage** traveler's check
**cher/chère** *adj.* dear; expensive; **coûter (se vendre) cher** to be expensive
**chercher** to hunt for; to go get; to look for; to pick up; **chercher à** to try to
**chercheur/chercheuse** *m., f.* researcher
**chéri(e)** *m., f., fam.* darling
**cheval** *m.* horse; **monter à cheval** to ride a horse, go horseback riding
**chevelure** *f.* (head of) hair
**cheveu** *m.* (strand of) hair; **cheveux** *pl.* hair; **laque** (*f.*) **(à cheveux)** hair spray
**cheville** *f.* ankle; **se fouler la cheville** to sprain one's ankle
**chez** *prep.* at, to, in (*the house, family, business, or country of*)
**chic** *adj. inv.* stylish
**chien(ne)** *m., f.* dog
**chiffre** *m.* digit, number; **chiffre** (*s.*) **d'affaires** total sales
**chimie** *f.* chemistry
**chimique** *adj.* chemical
**chimiste** *m., f.* chemist
**Chine** *f.* China
**chinois(e)** *adj.* Chinese; *m.* Chinese (*language*); **Chinois(e)** *m., f.* Chinese (*person*)

**chirurgien(ne)** *m., f.* surgeon
**chlorophylle** *f.* chlorophyll
**chocolat** *m.* chocolate
**choisir** (*like* **finir**) **(de)** to choose (to)
**choix** *m.* choice
**cholestérol** *m.* cholesterol
**chômage** *m.* unemployment
**chômeur/chômeuse** *m., f.* unemployed person
**choquant(e)** *adj.* shocking
**choquer** to shock
**chorale** *f.* choral society; choir
**chose** *f.* thing; **autre chose** something else; **pas grand-chose** not much; **quelque chose** something; **quelque chose de cher (d'intéressant)** something expensive (interesting)
**choucroute** *f.* sauerkraut
**chouette** *adj. inv., fam.* cool, great
**chrétien(ne)** *adj.* Christian; *m., f.* Christian (*person*)
**chroniqueur/chroniqueuse** *m., f.* commentator; columnist; chronicler
**chronologique** *adj.* chronological
**chute** *f.* **(d'eau)** (water)fall
**-ci: celui-ci/celle-ci** *pron.* this one; **ceux-ci/celles-ci** these
**ciao!** *interj.* ciao!, 'bye! (*Italian*)
**cicatrice** *f.* scar
**ci-dessous** *adv.* below
**ci-dessus** *adv.* above
**cidre** *m.* (apple) cider
**ciel** *m.* sky, heaven; **gratte-ciel** *m. inv.* skyscraper
**cigogne** *f.* stork
**cil** *m.* eyelash
**ciment** *m.* cement
**cimetière** *f.* cemetery
**cinéaste** *m., f.* film director, filmmaker
**cinéma** (*fam.* **ciné**) *m.* cinema, movies; **salle** (*f.*) **de cinéma** movie theater
**cinémathèque** *f.* film library/archive; national cinema agency
**cinématographie** *f.* cinematography; filmmaking
**cinématographique** *adj.* film, cinema
**cinquantaine** *f.* about fifty
**cinquante** fifty
**cinquième** *adj.* fifth; **j'habite au cinquième** I live on the sixth floor (*fifth floor above ground level*)
**circonflexe** *adj.* circumflex; **accent** (*m.*) **circonflexe** circumflex accent
**circonstance** *f.* circumstance; occurrence
**circuit** *m.* tour
**circulation** *f.* traffic
**circuler** to circulate; to travel
**ciseaux** *m. pl.* scissors
**citadelle** *f.* citadel
**citadin(e)** *m., f.* city dweller
**citation** *f.* quotation
**cité** *f.* (area in a) city; (housing) project; **cité universitaire** (*fam.* **cité-U**) university residential complex
**citer** to quote, cite
**citerne** *f.* cistern, tank

**citoyen(ne)** *m., f.* citizen
**citron** *m.* lemon; **citron pressé** lemonade
**civière** *f.* stretcher
**civil(e)** *adj.* civil; civilian; **génie** (*m.*) **civil** civil engineering; **guerre** (*f.*) **civile** civil war; **pacte** (*m.*) **civil de solidarité (PACS)** domestic partnership agreement, civil union; **vie** (*f.*) **civile** civilian life
**civilisation** *f.* civilization
**clair(e)** *adj.* light, bright; light-colored; clear; evident
**clarinette** *f.* clarinet
**clarté** *f.* clarity
**classe** *f.* class; classroom; **salle** (*f.*) **de classe** classroom
**classer** to classify
**classique** *adj.* classical; classic; *m.* classic; **musique** (*f.*) **classique** classical music
**clavier** *m.* keyboard
**clé (clef)** *f.* key; **moment-clé** *m.* key, crucial moment; **mot clé** *m.* key word
**clément(e)** *adj.* mild (*weather*)
**client(e)** *m., f.* customer, client
**clientèle** *f.* clientele, customers
**clignotant** *m.* turn signal; blinker
**climat** *m.* climate
**climatique** *adj.* climatic; **changement** (*m.*) **climatique** climate change
**climatisation** *f.* air-conditioning
**climatisé(e)** *adj.* air-conditioned
**clinique** *f.* clinic; private hospital
**clip** *m.* video(clip), video segment
**cliquer (sur)** to click (on)
**clou** *m.* (metal) nail; **clou de girofle** clove (*spice*)
**coca** *m., fam.* cola (*soft drink*)
**coccinelle** *f.* ladybug; beetle
**cocher** to check off (*appropriate entry, e.g., on a form*)
**coco** *m.* coconut; **noix** (*f.*) **de coco** coconut
**cocotier** *m.* coconut tree
**code** *m.* code; **code de la route** highway regulations; **code personnel** PIN; **code postal** postal code, zip code
**cœur** *m.* heart; **au cœur de** at the center (heart) of; **avoir mal au cœur** to feel sick, nauseous; **courrier** (*m.*) **du cœur** "lonely hearts" advice column
**coffre** *m.* trunk (*of car*)
**coiffé(e)** *adj.* **(d'un bonnet)** wearing (a cap)
**coiffer** to style, do s.o.'s hair
**coiffeur/coiffeuse** *m., f.* hairdresser
**coin** *m.* corner; **coin de la rue** street corner
**coincé(e)** *adj.* stuck
**coïncidence** *f.* coincidence; **quelle coïncidence!** *interj.* what a coincidence!
**coïncider** to coincide
**colère** *f.* anger; **se mettre en colère (contre)** to get angry (at)
**colibri** *m.* hummingbird
**colis** *m.* parcel, package; **expédition** (*f.*) **de colis** sending packages

**collaborer** to collaborate, work together
**collectionner** to collect
**collectif/collective** *adj.* public, group, collective
**collectivité** *f.* group; community; organization
**collège** *m. French school for junior high school age students*
**collégien/collégienne** *m., f.* student (*in a French junior high school*)
**collègue** *m., f.* colleague
**collier** *m.* necklace
**colline** *f.* hill
**colocataire** (*fam.* **coloc**) *m., f.* fellow tenant, housemate
**colocation** *f.* apartment/house sharing
**colombe** *f.* dove
**colon** *m.* settler, colonist, colonial
**colonial(e)** *adj.* colonial
**colonie** *f.* colony; **colonie de vacances** (*fam.* **colo**) summer camp
**colonisateur/colonisatrice** *m., f.* colonizer
**colonisation** *f.* colonization
**coloniser** to colonize
**colonne** *f.* column
**coloré(e)** *adj.* colorful; colored
**combattre** (*like* **battre**) *irreg.* to fight
**combien (de)** *adv.* how much; how many; **combien de temps?** how long?
**combinaison** *f.* combination; woman's slip
**combiné** *m.* telephone receiver
**combiner** to combine
**combustibles** *m. pl.* fossil fuels
**comédie** *f.* comedy; theater; **comédie sentimentale** romantic comedy
**comique** *adj.* funny, comical, comic
**commande** *f.* order; **passer la commande** to place an order
**commandement** *m.* command; commandment
**commander** to order (*a meal, product, etc.*); to give orders
**comme** *adv.* as, like, how; **comme ci, comme ça** so-so; **comme d'habitude** as usual
**commémorer** to commemorate
**commencement** *m.* beginning
**commencer (nous commençons) (à)** to begin (to); **pour commencer** first of all
**comment** *adv.* how; **comment allez-vous?** how are you?; **comment ça va?** how are you? how's it going?; **comment est-il/elle?** what's he/she like?; **comment s'appelle... ?** what's . . . 's name?; **comment t'appelles-tu / vous appelez-vous?** what's your name?
**commentaire** *m.* commentary, remark
**commenter** to comment on
**commerçant(e)** *m., f.* merchant, storekeeper
**commerce** *m.* trade, business; **commerce des fourrures** fur trading
**commettre** (*like* **mettre**) *irreg.* to commit

**commissaire** *m.* commissioner; superintendent (*police*); **commissaire-priseur** *m.* auctioneer
**commissariat (de police)** *m.* police station
**commode** *f.* dresser; *adj.* convenient, comfortable
**commun(e)** *adj.* ordinary, common, usual; popular; shared, common; **avoir en commun** to have in common; **transports** (*m. pl.*) **en commun** public transportation
**communautaire** *adj.* community (*shared by a community*)
**communauté** *f.* community
**commune** *f.* village, town
**communiquer** to communicate; to adjoin
**compact(e)** *adj.* compact; **disque** (*m.*) **compact** CD, compact disc
**compagnie** *f.* company
**compagnon/compagne** *m., f.* companion; spouse
**comparaison** *f.* comparison; **en comparaison (avec)** in comparison (with); **par comparaison (à)** compared to
**comparer** to compare
**compatriote** *m., f.* compatriot
**compétences** *f. pl.* expertise; **dépasser ses compétences** to exceed one's expertise
**compétent(e)** *adj.* competent, able
**compétition** *f.* competition
**complet/complète** *adj.* complete; full; **pain** (*m.*) **complet** whole-grain bread
**compléter (je complète, nous complétons)** to complete, finish
**compliqué(e)** *adj.* complicated
**comportement** *m.* behavior
**comporter** to include
**composé(e)** *adj.* compound; **composé(e) de** composed of; **passé** (*m.*) **composé** *gram.* present perfect
**composer** to compose (*music, a letter, etc.*); **se composer de** to be made up of, be composed of
**compositeur/compositrice** *m., f.* composer (*music*)
**composter** to compost; to date stamp, punch (*a ticket*)
**compote** *f.* stewed fruit, compote
**compréhensif/compréhensive** *adj.* understanding
**comprendre** (*like* **prendre**) *irreg.* to understand; to comprise, include
**comprimé** *m.* tablet, pill
**compris(e)** *adj.* included; **service** (*m.*) **compris** tip included
**comptabilité** *f.* accounting
**comptable** *m., f.* accountant
**compte** *m.* account; **à votre compte** in your opinion, according to you; **se rendre compte de/que** to realize (that)
**compter (sur)** to plan (on); to intend; to count; to count (*on s.o., s.th.*); to have; **ce qui compte pour moi** what counts for me

**comptoir** *m.* counter, bar (*in café*)
**se concentrer (sur)** to concentrate (on)
**concentrique** *adj.* concentric
**concerner** to concern
**concevoir** (*like* **recevoir**) *irreg.* to devise; to conceive
**concitoyen(ne)** *m., f.* fellow citizen
**conclure** (*p.p.* **conclu**) *irreg.* to conclude
**concombre** *m.* cucumber
**concours** *m.* competition; contest
**concurrent(e)** *m., f.* rival, competitor
**condition** *f.* condition; **à condition que** *conj.* (+ *subj.*) provided that
**conditionnel** *m., gram.* conditional (*mood*)
**conducteur/conductrice** *m., f.* driver
**conduire** (*p.p.* **conduit**) *irreg.* to drive; to take (*s.o. in a car*); to conduct; **permis** (*m.*) **de conduire** driver's license; **se conduire** to behave
**conduite** *f.* behavior; conduct
**conférence** *f.* lecture; conference
**confiance** *f.* confidence
**confier** to confide; **se confier à** to confide in
**confirmer** to confirm
**confiture** *f.* jam, preserves
**conflit** *m.* conflict
**se conformer à** to conform to
**conformiste** *adj.* conformist
**confort** *m.* comfort; amenities
**confortable** *adj.* comfortable
**confus(e)** *adj.* embarrassed
**congé** *m.* vacation, leave (*from work*), time off
**congelé(e)** *adj.* (deep) frozen
**conjointement** *adv.* jointly
**conjonction** *f., gram.* conjunction
**conjugal(e)** *adj.* conjugal, married; **conseiller/conseillère** (*m., f.*) **conjugal(e)** marriage counselor
**conjuguer** *gram.* to conjugate
**connaissance** *f.* knowledge; acquaintance; consciousness; **connaissances** *pl.* knowledge; acquaintances; **faire connaissance** to get acquainted; **faire la connaissance de** to meet (*for the first time*); **sans connaissance** unconscious
**connaître** (*p.p.* **connu**) *irreg.* to know; to be acquainted with; **se connaître** to get to know one another; to meet
**connecté(e)** *adj.* connected
**connu(e)** *adj.* known; famous
**conquérant(e)** *m., f.* conqueror
**consacré(e) à** *adj.* devoted to, used for
**consacrer** to devote, use
**conscience** *f.* consciousness; **prendre conscience de** to become aware of
**conscient(e)** *adj.* conscious
**conseil** *m.* (piece of) advice; council; **donner (suivre) des conseils** to give (follow) advice
**conseiller (de)** to advise (to); to counsel
**conseiller/conseillère** *m., f.* advisor; counselor; **conseiller/conseillère conjugal(e)** marriage counselor

**conséquence** *f.* consequence
**conséquent: par conséquent** *adv.* therefore, as a result
**conservateur/conservatrice** *adj.* conservative; **agent** (*m.*) **conservateur** (food) preservative; **conservateur/conservatrice** (*m., f.*) **de musée** museum curator
**conserver** to keep; to conserve; to preserve
**considérablement** *adv.* considerably; significantly
**considérer** (**je considère, nous considérons**) to consider
**consigne** *f.* baggage check
**consister** (**à, en**) to consist (in, of)
**console** (*f.*) **de jeux** game console
**consolider** to consolidate; to strengthen
**consommateur/consommatrice** *m., f.* consumer
**consommation** *f.* consumption; consumerism
**consommer** to consume; to spend; **consommer de l'essence** to use gas(oline)
**consonne** *f.* consonant
**constamment** *adv.* constantly
**constant(e)** *adj.* constant, unceasing
**constater** to state; to notice
**constituer** to constitute
**constructeur/constructrice** *m., f.* builder
**construire** (*like* **conduire**) *irreg.* to construct, build
**consulat** *m.* consulate
**consulter** to consult
**contact** *m.* contact; **lentilles** (*f. pl.*) **de contact** contact lenses
**contacter** to contact
**conte** *m.* tale, story; **conte de fées** fairy tale
**contemporain(e)** *adj.* contemporary
**contenir** (*like* **tenir**) *irreg.* to contain, hold
**content(e)** *adj.* content; happy
**contenu** *m. s.* contents
**continu(e)** *adj.* continuous, uninterrupted
**continuellement** *adv.* continually
**continuer** (**à, de**) to continue (to)
**contraire** *adj.* opposite; *m.* opposite; **au contraire** on the contrary
**contrat** *m.* contract
**contravention** *f.* speeding ticket, traffic ticket
**contre** *prep.* against; contrasted with
**contrebandier/contrebandière** *m., f.* smuggler
**contredire** (*like* **dire**, *but* **vous contredisez**) *irreg.* to contradict
**contribuer** to contribute
**contrôle** *m.* control; checkpoint; **contrôle de police** police checkpoint; **contrôle des passeports** passport check; **contrôle de sûreté** security check
**contrôler** to control
**contrôleur/contrôleuse** *m., f.* conductor; inspector

**controverse** *f.* controversy
**controversé(e)** *adj.* controversial
**convaincre** (*p.p.* **convaincu**) *irreg.* to convince
**convenable** *adj.* proper; appropriate
**convenir** (*like* **venir**) *irreg.* to be suitable, to fit
**converger** (**nous convergeons**) to converge
**convive** *f.* guest (*at a meal*), fellow diner
**coopératif/coopérative** *adj.* cooperative
**coopération** *f.* cooperation
**coordonnées** *f. pl.* coordinates, contact information
**copain/copine** *m., f., fam.* close friend, pal; boyfriend/girlfriend
**copeau** *m.* shaving, chip; **copeaux de bois** wood shavings
**copie** *f.* copy, replica
**copier** to copy
**copieux/copieuse** *adj.* copious, abundant
**coq** *m.* rooster; **coq au vin** *chicken prepared with (red) wine*
**coquille** *f.* seashell; **coquilles Saint-Jacques** *scallops (served in shells)*
**Coran** *m.* Koran
**corbeau** *m.* crow; raven
**corde** *f.* string; rope
**cordialement** *adv.* cordially
**cordonnier/cordonnière** *m., f.* shoemaker, cobbler
**corporel(le)** *adj.* corporal, body, bodily
**corps** *m.* body; **parties** (*f.*) **du corps** parts of the body
**correcteur/correctrice** *m., f.* examiner, grader; proofreader
**correspondant(e)** *m., f.* correspondent; pen pal
**correspondre** to correspond
**corriger** (**nous corrigeons**) to correct
**Corse** *f.* Corsica
**costaud(e)** *adj.* sturdy, strong
**costume** *m.* man's suit; costume
**côte** *f.* coast; rib; side; **Côte d'Azur** French Riviera; **côte de bœuf** rib roast; **Côte d'Ivoire** Ivory Coast; **côtes de porc** pork chops
**côté** *m.* side; **à côté (de)** *prep.* beside, by, near, next to; at one's side; **de l'autre côté (de)** from, on the other side (of); **mettre de côté** to set aside
**côtelette** *f.* cutlet, (lamb, pork) chop
**côtier/côtière** *adj.* coastal
**coton** *m.* cotton; **en coton** (made of) cotton
**côtoyer** (**je côtoie**) to rub shoulders with; to be close to
**cou** *m.* neck
**couchage** *m.* bed; bedding; **sac** (*m.*) **de couchage** sleeping bag
**couche** *f.* layer; stratum; baby diaper; **couche d'ozone** ozone layer; **couches** *pl.* (**jetables, lavables**) (disposable, washable) diapers

**coucher** to put to bed; **chambre** (*f.*) **à coucher** bedroom; **coucher** (*m.*) **du soleil** sunset; **se coucher** to go to bed; to lie down; to set (*sun*)
**coude** *m.* elbow
**coudre** (*p.p.* **cousu**) *irreg.* to sew
**couler** to flow, run
**couleur** *f.* color; **de quelle couleur est... ?** what color is . . . ?
**coup** *m.* blow; coup; (gun)shot; influence; **coup de fil** *fam.* phone call; **coup de foudre** lightning bolt; *fig.* love at first sight; **coup de téléphone** telephone call; **du coup** thereupon; suddenly; **tout à coup** *adv.* suddenly; **tout d'un coup** *adv.* all at once
**coupe** *f.* (**du monde; Davis; Stanley**) (World; Davis; Stanley) cup; **coupe de (fruits)** (fruit) cup
**couper** to cut; to divide; **se couper à la main** to cut one's hand; **se faire couper les cheveux** to have one's hair cut
**coupon** *m.* coupon; ticket stub
**cour** *f.* court; courtyard
**courageux/courageuse** *adj.* courageous
**couramment** *adv.* fluently; commonly
**courant(e)** *adj.* frequent; general, everyday; **se tenir au courant** to keep informed, up to date
**coureur/coureuse** *m., f.* runner
**courgette** *f.* zucchini (*squash*)
**courir** (*p.p.* **couru**) *irreg.* to run
**courriel** *m.* e-mail (message)
**courrier** *m.* mail; **courrier du cœur** "lonely hearts" advice column
**cours** *m.* course, class; rate; price; **cours d'amphi(théâtre)** *a course held in a large lecture hall*; **cours d'eau** waterway, river, stream; **sécher un cours** (*fam.*) to cut class, play hooky; **suivre un cours** to take a course
**course** *f.* race; errand; **faire des/les courses** to go grocery shopping; to do errands
**court(e)** *adj.* short (*not used for height of a person*)
**cousin(e)** *m., f.* cousin
**coussin** *m.* cushion
**coût** *m.* cost; **coût de la vie** cost of living
**couteau** *m.* knife
**coûter** to cost; **coûter cher** to be expensive
**coûteux/coûteuse** *adj.* costly, expensive
**coutume** *f.* custom
**couture** *f.* fashion; *haute couture high fashion
**couturier/couturière** *m., f.* tailor/seamstress; **grand couturier / grande couturière** fashion designer
**couvert(e)** *adj.* covered; cloudy; *m.* table setting; **couvert(e) de** covered with; **le ciel est couvert** it's cloudy; **mettre le couvert** to set the table
**couvre-lit** *m.* bedspread
**couvrir** (*like* **ouvrir**) *irreg.* to cover

**covoiturage** *m.* carpooling; **faire du covoiturage** to carpool

**crabe** *m.* crab

**craie** *f.* chalk

**craindre** (*p.p.* **craint**) *irreg.* to fear

**craquer** *fam.* to give (*under stress*), to break down

**cravate** *f.* necktie

**crayon** *m.* pencil

**créancier/créancière** *m., f.* creditor

**créateur/créatrice** *adj.* creative; *m., f.* creator

**créatif/créative** *adj.* creative

**création** *f.* creation

**crèche** *f.* day care center

**crédit** *m.* credit

**crédule** *adj.* gullible

**crédulité** *f.* gullibility

**créer** to create; **créer une page Web** to make a web page

**crème** *f.* cream; **crème caramel** caramel custard; **crème Chantilly** whipped cream

**créole** *adj.* Creole; *m.* Creole (*language*)

**crêpe** *f.* crêpe, French pancake

**crépuscule** *m.* twilight, dusk

**creuser** to dig; to hollow out

**creux/creuse** *adj.* hollow; **creux** *m.* hollow

**crevé(e)** *adj.* punctured; *fam.* exhausted; **pneu** (*m.*) **crevé** flat tire

**crevette** *f.* shrimp

**crier** to cry out; to shout

**criminel(le)** *m., f.* criminal

**Cris** *m. pl.* Cree (*indigenous people of Quebec*)

**crise** *f.* crisis; recession; depression; **crise cardiaque** heart attack; **crise économique** recession; depression

**cristal** *m.* crystal

**critère** *m.* criterion

**critique** *m., f.* critic, reviewer; *f.* critique, review; *adj.* critical

**critiquer** to criticize

**croate** *adj.* Croatian

**croire** (*p.p.* **cru**) *irreg.* to believe

**croisé(e)** *adj.* crossed; **mots** (*m. pl.*) **croisés** crossword puzzle

**croisière** *f.* cruise; **partir en croisière** to go on a cruise

**croissance** *f.* growth

**croissant(e)** *adj.* growing, increasing

**croix** *f.* cross

**croque-monsieur** *m.* grilled ham-and-cheese sandwich

**croustillant(e)** *adj.* crusty, crunchy

**croûte** *f.* crust; **en croûte** in pastry; breaded

**cru(e)** *adj.* raw

**crudités** *f. pl.* raw vegetables served as appetizer

**cruel(le)** *adj.* cruel

**cryptique** *adj.* cryptic

**cubisme** *m.* cubism

**cueillir** *irreg.* to pick, gather

**cuillère (cuiller)** *f.* spoon; **cuillère à café** teaspoon

**cuir** *m.* leather; **en cuir** (made of) leather

**cuire** (*p.p.* **cuit**) *irreg.* to cook; to bake; **cuire à feu vif** to cook on high heat; **cuire à la vapeur** to steam; **faire cuire** to cook

**cuisine** *f.* cooking; cuisine; kitchen; **chef** (*m.*) **de cuisine** (head) cook, chef; **faire la cuisine** to cook; **livre** (*m.*) **de cuisine** cookbook

**cuisiner** to cook

**cuisinier/cuisinière** *m., f.* cook; **cuisinière** *f.* (**à gaz, électrique**) (gas, electric) stove, range

**cuisse** *f.* thigh; leg

**cuisson** *f.* cooking (*process*)

**cuit(e)** *adj.* cooked; **terre** (*f.*) **cuite** clay, terra cotta (*pottery*)

**cuivre** *m.* copper; **en cuivre** (made of) copper

**culinaire** *adj.* culinary

**culotte** *f. s.* women's panties

**culte** *m.* cult

**cultiver** to cultivate, grow

**culture** *f.* culture; cultivation, growing

**culturel(le)** *adj.* cultural; **manifestation** (*f.*) **culturelle** cultural event

**Cupidon** *m.* Cupid

**curieux/curieuse** *adj.* curious

**curiosité** *f.* curiosity

**curseur** *m.* cursor (*computer*)

**cuvette** *f.* basin, bowl

**cyclable** *adj.* cycling, bicycle; **piste** (*f.*) **cyclable** bicycle path

**cyclisme** *m.* cycling, bicycle riding

**d'abord** *adv.* first, first of all

**Dahomey: royaume** (*m.*) **du Dahomey** Dahomey Kingdom (*17th–19th-century West Africa*)

**d'ailleurs** *adv.* besides, moreover

**dakhar** *m.* dakhar (*Wolof term for tamarind*)

**dame** *f.* lady, woman

**Danemark** *m.* Denmark

**dangereux/dangereuse** *adj.* dangerous

**dans** *prep.* in; within

**danse** *f.* dance; dancing

**danser** to dance

**danseur/danseuse** *m., f.* dancer

**dater de** to date from

**dauphin** *m.* dolphin

**davantage** *adv.* more, a greater amount

**de** *prep.* from, of, about

**débarrasser** to clear; **débarrasser la table** to clear the table

**débat** *m.* debate

**débattre** (*like* **battre**) *irreg.* to debate

**débit** *m.* debit; **carte** (*f.*) **de débit** debit card

**déboisement** *m.* deforestation; clearing

**déboiser (les forêts)** to deforest, clear away trees

**se déboucher (le nez)** to unclog (one's nose)

**débrouiller** to disentangle; **se débrouiller** to manage, get along, cope

**début** *m.* beginning; **au début (de)** in, at the beginning (of)

**décadence** *f.* decadence, decline

**décédé(e)** *adj.* dead

**déceler (je décèle, nous décelons)** to disclose, divulge; to discover

**décembre** December

**décevoir** (*like* **recevoir**) *irreg.* to disappoint

**décharge** *f.* (trash) dump

**décharger (nous déchargeons)** to unload

**déchets** *m. pl.* (*industrial*) waste(s); debris; garbage, trash

**déchiffrer** to decipher, figure out

**décidément** *adv.* decidedly; definitely

**décider (de)** to decide (to)

**décisif/décisive** *adj.* decisive

**décision** *f.* decision; **prendre une décision** to make a decision

**déclaration** *f.* declaration, statement; **déclaration de douane** customs declaration

**déclarer** to declare

**déconcerté(e)** *adj.* upset, disconcerted

**décontracté(e)** *adj.* relaxed

**décor** *m.* (film) set

**décorer (de)** to decorate (with)

**découpé(e)** *adj.* cut up

**décourager (nous décourageons)** to discourage

**découvert(e)** *adj.* discovered; **découverte** *f.* discovery

**découvrir** (*like* **ouvrir**) *irreg.* to discover, learn

**décret** *m.* decree

**décrire** (*like* **écrire**) *irreg.* to describe

**décrocher** to pick up (*telephone receiver*); *fam.* to get, land (*a job*)

**déçu(e)** *adj.* disappointed

**dedans** *adv.* inside; **là-dedans** in here/there

**défait(e)** *adj.* defeated

**défaite** *f.* defeat

**défavorisé(e)** *adj.* at a disadvantage; disadvantaged, underprivileged

**défendre** to defend; to forbid

**défendu(e)** *adj.* prohibited; **rien de défendu** nothing illegal

**défenseur** *m.* defender; counsel for defense

**défi** *m.* challenge

**défilé** *m.* procession, parade

**défilement** *m.* continuous showing, rolling (*of film, videotape, etc.*)

**défini(e)** *adj.* definite; defined

**définir** (*like* **finir**) to define

**définitif/définitive** *adj.* definitive, permanent

**définitivement** *adv.* for good, permanently

**déformation** *f.* misrepresentation, distortion

**dégoûtant(e)** *adj.* disgusting

**dégradation** *f.* degradation

**déguisement** *m.* costume, disguise

se **déguiser** to disguise oneself, wear a costume

**dehors** adv. out-of-doors; outside; **en dehors de** outside of; besides

**déjà** adv. already

**déjeuner** to have lunch; m. lunch; **petit déjeuner** breakfast

**délaisser** to release; to abandon

**délicat(e)** adj. delicate

**délice** m. delight

**délicieux/délicieuse** adj. delicious

**délirer** to be delirious; **on délire ou quoi?** are you crazy or what?

**délivrer** to give (medication); to rescue, liberate

**deltaplane** m. hang gliding

**demain** adv. tomorrow; **à demain** interj. see you tomorrow

**demande** f. request; application

**demander** to ask (for); to require; **demander le chemin** to ask for directions; **demander pardon à** to apologize to

**démarche** f. (necessary) step, action

**démarrer** to start (a car); to start off; to boot up (computer)

**démêlant(e)** adj. detangling; **shampooing** (m.) **démêlant** conditioning shampoo

**déménager (nous déménageons)** to move out (of a house)

**demeure** f. residence

**demeurer (intact[e])** to remain (intact)

**demi(e)** adj. half; **il est minuit et demi** it's twelve-thirty A.M.

**demi-douzaine** f. half-dozen

**demi-frère** m. half-brother; stepbrother

**demi-heure** f. half an hour

**demi-sœur** f. half-sister; stepsister

**démocratie** f. democracy

**démocratique** adj. democratic

**démographe** m., f. demographer

**demoiselle** f. young lady; single (unmarried) woman; **demoiselle d'honneur** bridesmaid

**démolir** (like **finir**) to demolish, destroy

**démonstratif/démonstrative** adj. demonstrative

**démontrer** to demonstrate

**dent** f. tooth; **brosse** (f.) **à dents** toothbrush; **se brosser les dents** to brush one's teeth

**dentifrice** m. toothpaste

**dentiste** m., f. dentist

**déodorant** m. deodorant

**départ** m. departure

**département** m. French administrative district; **départements et territoires** (pl.) **d'Outre-mer (D.O.M.-T.O.M.)** French overseas departments and territories

**dépasser** to go beyond; to pass, surpass; **dépasser la limite de vitesse** to exceed the speed limit

se **dépêcher (de)** to hurry (to)

**dépeindre** (like **craindre**) irreg. to depict

**dépendance** f. dependency

**dépendant(e)** adj. dependent

**dépendre** to depend; **ça dépend** that/it depends

**dépens** m. pl. expense(s); **aux dépens de** at the expense of

**dépense** f. expenditure, expenses

**dépenser** to spend

**dépit** m. disappointment, chagrin; **en dépit de** prep. in spite of

**déplacement** m. moving around, relocation

**déplacer (nous déplaçons)** to displace; to shift; to remove; **se déplacer** to move from place to place; to go someplace

**déplorable** adj. deplorable, lamentable

**déporté(e)** adj. deported

**déposer** to deposit; **déposer de l'argent** to deposit money

**déprimé(e)** adj. depressed; **être déprimé(e)** to be depressed

**depuis** prep. since; for; **depuis combien de temps** for how long; **depuis que** conj. since, now that

**député(e)** m., f. representative

**déranger (nous dérangeons)** to disturb; to bother

**dérivé(e) (de)** adj. derived (from)

**dernier/dernière** adj. last, most recent

se **dérouler** to take place

**derrière** prep. behind

**dès** prep. from (then on)

**désaccord** m. disagreement

**désagréable** adj. disagreeable, unpleasant

**désastre** m. disaster

**désastreux/désastreuse** adj. disastrous

**désavouer** to disavow, disclaim, deny

**descendre** intr. to go down; trans. to take, bring down; **descendre de** to get out of

**descente** f. descent, going down

**descriptif/descriptive** adj. descriptive

**déséquilibré(e)** adj. unbalanced

**désert(e)** adj. deserted; **désert** m. desert; wilderness

**désertique** adj. desert, pertaining to the desert

**désespoir** m. hopelessness, despair

se **déshabiller** to undress

**désigner** to designate; to indicate

**désir** m. desire

**désirer** to want, desire

**désolé(e)** adj. sorry; **être désolé(e)** to be sorry

**désordre** m. disorder; **en désordre** disorderly, untidy

**désorganisé(e)** adj. disorganized

**désorienté(e)** adj. bewildered

**désormais** adv. henceforth, from now on

**dessin** m. drawing; **dessin animé** (film) cartoon; **dessin graphique** graphic arts

**dessinateur/dessinatrice** m., f. illustrator

**dessiné(e)** adj. drawn, sketched; **bande** (f.) **dessinée** comic strip; pl. comics

**dessiner** to draw; to design

**dessous** adv. under, underneath; **au-dessous de** prep. below, underneath; **ci-dessous** adv. below

**dessus** adv. above; over; on; **au-dessus de** prep. above; **ci-dessus** adv. above, previously; **par-dessus** prep. over, above

**destin** m. fate, destiny

**destiné(e) à** adj. designed for, aimed at; intended to, for

**destructeur/destructrice** adj. destructive

**détail** m. detail

se **détendre** to relax

**détenir** (like **tenir**) irreg. to hold, possess

**détention** f. detention, holding

**détériorer** to deteriorate

**déterminer** to determine

**détester** to detest; to hate

**détourner** to change, modify

**détritus** m. pl. rubbish, refuse

**détroit** m. strait (geography)

**détruire** (like **conduire**) irreg. to destroy

**deux** two; **tous/toutes** (m., f.) **les deux** both (of them)

**deuxième** adj. second

**deux-points** m. colon (punctuation)

**devant** prep. before, in front of

**développement** m. development

**développer** to spread out; to develop; **se développer** to expand; to develop

**devenir** (like **venir**) irreg. to become

**deviner** to guess

**devinette** f. riddle, conundrum

**dévisager (nous dévisageons)** to stare at

**devise** f. slogan, motto

**devoir** (p.p. **dû**) irreg. to be obliged to, have to; to owe; m. duty; m. pl. homework; **faire ses devoirs** to do one's homework; **rendre un devoir** to turn in a homework assignment

**d'habitude** adv. usually

**diable** interj. goodness!

**diagnostic** m. diagnosis; **faire un diagnostic** to make a diagnosis

**dialecte** m. dialect

**diamant** m. diamond

**dictée** f. dictation

**dictionnaire** (fam. **dico**) m. dictionary

**didacticiel** m. teachware (type of software)

**diététique** adj. dietary; healthy

**dieu** m. god; **croire en Dieu** to believe in God

**difficile** adj. difficult

**difficulté** f. difficulty

**diffuser** to broadcast

**diffusion** f. broadcast; distribution

**digérer (je digère, nous digérons)** to digest

**digestif** m. after-dinner drink (brandy, etc.)

**digne (de)** adj. worthy (of)

**dignité** f. dignity

**dilué(e)** adj. diluted

**dimanche** m. Sunday

**diminuer** to lessen, diminish, go down

**dinde** *f.* turkey; **dinde rôtie** roast turkey
**dîner** to dine, have dinner; *m.* dinner
**dingue** *adj., fam.* crazy; **être dingue de** to be crazy about
**diplomatie** *f.* diplomacy
**diplôme** *m.* diploma
**diplômé(e)** *m., f.* graduate; *adj.* holding a diploma
**dire** (*p.p.* **dit**) *irreg.* to tell; to say; to speak; **c'est-à-dire** that is to say, namely; **vouloir dire** to mean
**direct(e)** *adj.* direct; through; **en direct** live (*broadcasting*)
**directeur/directrice** *m., f.* director; school principal
**direction** *f.* direction; management; leadership; **changer de direction** to change direction
**diriger (nous dirigeons)** to direct; to govern, control
**disc-golf** *m.* disc golf, Frisbee golf
**discipliner** to discipline
**discographie** *f.* discography
**discours** *m.* discourse; speech
**discret/discrète** *adj.* discreet
**discrimination** (*f.*) **positive** affirmative action
**discuter (de)** to discuss; to argue (about)
**disparaître** (*like* **connaître**) *irreg.* to disappear
**disparition** *f.* extinction, disappearance; **disparition des espèces** extinction of species
**disparu(e)** *adj.* gone, extinct
**se disperser** to disperse
**disponibilité** *f.* availability
**disponible** *adj.* available
**disposer de** to have (available); to dispose, make use of
**dispute** *f.* quarrel
**se disputer (avec)** to quarrel (with)
**disque** *m.* record, recording; **disque compact** (music) CD, compact disc
**disquette** *f.* diskette
**disséminé(e)** *adj.* spread, disseminated
**dissertation** *f.* essay, term paper
**dissimulation** *f.* concealment, covering
**dissolution** (*f.*) **d'un mariage** breakup of a marriage
**distingué(e)** *adj.* distinguished
**distinguer** to distinguish; **se distinguer** to distinguish oneself
**distraction** *f.* recreation; entertainment; distraction
**se distraire** (*p.p.* **distrait**) *irreg.* to have fun, amuse oneself
**distrait(e)** *adj.* absentminded; inattentive
**distribuer** to distribute
**distributeur/distributrice** *m., f.* distributor; **distributeur** *m.* vending machine
**divers(e)** *adj.* changing; varied; diverse
**diversifié(e)** *adj.* varied
**diversité** *f.* diversity
**diviser** to divide
**divorcer (nous divorçons)** to divorce

**dix** ten
**dizaine** *f.* about ten, ten or so
**docteur** *m.* doctor
**doctorat** *m.* doctoral degree, Ph.D.
**documentaire** *m.* documentary
**dodo** *fam.* beddy-bye; **fais dodo** *fam.* go to sleep
**doigt** *m.* finger
**domaine** *m.* domain; specialty
**domestique** *adj.* domestic; **animal** (*m.*) **domestique** pet
**domicile** *m.* domicile, place of residence; **sans domicile fixe (SDF)** homeless
**dominer** to overlook, tower above
**dommage** *m.* pity, shame; **c'est dommage** it's too bad; **quel dommage** what a shame
**don** *m.* donation, gift
**donateur/donatrice** *m., f.* donor
**donc** *conj.* then; therefore, so
**données** *f. pl.* information, facts; data
**donner** to give; **donner des conseils** to give advice; **se donner rendez-vous** to make a date, an appointment
**dont** *pron.* whose, of whom, from whom; of which, about which; including; **ce dont** that (of) which
**dormir** (*like* **partir**) *irreg.* to sleep; **dormir tard** to sleep late
**dos** *m.* back; **sac** (*m.*) **à dos** backpack
**dose** *f.* dosage
**dossier** *m.* file (*computer*); **dossier de candidature** (job) application
**douane** *f. s.* customs; **déclaration** (*f.*) **de douane** customs declaration, duty
**douanier/douanière** *m., f.* customs officer
**doubler** to pass (*another vehicle*); to double
**doucement** *adv.* gently, softly; sweetly; slowly
**douche** *f.* shower (*bath*)
**se doucher** to take a shower
**doué(e)** *adj.* talented, gifted; bright; **être doué(e) pour** to be talented in
**douleur** *f.* pain
**douloureux/douloureuse** *adj.* painful; aching
**doute** *m.* doubt; **sans doute** probably, no doubt
**douter (de)** to doubt
**douteux/douteuse** *adj.* doubtful, uncertain, dubious
**doux/douce** *adj.* sweet; mild; **eau** (*f.*) **douce** fresh water
**douzaine** *f.* dozen; about twelve
**douze** twelve
**douzième** *adj.* twelfth
**dramatique** *adj.* dramatic; **art** (*m.*) **dramatique** theater
**drame** *m.* drama
**dresser une liste** to make, draw up a list
**drogue** *f.* drug
**se droguer** to take drugs
**droit** *m.* law; right; **avoir droit à** (+ *noun*) to have a right to; **avoir le droit de**

(+ *inf.*) to be allowed to, to have the right to
**droit** *adv.* straight on; **tout droit** straight ahead
**droite** *f.* right; right-hand side; the right (*politics*); **à droite** on/to the right
**drôle (de)** *adj.* droll, funny, amusing; **faire une drôle de tête** to make a funny face
**duc** *m.* duke
**dur(e)** *adj.* hard; **travailler dur** to work hard
**durable** *adj.* lasting
**durée** *f.* duration
**durer** to last, continue; to endure
**DVD** *m. inv.* DVD
**dynamique** *adj.* dynamic
**dynamiser** to energize

**eau** *f.* water; **cours** (*m.*) **d'eau** waterway, river, stream; **eau chaude** hot water; **eau douce** fresh water; **eau minérale** mineral water; **eaux** *pl.* waters, bodies of water
**ébloui(e)** *adj.* dazzled
**écarquiller les yeux** to stare wide-eyed
**écart** *m.* distance, gap; **se mettre à l'écart** to move, to stand out of the way
**échange** *m.* exchange
**échanger (nous échangeons)** to exchange
**échantillon** *m.* sample, sampling
**échappement** *m.* leak; car exhaust; **échappement d'hydrocarbures** hydrocarbon emissions
**échapper** to escape
**écharpe** *f.* scarf
**échecs** *m. pl.* chess; **jouer aux échecs** to play chess
**échelle** *f.* ladder
**échiquier** *m.* chessboard; *fig.* **échiquier politique** political scene, field, affairs
**échouer (à)** to fail, flunk
**éclair** *m.* flash of lightning
**éclairage** *m.* lighting, illumination
**éclairer** to light
**éclaireur/éclaireuse** *m., f.* (Boy/Girl) Scout/Guide
**éclater** to explode, burst; **s'éclater** *fam.* to have a ball, blast
**écoemballage** *m.* ecopackaging
**école** *f.* school; **école maternelle** pre-school, kindergarten; **école primaire (secondaire)** primary (secondary) school; **faire l'école buissonnière** to skip school, play hooky
**écologie** *f.* ecology
**écologique** (*fam.* **écolo**) *adj.* ecological
**écologiste** (*fam.* **écolo**) *m., f.* ecologist (*in politics*)
**économe** *adj.* thrifty, economical
**économie** *f.* economy; *pl.* savings; **faire des économies** to save (*money*)
**économique** *adj.* economic, financial; economical; **crise** (*f.*) **économique** recession, depression

**économiser** to save
**écoproduit** *m.* ecoproduct
**écosystème** *m.* ecosystem
**écotourisme** *m.* ecotourism
**écotouriste** *m., f.* ecotourist
**écouter** to listen (to)
**écouteurs** *m. pl.* headphones
**écran** *m.* screen; **grand écran** cinema; **petit écran** television; computer monitor
**écraser** to crush
**écrevisse** *f.* crayfish
**écrire** (*p.p.* **écrit**) *irreg.* to write
**écrit(e)** *adj.* written
**écriture** *f.* handwriting; writing
**écrivain(e)** *m., f.* writer, author
**édifier** to build, construct, erect
**édredon** *m.* comforter, duvet
**éducatif/éducative** *adj.* educational
**éducation** *f.* upbringing; breeding; education
**éduquer** to bring up; to educate
**effectivement** *adv.* actually, in fact
**effet** *m.* effect; **effet de serre** greenhouse effect; **effets spéciaux** special effects; **en effet** as a matter of fact, indeed
**efficace** *adj.* useful, efficacious; efficient
**effort** *m.* effort, attempt; **faire un (des) effort(s) pour** to try, make an effort to
**effrayé(e)** *adj.* frightened
**égal(e)** *adj.* equal; **ça lui est égal** he/she doesn't care, it's all the same to him/her
**également** *adv.* equally; likewise, also
**égalité** *f.* equality
**église** *f.* church
**égoïsme** *m.* egotism, selfishness
**égoïste** *adj.* selfish; *m., f.* selfish person
**Égypte** *f.* Egypt
**égyptien(ne)** *adj.* Egyptian
**eh!** *interj.* hey!; **eh bien!** well! now then!
**élaboré(e)** *adj.* elaborate; complex
**élargir** (*like* **finir**) to enlarge, broaden
**électeur/électrice** *m., f.* voter
**électricité** *f.* electricity
**électrique** *adj.* electric; **torche** (*f.*) **électrique** flashlight
**électroménager** *m.* household appliance(s)
**électronique** *adj.* electronic; *f. s.* electronics; **adresse** (*f.*) **électronique** e-mail address
**électronucléaire** *adj.* nuclear power
**élégant(e)** *adj.* elegant, stylish
**élément** *m.* element
**élevage** *m.* raising, breeding
**élève** *m., f.* pupil, student
**élevé(e)** *adj.* high; (*children*) raised; brought up
**élever** (**j'élève**) to bring up, raise; to lift up; **s'élever** to rise, go up
**éliminer** to eliminate
**élire** (*like* **lire**) *irreg.* to elect
**elle** *pron., f.* she; her; **elle-même** herself
**elles** *pron., f.* they; them
**élocution** *f.* elocution; **cours** (*m.*) **d'élocution** speech class
**éloge** *m.* praise

**éloignement** *m.* distance; estrangement
**s'éloigner** to go away, distance oneself
**élu(e)** *adj.* elected; chosen
**emballage** *m.* packaging; **emballage ménager** everyday packaging materials
**emballé(e)** *adj.* wrapped
**embarcation** *f.* small boat, watercraft
**embarqué(e)** *adj., fam.* carted off
**embarquement** *m.* boarding; loading; **carte** (*f.*) **d'embarquement** boarding pass
**embarras** *m.* obstacle; embarrassment; **embarras du choix** too much to choose from
**embarrassé(e)** *adj.* embarrassed, ill at ease
**embaucher** to hire
**embêtant(e)** *adj.* annoying
**embouteillage** *m.* traffic jam
**embrasser** to kiss; to embrace; **s'embrasser** to kiss one another
**s'émerveiller** to wonder, be amazed
**émettre** (*like* **mettre**) *irreg.* to emit, give off
**émigré(e)** *m., f.* expatriate, émigré
**émigrer** to emigrate
**émission** *f.* program; broadcast; emission; **émission de télé-réalité** reality television show; **émission toxique** toxic waste; **réduction** (*f.*) **d'émissions** reduction in emissions
**emmener** (**j'emmène**) to take along; to take (*s.o. somewhere*); **emmener quelqu'un à l'hôpital** to take s.o. to the hospital
**émotion** *f.* emotion
**empêcher (de)** to prevent; to preclude
**empereur** *m.* emperor
**emploi** *m.* use; job; employment; **emploi du temps** schedule; **marché** (*m.*) **de l'emploi** job market
**employé(e)** *m., f.* employee
**employer** (**j'emploie**) to use; to employ
**employeur/employeuse** *m., f.* employer
**empoisonner** to poison
**emporter** to take with one, carry (away)
**emprisonner** to imprison
**emprunt** *m.* borrowing; loan
**emprunter** to borrow
**en** *prep.* in; to; within; into; at; like; in the form of; by; *pron.* of it, of them; some of it; any
**ENA (l'École** [*f.*] **Nationale d'Administration)** *school of public administration in France*
**encadré(e)** *adj.* supervised
**enceinte** pregnant
**enchanté(e)** *adj.* delighted; enchanted; pleased
**encore** *adv.* still; again; yet; even; more; **ne... pas encore** not yet
**encourager (nous encourageons) (à)** to encourage (to)
**endolori(e)** *adj.* sore, painful
**s'endormir** (*like* **partir**) *irreg.* to fall asleep

**endroit** *m.* place, spot
**énergie** *f.* energy
**énergique** *adj.* energetic
**énergisant(e)** *adj.* energizing; **boisson** (*f.*) **energisante** energy drink
**énerver** to irritate; **s'énerver** to get upset, annoyed, irritated
**enfance** *f.* childhood
**enfant** *m., f.* child
**enfantin(e)** *adj.* childish; children's; **chanson** (*f.*) **enfantine** children's song
**enfermer** to lock up
**enfin** *adv.* finally, at last
**enflammé(e)** *adj.* blazing, ablaze
**s'enfuir** (*p.p.* **enfui**) *irreg.* to flee, run away
**engager (nous engageons)** to hire; **s'engager (à)** to commit (to)
**engin** (*m.*) **spatial** spacecraft
**engouement** *m.* passion; infatuation
**énigme** *f.* enigma, mystery
**enjeu** *m.* stake, ante
**enlever** (**j'enlève**) to take away; to remove, take off; **enlever de force** to remove forcibly, by force
**ennemi(e)** *m., f.* enemy
**ennui** *m.* trouble, worry; boredom; **avoir des ennuis** to have problems
**ennuyer** (**j'ennuie**) to bother; to bore; **s'ennuyer** to be bored, get bored
**ennuyeux/ennuyeuse** *adj.* boring; annoying
**énorme** *adj.* huge, enormous
**énormément (de)** *adv.* a great deal; a great many; enormously
**enquête** *f.* inquiry; investigation; opinion poll
**enquêter** to investigate
**enregistrement** *m.* recording; registration; airport check-in
**enregistrer** to record; to check (*luggage*)
**enregistreur** *m., adj.* recording (device); **baladeur** (*m.*) **enregistreur** portable player with recorder
**enrichir** (*like* **finir**) to enrich; **s'enrichir** to get rich
**enseignant(e)** *m., f.* teacher, educator
**enseignement** *m.* teaching; education
**enseigner** to teach
**ensemble** *adv.* together; *m.* ensemble; whole; **ensemble multimédia** multimedia center; **tous ensemble** all together
**ensuite** *adv.* next; then
**entendre** to hear; **entendre parler de** to hear about; **s'entendre (bien, mal) avec** to get along (well, badly) with
**enterrer** to bury
**enthousiasme** *m.* enthusiasm
**enthousiasmé(e)** *adj.* thrilled
**enthousiaste** *adj.* enthusiastic
**entier/entière** *adj.* entire, whole, complete
**entorse** *f.* sprain
**entourage** *m.* circle of friends, set

**entouré(e) de** *adj.* surrounded by
**entourer (de)** to surround (with)
**entraide** *f.* helping each other, mutual aid
**s'entraider** to help one another
**entraînement** *m.* (*athletic*) training, coaching
**s'entraîner** to work out; to train
**entraîneur/entraîneuse** *m., f.* trainer, coach
**entre** *prep.* between, among
**entrée** *f.* entrance, entry; admission; first course (*in a meal*)
**entremets** *m. inv.* sweet, dessert
**entreprise** *f.* enterprise, business
**entrer (dans)** to go into, enter
**entretenir** (*like* **tenir**) *irreg.* to maintain, keep up
**entretien** *m.* conversation; interview; maintenance
**entrevue** *f.* (*job*) interview
**envahir** (*like* **finir**) to invade
**enveloppe** *f.* envelope
**envelopper** to wrap
**envers** *prep.* toward, to; **à l'envers** backward, reversed
**envie** *f.* desire; **avoir envie de** to want; to feel like
**environ** *adv.* about, approximately; **environs** *m. pl.* neighborhood, surroundings; outskirts
**environnement** *m.* environment; milieu
**environnemental(e)** *adj.* environmental
**envisageable** *adj.* imaginable, conceivable
**envoyer** (**j'envoie**) to send; **envoyer un texto** to text, send a text message
**éparpillé(e)** *adj.* scattered
**épater** to impress, astonish
**épaule** *f.* shoulder
**éperlan** *m.* smelt (*fish*)
**épicé(e)** *adj.* spicy
**épicerie** *f.* grocery store; grocery items
**épices** *f. pl.* spices
**épidémie** *f.* epidemic
**épinards** *m. pl.* spinach
**Épiphanie** *f.* Epiphany, Twelfth Night
**éplucher** to peel
**épopée** *f.* epic
**époque** *f.* epoch, period, era; time
**épouser** to wed, get married to
**épouvante** *f.* terror; **film** (*m.*) **d'épouvante** horror film
**époux/épouse** *m., f.* spouse; husband/wife; *m. pl.* married couple
**épreuve** *f.* proof; trial; test; part of an exam
**équateur** *m.* equator
**équatorial(e)** *adj.* equatorial
**équilibrage** *m.* balancing; **faire l'équilibrage des pneus** to balance the tires
**équilibre** *m.* equilibrium, balance
**équilibré(e)** *adj.* balanced, even; well-balanced
**équilibrer** to balance

**équipe** *f.* team; working group; **équipe rédactionnelle** editorial team
**équipé(e)** *adj.* equipped
**équipement** *m.* equipment; gear; **équipement ménager** household furnishings
**équitation** *f.* horseback riding
**équivalent(e)** *adj.* equivalent; **équivalent** *m.* equivalent
**équivoque** *adj.* ambiguous; dubious, questionable
**érable** *m.* maple; **sirop** (*m.*) **d'érable** maple syrup; **sucre** (*m.*) **d'érable** maple sugar
**éraflé(e)** *adj.* scratched
**érigé(e)** *adj.* erected, built
**erreur** *f.* error, mistake
**érudit(e)** *adj.* erudite, scholarly
**éruption** *f.* eruption, blast
**escalade** *f.* climbing; **faire de l'escalade** to go rock climbing, mountain climbing
**escalier** *m.* stairs, staircase; **rampe** (*f.*) **de l'escalier** stair banister
**escalope** *f.* (**de veau**) (veal) cutlet
**escargot** *m.* snail; escargot
**esclavage** *m.* slavery
**esclave** *m., f.* slave
**esclaverie** *f.* slave trade; building housing slaves
**escrime** *f.* fencing; **faire de l'escrime** to do fencing, to fence
**espace** *m.* space
**espacé(e)** *adj.* spaced out, made less frequent
**espadon** *m.* swordfish
**Espagne** *f.* Spain
**espagnol(e)** *adj.* Spanish; *m.* Spanish (*language*); **Espagnol(e)** *m., f.* Spaniard
**espèce** *f.* type, kind; **disparition** (*f.*) **des espèces** extinction of species; **espèces d'animaux** animal species; **une espèce de** a kind of
**espérance** (*f.*) **de vie** life expectancy
**espérer** (**j'espère, nous espérons**) to hope
**espoir** *m.* hope
**esprit** *m.* spirit; **garder l'esprit ouvert** to keep an open mind
**essayer** (**j'essaie**) (**de**) to try (to)
**essence** *f.* gasoline, gas; essence; **consommer de l'essence** to use gas(oline); **faire le plein d'essence** to fill up with gas
**essentiel(le)** *adj.* essential
**essuie-glace** *m.* (*pl.* **essuie-glaces**) windshield wiper
**essuyer** (**j'essuie**) to wipe
**est** *m.* east
**esthétique** *adj.* esthetic
**estimer** to value; to estimate
**estival(e)** *adj.* summer(time)
**estomac** *m.* stomach
**estudiantin(e)** *adj.* student
**et** *conj.* and
**établir** (*like* **finir**) to establish, set up
**établissement** *m.* settlement; establishment

**étage** *m.* floor (*of building*); **premier étage** second floor (*U.S.*)
**étagère** *f.* shelf, shelving
**étang** *m.* pond
**étape** *f.* stage; stopping place
**état** *m.* state; condition; **l'État** state, nation; **chef** (*m.*) **d'État** head of state; **en bon (mauvais) état** in good (bad) condition; **état civil** civil status; marital status; **garder en bon état** to maintain; **homme/femme** (*m.,f.*) **d'État** statesman/stateswoman
**États-Unis** *m. pl.* United States (of America)
**été** *m.* summer; **en été** in summer
**éteindre** (*like* **craindre**) *irreg.* to put out; to turn off; **éteindre la lumière** to turn out the light; **éteindre un incendie** to put out a fire; **s'éteindre** to go out (*light*); to die
**éteint(e)** *adj.* extinguished; dead; extinct
**s'étendre** to stretch out; to extend; to spread; to expand
**étendu(e)** *adj.* extensive, wide, large; **étendu(e) par terre** lying down flat, stretched out; **étendue** *f.* expanse, area
**éternel(le)** *adj.* eternal
**éternuer** to sneeze
**éthique** *adj.* ethical
**ethnie** *f.* ethnic group
**ethnique** *adj.* ethnic
**étiquette** *f.* label; tag
**s'étirer** to stretch out
**étoile** *f.* star
**étonnant(e)** *adj.* astonishing, surprising
**s'étonner de** to be surprised, astonished at
**étourdir** (*like* **finir**) to stun, make dizzy
**étrange** *adj.* strange
**étranger/étrangère** *adj.* foreign; *m., f.* stranger; foreigner; **à l'étranger** abroad, overseas
**être** (*p.p.* **été**) *irreg.* to be; *m.* being; **être à la mode** to be in style; **être en train de** to be in the process of
**étroit(e)** *adj.* narrow
**étude** *f.* study; research; *pl.* studies; **faire des études** to study
**étudiant(e)** *m., f.* student
**étudier** to study
**euh** *interj.* uh, um
**européen(ne)** *adj.* European; **Européen(ne)** *m., f.* European (*person*); **Union** (*f.*) **européenne (UE)** European Union (EU)
**euthanasie** *f.* euthanasia
**eux** *pron., m. pl.* them; **eux-mêmes** *pron.* themselves
**s'évader** to escape
**s'évanouir** (*like* **finir**) to faint
**s'évaporer** to evaporate
**éveiller** to waken, arouse
**événement** *m.* event
**éventuellement** *adv.* possibly
**évidemment** *adv.* evidently, obviously
**évident(e)** *adj.* obvious, clear

**évier** *m.* (kitchen) sink
**évitable** *adj.* avoidable
**éviter** to avoid
**évoluer** to evolve
**évolution** *f.* evolution, development
**évoquer** to evoke, call to mind
**exactement** *adv.* exactly
**exagération** *f.* exaggeration
**exagérer ( j'exagère, nous exagérons)** to exaggerate
**examen** *m.* test, exam; **(re)passer un examen** to (re)take an exam; **préparer un examen** to study for a test; **rater un examen** to fail a test; **réussir à un examen** to pass a test
**examiner** to examine
**excédent** *m.* excess, surplus; **excédent de bagages** excess baggage
**excentricité** *f.* eccentricity
**excentrique** *adj.* eccentric
**exceptionnel(le)** *adj.* exceptional
**excès** *m.* excess
**excessif/excessive** *adj.* excessive
**exclu(e)** *m., f.* social outcast
**exclusivement** *adv.* exclusively
**excursion** *f.* excursion, outing; **faire une excursion** to go on an outing
**s'excuser (de)** to excuse oneself (for); to apologize; **excusez-moi** excuse me, pardon me
**exécutif/exécutive** *adj.* executive
**exécution** *f.* carrying out; execution
**exemplaire** *m.* copy (*of book, magazine*)
**exemple** *m.* example; **par exemple** for example
**exercer (nous exerçons)** to exercise; to practice; **exercer un métier** to work at a particular job
**exercice** *m.* exercise; **faire de l'exercice** to do exercise(s), to work out
**exigeant(e)** *adj.* demanding
**exiger (nous exigeons)** to require; to demand
**exister** to exist; **il existe** there is, there are
**exotique** *adj.* exotic; foreign
**expéditeur/expéditrice** *m., f.* sender
**expédition** *f.* shipping; expedition; **expédition de colis** sending packages
**expérience** *f.* experience
**explication** *f.* explanation
**expliquer** to explain
**exploitation** *f.* working, operating; exploitation; **système** (*m.*) **d'exploitation** operating system (*computer*)
**exploiter** to make use of, make the most of
**explorateur/exploratrice** *m., f.* explorer
**explorer** to explore
**exploser** to explode
**exporter** to export
**exposé(e)** *adj.* exposed; set forth
**exposer** to exhibit; **exposer une œuvre** to exhibit a piece of work
**exposition** *f.* exhibition; show

**exprimer** to express; **s'exprimer** to express oneself
**expulser** to expel
**exquis(e)** *adj.* exquisite
**extérieur(e)** *adj., m.* exterior; outside; **à l'extérieur** (on the) outside, out-of-doors
**extrait(e) (de)** *adj.* excerpted, extracted (from); **extrait** *m.* excerpt; extract
**extraordinaire** *adj.* extraordinary
**extraterrestre** *m., f.* alien, extraterrestrial
**extraverti(e)** *adj.* extroverted
**extrême** *adj.* extreme; intense; **l'extrême droite** *f.* far right (*politics*)
**extrêmement** *adv.* extremely, exceedingly
**extrémiste** *adj., m., f.* extremist

**fabricant/fabricante** *m., f.* manufacturer
**fabrication** *f.* manufacturing
**fabriquer** to manufacture, make
**fabuleux/fabuleuse** *adj.* fabulous; incredible
**face** *f.* face; façade; **en face (de)** *prep.* opposite, facing, across (from); **face à** in the face of; **faire face à** to confront
**fâché(e)** *adj.* angry, annoyed
**fâcher** to anger; to annoy; **se fâcher** to get angry
**facile** *adj.* easy; **facile à vivre** easy to get along with
**façon** *f.* way, manner, fashion; **de façon (bizarre)** in a (funny) way; **de toute façon** anyhow, in any case
**facteur** *m.* factor; **facteur/factrice** *m., f.* mail carrier
**facture** *f.* bill (*to pay*)
**faculté** *f.* ability; university department or school (*fam.* **fac**); **en fac** at the university
**faible** *adj.* weak
**faiblement** *adv.* lightly; slightly
**faim** *f.* hunger; **avoir faim** to be hungry
**faire** (*p.p.* **fait**) *irreg.* to do; to make; to form; to be; **faire beau (il fait beau)** to be nice out, good weather (it's nice out); **faire des/les courses** to do errands; to go grocery shopping; **faire les vitrines** to go window-shopping
**fait(e)** *adj.* made; *m.* fact; **en fait** in fact; **fait(e) à la main** handmade
**falaise** *f.* cliff
**falloir** (*p.p.* **fallu**) *irreg.* to be necessary; to be lacking; **il me faut** I need
**fameux/fameuse** *adj.* famous
**familial(e)** *adj.* family
**familier/familière** *adj.* familiar
**famille** *f.* family; **en famille** with one's family; **famille monoparentale** single-parent family; **famille nombreuse** large family; **famille recomposée** blended family
**farine** *f.* flour
**farouche** *adj.* fierce; wild
**fascinant(e)** *adj.* fascinating
**fasciner** to fascinate

**fast-food** *m.* fast-food restaurant; fast food
**fatigant(e)** *adj.* tiring
**fatigué(e)** *adj.* tired
**fatiguer** to tire; **se fatiguer** to get tired
**fauché(e)** *adj., fam.* broke, out of money
**faune** *f.* fauna
**faut: il faut** one must, it is necessary to
**faute** *f.* fault, mistake
**fauteuil** *m.* armchair
**faux/fausse** *adj.* false; **faux témoignage** *m.* perjury
**faveur** *f.* favor; **en faveur de** supporting, backing
**favori(te)** *adj.* favorite
**favoriser** to encourage, favor
**fée** *f.* fairy; **conte** (*m.*) **de fées** fairy tale
**féliciter** to congratulate; **se féliciter** to congratulate oneself
**féminin(e)** *adj.* feminine
**féministe** *adj., m., f.* feminist
**femme** *f.* woman; wife; **femme d'affaires** businesswoman
**fenêtre** *f.* window
**fente** *f.* slot
**fer** *m.* iron; **chemin** (*m.*) **de fer** railroad; **fer à repasser** (*clothes*) iron
**férié(e)** *adj.* holiday; **jour** (*m.*) **férié** public holiday
**ferme** *adj.* firm; *f.* farm
**fermé(e)** *adj.* closed
**fermer** to close
**fermeture** *f.* closing; closure; **fermeture annuelle** annual closing
**fermier/fermière** *adj.* farm, from a farm; *m., f.* farmer
**féroce** *adj.* ferocious
**fertilisant** *m.* fertilizer
**fesse** *f.* buttock
**fessée** *f.* spanking
**festif/festive** *adj.* festive
**fête** *f.* celebration, holiday; party; **faire la fête** to party; **fête des Mères (des Pères)** Mother's (Father's) Day; **fête des Rois** Feast of the Magi, Epiphany; **fête du Travail** Labor Day; **fête nationale** French national holiday, Bastille Day (July 14)
**fêter** to celebrate; to observe a holiday
**feu** *m.* fire; traffic light; **à feu doux** on low heat; **armes** (*f. pl.*) **à feu** firearms; **brûler le feu rouge** to run a red light; **cuire à feu vif** to cook on high heat; **feu d'artifice** *s.* fireworks display
**feuille** *f.* leaf; sheet; **feuille de papier** sheet of paper; **feuille d'érable** maple leaf
**feuilleton** *m.* soap opera; TV series
**fève** *f.* bean; party (cake) favor
**février** February
**fiançailles** *f. pl.* engagement
**fiancé(e)** *m., f.* fiancé(e), betrothed
**se fiancer (nous nous fiançons)** to become engaged
**fibre** *f.* fiber, filament
**fichier** *m.* (computer) file; **fichier joint** e-mail attachment

**fictif/fictive** *adj.* fictional
**fidèle** *adj.* faithful; **fidèles** *m. pl.* faithful (*people*); congregation
**fier/fière** *adj.* proud; **être fier/fière de** to be proud of
**fierté** *f.* pride
**fièvre** *f.* fever; **faire tomber une fièvre** to lower a fever
**figue** *f.* fig
**figuier** *m.* fig tree
**figure** *f.* face; figure
**figurant(e)** *m., f.* extra (*in a film*)
**figurer** to appear
**fil** *m.* thread; cord; **passer un coup de fil (interurbain)** *fam.* to make a (long-distance) phone call
**filet** *m.* net; string bag; fillet (*beef, fish, etc.*)
**filière** *f.* channel, path; track, major (*in school*)
**fille** *f.* girl; daughter; **école** (*f.*) **de filles** girls' school; **jeune fille** girl, young woman; **petite fille** little girl; **petite-fille** granddaughter
**filleul(e)** *m., f.* godson/goddaughter
**film** *m.* film; movie; **film d'animation** animated film; **film d'épouvante** horror film; **passer un film** to show a movie; **tournage du film** filmmaking, film shooting
**fils** *m.* son; **petit-fils** grandson
**fin(e)** *adj.* fine; thin; *f.* end; purpose; **à la fin de** at the end of; **au fin fond de** in the depths of; **en fin d'après-midi** in the late afternoon; **fin de siècle** end of the century
**final(e)** *adj.* final
**finalement** *adv.* finally
**financé(e)** *adj.* financed, backed
**financier/financière** *adj.* financial; *m., f.* financier
**finir (de)** to finish; **finir par** to end up by (*doing s.th.*)
**finlandais(e)** *adj.* Finnish; **Finlandais(e)** *m., f.* Finnish (*person*)
**Finlande** *f.* Finland
**firme** *f.* firm, company
**fiscal(e)** *adj.* fiscal, financial
**fixe** *adj.* fixed, permanent; **sans domicile fixe (SDF)** homeless; **téléphone** (*m.*) **fixe** landline
**fixer** to set, lay down, determine
**flageolet** *m.* kidney bean
**flamand** *m.* Flemish (*language*); **Flamand(e)** *m., f.* Flemish (*person*)
**flamant** *m.* flamingo
**flambé(e)** *adj.* flambé, flaming
**flamme** *f.* flame; **en flammes** *adj.* ablaze
**Flandre** *f.* Flanders (*Dutch-speaking Belgium*)
**flâner** to stroll
**flatterie** *f.* flattery
**flatteur/flatteuse** *adj.* flattering; **flatteur** *m..* flatterer; sycophant
**fleur** *f.* flower
**fleuriste** *m., f.* florist
**fleuve** *m.* river (*flowing into the sea*)

**flic** *m., fam.* cop, fuzz
**flore** *f.* flora
**Floride** *f.* Florida
**flotter** to float; **île** (*f.*) **flottante** *dessert made of meringues floating on custard*
**fluvial(e)** *adj.* river; fluvial
**foie** *m.* liver; **pâté** (*m.*) **de foie gras** goose liver pâté
**foire** *f.* fair
**fois** *f.* time, occasion; **à la fois** at the same time, simultaneously; **chaque fois** each time; **des fois** *adv.* sometimes; **la dernière (première) fois** the last (first) time; **une fois par semaine** once a week; **une (seule) fois** (only) once
**folie** *f.* madness, folly
**folklorique** *adj.* traditional; folk (*music, dance*)
**foncé(e)** *adj.* dark (*color*)
**fonction** *f.* function; use, office; **voiture** (*f.*) **de fonction** company car
**fonctionnaire** *m., f.* government employee, civil servant
**fonctionnement** *m.* working order, functioning
**fonctionner** to function, work
**fond** *m.* bottom; back, background; **au fond** basically; **au fin fond de** in the depths of
**fondamental(e)** *adj.* fundamental, basic
**fondation** *f.* foundation
**fonder** to found; **fonder un foyer** to start a home and family
**fondu(e)** *adj.* melted
**fontaine** *f.* fountain; spring
**football** (*fam.* **foot**) *m.* soccer
**footballeur/footballeuse** *m., f.* soccer player
**forage** (*m.*) **pétrolier** exploratory oil drilling
**force** *f.* force; **enlever de force** to remove forcibly, by force
**forcément** *adv.* inevitably
**forcer (nous forçons)** to force
**forêt** *f.* forest; **déboiser (les forêts)** to deforest, clear away trees; **forêt tropicale humide** tropical rainforest
**formation** *f.* formation; education, training
**forme** *f.* form; shape; figure; **en (bonne, pleine) forme** physically fit; **en forme de** in the form (shape) of; **être (rester) en forme** to be (stay) in shape
**formel(le)** *adj.* formal; strict
**former** to form, shape; to train; **se former** to form, get organized
**formidable** *adj.* great
**formulaire** *m.* form (*to fill out*); **remplir un formulaire** to fill out a form
**formule** *f.* formula; form
**formuler** to formulate
**fort** *adv.* loudly, loud; hard
**fort(e)** *adj.* strong; heavy; plump; high (*heat*)

**fortifié(e)** *adj.* fortified
**fossé** *m.* gap, gulf
**fou (fol, folle)** *adj.* crazy, mad; **fou (folle)** *m., f.* crazy person
**foudre** *f.* lightning; **coup** (*m.*) **de foudre** thunderbolt; *fig.* love at first sight
**fouiller** to search; to look through (*luggage*)
**fouiner** to snoop, nose around
**fouineur** *m., fam.* (computer) hacker
**foulard** *m.* (head) scarf
**foule** *f.* crowd; **foule de gens** crowd of people
**se fouler la cheville** to sprain one's ankle
**foulure** *f.* light sprain
**four** *m.* oven; **four à micro-ondes** microwave oven
**fourchette** *f.* fork
**fourmi** *f.* ant
**fournir** (*like* **finir**) to provide, supply
**fournisseur/fournisseuse** *m., f.* provider, supplier
**fourrure** *f.* fur; **commerce** (*m.*) **des fourrures** fur trading
**foyer** *m.* home
**fracturé(e)** *adj.* fractured
**fraîcheur** *f.* coolness; freshness
**frais/fraîche** *adj.* fresh; cool; **il fait frais** it's chilly
**frais** *m. pl.* expenses; **frais d'inscription (de scolarité)** school, university tuition
**fraise** *f.* strawberry
**framboise** *f.* raspberry
**franc(he)** *adj.* frank; truthful; honest
**français(e)** *adj.* French; *m.* French (*language*); **Français(e)** *m., f.* French (*person*)
**Francfort** Frankfurt
**franchement** *adv.* frankly
**franco-allemand(e)** *adj.* French-German
**Franco-Américain(e)** (*fam.* **Franco**) *m., f.* French-American (*person*)
**francophone** *adj.* French-speaking, of the French language; **Francophone** *m., f.* French-speaking person
**Francophonie** *f.* French-speaking world
**frapper** to strike; to knock
**frein** *m.* brake
**freiner** to brake
**fréquemment** *adv.* frequently
**fréquence** *f.* frequency
**fréquent(e)** *adj.* frequent
**fréquenter** to frequent, visit frequently
**frère** *m.* brother; **beau-frère** brother-in-law; **demi-frère** half-brother; stepbrother
**friand(e) de** *adj.* fond of
**frigo** *m., fam.* fridge, refrigerator; **frigo-congélateur** *m.* refrigerator-freezer combination
**friquet: moineau** (*m.*) **friquet** tree sparrow
**frisé(e)** *adj.* curly
**frisson** *m.* shiver, chill

**frit(e)** *adj.* fried; **frites** *f. pl.* French fries; **steak-frites** *m. s.* steak with French fries
**froid(e)** *adj.* cold; *m.* cold; **avoir froid** to be cold; **il fait froid** it's cold (*weather*)
**frôler** to touch lightly, brush
**fromage** *m.* cheese
**front** *m.* forehead; front
**frontière** *f.* frontier; border
**frotter** to rub
**fruit** *m.* fruit; **fruits** (*pl.*) **de mer** seafood; **jus** (*m.*) **de fruits** fruit juice
**frustrant(e)** *adj.* frustrating
**frustré(e)** *adj.* frustrated
**fumé(e)** *adj.* smoked
**fumée** *f.* smoke
**fumer** to smoke
**fureur** *f.* fury; **faire fureur** to be all the rage
**furieux/furieuse** *adj.* furious
**fusionner** to merge, blend
**futur(e)** *adj.* future; **(temps) futur** *m.*, *gram.* future (*tense*); future (*time*)

**gaffe** *f., fam.* blunder
**gagner** to win; to earn; **gagner sa vie** to earn a living
**galère** *f., fam.* mess, difficult situation
**galerie** *f.* gallery
**galette** *f.* puff pastry cake; **galette des Rois** special cake for Epiphany
**Galles: pays** (*m.*) **de Galles** Wales
**gants** *m. pl.* gloves
**garanti(e)** *adj.* guaranteed; **garantie** *f.* guarantee; safeguard
**garantir** (*like* **finir**) to guarantee
**garçon** *m.* boy; **garçon d'honneur** best man
**garde** *f.* guard duty; call; *m., f.* guard; **pharmacie** (*f.*) **de garde** all-night (emergency) pharmacy
**garder** to keep, retain; to take care of; to guard
**gare** *f.* station (*train, bus*); **gare routière** bus station, depot
**garer** to park; **garer la voiture** to park the car
**garni(e)** *adj.* garnished
**gars** *m., fam.* guy, fellow
**gaspillage** *m.* waste
**gaspiller** to waste
**gastronomie** *f.* gastronomy
**gâteau** *m.* cake; **morceau** (*m.*) **de gâteau** slice of cake; **petit gâteau** cookie
**gâter** to ruin, spoil; to spoil (*a child*); to have a harmful effect on
**gauche** *adj.* left; *f.* left; **à gauche** on the left, to the left; **de gauche** leftist; **l'extrême gauche** *f.* extreme left (*politically*)
**gaulois(e)** *adj.* Gallic
**gaz** *m.* gas; **gaz carbonique** carbon dioxide
**gazeux/gazeuse** *adj.* sparkling, carbonated; **boisson** (*f.*) **gazeuse** soft drink
**gazon** *m.* lawn; **tondre le gazon** to mow the lawn

**géant(e)** *adj.* gigantic, giant
**gelé(e)** *adj.* frozen
**gelée** *f.* aspic, jelly
**gélule** *f.* capsule
**gênant(e)** *adj.* disturbing, embarrassing
**gêné(e)** *adj.* embarrassed; annoyed, bothered
**généralement** *adv.* generally
**généralisation** *f.* generalization
**se généraliser** to become generalized, common
**généreux/généreuse** *adj.* generous
**génétique** *adj.* genetic; **modification** (*f.*) **génétique** genetic modification
**génétiquement** *adv.* genetically; **organisme** (*m.*) **génétiquement modifié (OGM)** genetically modified organism (GMO)
**Genève** Geneva
**génial(e)** *adj.* brilliant, inspired; *fam.* nice, cool, great
**génie** *m.* spirit; genius; genie; engineering; **génie civil** civil engineering; **génie mécanique** mechanical engineering
**genou** *m.* (*pl.* **genoux**) knee
**genre** *m.* gender; kind, type
**gens** *m. pl.* people; **foule** (*f.*) **de gens** crowd of people; **jeunes gens** young men; young people
**gentil(le)** *adj.* nice, kind
**gentilhomme** *m.* (*historical, fig.*) gentleman
**gentillesse** *f.* kindness, niceness
**géographie** *f.* geography
**géographique** *adj.* geographic
**géologie** *f.* geology
**Géorgie** *f.* Georgia
**gérant(e)** *m., f.* manager, director
**germanique** *adj.* Germanic
**germer** to sprout, germinate
**geste** *m.* gesture
**gestion** *f.* management; **gestion des ressources** resource management
**Ghana** *m.* Ghana; **empire** (*m.*) **du Ghana** Ghana empire (*5th–11th-century Senegal*)
**gigantesque** *adj.* gigantic
**gigot** *m.* **(d'agneau)** leg of lamb
**gigue** *f.* jig
**gingembre** *m.* ginger
**girofle** *m.* clove (*spice*); **clous** (*m. pl.*) **de girofle** cloves
**gîte** *f.* cottage; **gîte rurale** bed-and-breakfast cottage
**givre** *m.* frost
**givré(e)** *adj.* frosted; frozen; **orange** (*f.*) **givrée** orange sorbet served in the orange peel
**glace** *f.* ice cream; ice; mirror; **boule** (*f.*) **de glace** scoop of ice cream; **essuie-glace** *m.* windshield wiper; **faire du patin à glace** to ice-skate
**glissant(e)** *adj.* slippery; **chaussée** (*f.*) **glissante** slippery pavement
**glissement** (*m.*) **de terrain** landslide
**glisser** to slide; to slip; to skid
**global(e)** *adj.* global

**golfe** *m.* gulf; **petit golfe** bay
**gomme** *f.* eraser
**gondole** *f.* gondola
**gonflement** *m.* swelling
**gonfler** to inflate; to swell; **gonfler les pneus** to inflate the tires
**gorge** *f.* throat; gorge; **mal** (*m.*) **à la gorge** sore throat; **soutien-gorge** *m.* bra, brassiere
**gorille** *m.* gorilla
**gourde** *f.* gourd
**gousse** (*f.*) **d'ail** clove of garlic
**goût** *m.* taste; flavor; preference
**goûter** to taste; *m.* (*afternoon*) snack
**goutte** *f.* drop; **gouttes pour le nez** nose drops
**gouvernement** *m.* government; **chef** (*m.*) **de gouvernement** head of state
**gouvernemental(e)** *adj.* government, governmental
**gouverneur** *m.* governor
**grâce** *f.* grace; pardon; **grâce à** *prep.* thanks to
**graine** *f.* seed
**graisse** *f.* grease, fat
**grammaire** *f.* grammar
**gramme** *m.* gram
**grand(e)** *adj.* great; large, big; tall; **grand-chose (pas grand-chose)** *pron. m.* much (not much); **grand magasin** *m.* department store; **grandes occasions** *f. pl.* special occasions; **grande surface** *f.* large supermarket; superstore; shopping mall; **grandes vacances** *f. pl.* summer vacation; **Train** (*m.*) **à grande vitesse (TGV)** French high-speed bullet train
**grandement** *adv.* easily, amply; nobly
**grand-mère** *f.* grandmother
**grand-père** *m.* grandfather
**grands-parents** *m. pl.* grandparents
**graphique** *adj.* graphic; **dessin** (*m.*) **graphique** graphic arts
**gras(se)** *adj.* fat; oily; rich; **gras** *m.* fat; **le Mardi gras** Mardi Gras; **matière(s)** (*f.*) **grasse(s)** fat content (*of food*); **pâté** (*m.*) **de foie gras** goose liver pâté
**gratte-ciel** *m. inv.* skyscraper
**gratter** to scratch
**gratuiciel** *m.* freeware (*software*)
**gratuit(e)** *adj.* free (*of charge*)
**grave** *adj.* grave, serious
**graver un CD** to burn a CD
**graveur/graveuse** *m., f.* engraver
**gravité** *f.* seriousness
**grec(que)** *adj.* Greek; *m.* Greek (*language*); **Grec(que)** *m., f.* Greek (*person*)
**Grèce** *f.* Greece
**grêle** *f.* hail
**grenouille** *f.* frog
**grève** *f.* (labor) strike
**grignoter** to eat, have a snack
**grille** *f.* grid
**grille-pain** *m. inv.* toaster
**griller** to broil, toast, grill
**grimper** to climb

**griot(te)** *m., f.* griot (*traditional singer-storyteller from West Africa*)

**grippe** *f.* flu; **attraper la grippe** to catch the flu; **grippe intestinale** stomach flu

**gris(e)** *adj.* gray

**grognon(ne)** *m., f.* grumbler, grumpy person

**gros(se)** *adj.* big; fat; great; serious

**grossesse** *f.* pregnancy; **interruption** (*f.*) **volontaire de grossesse (IVG)** abortion

**grossier/grossière** *adj.* vulgar, gross; **terme** (*m.*) **grossier** vulgar term

**grossir** (*like* **finir**) to gain weight

**groupe** *m.* group; **groupe de discussion** discussion group (*computers*)

**se grouper** to gather

**gruyère** *m.* Gruyere (*Swiss cheese*)

**guêpe** *f.* wasp; **piqûre** (*f.*) **de guêpe** wasp sting

**guérir** (*like* **finir**) to cure; to heal; to recover; **guérir un(e) malade** to cure a sick person

**guerre** *f.* war; **Seconde/Deuxième Guerre mondiale** Second World War; **guerre de Sécession** American Civil War

**gueule** *f., fam.* face, mug

**guichet** *m.* ticket window

**guide** *m., f.* guide; *m.* guidebook; instructions

**guillemets** *m. pl. French quotation marks* (« »)

**Guinée** *f.* Guinea

**guitare** *f.* guitar

**Guyane** *f.* Guyana

**gymnase** *m.* gymnasium

**gymnastique** *f.* (*fam.* **gym**) gymnastics; exercise; **faire de la gymnastique** to do gymnastics (exercises)

**habiller** to dress; **s'habiller** to get dressed

**habitant(e)** *m., f.* inhabitant; resident

**habitation** *f.* lodging, housing; **Habitation à loyer modéré (HLM)** *French public (subsidized) housing*

**habiter** to live, dwell

**habitude** *f.* habit; **comme d'habitude** as usual; **d'habitude** *adv.* usually, habitually; **prendre l'habitude de** (+ *inf.*) to get used to (*doing s.th.*)

**habitué(e)** *adj.* (**à**) accustomed (to)

***haché(e)** *adj.* ground; chopped (*meat*); **bœuf** (*m.*) **haché** ground beef

**Haïti** *m.* Haiti

**haïtien(ne)** *adj.* Haitian

**halogène** *adj.* halogen; **lampe** (*f.*) **halogène** halogen lamp

***halte** *f.* stop, break; stopping place

***hammam** *m.* Arab-style sauna or bath

***hanche** *f.* hip; haunch

***Hanoukka** *f.* Hanukkah

***haranguer** to hold forth, harangue

***haricot** *m.* bean; ***haricots verts** green beans

**harmonie** *f.* harmony

**harmonieux/harmonieuse** *adj.* harmonious

***haut(e)** *adj.* high; **à *haute voix** out loud; **en *haut (de)** at the top (of); ***haute couture** *f.* high fashion; ***haut-parleur** *m.* (loud)speaker

**hebdomadaire** *adj.* weekly

**hébergement** *m.* lodging

**héberger (nous hébergeons)** to lodge, house

***hein?** *interj.* eh? what?

**hémisphère** *m.* hemisphere

**herbe** *f.* grass

**héritage** *m.* inheritance; heritage

***héros** *m.* hero

**hésitant(e)** *adj.* hesitant

**hésiter** to hesitate

**hétéroclite** *adj.* heterogeneous

**heure** *f.* hour; time; **à la même heure** at the same time; **à l'heure** on time; per hour; **à l'heure actuelle** at the present time; **à quelle heure** (at) what time; **de bonne heure** early; **demi-heure** *f.* half hour; **il est... heure(s)** it's . . . o'clock; **quelle heure est-il?** what time is it?; **tout à l'heure** just a moment ago; soon

**heureusement** *adv.* fortunately

**heureux/heureuse** *adj.* happy; fortunate

**se *heurter contre** to hit, bump against

**hexagone** *m.* hexagon; **l'Hexagone** (metropolitan) France

**hier** *adv.* yesterday; **hier après-midi** yesterday afternoon; **hier matin** yesterday morning; **hier soir** yesterday evening

**hippopotame** *m.* hippopotamus

**histoire** *f.* history; story

**historique** *adj.* historical, historic

**hiver** *m.* winter; **en hiver** in the winter

**HLM: Habitation** (*f.*) **à loyer modéré** *French public (subsidized) housing*

***hocher la tête** to nod

***hockey** *m.* hockey; ***hockey sur glace** ice hockey

***hollandais(e)** *adj.* Dutch; **sauce** (*f.*) ***hollandaise** Hollandaise sauce (*butter, eggs, lemon juice*); ***Hollandais(e)** *m., f.* Dutch (*person*)

***Hollande** *f.* Holland, Low Countries (Netherlands)

***homard** *m.* lobster

**homéopathie** *f.* homeopathy

**homme** *m.* man; **homme d'affaires** businessman; **homme d'État** statesman

**homogène** *adj.* homogeneous

**homosexualité** *f.* homosexuality

***Hongrie** *f.* Hungary

**honnête** *adj.* honest

**honnêteté** *f.* honesty

**honneur** *m.* honor; **demoiselle** (*f.*) **d'honneur** bridesmaid; **garçon** (*m.*) **d'honneur** best man; groomsman

***honte** *f.* shame; **avoir *honte de** to be ashamed of

***honteux/honteuse** *adj.* shameful; ashamed

**hôpital** *m.* hospital

***hoquet** *m.* hiccup

**horaire** *m.* schedule, timetable

**horloge** *f.* clock

**horreur** *f.* horror; **avoir horreur de** to hate, detest

**horriblement** *adv.* horribly

**horrifié(e)** *adj.* horrified

***hors de** *prep.* out of, outside of; ***hors saison** off-season

***hors-d'œuvre** *m. inv.* appetizer

**hospitalité** *f.* hospitality

**hôtel** *m.* hotel; public building, hall; **hôtel de ville** city hall; **maître** (*m.*) **d'hôtel** maître d'; headwaiter

**hôtellerie** *f.* hotel trade

**hôtesse** *f.* hostess; **hôtesse de l'air** flight attendant, stewardess

**huile** *f.* oil; **changer l'huile** to change the oil

***huit** eight

**huîtres** *f. pl.* oysters

**humain(e)** *adj.* human; **être** (*m.*) **humain** human being

**humanitaire** *adj.* humanitarian

**humanité** *f.* humanity

**humeur** *f.* temperament, disposition; mood; **être de mauvaise (bonne) humeur** to be in a bad (good) mood

**humide** *adj.* humid; damp; **forêt** (*f.*) **tropicale humide** tropical rainforest

**humilié(e)** *adj.* humiliated

**humoriste** *m., f.* humorist

**humoristique** *adj.* humoristic

**humour** *m.* humor; **sens** (*m.*) **de l'humour** sense of humor

***hurler** to scream; to shout; to howl

**hydrocarbure** *m.* hydrocarbon; **échappement** (*m.*) **d'hydrocarbures** hydrocarbon emissions

**hydro-électrique** *adj.* hydroelectric

**hygiène** *f.* hygiene; health

**hypermarché** *m.* superstore

**hypothèse** *f.* hypothesis

**ici** *adv.* here

**icône** *f.* icon

**idéal(e)** *adj.* ideal; **idéal** *m.* ideal

**idéaliste** *adj.* idealistic; *m., f.* idealist

**idée** *f.* idea; **aucune idée** I've no idea

**identifier** to identify

**identité** *f.* identity; **carte** (*f.*) **d'identité** identification card

**idéologique** *adj.* ideological

**idiot(e)** *adj.* idiotic, foolish

**idole** *f.* idol

**idyllique** *adj.* idyllic

**ignorer** to not know; to be ignorant of; to ignore

**il** *pron., m.* he; it; there; **il y a** there is, there are; **il y a** (+ *period of time*) ago; **il y a... que** (+ *period of time*) it's been . . . since

**île** *f.* island; **Île-de-France** Île-de-France region (*surrounding Paris*); **île flottante** *dessert made of meringues floating on custard*

**illégal(e)** *adj.* illegal
**illustré(e)** *adj.* illustrated; **illustré** *m.* comic book, picture book
**illustrer** to illustrate
**ils** *pron., m. pl.* they
**image** *f.* picture; image
**imaginaire** *adj.* imaginary, made-up
**imaginer** to imagine
**imbécile** *m., f.* idiot, imbecile
**immatériel(le)** *adj.* intangible
**immatriculation** *f.* registration; **plaque** (*f.*) **d'immatriculation** license plate
**immédiat(e)** *adj.* immediate
**immense** *adj.* huge, immense
**immeuble** *m.* (apartment or office) building, high-rise
**immigré(e)** *m., f.* immigrant
**immigrer** to immigrate
**s'immiscer (nous nous immisçons) (dans)** to interfere (in, with)
**immobilier** *m.* real estate (business); **agent** (*m.*) **immobilier** real estate agent
**imparfait** *m., gram.* imperfect (*verb tense*)
**s'impatienter** to grow impatient, lose patience
**impensable** *adj.* unthinkable
**impératif** *m., gram.* imperative, command
**impersonnel(le)** *adj.* impersonal
**implanter** to implant, introduce; **implanter un cookie** to plant a cookie (*computers*)
**impliquer** to imply
**impoli(e)** *adj.* impolite, rude
**important(e)** *adj.* important; large, sizeable
**importé(e)** *adj.* imported
**importer** to be important; to matter; **n'importe où** anywhere; **n'importe quel(le)** no matter which; **n'importe quoi** anything (at all)
**imposer** to impose; to lay down (*restrictions*)
**impossibilité** *f.* impossibility
**imposteur** *m.* impostor
**impôts** *m. pl.* direct taxes
**impressionnant(e)** *adj.* impressive
**impressionner** to impress
**imprimante** *f.* (electronic) printer
**imprimer** to print
**imprudemment** *adv.* imprudently, unwisely
**incendie** *m.* fire, house fire
**inciter** to incite
**inclusif/inclusive** *adj.* inclusive
**incompétent(e)** *adj.* incompetent
**inconnu(e)** *adj.* unknown; *m., f.* stranger
**inconscient(e)** *adj.* unconscious; thoughtless; unaware
**inconvénient** *m.* disadvantage
**incroyable** *adj.* unbelievable, incredible
**Inde** *f.* India; **Indes** *f. pl.* West Indies
**indécent(e)** *adj.* indecent, obscene
**indéfini(e)** *adj.* indefinite; **article** (*m.*) **indéfini** *gram.* indefinite article

**indépendance** *f.* independence
**indépendant(e)** *adj.* independent
**indéterminé(e)** *adj.* unspecified; indeterminate
**indicatif** *m., gram.* indicative (*mood*)
**indien(ne)** *adj.* Indian; **Indien(ne)** *m., f.* Indian (*person*)
**indifférent(e)** *adj.* indifferent
**indigène** *adj.* indigenous, native
**indiqué(e)** *adj.* indicated
**indiquer** to indicate; to point out; to signal (*in a car*)
**indirect(e)** *adj.* indirect
**indiscret/indiscrète** *adj.* indiscreet; prying
**individu** *m.* individual, person
**individualiste** *adj.* individualistic, nonconformist
**individuel(le)** *adj.* private, personal
**industrie** *f.* industry
**industriel(le)** *adj.* industrial
**inévitable** *adj.* unavoidable
**inexistant(e)** *adj.* nonexistent
**inférieur(e)** *adj.* inferior; lower
**infinitif** *m., gram.* (verb) infinitive
**infirmier/infirmière** *m., f.* nurse
**influencer (nous influençons)** to influence
**influent(e)** *adj.* influential
**informaticien(ne)** *m., f.* computer scientist; **ingénieur(e) informaticien(ne)** computer engineer
**information** *f.* information, data; *pl.* (*fam.* **infos**) news (*broadcast*)
**informatique** *f.* computer science; *adj.* computer; **virus** (*m.*) **informatique** computer virus
**informatisé(e)** *adj.* computerized
**informer** to inform; **s'informer** to find out information
**inforoute** *f.* information highway
**ingénierie** *f.* engineering
**ingénieur(e)** *m., f.* engineer; **ingénieur(e) informaticien(ne)** computer engineer; **ingénieur(e) mécanicien(ne)** mechanical engineer
**ingrédient** *m.* ingredient
**inhaler** to inhale, breathe in
**inhumain(e)** *adj.* inhuman
**initial(e)** *adj.* initial, first; **initiale** *f.* initial (*letter*)
**initiative** *f.* initiative; **syndicat** (*m.*) **d'initiative** (local) chamber of commerce, tourist office
**s'initier (à)** to become initiated (into)
**injuste** *adj.* unjust, unfair
**innombrable** *adj.* countless
**inoffensif/inoffensive** *adj.* harmless
**inondation** *f.* flood
**inonder** to flood
**inoubliable** *adj.* unforgettable
**inquiet/inquiète** *adj.* worried, anxious
**inquiétant(e)** *adj.* disturbing, worrying
**inquiéter (j'inquiète, nous inquiétons)** to worry (*s.o.*); **s'inquiéter (de) (je m'inquiète, nous nous inquiétons)**

to become uneasy; to be worried (about)
**inquiétude** *f.* anxiety, uneasiness
**inscription** *f.* matriculation; registration; **frais** (*m. pl.*) **d'inscription** school, university tuition
**inscrire** (*like* **écrire**) *irreg.* to write down; to register; **s'inscrire (à)** to join; to enroll; to register
**inscrit(e)** *adj.* registered
**insecte** *m.* insect
**insensé(e)** *adj.* insane
**inséparable** *adj.* inseparable
**insistance** *f.* insistence
**insister** to insist; **insister sur** to stress
**insolite** *adj.* unusual, strange
**insomniaque** *m., f.* insomniac
**insomnie** *f.* insomnia
**inspecter** to inspect
**inspirer** to inspire; **s'inspirer de** to be inspired by
**installer** to install; to set up; **s'installer (à)** to settle down, settle in
**instantanément** *adv.* instantaneously
**instituteur/institutrice** *m., f.* elementary school teacher
**insuffisant(e)** *adj.* insufficient
**insulter** to insult
**insupportable** *adj.* unbearable
**intact(e)** *adj.* intact; **demeurer intact(e)** to remain intact
**intégration** *f.* integration
**intégrer (j'intègre, nous intégrons)** to integrate, enter; **s'intégrer (je m'intègre, nous nous intégrons) (à)** to integrate oneself, get assimilated (into)
**intellectuel(le)** *adj., m., f.* (*fam.* **intello**) intellectual
**intensif/intensive** *adj.* intensive
**interagir** (*like* **finir**) to interact
**interdiction** *f.* (de) ban (on), banning (of)
**interdire** (*like* **dire**, *but* **vous interdisez**) **(de)** *irreg.* to forbid (to); to prohibit
**interdit(e)** *adj.* forbidden, prohibited; **stationnement** (*m.*) **interdit** no parking
**intéressant(e)** *adj.* interesting
**intéresser** to interest; **s'intéresser à** to be interested in
**intérêt** *m.* interest; concern
**intérieur(e)** *m.* interior; **à l'intérieur** inside
**intermédiaire** *m.* intermediary; **par l'intermédiaire de** through
**internaute** *m., f.* Internet user
**interpréter (j'interprète, nous interprétons)** to perform; to interpret
**interrogatoire** *m.* interrogation, examination
**interroger (nous interrogeons)** to interrogate; to ask questions of
**interrompre** (*like* **rompre**) *irreg.* to interrupt
**interurbain(e)** *adj.* interurban

**intervenir** (*like* **venir**) *irreg.* to intervene
**interviewer** to interview
**intestinal(e)** *adj.* intestinal; stomach
**intitulé(e)** *adj.* entitled, called
**intrigue** *f.* plot
**introduire** (*like* **conduire**) *irreg.* to introduce
**introverti(e)** *adj.* introverted
**intrus** *m.* intruder; **cherchez l'intrus** pick the one that doesn't fit (*game*)
**Inuits** *m. pl.* Inuit (*indigenous people of Canada*)
**inutile** *adj.* useless
**inventer** to invent
**inventeur/inventrice** *m., f.* inventor, discoverer
**inversé(e)** *adj.* opposite, inverted
**investir** (*like* **finir**) to invest
**investissement** *m.* investment
**invité(e)** *adj.* invited; *m., f.* guest
**inviter** to invite
**ironique** *adj.* ironic
**irrésistiblement** *adv.* irresistibly
**irriter** to irritate
**islamique** *adj.* Islamic
**isolé(e)** *adj.* isolated
**Israël** *m.* Israel
**Italie** *f.* Italy
**italien(ne)** *adj.* Italian; **Italien(ne)** *m., f.* Italian (*person*)
**itinéraire** *m.* itinerary
**ivoire** *m.* ivory; **Côte** (*f.*) **d'Ivoire** Ivory Coast

**jadis** *adv.* long ago, in the past
**jalousie** *f.* jealousy
**jaloux/jalouse** *adj.* jealous
**jamais (ne... jamais)** *adv.* never; ever
**jambalaya** *m. traditional Cajun rice stew*
**jambe** *f.* leg; **jambe cassée** broken leg
**jambon** *m.* ham
**janvier** January
**Japon** *m.* Japan
**japonais(e)** *adj.* Japanese; *m.* Japanese (*language*); **Japonais(e)** *m., f.* Japanese (*person*)
**jardin** *m.* garden; **jardin public** public park
**jardinage** *m.* gardening; **jardinage naturel** organic gardening
**jardiner** to garden
**jaune** *adj.* yellow
**jaunir** (*like* **finir**) to turn yellow
**je** *pron., m., f.* I
**jean** *m. s.* (blue) jeans
**jetable** *adj.* disposable
**jeter ( je jette, nous jetons)** to throw; throw away, toss; **jeter des déchets** to toss out trash; **jeter par terre** to throw down (on the ground); **se jeter (dans)** to flow (into)
**jeu** *m.* game; **jeu CD-ROM** computer game; **jeu vidéo** video game; **Jeux olympiques (JO)** Olympic games; **salle** (*f.*) **de jeux** game room; **vieux jeu** *adj.* old-fashioned

**jeudi** *m.* Thursday
**jeune** *adj.* young; *m. pl.* young people, youth; **jeune fille** *f.* girl, young woman; **jeunes gens** *m. pl.* young men; young people
**jeunesse** *f.* youth
**joie** *f.* joy
**joli(e)** *adj.* pretty
**Jolof: empire** (*m.*) **Jolof** Jolof empire (*15th-century Senegal*)
**joue** *f.* cheek
**jouer** to play; **jouer à** to play (*a sport or game*); **jouer de** to play (*an instrument*)
**jouet** *m.* toy
**joueur/joueuse** *m., f.* player
**jour** *m.* day; **à jour** up to date; **de nos jours** these days, currently; **il y a deux jours** two days ago; **jour de l'An** New Year's Day; **jour de Pâques** Easter; **jour férié** public holiday; **par jour** per day, each day; **plat** (*m.*) **du jour** today's special (*restaurant*); **tous les jours** every day
**journal** *m.* newspaper; journal, diary
**journalisme** *m.* journalism
**journaliste** *m., f.* reporter, newscaster, journalist
**journée** *f.* day, duration of a day; **toute la journée** all day
**judiciaire** *adj.* judicial
**juge** *m., f.* judge
**juger (nous jugeons)** to judge; to consider
**juif/juive** *adj.* Jewish; *m., f.* Jew, Jewish (*person*)
**juillet** July
**juin** June
**jumeau/jumelle** *m., f.* twin
**jupe** *f.* skirt
**jupon** *m.* (woman's) slip, petticoat
**jurer** to swear; to vow
**juridique** *adj.* legal
**jus** *m.* juice; **jus de fruits** fruit juice; **jus (de pomme, d'orange)** (apple, orange) juice
**jusqu'à** *prep.* until, up to; **jusqu'à ce que** *conj.* (+ *subj.*) until; **jusqu'à présent** up to now, until now
**juste** *adj.* just, fair; right, exact; *adv.* just, precisely; **tout juste** barely, hardly; only just
**justement** *adv.* exactly
**justifier** to justify; to give proof

**Kabyle** *m., f.* Kabyle (*indigenous person from mountainous region of Algeria*)
**kanak** *m.* Kanak (*indigenous language of New Caledonia*)
**kilogramme** (*ab.* **kg**) *m.* kilogram
**kilomètre** *m.* (*ab.* **km**) kilometer; **kilomètres** (*pl.*) **à l'heure** kilometers per hour
**kiosque** *m.* newsstand
**kippa** *f.* kippa, yarmulke (*skullcap worn by religious Jewish males*)
**klaxon** *m.* (*car*) horn

**klaxonner** to blow the (*car*) horn
**kora** *f.* kora (*West African stringed instrument*)
**Koweït** *m.* Kuwait

**la** *art., f.* the; *pron., f.* it, her
**là** *adv.* there; **là-bas** *adv.* over there; **là-dedans** in here/there; **oh, là là!** *interj.* good heavens! my goodness!
**laboratoire** *m.* (*fam.* **labo**) laboratory
**lac** *m.* lake
**lacune** *f.* gap
**laid(e)** *adj.* ugly
**laine** *f.* wool; **en laine** (made of) wool
**laïque** *adj.* nonreligious, secular
**laisser** to let, allow; to leave, leave behind; **laisser tomber** to drop (*s.th.*)
**lait** *m.* milk; **café** (*m.*) **au lait** coffee with hot milk
**laitier/laitière** *adj.* pertaining to milk; **produits** (*m. pl.*) **laitiers** dairy products
**laitue** *f.* lettuce
**lamelle** *f.* strip, slice; **couper en lamelles** to cut in(to) thin strips
**lamentable** *adj.* appalling, lamentable
**lampe** *f.* lamp; light fixture; **lampe à huile** oil lamp; **lampe à pétrole** kerosene lamp; **lampe halogène** halogen lamp; **lampe-tempête** hurricane lamp
**lancer (nous lançons)** to launch; to throw; to drop; **se lancer (dans)** to jump (into)
**langage** *m.* language; jargon; specialized vocabulary
**langagier/langagière** *adj.* linguistic, of language
**langue** *f.* language; tongue; **langue étrangère** foreign language; **langue maternelle** mother tongue; **tirer la langue** to stick out one's tongue
**lapin** *m.* rabbit
**large** *adj.* wide
**lasagnes** *f. pl.* lasagna
**latin(e)** *adj.* Latin
**Laurentides** *f. pl.* Laurentian mountains (*Quebec*)
**lavable** *adj.* washable
**lavabo** *m.* (*bathroom*) sink
**laver** to wash; **machine** (*f.*) **à laver** washing machine
**laveur/laveuse** *adj.* cleaner, washer; **raton laveur** *m.* raccoon
**lave-vaisselle** *m.* (automatic) dishwasher
**lavomatic** *m.* laundromat
**le** *art., m.* the; *pron., m.* it, him
**leçon** *f.* lesson; **leçon particulière** private lesson
**lecteur/lectrice** *m., f.* reader; **lecteur** *m.* disk drive; **lecteur CD/DVD** CD/DVD player; **lecteur CD-ROM** CD-ROM drive; **lecteur MP3** MP3 player
**lecture** *f.* reading
**légal(e)** *adj.* legal
**légende** *f.* legend
**léger/légère** *adj.* light; fluffy; delicate

**légionnaire** *m.* legionary; legionnaire
**législation** *f.* legislation
**législature** *f.* legislature
**légume** *m.* vegetable; **soupe** (*f.*) **aux légumes** vegetable soup
**lendemain** *m.* next day, day after, following day
**lent(e)** *adj.* slow
**lequel/laquelle (lesquels/lesquelles)** *pron.* which, which one; who, whom
**les** *art., pl.* the; *pron., pl.* them
**lessive** *f.* laundry; **faire la lessive** to do the laundry
**lettre** *f.* letter; **boîte** (*f.*) **aux lettres** mailbox; **lettre de motivation** cover letter
**leur** *adj.* their; *pron.* to them; **le/la/les leur(s)** *pron.* theirs
**lever (je lève)** to raise, lift; **lever** (*m.*) **du soleil** sunrise; **levez la main** raise your hand; **se lever** to get up, stand up; to get out of bed
**levier** *m.* lever; **levier de vitesse** gear shift
**lèvres** *f. pl.* lips; **rouge** (*m.*) **à lèvres** lipstick
**lexicographique** *adj.* lexicographical
**liaison** *f.* joining, linking (*two words*)
**libération** *f.* freedom; liberation
**libérer (je libère, nous libérons)** to free, liberate
**liberté** *f.* freedom
**librairie** *f.* bookstore
**libre** *adj.* free; available; open; vacant; **temps** (*m.*) **libre** leisure time; **union** (*f.*) **libre** living together, common-law marriage; **vente** (*f.*) **libre** open sale
**Libye** *f.* Libya
**licence** *f.* French university degree awarded upon completion of third-year university exams, equivalent to BA/BS; license; permission
**licencié(e)** *m., f.* degree holder; license holder; (person) fired, laid off
**licorne** *f.* unicorn
**lié(e)** *adj.* linked, tied
**lien** *m.* link, tie, bond; **former des liens** to form contacts, connections
**lieu** *m.* place; **au lieu de** *prep.* instead of, in the place of; **avoir lieu** to take place; **chef-lieu** *m.* county seat (*town*)
**ligne** *f.* line; bus line; figure; **en ligne** online
**ligue** *f.* league
**limitation** *f.* limit; restriction; **limitation de vitesse** speed limit
**limite** *f.* limit; boundary; **dépasser la limite de vitesse** to exceed the speed limit
**limiter** to limit
**limonade** *f.* soft drink (*citrus-flavored*)
**limpide** *adj.* limpid; clear
**linguistique** *adj.* language; linguistic
**liquide** *m.* liquid; **argent** (*m.*) **liquide** cash; **payer (je paie) en liquide** to pay in cash
**lire** (*p.p.* **lu**) *irreg.* to read

**liste** *f.* list
**lit** *m.* bed; **faire son lit** to make one's bed
**litre** *m.* liter
**littéral(e)** *adj.* literal
**littérature** *f.* literature
**livraison** (*f.*) **des bagages** baggage claim area
**livre** *m.* book; *f.* pound (*half-kilo*); **demi-livre** *f.* half pound; **livre** (*m.*) **de cuisine** cookbook
**livrée** *f.* (professional) uniform or clothing
**loa** (*or* **lwa**) *m.* voodoo spirit
**local(e)** *adj.* local
**localisation** *f.* localization
**locataire** *m., f.* renter, tenant
**locuteur/locutrice** *m., f.* speaker
**logement** *m.* housing, lodgings
**loger (nous logeons)** to house; to dwell; to lodge
**logiciel** *m.* program (*computer*); software
**logique** *adj.* logical
**loi** *f.* law
**loin (de)** *adv., prep.* far (from), at a distance (from)
**lointain(e)** *adj.* distant, faraway, remote
**loisirs** *m. pl.* leisure-time activities
**Londres** London
**long(ue)** *adj.* long; slow; **de longue durée** long-term; **tout au long de** throughout
**longtemps** *adv.* (for) a long time; **il y a longtemps** a long time ago
**longuement** *adv.* for a long time
**lors** *adv.* then; **lors de** *prep.* during, at the time of
**lorsque** *conj.* when
**loterie** *f.* lottery
**loti(e)** *adj.* shared, allotted; **être bien loti(e)** to be well-off
**louange** *f.* praise
**louanger (nous louangeons)** to praise
**louer** to rent; to reserve; **à louer** for rent; **louer une voiture** to rent a car
**Louisiane** *f.* Louisiana
**loyauté** *f.* loyalty
**loyer** *m.* rent (*payment*)
**Lozère** *f.* Lozère department (*in the Languedoc-Roussillon region of southern France*)
**lucratif/lucrative** *adj.* lucrative
**ludiciel** *m.* gameware (*software*)
**lui** *pron.* he; it; to him; to her; to it; **lui-même** himself
**luisant(e)** *adj.* shining
**lumière** *f.* light
**lumineux/lumineuse** *adj.* luminous; **signal** (*m.*) **lumineux** flashing road sign
**lundi** *m.* Monday
**lune** *f.* moon; **lune de miel** honeymoon
**lunettes** *f. pl.* eyeglasses
**luth** *m.* lute
**lutte** *f.* struggle, battle
**lutter** to struggle, fight
**luxe** *m.* luxury
**luxueux/luxueuse** *adj.* luxurious

**luzerne** *f.* alfalfa
**lycée** *m.* French secondary school (*senior high school*)
**lycéen(ne)** *m., f.* secondary-, high-school student

**ma** *adj., f. s.* my
**mâcher** to chew
**machine** *f.* machine; **machine à laver** washing machine
**madame (Mme)** *f.* (*pl.* **mesdames**) Madam, Mrs.
**mademoiselle (Mlle)** *f.* (*pl.* **mesdemoiselles**) Miss
**magasin** *m.* store; **grand magasin** department store; **magasin d'alimentation** food store; **magasin d'antiquités** antique store
**mage** *m.* magus, sorcerer; **les Rois** (*m. pl.*) **mages** the Three Wise Men, the Magi
**Maghreb** *m.* Maghreb (*French-speaking North Africa*)
**maghrébin(e)** *adj.* from French-speaking North Africa; *m., f.* person from the Maghreb
**magicien/magicienne** *m., f.* magician
**magie** *f.* magic
**magique** *adj.* magic
**magistral(e)** *adj.* masterly; **cours** (*m.*) **magistral** lecture course
**magnétoscope** *m.* videocassette recorder (VCR)
**magnifique** *adj.* magnificent
**mai** May
**maigre** *adj.* thin; fat-free; **manger maigre** to eat meatless meals
**maigrir** (*like* **finir**) to grow thin, lose weight
**maillot** *m.* sports jersey; bathing suit
**main** *f.* hand; **fait(e) à la main** handmade; **se serrer la main** to shake hands
**main-d'œuvre** *f.* labor (force), manpower
**maintenant** *adv.* now
**maintenir** (*like* **tenir**) *irreg.* to maintain; to keep up
**maintien** *m.* maintenance, preservation; **maintien d'une voiture** car maintenance
**maire** *m., f.* mayor
**mairie** *f.* town hall
**mais** *conj.* but; **mais oui** *interj.* of course
**maïs** *m.* corn
**maison** *f.* house; company, firm; **à la maison** at home; **maison de la presse** newsstand
**maître/maîtresse** *m., f.* master/mistress; elementary school teacher; **maître d'hôtel** maître d'; headwaiter
**maîtrise** *f.* mastery
**majestueux/majestueuse** *adj.* majestic; stately
**majoritaire** *adj.* of/in the majority
**majorité** *f.* majority
**majuscule** *adj.* capital; *f.* capital letter

**mal** *adv.* badly; *m.* (*pl.* **maux**) evil; pain; **aller mal** to not be well; **avoir du mal à** to have a hard time; **avoir le mal du pays** to be homesick; **avoir mal à la gorge** to have a sore throat; **mal de l'air** airsickness; **mal de mer** seasickness; **mal de tête** headache; **se faire (du) mal** to hurt oneself

**malade** *adj.* ill; *m., f.* sick person; **rendre malade** to make (*s.o.*) sick; **tomber malade** to get sick

**maladie** *f.* illness, disease; **assurance** (*f.*) **maladie** health insurance; **guérir (traiter) une maladie** to cure (treat) an illness

**maladroit(e)** *adj.* clumsy

**malbouffe** *f., fam.* junk food

**maléfique** *adj.* evil

**malfaiteur** *m.* lawbreaker; burglar, thief

**malfonctionner** to malfunction

**malgré** *prep.* in spite of

**malheureusement** *adv.* unfortunately

**malheureux/malheureuse** *adj.* unhappy

**Mali** *m.* Mali; **empire** (*m.*) **du Mali** Mali empire (*13th–15th-century Senegal*)

**Malinké** *m. pl.* Malinke (*ethnic group of West Africa*)

**malsain(e)** *adj.* unhealthy

**maman** *f., fam.* mom, mommy

**mammifère** *m.* mammal

**mamy (mamie)** *f., fam.* grandma

**manche** *f.* sleeve; **la Manche** the English Channel; **faire la manche** to beg

**mandarine** *f.* tangerine, mandarin orange

**mandat** *m.* mandate; **mandat postal** postal money order

**Mandingues** *m. pl.* Mandingos (*ethnic group of West Africa*)

**mandoline** *f.* mandolin

**manger (nous mangeons)** to eat; **merci, j'ai assez mangé/bu** I've had enough, thanks; **salle** (*f.*) **à manger** dining room

**mangue** *f.* mango

**manière** *f.* manner, way

**manifestant/manifestante** *m., f.* demonstrator, protester

**manifestation** (*fam.* **manif**) *f.* (political) demonstration; manifestation; **manifestation culturelle (sportive)** cultural (sporting) event

**manifester** to show, display

**manipulateur/manipulatrice** *m., f.* manipulator

**manque** *m.* lack, shortage

**manquer** to miss; **manquer à (quelqu'un)** to be missed by (*s.o.*); **manquer de** to lack

**manteau** *m.* coat, overcoat

**manuel(le)** *adj.* manual; *m.* manual; textbook

**manuscrit(e)** *adj.* handwritten

**maquillage** *m.* makeup

**se maquiller** to put on makeup

**marais** *m.* swamp, marsh

**marbre** *m.* marble

**marchand(e)** *m., f.* merchant, shopkeeper; **marchand** (*m.*) **de vins** wine seller; liquor store; **marine** (*f.*) **marchande** merchant marine

**marchander** to bargain, haggle

**marchandise** *f.* merchandise

**marche** *f.* walk; walking, hiking; (stair) step; **mettre en marche** to start, put into action (*device*)

**marché** *m.* market; **bon marché** *adj. inv.* inexpensive; **marché aux puces** flea market; **marché de l'emploi** job market

**marcher** to walk; to work, run (*device*)

**mardi** *m.* Tuesday; **le Mardi gras** Mardi Gras, Shrove Tuesday, Fat Tuesday

**marécageux/marécageuse** *adj.* swampy, marshy

**marée** (*f.*) **noire** oil spill

**marginalisation** *f.* marginalization

**marginaux** *m. pl., fig.* dropouts; fringe

**marguerite** *f.* daisy

**mari** *m.* husband

**mariage** *m.* marriage; wedding

**marié(e)** *m., f.* groom/bride; *adj.* married; **nouveaux mariés** *m. pl.* newlyweds

**se marier (avec)** to get married (to)

**marin** *m.* sailor; mariner

**marine** *adj.; f.* marine (*shipping*); **marine marchande** merchant marine; **plongée** (*f.*) **sous-marine** scuba diving, deep-sea diving

**marinière: moules** (*f. pl.*) **marinières** *mussels cooked in white wine*

**maritime** *adj.* coastal, maritime

**Maroc** *m.* Morocco

**marocain(e)** *adj.* Moroccan; **Marocain(e)** *m., f.* Moroccan (*person*)

**marque** *f.* brand

**marquer** to mark; to indicate, denote

**marraine** *f.* godmother

**marre: en avoir marre** *fam.* to be fed up (with)

**marron** *adj. inv.* brown; maroon; *m.* chestnut

**mars** March

**marxisme** *m.* Marxism

**masculin(e)** *adj.* masculine

**masque** *m.* mask

**masse** *f.* mass (*volume, form*)

**masser** to massage

**massif/massive** *adj.* massive

**Master** *m.* *French university degree awarded for two years of study beyond the* **licence**

**match** *m.* game; **match de football (de rugby)** soccer (rugby) game

**matérialiste** *adj.* materialistic

**matériel** *m.* apparatus, equipment; **matériel électronique** electronic equipment

**maternel(le)** *adj.* maternal; **l'école** (*f.*) **maternelle** preschool; **langue maternelle** mother tongue

**mathématicien(ne)** *m., f.* mathematician

**mathématiques** *f. pl.* (*fam.* **maths**) mathematics

**matière** *f.* academic subject; material; matter; **matière(s) grasse(s)** fat content (*of food*)

**matin** *m.* morning; **hier matin** yesterday morning

**matinée** *f.* morning (*duration*); **faire la grasse matinée** to sleep late

**matrimonial(e)** *adj.* marriage; **agence** (*f.*) **matrimoniale** marriage/dating service

**mauvais(e)** *adj.* bad; wrong; **en mauvais état** in bad condition; **il fait mauvais** it's bad weather out; **la mauvaise réponse** the wrong answer

**maximum** *m.* maximum; **au maximum** as much as possible; at the most, at the maximum

**me (m')** *pron.* me; to me

**mécanicien(ne)** *m., f.* mechanic; technician; **ingénieur(e) mécanicien(ne)** mechanical engineer

**mécanique** *adj.* mechanical, power; **génie** (*m.*) **mécanique** mechanical engineering

**méchant(e)** *adj.* bad, evil; naughty; *m. pl.* bad guys

**médaille** *f.* medal

**médecin** *m.* doctor; **femme** (*f.*) **médecin** female doctor

**médecine** *f.* medicine (*study, profession*)

**médias** *m. pl.* media

**médiathèque** *f.* (multi)media library

**médiatique** *adj.* media-related

**médical(e)** *adj.* medical

**médicament** *m.* medication; drug

**médina** *f.* *the old part of an Arab city*

**méditer** to meditate

**Méditerranée** *f.* Mediterranean (Sea)

**méditerranéen(ne)** *adj.* Mediterranean

**se méfier de** to be wary of

**meilleur(e)** *adj.* better; best

**mélange** *m.* blend; mixture

**mélanger (nous mélangeons)** to mix, blend

**mêlé(e)** *adj.* (**à, de**) mixed (with)

**se mêler de** to meddle, interfere in/with; to get mixed up in

**membre** *m.* member

**même** *adj.* same; *adv.* even; **à même** from; right into; **de même** the same, likewise; **en même temps** at the same time, simultaneously; **même si** even if; **quand même** anyway; even though; **soi-même** oneself, himself, herself, itself

**mémoire** *f.* memory; *m. pl.* memoirs

**menacé(e)** *adj.* threatened; **animaux** (*m. pl.*) **menacés** endangered animals

**menacer (nous menaçons) (de)** to threaten (to)

**ménage** *m.* housekeeping; household; **faire le ménage** to do the housework

**ménager/ménagère** *adj.* pertaining to the home; housekeeping; **équipement** (*m.*) **ménager** household furnishings; **tâches** (*f. pl.*) **ménagères** household tasks

**se ménager (nous nous ménageons)** to arrange, plan for oneself

**mener ( je mène)** to take; to lead; **mener une vie équilibrée (sédentaire)** to lead a balanced (sedentary) life

**mensonge** *m.* lie, falsehood

**menthe** *f.* mint

**mention** *f.* grade, evaluation, distinction (*school, university*)

**mentionné(e)** *adj.* mentioned

**mentir (like partir)** *irreg.* to lie, tell lies

**menton** *m.* chin

**menuiserie** *f.* carpentry

**menuisier** *m.* carpenter

**mer** *f.* sea; **au bord de la mer** at the seashore; **département (*m.*) d'Outre-mer** French overseas department; **fruits (*m. pl.*) de mer** seafood

**merci** *interj.* thanks; **merci bien** thanks a lot; **merci, j'ai assez mangé/bu** I've had enough, thanks

**mercredi** *m.* Wednesday

**mère** *f.* mother; **belle-mère** mother-in-law; stepmother; **fête (*f.*) des Mères** Mother's Day; **grand-mère** grandmother

**méridienne** *f.* meridian line

**mériter** to deserve; to be worth

**merveille** *f.* marvel; delight; **à merveille** perfectly, marvelously

**merveilleux/merveilleuse** *adj.* marvelous

**mes** *adj. m., f., pl.* my

**mésaventure** *f.* misadventure

**messagerie** *f.* message / voice mail service; delivery service

**messe** *f.* (Catholic) Mass

**mesure** *f.* measure; **prendre des mesures** to take measures

**mesurer** to moderate, weigh (*one's words*)

**métal** *m.* metal

**métallique** *adj.* metallic

**météorologie ( *fam.* météo)** *f.* weather forecasting

**météorologique** *adj.* meteorological, weather; **bulletin (*m.*) météorologique** weather forecast

**méthode** *f.* method

**métier** *m.* trade, profession, job, occupation; **exercer un métier** to work at a particular job

**mètre** *m.* meter

**métro** *m.* subway (*train, system*); **plan (*m.*) du métro** subway map; **prendre le métro** to take the subway

**métropole** *f.* metropolis; mainland France

**métropolitain(e)** *adj.* metropolitan; referring to the mainland; **métropolitain (métro)** *m.* subway (*train, system*)

**mets** *m. inv.* dish; delicacy

**metteur/metteuse en scène** *m., f.* producer; director (*film, theater*)

**mettre (*p.p.* mis)** *irreg.* to put, place; to put on; to turn on; to take (*time*); **mettre à l'abri de** to shelter from,

shield from; **mettre de côté** to set aside; **mettre des vêtements** to put on clothes; **mettre (le) feu à** to set fire to; **mettre le couvert (la table)** to set the table; **se mettre à** to begin to; **se mettre à la place de** to put oneself in the place of; **se mettre à table** to sit down at the table; **se mettre au volant** to get behind the steering wheel; **se mettre d'accord** to reach an agreement; **se mettre en colère** to get angry

**meuble** *m.* piece of furniture

**meublé(e)** *adj.* furnished

**meunier/meunière** *adj.* flour-milling; **sole ( *f.*) meunière** *lightly breaded sole with lemon butter*

**meurtre** *m.* murder

**Mexique** *m.* Mexico

**mi-** *prefix* half, mid-; **cheveux (*m. pl.*) mi-longs** medium-length hair

**micro-onde** *f.* microwave; **four (*m.*) à micro-ondes** microwave oven

**midi** *m.* noon; **Midi (*m.*)** south-central France; **à midi** at noon; **après-midi (*m. or f.*)** afternoon

**miel** *m.* honey; **lune ( *f.*) de miel** honeymoon

**mien(ne) (le/la)** *pron., m., f.* mine

**mieux** *adv.* better; **aimer mieux** to prefer; **il vaut mieux** it's better; **le mieux** the best

**mijoter** to simmer; *fam.* to cook

**milieu** *m.* environment; background; milieu; middle; **au milieu de** in the middle of

**militaire** *m.* serviceman, soldier; *adj.* military

**militer (contre)** to be a militant; to protest (against)

**mille** one thousand

**milliard** *m.* one billion

**milliardaire** *m., f.* billionaire

**millier** *m.* (around) a thousand

**mince** *adj.* thin; slender

**minéral(e)** *adj.* mineral; **eau ( *f.*) minérale** mineral water; **minéral** *m.* mineral

**minime** *adj.* minimal

**ministère** *m.* ministry; department

**ministériel(le)** *adj.* ministerial

**ministre** *m., f.* minister; **Premier ministre** Prime Minister

**Minitel** *m.* *French personal communications terminal*

**minoritaire** *adj.* minority

**minorité** *f.* minority

**minuit** *m.* midnight; **à minuit** at midnight

**minuscule** *adj.* tiny, small; lower-case

**miraculeusement** *adv.* miraculously

**miraculeux/miraculeuse** *adj.* miraculous; wonderful

**miroir** *m.* mirror

**mise** *f.* putting; **mise en scène** direction, production (*theater, film*)

**mixeur** *m.* ( *food*) mixer

**mixte** *adj.* mixed (*school, marriage*)

**mnémotechnique** *adj.* mnemonic

**mobile** *adj.* mobile; *m.* cellular phone

**mobylette** *f.* moped, scooter

**mode** *f.* fashion, style; **à la mode** in style; *m.* mode; method; **mode (*m.*) de vie** lifestyle

**modèle** *m.* model; pattern

**modération** *f.* moderation

**modéré(e)** *adj.* moderate; **Habitation ( *f.*) à loyer modéré (HLM)** *French public housing*

**moderne** *adj.* modern

**moderniser** to modernize

**modification** *f.* modification; **modification génétique** genetic modification

**modifié(e)** *adj.* modified, altered; **organisme (*m.*) génétiquement modifié (OGM)** genetically modified organism (GMO)

**modifier** to modify, alter

**moi** *pron.* I, me; **à moi** mine; **moi aussi (moi non plus)** me too (me neither); **moi non** not me

**moindre** *adj.* less, smaller, slighter

**moineau** *m.* sparrow; **moineau friquet** tree sparrow

**moins** *adv.* less; **à moins que** *conj.* (+ *subj.*) unless; **au moins** at least; **de moins en moins** less and less; **le moins** the least; **moins de/que** fewer/less than; **plus ou moins** more or less

**mois** *m.* month

**moitié** *f.* half

**mollet** *m.* calf (*of leg*)

**moment** *m.* moment; **à tout moment** always; **au moment de** at the time when; **en ce moment** now, currently; **le moment où** the time when (*s.th. occurred*); **pour le moment** for the moment; **un petit moment** just a moment

**mômerie** *f.* masquerade; farce; childish behavior

**monarchie** *f.* monarchy

**monarque** *m.* monarch

**monde** *m.* world; people; society; **carte ( *f.*) du monde** map of the world; **coupe ( *f.*) du monde** World cup (*soccer*); **faire le tour du monde** to go around the world; **tout le monde** everyone

**mondial(e)** *adj.* world; worldwide; **Seconde (Deuxième) Guerre ( *f.*) mondiale** Second World War

**mondialisation** *f.* globalization

**moniteur/monitrice** *m., f.* camp counselor; instructor; group leader

**monnaie** *f.* change; coins; currency; **petite monnaie** small change

**monolingue** *adj.* monolingual

**monoparental(e)** *adj.* single-parent

**monoski** *m.* snowboard(ing); **faire du monoski** to snowboard

**monsieur (M.)** *m.* (*pl.* messieurs) Mister; gentleman; sir

**montagne** *f.* mountain(s); **à la montagne** in the mountains

**montagneux/montagneuse** *adj.* mountainous

**montant(e)** *adj.* rising

**monter** *intr.* to go up; to climb up (onto, into); *trans.* to set up, organize; to carry up; **monter à cheval** to ride a horse, go horseback riding; **monter dans un autobus** to get on a bus; **monter un spectacle (une émission)** to put on, perform a play; to produce a show

**montre** *f.* watch; wristwatch

**Montréalais(e)** *m., f.* person from Montreal

**montrer** to show; **montrer le chemin** to show the way (*route*)

**se moquer de** to make fun of; to mock

**moquette** *f.* wall-to-wall carpeting

**moqueur/moqueuse** *adj.* mocking; **oiseau** (*m.*) **moqueur** mockingbird

**moral(e)** *adj.* moral; psychological; **moral** *m.* state of mind, morale, spirits; **remonter le moral** to cheer up (*s.o.*)

**morale** *f.* moral (*of a story*)

**morceau** *m.* piece

**morcelé(e)** *adj.* divided up

**mordre** to bite

**mordu(e)** *adj.* bitten

**morille** *f.* morel (*mushroom*)

**mort(e)** *adj.* dead, deceased; *m., f.* dead person; **mort** *f.* death

**mortalité** *f.* mortality; **mortalité évitable** preventable deaths

**Moscou** Moscow

**mosquée** *f.* mosque

**mot** *m.* word; note; **mot apparenté** related word, cognate; **mot clé** keyword; **mot de passe** password; **mots croisés** crossword puzzle; **petit mot** note, brief letter

**moteur** *m.* motor; engine; *fig.* driving force, mainspring

**motivation** *f.* motivation; **lettre** (*f.*) **de motivation** cover letter

**motocyclette** (*fam.* **moto**) *f.* motorcycle, motorbike

**motorisé(e)** *adj.* motorized

**mouche** *f.* fly; **oiseau** (*m.*) **mouche** hummingbird

**se moucher** to blow one's nose

**mouffette** *f.* skunk

**mouillage** *m.* anchoring (*boat*)

**moules** *f. pl.* mussels; **moules marinières** *mussels cooked in white wine*

**moulin** *m.* mill

**mourir** (*p.p.* **mort**) *irreg.* to die

**mousse** *f.* foam; suds; **mousse au chocolat** chocolate mousse

**moustache** *f.* mustache

**moustique** *m.* mosquito

**moutarde** *f.* mustard

**mouvement** *m.* movement

**moyen(ne)** *adj.* average; **moyen** *m.* means; way; **de taille moyenne** of average height; **en moyenne** on average; **le Moyen Âge** *m.* Middle Ages

**muguet** *m.* lily of the valley; **brin** (*m.*) **de muguet** sprig of lily of the valley

**multiculturel(le)** *adj.* multicultural

**multinational(e)** *adj.* multinational

**multiplier** to multiply; **se multiplier** to grow in number, increase, multiply

**municipal(e)** *adj.* municipal

**municipalité** *f.* municipality; town

**mur** *m.* wall

**muscler** to develop the muscles of; to strengthen

**musculation** *f.* bodybuilding, weight training

**musée** *m.* museum

**muséifier** to turn into a museum piece

**musicien(ne)** *m., f.* musician

**musique** *f.* music; **musique classique** classical music

**musulman(e)** *adj.* Muslim; *m., f.* Muslim (*person*)

**mutiler** to mutilate

**myrtille** *f.* blueberry

**mystère** *m.* mystery

**mystérieux/mystérieuse** *adj.* mysterious

**mythe** *m.* myth

**mythique** *adj.* mythical

**nager (nous nageons)** to swim

**nageur/nageuse** *m., f.* swimmer

**naïf/naïve** *adj.* naïve

**naissance** *f.* birth

**naître** (*p.p.* **né**) *irreg.* to be born

**nappe** *f.* tablecloth

**nappé(e)** *adj.* (**de**) covered (with)

**narrateur/narratrice** *m., f.* narrator

**nasal(e)** *adj.* nasal

**natal(e)** *adj.* native, by birth

**natation** *f.* swimming

**natif/native** *adj.* native

**national(e)** *adj.* national; **fête** (*f.*) **nationale** French national holiday, Bastille Day (July 14)

**nationalisme** *m.* nationalism

**nationalité** *f.* nationality

**naturel(le)** *adj.* natural

**nautique** *adj.* nautical; **faire du ski nautique** to go waterskiing

**navet** *m.* turnip; *fam.* failed movie or play

**navigateur/navigatrice** *m., f.* navigator; *m.* search engine

**naviguer** to navigate

**navire** *m.* ship; large boat

**né(e)** *adj.* born

**nécessaire** *adj.* necessary; **le nécessaire** what's necessary

**nécessité** *f.* necessity

**néerlandophone** *adj.* Dutch-speaking

**néfaste** *adj.* harmful

**négatif/négative** *adj.* negative

**neige** *f.* snow; **bonhomme** (*m.*) **de neige** snowman

**neiger (il neigeait)** to snow; **il neige** it's snowing

**nerveux/nerveuse** *adj.* nervous

**nettoyer (je nettoie)** to clean

**neuf** nine

**neuf/neuve** *adj.* new, brand-new; **quoi de neuf?** what's new?

**neutralité** *f.* neutrality

**neutre** *adj.* neutral

**neuvième** *adj.* ninth

**neveu** *m.* nephew

**nez** *m.* nose

**ni** neither; nor; **ne... ni... ni** neither . . . nor

**niçois(e)** *adj.* from Nice; **salade** (*f.*) **niçoise** Niçoise salad (*salad with tomatoes, other raw vegetables, tuna, anchovies, boiled potatoes, and hard-boiled eggs*)

**nid** *m.* nest

**nièce** *f.* niece

**niveau** *m.* level; level of achievement; **niveau de tension** stress level

**noces** *f. pl.* wedding; **voyage** (*m.*) **de noces** honeymoon trip

**nocturne** *adj.* nocturnal, night

**Noël** *m.* Christmas; **père** (*m.*) **Noël** Santa Claus

**noir(e)** *adj.* black; **marée** (*f.*) **noire** oil spill; **tableau** (*m.*) **noir** blackboard, chalkboard

**noix** *f.* nut

**nom** *m.* noun; name; **nom de jeune fille** maiden name

**nomade** *adj.* nomadic; *m., f.* nomad

**nombre** *m.* number; quantity

**nombreux/nombreuse** *adj.* numerous; **famille** (*f.*) **nombreuse** large family

**nommer** to name; to appoint

**non** *interj.* no; not; **moi non plus** me neither, nor I

**nord** *m.* north; **Amérique** (*f.*) **du Nord** North America; **nord-africain(e)** *adj.* North African; **nord-américain(e)** *adj.* North American, **nord-est** *m.* North-east; **nord-ouest** *m.* Northwest

**normal(e)** *adj.* normal

**Normandie** *f.* Normandy

**Norvège** *f.* Norway

**nos** *adj., m., f., pl.* our; **de nos jours** these days, currently

**notamment** *adv.* notably; especially

**note** *f.* grade (*in school*); bill

**noter** to notice; **à noter** worth remembering

**notoriété** *f.* notoriety; fame

**notre** *adj. m., f., s.* our

**nôtre (le/la)** *pron.* ours; our own; **les nôtres** *pl.* ours; our people

**nourrir** (*like* **finir**) to feed, nourish; **se nourrir (de)** to eat; to live (on)

**nourrissant(e)** *adj.* nutritious

**nourrisson** *m.* infant

**nourriture** *f.* food

**nous** *pron., m., f.* we; us

**nouveau (nouvel, nouvelle)** *adj.* new; different; **à nouveau** once more; **de nouveau** again; **nouveaux mariés** *m. pl.* newlyweds; **nouveaux venus** *m. pl.* newcomers; **nouvel an** New Year('s); **nouvelle cuisine** *f. French low-fat cooking*

**Nouveau-Brunswick** *m.* New Brunswick
**nouvelle** *f.* piece of news; short story; **nouvelles** *pl.* news, current events; **bonne(s) nouvelle(s)** good news
**Nouvelle-Calédonie** *f.* New Caledonia
**Nouvelle-Orléans (La)** *f.* New Orleans
**novembre** November
**noyau** *m.* core; small (political) group; **noyau dur** hard core
**nuage** *m.* cloud
**nuageux/nuageuse** *adj.* cloudy
**nucléaire** *adj.* nuclear; **centrale** (*f.*) **nucléaire** nuclear power plant
**nuit** *f.* night; **table** (*f.*) **de nuit** night table
**nuitée** *f.* overnight stay
**nul(le)** *adj.* hopeless, useless; **c'est nul** *fam.* it's awful
**numération** *f.* number system
**numérique** *adj.* digital; numerical; **appareil** (*m.*) **photo numérique** digital camera
**numéro** *m.* number; **numéro de téléphone** telephone number; **numéro d'urgence / des urgences** emergency phone number
**nutritionnel(le)** *adj.* nutritional
**nylon** *m.* nylon; **bas** (*m. pl.*) **de nylon** stockings, nylons

**obéir (à)** (*like* **finir**) to obey
**obéissant(e)** *adj.* obedient
**objectif** *m.* objective
**objectivement** *adv.* objectively
**objet** *m.* objective; object; **bureau** (*m.*) **des objets trouvés** lost-and-found office; **pronom** (*m.*) **d'objet direct/indirect** *gram.* direct/indirect object pronoun
**obligatoire** *adj.* obligatory; mandatory
**obligé(e)** *adj.* obliged, required; **être obligé(e) de** to be obliged to
**observateur/observatrice** *m., f.* observer
**observer** to observe
**obtenir** (*like* **tenir**) *irreg.* to obtain, get
**occasion** *f.* opportunity; occasion; bargain; **à l'occasion de** on the occasion of; **les grandes occasions** special occasions
**occidental(e)** *adj.* western, occidental
**occitan** *m. group of dialects spoken in the south of France*
**occupé(e)** *adj.* occupied; held; busy
**occuper** to occupy; **s'occuper** to keep oneself busy; **s'occuper de** to look after, be interested in, take care of
**océan** *m.* ocean, sea
**océanographie** *f.* oceanography
**octobre** October
**odeur** *f.* odor, smell
**odorat** *m.* (sense of) smell
**œil** *m.* (*pl.* **yeux**) eye; look; **coup** (*m.*) **d'œil** glance; **mon œil!** *interj.* I don't believe it!
**œnologue** *m., f.* oenologist, wine specialist

**œuf** *m.* egg; **blanc** (*m.*) **d'œuf** egg white; **œuf de Pâques** Easter egg; *pl.* **œufs miroir** *eggs fried in butter*
**œuvre** *f.* work; artistic work; **exposer une œuvre** to exhibit a piece of work; **\*hors-d'œuvre** *m. inv.* hors-d'œuvre, appetizer; **œuvre d'art** work of art
**offert(e)** *adj.* offered
**officialiser** to make official
**officiel(le)** *adj.* official
**officier** *m.* officer
**offre** *f.* offer
**offrir** (*like* **ouvrir**) *irreg.* to offer; **offrir des cadeaux** to give presents
**oie** *f.* goose
**oignon** *m.* onion
**oiseau** *m.* bird; **oiseau moqueur** mockingbird; **oiseau mouche** hummingbird; **oiseau rapace** bird of prey
**oléoduc** *m.* pipeline
**olive** *f.* olive; **huile** (*f.*) **d'olive** olive oil
**olivier** *m.* olive tree
**olympique** *adj.* Olympic; **Jeux** (*m. pl.*) **olympiques (JO)** Olympic games
**ombre** *f.* shadow
**omelette** *f.* omelet
**oncle** *m.* uncle
**onde** *f.* wave; **four** (*m.*) **à micro-ondes** microwave oven
**ongle** *m.* fingernail; toenail
**onirique** *adj.* dreamlike
**ONU (Organisation [*f.*] des nations unies)** U.N. (United Nations)
**onze** eleven
**opéra** *m.* opera
**opérateur/opératrice** *m., f.* operator
**opérer (j'opère, nous opérons)** to operate
**opinion** *f.* opinion; *pl.* editorials; **quelle est votre opinion sur... ?** what's your opinion of . . . ?
**opposant/opposante** *m., f.* opponent
**opposé(e)** *adj.* opposing, opposite; *m.* opposite
**s'opposer à** to be opposed to; to clash with, conflict with
**opter** to opt, choose
**optimiste** *adj.* optimistic; *m., f.* optimist
**or** *m.* gold
**orage** *m.* storm
**orageux/orageuse** *adj.* stormy
**oral(e)** *adj.* oral; **oral** *m.* oral exam
**orange** *adj. inv.* orange (*color*); *f.* orange (*fruit*); **canard** (*m.*) **à l'orange** duck with orange sauce; **carte** (*f.*) **orange** *type of French bus/métro pass*; **jus** (*m.*) **d'orange** orange juice; **passer à l'orange** to turn yellow (*traffic light*)
**orateur** *m.* orator, speaker
**oratoire** *m.* small chapel; shrine
**orchestre** *m.* orchestra
**orchidée** *f.* orchid
**ordinaire** *adj.* ordinary
**ordinateur** *m.* computer
**ordonnance** *f.* prescription
**ordonner** to order, command

**ordre** *m.* order; command; **en ordre** orderly, neat; **le bon ordre** correct order
**ordure** *f.* filth; garbage; **ramassage** (*m.*) **des ordures** garbage collection; **vider/sortir les ordures** to empty / take out the garbage
**oreille** *f.* ear; **boucles** (*f. pl.*) **d'oreille** earrings
**orfèvrerie** *f.* gold art
**organe** *m.* (*body*) organ; organ (*instrument*)
**organisateur/organisatrice** *m., f.* organizer
**organisation** *f.* organization
**organisé(e)** *adj.* organized; **voyage** (*m.*) **organisé** guided tour
**organiser** to organize; **s'organiser** to get organized
**organisme** *m.* organism; **organisme génétiquement modifié (OGM)** genetically modified organism (GMO)
**oriental(e)** *adj.* eastern; oriental
**s'orienter** to find one's bearings, get oriented; to turn toward
**originaire de** *adj.* originating from; **être originaire de** to be a native of
**original(e)** *adj.* eccentric; original
**origine** *f.* origin; **à l'origine** originally, to begin with; **d'origine française (italienne)** of French (Italian) extraction
**orme** *m.* elm
**orné(e) (de)** *adj.* decorated (with)
**orphelin/orpheline** *m., f.* orphan
**orteil** *m.* toe
**orthographe** *f.* spelling
**os** *m.* bone
**oseille** *f.* sorrel, sour grass
**ostentatoire** *adj.* ostentatious
**otage** *m.* hostage
**OTAN** *f.* NATO (North Atlantic Treaty Organization)
**ou** *conj.* or; either; **ou bien** or else
**où** *adv.* where; *pron.* where, in which; **d'où vient-il?** where does he come from?; **où est... ?** where is . . . ?
**oublier (de)** to forget (to)
**ouest** *m.* west; **nord-ouest** *m.* northwest; **sud-ouest** *m.* southwest
**oui** *interj.* yes; **ah oui?** is that so?, really?; **mais oui** of course
**ouïe** *f.* (sense of) hearing
**ouragan** *m.* hurricane
**outil** *m.* tool
**outre** *prep.* beyond, in addition to; **outre-mer** *adv.* overseas
**ouvert(e)** *adj.* open
**ouverture** *f.* opening; **heures** (*f. pl.*) **d'ouverture** business hours
**ouvrier/ouvrière** *m., f.* worker, factory worker
**ouvrir** (*p.p.* **ouvert**) *irreg.* to open
**OVNI (Objet [*m.*] volant non identifié)** UFO
**oxygène** *m.* oxygen
**oxygéner (j'oxygène, nous oxygénons)** to oxygenate; to get some fresh air into
**ozone** *m.* ozone; **couche** (*f.*) **d'ozone** ozone layer

**Pacifique** *m.* Pacific; **Pacifique Sud** South Pacific

**PACS (pacte civil de solidarité)** *m.* domestic partnership agreement, civil union

**se pacser** to enter into a PACS (**pacte civil de solidarité**), sign a PACS agreement

**pacte** *m.* pact; **pacte civil de solidarité (PACS)** domestic partnership agreement, civil union

**page** *f.* page; **page d'accueil** home page; **page perso** personal web site

**paie** *f. s.* wages, payment; **toucher sa paie** to get paid

**paiement** *m.* payment

**pain** *m.* bread; **pain au chocolat** chocolate-filled roll; **pain complet** whole-grain bread; **petit pain** dinner roll

**paisible** *adj.* peaceful

**paix** *f.* peace

**palace** *m.* luxury hotel

**palais** *m.* palace

**pâlir** (*like* **finir**) to turn pale

**palmarès** *m. inv.* list of achievements and honors

**palme** *f.* palm leaf; award, prize

**panier** *m.* basket

**paniquer** to panic

**panne** *f.* (*mechanical*) breakdown; **panne d'électricité** power failure; **tomber en panne** to have a (*mechanical*) breakdown

**panneau** *m.* road sign; billboard

**pansement** *m.* bandage

**pantalon** *m. s.* (pair of) pants

**papeterie** *f.* stationery store, stationer's

**papi** *m., fam.* grandpa

**papier** *m.* paper; **papier à lettres** letter paper, stationery; **papier d'emballage** wrapping paper

**papillon** *m.* butterfly

**Pâque** *f.* Passover

**Pâques** *f. pl.* Easter; **fête** (*f.*) **de Pâques** Easter

**paquet** *m.* package

**par** *prep.* by, through; **par ailleurs** in other respects, incidentally; **par an** per year, each year; **par jour** per day, each day; **par rapport à** with regard to, in relation to; **par semaine** per week; **par terre** on the ground; **par voie de** by means of

**paracétamol** *m.* acetaminophen (*pain medication such as Tylenol*)

**parachute** *m.* parachute; **faire un saut en parachute** to do a parachute jump

**parachutisme** *m.* parachuting

**paradis** *m.* paradise, heaven

**paragraphe** *m.* paragraph

**paraître** (*like* **connaître**) *irreg.* to appear, seem

**parapente** *m.* paragliding; **faire du parapente** to hang glide, paraglide

**parasitaire** *adj.* parasitic

**parc** *m.* park; **parc d'attractions** amusement park; **parc résidentiel** residential complex

**parcouru(e)** *adj.* covered, traveled (*distance*)

**pardon** *interj.* pardon me; *m.* forgiveness, pardon

**pare-brise** *m. inv.* windshield

**pareil(le)** *adj.* similar; **pareil** *adv.* the same; **faire pareil** to do the same thing

**parenté** *f.* blood relationship, family ties

**parenthèse** *f.* parenthesis

**paresseux/paresseuse** *adj.* lazy

**parfait(e)** *adj.* perfect

**parfaitement** *adv.* perfectly

**parfois** *adv.* sometimes; now and then; often

**parfum** *m.* perfume

**parfumé(e)** *adj.* fragrant

**parfumerie** *f.* perfume store

**parisien(ne)** *adj.* Parisian; **Parisien(ne)** *m., f.* Parisian (*person*)

**parité** *f.* parity

**parking** *m.* parking lot

**parlement** *m.* parliament

**parler** to speak; to talk; **entendre parler de** to hear about; **parler au téléphone** to talk on the phone; **parler de** to talk about; **se parler** to speak to one another; **tu parles!** you don't say!

**parmi** *prep.* among

**parole** *f.* word

**parrain** *m.* godfather

**parsemer** (**je parsème**) to sprinkle, strew

**part** *f.* piece, portion; share; role; **à part** besides; **de la part de** from, on behalf of; **part de pizza** slice of pizza

**partager** (**nous partageons**) to share

**partagiciel** *m.* shareware (*software*)

**partenaire** *m., f.* partner

**parti** *m.* (*political*) party

**participe** *m., gram.* participle; **participe passé/présent** past/present participle

**participer à** to participate in

**particularisme** *m.* local character; sense of identity

**particulier/particulière** *adj.* particular; **en particulier** *adv.* particularly; **leçon** (*f.*) **particulière** private lesson; **signe** (*m.*) **particulier** distinctive characteristic, sign, peculiarity

**particulièrement** *adv.* particularly

**partie** *f.* part; game, match; outing; **faire partie de** to be part of, belong to; **parties de la voiture** parts of a car

**partiellement** *adv.* partially

**partir** *irreg.* to depart, leave; **à partir de** *prep.* starting from; **partir à l'étranger** to go abroad; **partir en vacances** to leave on vacation

**partout** *adv.* everywhere

**parvenir** (*like* **venir**) **à** *irreg.* to succeed in

**pas (ne... pas)** not; **ne... pas du tout** not at all; **pas grand-chose** not much; **Pas possible!** No way! You're kidding!

**passable** *adj.* passable, tolerable

**passage** *m.* passage; passing; **être de passage** to be passing through

**passager/passagère** *m., f.* passenger

**passant(e)** *m., f.* passerby

**passe** *f.* pass (*sports*); *m.* passkey; **mot** (*m.*) **de passe** password

**passé(e)** *adj.* past, gone, last; spent; **passé** *m.* past

**passeport** *m.* passport; **contrôle** (*m.*) **des passeports** passport control

**passer** *intr.* to pass; to stop by; to pass by; *trans.* to pass; to cross; to spend (*time*); to take (*exam*); **qu'est-ce qui se passe?** what's going on?; **se passer** to happen, take place; **se passer de** to do without

**passe-temps** *m.* pastime, hobby

**passionnant(e)** *adj.* exciting, thrilling

**passionné(e)** *adj.* passionate; **être passionné(e) de (pour)** to be very excited by (interested in)

**passionnel(le)** *adj.* passionate; **crime** (*m.*) **passionnel** crime of passion

**passionner** to fascinate, grip; **se passionner (pour)** to be excited (about)

**pastis** *m.* pastis, anise-flavored liqueur

**patate** (*f.*) **douce** sweet potato

**pâté** *m.* liver paste, pâté; **pâté de foie gras** goose liver pâté

**pâtes** *f. pl.* pasta, noodles

**patience** *f.* patience; **avoir de la patience** to be patient, have patience

**patient(e)** *adj.* patient; *m., f.* (*hospital*) patient

**patin** *m.* (ice, roller) skate; **faire du patin à glace** to ice-skate

**patinage** *m.* skating; **patinage sur glace** ice-skating

**patiner** to skate

**patineur/patineuse** *m., f.* skater

**patins** (*m. pl.*) **en ligne** in-line skates

**pâtisserie** *f.* pastry; pastry shop

**patrimoine** *m.* heritage

**patriote** *m., f.* patriot

**patriotisme** *m.* patriotism

**patron(ne)** *m., f.* boss, employer

**patrouiller** to patrol

**pauvre** *adj.* poor, needy; wretched, unfortunate

**pauvreté** *f.* poverty

**pavillon** *m.* pavilion; small house

**payant(e)** *adj.* paying, requiring payment

**payer** (**je paie**) to pay, pay for; **payer (je paie) en liquide** to pay in cash

**pays** *m.* country; land; **avoir le mal du pays** to be homesick; **pays Basque** Basque country

**paysage** *m.* landscape, scenery

**paysagiste** *m., f.* landscaper, gardener

**paysan(ne)** *m., f.* peasant, farmer

**Pays-Bas** *m. pl.* Holland, the Netherlands

**PC** (*m.*) **de poche** PDA with Internet access

**PDG** *m., f.* (**Président-directeur général / Présidente-directrice générale**) CEO

**peau** *f.* skin; **peaux-rouges** *m. pl.* American Indians

**pêche** *f.* fishing; peach

**pêcher** to fish

**pêcheur/pêcheuse** *m., f.* fisherman/fisherwoman

**pédagogique** *adj.* pedagogical

**pédaler** to pedal, ride a bike

**pédiatre** *m., f.* pediatrician

**peindre** (*like* **craindre**) *irreg.* to paint

**peine** *f.* effort, trouble; **à peine** hardly, barely; **ça vaut la peine** it's worth the effort; it's worth it

**peintre** *m.* painter; **artiste-peintre** *m., f.* artist, painter

**peinture** *f.* paint; painting

**pèlerinage** *m.* pilgrimage

**pelure** *f.* peel, skin, rind (*of a fruit or vegetable*)

**pendant** *prep.* during; for; **pendant que** *conj.* while; **pendant un mois (une semaine)** for a month (a week)

**pénible** *adj.* painful; hard, difficult

**péninsule** *f.* peninsula

**Pennsylvanie** *f.* Pennsylvania

**penser** to think; to reflect; to expect, intend; **c'est ce que je pense** that's what I think; **faire penser à** to make one think of; **penser à** to think about; **penser de** to think about, have an opinion about

**percevoir** (*like* **recevoir**) *irreg.* to perceive

**perché(e)** *adj.* perched

**perdre** to lose; to waste; **perdre du poids** to lose weight; **perdre du temps** to waste time; **perdre intérêt dans** to lose interest in

**perdu(e)** *adj.* lost; wasted

**père** *m.* father; **beau-père** stepfather; father-in-law; **fête** (*f.*) **des Pères** Father's Day; **grand-père** grandfather; **père Noël** Santa Claus

**performant(e)** *adj.* high-performing, outstanding

**péridurale** *f.* epidural (*anesthesia*)

**période** *f.* period (*of time*)

**périodiquement** *adv.* periodically

**périphérie** *f.* outskirts

**perle** *f.* pearl; bead

**permanent(e)** *adj.* permanent

**permettre** (*like* **mettre**) (**de**) *irreg.* to permit; **permettre** (**de** + *inf.*) to allow to; (**à** + *person*) to allow s.o. (**de**) . . . (*to do s.th.*); **se permettre** to allow oneself, indulge oneself in

**permis(e)** *adj.* allowed, permitted; **permis** *m.* license; **permis de conduire** driver's license

**Pérou** *m.* Peru

**perpétuel(le)** *adj.* perpetual, everlasting

**se perpétuer** to be carried on

**persil** *m.* parsley

**persistant(e)** *adj.* persistent

**persister** to persist; to continue, remain

**personnage** *m.* (*fictional*) character; personage

**personnaliser** to personalize

**personnalité** *f.* personality; personal character

**personne** *f.* person; *pron. m.* **ne... personne** nobody, no one; **personne ne... ** nobody, no one

**personnel(le)** *adj.* personal; **personnel** *m.* personnel (*staff*); **rapports** (*m. pl.*) **personnels** personal relationships; **soins** (*m. pl.*) **personnels** personal care

**persuader** to persuade, convince

**perte** *f.* loss; **perte de temps** waste of time

**peser** (**je pèse**) to weigh; *fig.* to determine

**pessimiste** *adj.* pessimistic; *m., f.* pessimist

**pétanque** *f.* lawn or outdoor bowling (*south of France*)

**petit(e)** *adj.* little; short; small; very young; **petite-fille** *f.* granddaughter; **petites annonces** *f. pl.* classified ads, classifieds; **petit-fils** *m.* grandson; **petits** *m. pl.* young ones, little ones; **petits-enfants** *m. pl.* grandchildren

**pétrole** *m.* crude oil, petroleum

**pétrolier/pétrolière** *adj.* oil, petroleum; **forage** (*m.*) **pétrolier** exploratory oil drilling

**peu** *adv.* little, not much; few, not many; not very; **à peu près** roughly, approximately; **il est peu probable que** it's doubtful that; **peu à peu** little by little; **très peu** very little; **un peu (de)** a little; **un peu de tout** a little bit of everything

**Peuls** *m. pl.* Peuls (*ethnic group of West Africa*)

**peuple** *m.* nation; people (*of a country*)

**peuplé(e)** *adj.* populated, inhabited

**peur** *f.* fear; **avoir peur** to be afraid; **faire peur à** to scare

**peut-être** *adv.* perhaps, maybe

**phare** *m.* (*car*) headlight; lighthouse

**pharmacie** *f.* pharmacy, drugstore; **pharmacie de garde** all-night (emergency) pharmacy

**pharmacien(ne)** *m., f.* pharmacist

**phénix** *m.* phoenix (*mythical bird*)

**phénomène** *m.* phenomenon

**philosophe** *m., f.* philosopher

**philosophie** (*fam.* **philo**) *f.* philosophy

**photo** *f.* picture, photograph; **photo numérique** digital photo

**photographe** *m., f.* photographer

**photographie** (*fam.* **photo**) *f.* photograph; photography

**photomaton** *m.* self-service photo booth

**phrase** *f.* sentence

**phrygien(ne)** *adj.* Phrygian (*bronze age culture of Anatolia*); **bonnet** (*m.*) **phrygien** Phrygian cap (*worn by 1789 French revolutionaries*)

**physicien(ne)** *m., f.* physicist

**physique** *adj.* physical; *m.* physical appearance; *f.* physics

**piaf** *m., fam.* sparrow

**pic** *m.* woodpecker

**pièce** *f.* (theatrical) play; piece; coin; room (*of a house*); **deux-pièces** *m.* two-room apartment (*in France*); **pièce de théâtre** (theatrical) play

**pied** *m.* foot; **à pied** on foot, walking

**piège** *m.* pitfall; trap

**pierre** *f.* stone

**piéton(ne)** *adj., m., f.* pedestrian; **rue** (*f.*) **piétonne** pedestrian-only street

**pile** *f.* pile; battery

**piler** to crush; to grind

**pilote** *m., f.* pilot

**piloter** to pilot

**pilule** *f.* pill

**piment** *m.* chili paste

**pin** *m.* pine (*tree*)

**pince** *f.* claw (*crab*)

**pingouin** *m.* penguin

**pionnier/pionnière** *m., f.* pioneer

**pique-nique** *m.* picnic; **faire un pique-nique** to have a picnic

**pique-niquer** to have a picnic

**piquer** to prick; *fam.* to steal

**piqûre** *f.* shot, injection; **piqûre de guêpe** wasp sting

**pirate** (*m.*) **informatique** (computer) hacker

**pire** *adj.* worse

**pirogue** *f.* dug-out canoe

**piscine** *f.* swimming pool

**piste** *f.* path, trail; course; slope; **piste cyclable** bicycle path

**pisteur-secouriste** *m.* emergency ski patrol worker

**pistolet** *m.* pistol

**pitre** *m.* idiot; clown; **faire le pitre** to act silly

**pittoresque** *adj.* picturesque

**placard** *m.* cupboard, cabinet; closet

**place** *f.* place; position; seat (*theater, train*); public square; **à ta place** in your place, if I were you; **sur place** on the spot/scene

**plafond** *m.* ceiling

**plage** *f.* beach

**se plaindre** (*like* **craindre**) (**de**) *irreg.* to complain (about)

**plaine** *f.* plain

**plainte** *f.* complaint

**plaire** (*p.p.* **plu**) **à** *irreg.* to please; to be pleasing, attractive (to); **s'il te (vous) plaît** *interj.* please

**plaisant(e)** *adj.* pleasant

**plaisir** *m.* pleasure; **quel plaisir** *interj.* what a pleasure

**plan** *m.* plan; diagram; **plan de la ville** city map

**planche** *f.* board; **faire de la planche à voile** to go sailboarding/windsurfing

**plancher** *m.* floor

**planétaire** *adj.* planetary

**planète** *f.* planet

**plante** *f.* plant

**planter** to plant; to set

**plaque** *f.* plate; tablet; **plaque d'immatriculation** license plate

**plastique** *m.* plastic

**plat(e)** *adj.* flat; *m.* dish; course; **plat du jour** today's special (*restaurant*); **plat principal** main course

**plateau** *m.* tray, platter

**platine** *m.* platinum; *f.* turntable

**plâtre** *m.* cast (*for broken limb*)

**plein(e) (de)** *adj.* full (of); **en plein air** (in the) open air, outdoor(s); **en pleine campagne** out in the country; **faire le plein (d'essence)** to fill up (with gasoline)

**pleurer** to cry, weep

**pleuvioter** *fam.* to rain lightly, sprinkle (*rain*); **il pleuviote** it's sprinkling

**pleuvoir** (*p.p.* **plu**) *irreg.* to rain; **il pleut** it's raining

**plombage** *m.* filling (*tooth*)

**plongée** *f.* diving; **faire de la plongée sous-marine** to scuba dive

**plonger** (**nous plongeons**) to plunge, dive

**pluie** *f.* rain; **pluie acide** acid rain

**plupart: la plupart (de)** most (of); the majority (of)

**pluriel** *m.* plural

**plus (de)** *adv.* more; (-er); plus; **de plus** in addition; **de plus en plus** more and more; **en plus (de)** in addition (to); **le/la/les plus** + *adj. or adv.* the most; **le plus près** the closest; **moi non plus** me neither; **ne... plus** no longer, not anymore; **non plus** neither, not . . . either; **plus... que...** more . . . than . . . ; **plus tôt** earlier

**plusieurs** *adj., pron., pl. inv.* several

**plutôt** *adv.* more; rather; sooner

**pneu** *m.* tire

**poche** *f.* pocket; **argent** (*m.*) **de poche** pocket money, allowance; **PC** (*m.*) **de poche** PDA with Internet access

**poché(e)** *adj.* poached (*in cooking*)

**poêle** *f.* frying pan, skillet

**poème** *m.* poem

**poète** *m.* poet

**poétique** *adj.* poetic

**poids** *m.* weight; **excédent** (*m.*) **de poids** excess weight (*luggage*); **mettre/perdre du poids** to gain/lose weight; **soulever des poids** to lift weights

**poignet** *m.* wrist

**poil** *m.* (body) hair; bristle

**point** *m.* point; period (*punctuation*); **ne... point** *neg. adv.* not; **point de vue** point of view

**pointe** *f.* peak; point; **heures** (*f. pl.*) **de pointe** rush hour(s)

**pointu(e)** *adj.* sharp, pointed

**pointure** *f.* shoe size

**point-virgule** *m.* semicolon

**poire** *f.* pear

**pois** *m.* pea; **petits pois** *pl.* green peas

**poisson** *m.* fish; **poisson d'avril** April Fool's joke, hoax

**poisson-chat** *m.* catfish

**poissonnerie** *f.* fish market

**poitrine** *f.* chest; breasts

**poivre** *m.* pepper; **bifteck** (*m.*) **au poivre** pepper steak

**poivrer** to (add) pepper

**poivron** *m.* green pepper

**polémique** *adj.* controversial; **polémique** *f.* controversy, argument

**poli(e)** *adj.* polite; polished

**police** *f.* police; **agent** (*m.*) **de police** police officer; **commissariat** (*m.*) **de police** police station; **contrôle** (*m.*) **de police** police checkpoint

**policier/policière** *adj.* pertaining to police; **policier** *m.* police officer; **roman** (*m.*) **policier** detective novel

**poliment** *adv.* politely

**politesse** *f.* politeness; good breeding

**politique** *adj.* political; *f. s.* politics; policy; **homme/femme politique** *m., f.* politician

**polluant(e)** *adj.* polluting

**polluer** to pollute

**Pologne** *f.* Poland

**polonais(e)** *adj.* Polish; **Polonais(e)** *m., f.* Polish (*person*)

**Polynésie** *f.* Polynesia

**pommade** *f.* ointment, salve

**pomme** *f.* apple; **jus** (*m.*) **de pomme** apple juice; **pomme de terre** potato; **pommes vapeur** *f. pl.* steamed potatoes

**pompier** *m.* firefighter

**ponctuel(le)** *adj.* punctual

**pondre** to lay (*eggs*)

**pont** *m.* bridge; extra day(s) off (*taken between two holidays or a weekend and a holiday*)

**populaire** *adj.* popular; common

**popularité** *f.* popularity

**porc** *m.* pork; **côtelette** (*f.*) **de porc** pork chop

**porcelaine** *f.* porcelain; china

**pornographe** *m., f.* pornographer

**pornographie** *f.* pornography

**port** *m.* bearing

**portable** *adj.* portable; *m.* cell phone

**porte** *f.* door

**portefeuille** *m.* wallet

**porter** to carry; to wear; **se porter volontaire** to volunteer

**portier** (*m.*) **électronique** "electronic doorman" (*with video surveillance*)

**portière** *f.* car door

**portugais(e)** *adj.* Portuguese; **Portugais(e)** *m., f.* Portuguese (*person*)

**poser** to put (down); to state; to pose; to ask; **poser sa candidature** to apply; to run (*for office*); **poser une question** to ask a question

**positif/positive** *adj.* positive

**position** *f.* position; stand

**posologie** *f.* dosage

**posséder** (**je possède, nous possédons**) to possess

**possessif/possessive** *adj.* possessive

**possibilité** *f.* possibility

**possible** possible; **Pas possible!** No way! You're kidding!

**postal(e)** *adj.* postal, post; **carte** (*f.*) **postale** postcard; **code** (*m.*) **postal** postal code, zip code; **mandat** (*m.*) **postal** postal money order

**poste** *m.* position; job; post; station; television, radio set; *f.* post office, postal service; **bureau** (*m.*) **de poste** post office; **poste** (*f.*) **restante** general delivery

**pot** *m.* pot; jar; **prendre un pot** *fam.* to have a drink

**potage** *m.* soup, stew

**potentiel(le)** *adj.* potential, possible

**poterie** *f.* pottery

**poubelle** *f.* garbage can; **balancer à la poubelle** *fam.* to chuck in the garbage; to abandon

**poudre** *f.* powder

**poudré(e)** *adj.* powdered

**poulet** *m.* chicken; **blanc** (*m.*) **de poulet** chicken breast

**pouls** *m. s.* pulse; **prendre le pouls** to take (*s.o.'s*) pulse

**poumon** *m.* lung

**poupée** *f.* doll

**pour** *prep.* for; on account of; in order; for the sake of; **pour que** *conj.* so that, in order that

**pourboire** *m.* tip, gratuity

**pourquoi** *adv., conj.* why

**poursuivre** (*like* **suivre**) *irreg.* to pursue

**pourtant** *adv.* however, yet, still, nevertheless

**pourvu que** *conj.* (+ *subj.*) provided that

**pousser** *intr.* to grow

**poussière** *f.* dust

**pouvoir** (*p.p.* **pu**) *irreg.* to be able; *m.* power, strength

**pratique** *adj.* practical; **pratique** *f.* practice; use

**pratiquer** to practice, exercise

**précaution** *f.* precaution

**précédent(e)** *adj.* preceding

**précéder** (**je précède, nous précédons**) to precede, come before

**précieux/précieuse** *adj.* precious

**se précipiter (dans)** to hurry, rush over; to run, speed; to hurl oneself (into)

**précis(e)** *adj.* precise

**précisément** *adv.* precisely, exactly

**préciser** to specify

**précision** *f.* precision, preciseness

**prédire** (*like* **dire**, *but* **vous prédisez**) *irreg.* to predict, foretell

**prédit(e)** *adj.* predicted, foretold

**préféré(e)** *adj.* preferred, favorite

**préférer** (**je préfère, nous préférons**) to prefer; to like better

**préjugé** *m.* prejudice, preconception

**se prélasser** to bask; to lounge

**premier/première** *adj.* first; principal; **la première fois** the first time; **le premier avril** April Fool's Day; **le premier étage** the second floor (*in France*); **le premier / la première** the first one

**prendre** (*p.p.* **pris**) *irreg.* to take; to catch, capture; to choose; to have (*s.th. to eat or drink*); **j'en ai assez/trop pris** I've had enough / too much; **prendre les clés** to get the keys

**préoccupation** *f.* worry, preoccupation

**se préoccuper de** to concern oneself with, worry about

**préparatifs** *m. pl.* preparations; **préparatifs de voyage** travel preparations

**préparatoire** *adj.* preparatory

**préparer** to prepare; **préparer un examen** to study for a test; **se préparer à** to prepare oneself, get ready for (to)

**prépayé(e)** *adj.* prepaid

**près** *adv.* by, near; **à peu près** roughly, approximately; **de près** closely; **le plus près** the closest; **près de** *prep.* near, close to; almost

**présage** *m.* omen, prediction

**prescrire** (*like* **écrire**) *irreg.* to prescribe; to order, command; **prescrire un traitement** to prescribe a treatment

**présence** *f.* presence

**présent(e)** *adj.* present; **présent** *m.* present; **à présent** presently, now; **jusqu'à présent** until now

**présenter** to present; to introduce; to put on (*a performance*); **je vous (te) présente...** I want you to meet . . . ; **se présenter (à)** to present, introduce oneself (to); to appear; to arrive at

**présidence** *f.* presidency

**président(e)** *m., f.* president; **Président-directeur général (PDG)** CEO

**présidentiel(le)** *adj.* presidential

**presque** *adv.* almost, nearly

**presqu'île** *f.* peninsula

**presse** *f.* press (media); **maison** (*f.*) **de la presse** newsstand

**pressé(e)** *adj.* in a hurry, rushed; squeezed; **être pressé(e)** to be in a hurry

**se presser à** to rush to

**pressing** *m.* dry cleaner (*store*)

**pression** *f.* pressure; **vérifier la pression des pneus** to check the tire pressure

**prestigieux/prestigieuse** *adj.* prestigious

**prêt(e)** *adj.* ready; **prêt** *m.* loan, lending

**prêter** to lend, loan; **se prêter** to lend to one another

**prêtre** *m.* priest

**preuve** *f.* proof; **ça fait preuve...** that shows . . . , proves . . .

**prévoir** (*like* **voir**) *irreg.* to foresee; to anticipate

**prier** to pray

**primaire** *adj.* primary; **école** (*f.*) **primaire** primary/elementary school

**primitif/primitive** *adj.* primitive

**principal(e)** *adj.* principal, most important; **plat** (*m.*) **principal** main course

**principe** *m.* principle

**printemps** *m.* spring, springtime

**prioritaire** *adj.* (having) priority

**priorité** *f.* right of way; priority

**pris(e)** *adj.* taken; occupied; busy; caught; **prise** *f.* taking (*of medication*); take (*in filmmaking*)

**prisonnier/prisonnière** *m., f.* prisoner

**privation** *f.* deprivation

**privé(e)** *adj.* private

**privilégié(e)** *adj.* privileged

**prix** *m.* price; prize

**probablement** *adv.* probably

**problème** *m.* problem; **problèmes sociaux** societal issues

**procédé** *m.* process

**procéder** (**je procède, nous procédons**) to proceed

**processus** *m.* process

**prochain(e)** *adj.* next; near; following; **semaine** (*f.*) **prochaine** next week

**proche** *adj.* near, close; **proches** *m. pl.* close relatives

**proclamer** to proclaim

**producteur/productrice** *m., f.* producer, grower

**produire** (*like* **conduire**) *irreg.* to produce

**produit** *m.* product; **produits laitiers** dairy products

**professeur(e)** (*fam.* **prof**) *m., f.* professor, teacher

**professionnel(le)** *adj.* professional; *m., f.* professional

**profil** *m.* profile

**profiter de** to take advantage of

**profond(e)** *adj.* deep

**profondeur** *f.* depth

**programmation** *f.* programming (*TV, radio*)

**programme** *m.* program; course program; design, plan

**programmeur/programmeuse** *m., f.* programmer; program planner; **analyste-programmeur/analyste-programmeuse** *m., f.* software engineer

**progrès** *m.* progress; **faire des progrès** to make progress

**progresser** to progress

**progressiste** *adj.* progressive

**prohiber** to prohibit, forbid

**proie** *f.* prey

**projecteur** *m.* projector (*film*)

**projet** *m.* project; plan; **faire des projets** to make plans; **projets d'avenir** plans for the future

**prolonger** (**nous prolongeons**) to prolong; to extend; **se prolonger** (**il se prolongeait**) to go on, extend

**promenade** *f.* promenade; walk; stroll; drive; excursion, pleasure trip; **faire une promenade (en voiture)** to go on an outing (car ride); **promenade à bicyclette** bicycle ride

**se promener** (**je me promène**) to take a walk, drive, ride

**promettre** (*like* **mettre**) (**de**) *irreg.* to promise (to)

**promoteur/promotrice** *m., f.* property developer

**promotion** *f.* promotion; offer; **de promotion** *adj.* on sale

**promotionnel(le)** *adj.* promotional

**pronominal(e)** *adj., gram.* pronominal; **verbe** (*m.*) **pronominal** *gram.* pronominal verb, reflexive verb

**prononcer** (**nous prononçons**) to pronounce

**se propager** (**il se propageait**) to spread; to propagate

**proportionnel(le)** *adj.* proportional

**propos** *m.* talk; *pl.* words; **à propos de** *prep.* with respect to, about

**proposer** to propose

**propre** *adj.* own; proper; clean

**proprement** *adv.* purely

**propreté** *f.* cleanliness

**propriétaire** *m., f.* property owner; landlord/landlady

**propriété** *f.* property

**prospectus** *m.* handbill, leaflet; brochure

**prospère** *adj.* prosperous

**prospérité** *f.* prosperity

**protecteur/protectrice** *adj.* protective

**protéger** (**je protège, nous protégeons**) to protect; **se protéger contre** to protect oneself against

**protéine** *f.* protein

**protestation** *f.* protest; objection

**prouesse** *f.* feat, deed

**prouver** to prove; **ça ne prouve rien** that doesn't matter, prove anything

**provençal(e)** *adj.* from Provence (*France*)

**Provence** *f.* Provence region (*southeastern France*)

**provenir** (*like* **venir**) **de** *irreg.* to proceed, result, arise from

**proviseur** *m.* head teacher; principal

**provision** *f.* supply; **provisions** *pl.* groceries; **faire/acheter les provisions** to buy groceries

**provocateur/provocatrice** *adj.* provocative

**provoquer** to provoke

**proximité** *f.* proximity, closeness; **à proximité** near, close by

**prudemment** *adv.* prudently, carefully

**prudent(e)** *adj.* prudent, cautious, careful

**psychiatre** *m., f.* psychiatrist

**psychologie** *f.* psychology

**psychologique** *adj.* psychological

**puant(e)** *adj.* stinking; **bête** (*f.*) **puante** skunk (*Q.*)

**public/publique** *adj.* public; *m.* public; audience

**publicitaire** *adj.* pertaining to advertising

**publicité** *f.* (*fam.* **pub**) publicity; advertising; ad, commercial

**publier** to publish

**puce** *f.* flea; **carte** (*f.*) **à puce** smart card; **marché** (*m.*) **aux puces** flea market

**puer** to stink

**puis** *adv.* then, afterward, next; besides; **et puis** and then; and besides

**puisque** *conj.* since, as, seeing that
**puissance** *f.* power
**puissant(e)** *adj.* powerful, strong
**puits** *m. s.* well; hole
**pull-over** (*fam.* **pull**) *m.* pullover
**pulmonaire** *adj.* pulmonary, lung
**punir** to punish
**punition** *f.* punishment
**pupitre** *m.* (*school*) desk; desk chair
**pur(e)** *adj.* pure
**purée** *f.* purée; **purée de pommes de terre** mashed potatoes
**purifié(e)** *adj.* purified
**pyjama** *m. s.* pajamas
**pyramide** *f.* pyramid
**Pyrénées** *f. pl.* Pyrenees

**quai** *m.* quai; platform (*subway stop, train station*)
**qualité** *f.* (good) quality; personal characteristic
**quand** *adv., conj.* when; **depuis quand?** since when? (for) how long?; **quand même** even though; anyway
**quantité** *f.* quantity
**quarante** forty
**quart** *m.* quarter; quarter of an hour; fourth (*part*)
**quartier** *m.* neighborhood
**quatorze** fourteen
**quatre-quatre (4x4)** *m.* all-terrain vehicle, 4-wheeler; SUV
**que** *conj.* that; than; *pron.* whom; that; which; what; **ne... que** *adv.* only; **qu'est-ce que c'est?** what is it?
**Québec** *m.* Quebec (*Canadian province, city*)
**québécois(e)** *adj.* from, of Quebec; **Québécois(e)** *m., f.* person from Quebec
**quel(le)(s)** *adj.* what, which; what a
**quelque(s)** *adj.* some, any; a few; **quelque chose** *pron.* something; **quelque chose d'important** something important
**quelquefois** *adv.* sometimes
**quelqu'un** *pron.* someone, somebody; **passer chez quelqu'un** to stop by s.o.'s house
**queue** *f.* tail; line (*of people*); **faire la queue** to stand in line
**qui** *pron.* who, whom, that which; **qui est-ce?** who is it?
**quinze** fifteen
**quitter** to leave; to abandon, leave behind; **se quitter** to separate
**quoi (à quoi, de quoi)** *pron.* which; what; **à quoi ça sert?** what's that/it used for?; **de quoi vivre** something to live on; **je ne sais pas quoi faire** I don't know what to do; **n'importe quoi** anything; no matter what; **sans quoi** otherwise; **quoi de neuf?** what's new?
**quoique** *conj.* (+ *subj.*) although, even though
**quotidien(ne)** *adj.* daily, everyday
**quotient** *m.* quotient; **quotient intellectuel (QI)** intelligence quotient (I.Q.)

**raccourci(e)** *adj.* shortened
**race** *f.* breed, type; race
**racine** *f.* root
**racisme** *m.* racism
**raconter** to tell; to relate
**radiateur** *m.* radiator
**radical(e)** *adj.* radical, extreme
**radio** *f.* radio; **écouter la radio** to listen to the radio
**radiographie** *f.* X-ray
**radio-réveil** *m.* clock radio
**radis** *m.* radish
**raffermir** (*like* **finir**) to strengthen
**raffiné(e)** *adj.* refined, sophisticated
**raffinement** *m.* refinement, sophistication
**ragoût** *m.* stew
**raie** *f.* stripe; part (*in hair*)
**raisin** *m.* grape(s)
**raison** *f.* reason; **avoir raison** to be right
**raisonnable** *adj.* reasonable; rational
**raisonnement** *m.* reasoning, argument
**raisonner** to reason
**rajeunir** (*like* **finir**) to make younger; to feel, look younger
**ralenti(e)** *adj.* slowed down; **au ralenti** at a slower pace
**ralentir** (*like* **finir**) to slow down
**ralentissement** *m.* slowdown; slowing down
**Ramadan** *m.* Ramadan (*Muslim holy period*)
**ramage** *m.* birdsong; foliage
**ramassage** *m.* collection; **ramassage des ordures** garbage collection
**ramasser** to gather up, pick up
**ramener** (**je ramène**) to bring back
**randonnée** *f.* hike; **faire une randonnée** to go on a hike; to take a trip, tour
**ranger** (**nous rangeons**) to put in order; to arrange, categorize
**rapace** *adj.* rapacious; **oiseau** (*m.*) **rapace** bird of prey
**rapide** *adj.* rapid, fast; **rapides** *m. pl.* rapids (*in river*)
**rapidité** *f.* speed
**rappeler** (**je rappelle, nous rappelons**) to remind; to recall; **se rappeler** to recall; to remember
**rapport** *m.* connection, relation; report; **rapports** *m. pl.* relations; **par rapport à** concerning, regarding, in relation to
**rapporter** to bring back, return; to report; **se rapporter à** to relate to; to be in relation to
**raser** to shave; **se raser** to shave
**rasoir** *m.* razor
**se rassembler** to gather together
**rassurer** to reassure
**ratatouille** *f.* Provençal vegetable stew (*tomatoes, onions, eggplant, squash, peppers*); ratatouille
**rater** to miss (*a class, a bus*); to fail (*a test*)
**rationner** to ration
**raton** (*m.*) **laveur** raccoon
**ravager** (**nous ravageons**) to ravage

**ravi(e)** *adj.* delighted
**réaction** *f.* reaction
**réactiver** to reactivate
**réagir** (*like* **finir**) to react
**réalisateur/réalisatrice** *m., f.* (*TV, film*) producer; director
**réalisation** *f.* production; fulfillment
**réaliser** to achieve, accomplish; to realize; to carry out, fulfill; to produce
**réalisme** *m.* realism
**réaliste** *m., f.* realist; *adj.* realistic
**réalité** *f.* reality; **en réalité** in reality
**rebelle** *adj.*, rebellious; *n., m., f.* rebel
**rébellion** *f.* rebellion
**rebours** *m.* wrong way, reverse; **à rebours** *adv.* in reverse, backwards
**récemment** *adv.* recently, lately
**réception** *f.* reception desk; welcome
**réceptionniste** *m., f.* receptionist
**recette** *f.* recipe
**recevoir** (*p.p.* **reçu**) *irreg.* to receive
**recharger** (**nous rechargeons**) to recharge
**réchauffement** *m.* warming; **réchauffement de la planète** global warming
**réchauffer** to warm (up)
**recherche** *f.* (piece of) research; search; **faire des recherches** to do research; **moteur** (*m.*) **de recherche** search engine
**rechercher** to seek; to search for
**récif** *m.* reef
**récipient** *m.* container
**réciproque** *adj., gram.* reciprocal; **verbes** (*m. pl.*) **pronominaux réciproques** reciprocal reflexive verbs
**récit** *m.* account, story
**réclame** *f.* advertisement, commercial
**réclamer** to claim
**recommandation** *f.* recommendation
**recommander** to recommend
**recomposé(e)** *adj.* reconstructed; **famille** (*f.*) **recomposée** blended family
**reconnaissable** *adj.* recognizable
**reconnaissant(e)** *adj.* grateful, thankful, appreciative
**reconnaître** (*like* **connaître**) *irreg.* to recognize
**reconstitué(e)** *adj.* reconstructed, reconstituted
**recours** *m.* recourse
**recouvert(e) (de)** *adj.* covered (with), recovered
**recouvrir** (*like* **ouvrir**) *irreg.* to cover up
**récréation** (*fam.* **récré**) *f.* recess (*at school*); recreation
**recrutement** *m.* recruiting
**recruter** to recruit
**reçu(e)** *adj.* received; **être reçu(e)** to pass an exam; **reçu** *m.* receipt
**récupérer** (**je récupère, nous récupérons**) to retrieve; to get back
**recyclage** *m.* recycling
**recycler** to recycle
**rédacteur/rédactrice** *m., f.* writer; editor
**rédaction** *f.* essay, composition

**redevenir** (*like* **venir**) *irreg.* to become again

**rediffuser** to rerun (*TV program, etc.*)

**rédiger** (**nous rédigeons**) to write, compose

**redouter** to fear, dread

**réduction** *f.* reduction; **réduction d'émissions** reduction in emissions

**réduire** (*like* **conduire**) *irreg.* to reduce

**réel(le)** *adj.* real, actual

**refaire** (*like* **faire**) *irreg.* to redo

**référence** *f.* reference; **faire référence à** to refer to

**référer** (**je réfère, nous référons**) to refer

**réfléchir** (*like* **finir**) to reflect; to think; **ça fait réfléchir** that makes one think

**refléter** (**je reflète, nous reflétons**) to reflect, mirror

**réforme** *f.* reform

**reformuler** to reformulate

**réfrigérateur** *m.* (*fam.* **frigo**) refrigerator

**refuser** (**de**) to refuse (to)

**regard** *m.* glance; gaze, look

**regarder** to look at; **se regarder** to look at oneself (each other)

**régime** *m.* diet; system (of government); **faire un régime** to be on a diet

**région** *f.* region; area

**régional(e)** *adj.* local, of the district

**règle** *f.* rule

**règlement** *m.* rule, regulation; **abuser des règlements** to break the rules

**régler** (**je règle, nous réglons**) to regulate, adjust; to settle; **régler l'addition** to pay one's bill

**régner** (**je règne, nous régnons**) to reign

**regretter** to regret; to be sorry for; to miss

**regrouper** to regroup; to contain

**régulation** *f.* regulation, control

**régulier/régulière** *adj.* regular

**rein** *m.* kidney

**reine** *f.* queen

**réintroduire** (*like* **conduire**) *irreg.* to reintroduce, introduce again

**rejeter** (**je rejette, nous rejetons**) to reject; to throw out

**rejoindre** (*like* **craindre**) *irreg.* to join; to rejoin

**relais** *m.* inn

**relatif/relative** *adj.* relative; **pronom** (*m.*) **relatif** *gram.* relative pronoun

**relation** *f.* relation; relationship

**relaxe** *adj.* relaxed; laid back

**se relaxer** to relax

**relié(e)** *adj.* tied, linked

**relier** to join, link together

**religieux/religieuse** *adj.* religious

**relire** (*like* **lire**) *irreg.* to reread

**relogement** *m.* relocation

**remarié(e)** *adj.* remarried

**remarquable** *adj.* remarkable

**remarque** *f.* remark

**remarquer** to notice; to remark

**remboursement** *m.* reimbursement

**rembourser** to reimburse

**remède** *m.* remedy; medication

**remercier** (**de**) to thank (for)

**remettre** (*like* **mettre**) *irreg.* to hand in; to put back; to postpone

**remonter** to go back (up); to get back in; **remonter le moral** to cheer up (*s.o.*)

**remplacer** (**nous remplaçons**) to replace

**remplir** (*like* **finir**) to fill (in, out, up); **remplir un formulaire** to fill out a form

**remporter** to carry (*s.th.*) home; to win

**rémunération** *f.* pay, salary

**renaissance** *f.* renaissance, rebirth

**renard** *m.* fox

**rencontre** *f.* meeting, encounter

**rencontrer** to meet, encounter; **se rencontrer** to meet each other

**rendez-vous** *m.* meeting, appointment; date; meeting place; **prendre rendez-vous** to make a date, an appointment

**rendre** to give (back); to submit; **rendre malade** to make (*s.o.*) ill; **rendre visite à** to visit (*people*); **se rendre** (**à, dans**) to go to; **se rendre compte de/que** to realize (that)

**renfermer** to incorporate; to enclose

**renforcer** (**nous renforçons**) to reinforce

**renier** to renounce; to disown

**renouvelable** *adj.* renewable

**renseignement** *m.* (piece of) information

**se renseigner** (**sur**) to ask for, get information (about); to find out (about)

**rentrée** *f.* start of new school/academic year

**rentrer** *intr.* to return (*home*)

**renversement** *m.* reversal, upset

**renverser** to overturn, upset (*s.th.*); to run over; **être renversé(e)** to be knocked over

**répandu(e)** *adj.* widespread

**réparer** to repair; **réparer un pneu crevé** to fix a flat tire

**répartir** (*like* **finir**) to share, divide

**répartition** *f.* sorting out, dividing up

**repas** *m.* meal, repast

**repasser** to iron (*clothes*); to retake an exam; **fer** (*m.*) **à repasser** (*clothes*) iron

**repeindre** (*like* **craindre**) *irreg.* to repaint

**repérer** (**je repère, nous repérons**) to discover

**répéter** (**je répète, nous répétons**) to repeat

**réplique** *f.* replica; reply, retort

**répliquer** to reply

**répondeur** (*m.*) **téléphonique** telephone answering device

**répondre** (**à**) to answer, respond

**réponse** *f.* answer, response

**reportage** *m.* reporting; commentary

**repos** *m.* rest

**reposer** to put down again; to rest; **se reposer** to rest

**représentant(e)** *m., f.* (sales) representative

**représenter** to represent; to present again

**reproduire** (*like* **conduire**) *irreg.* to reproduce

**république** *f.* republic

**réputé(e)** *adj.* well-known

**réseau** *m.* net; network

**réservation** *f.* reservation

**réserve** *f.* reserve; preserve; **sans réserve** without reservation, unhesitatingly

**réserver** to reserve, keep in store

**réservoir** *m.* reservoir; gas tank

**résidence** *f.* residence; apartment building

**résidentiel(le)** *adj.* residential; **parc** (*m.*) **résidentiel** residential complex

**résister** (**à**) to resist

**résolu(e)** *adj.* determined, resolute

**résolution** *f.* resolution; **prendre des résolutions** to resolve; to make resolutions

**résoudre** (*p.p.* **résolu**) *irreg.* to resolve

**respecter** to respect, have regard for

**respectivement** *adv.* respectively

**respectueux/respectueuse** *adj.* respectful

**respiration** *f.* respiration, breathing

**respirer** to breathe

**responsabilité** *f.* responsibility

**responsable** *adj.* responsible

**ressembler à** to resemble

**ressources** *f. pl.* resources; funds

**ressuscité(e)** *adj.* brought back to life, resuscitated

**restant(e)** *adj.* remaining; **poste** (*f.*) **restante** general delivery mail

**restauration** *f.* restoration; restaurant business; **restauration rapide** fast-food industry

**restauré(e)** *adj.* restored

**reste** *m.* rest, remainder

**rester** to stay, remain; to be remaining; **rester à la maison** to stay home; **rester en forme** to stay in shape

**resto-U** *m., fam.* university restaurant

**résultat** *m.* result

**résumer** to summarize

**rétablir** (*like* **finir**) to restore, reestablish

**retard** *m.* delay; **en retard** late

**retarder** to be slow (*watch*)

**retour** *m.* return; **billet** (*m.*) **aller-retour** round-trip ticket

**retourner** to return

**retraite** *f.* retirement; **prendre la retraite** to retire

**retraité(e)** *adj.* retired; *m., f.* retired person

**retraverser** to re-cross, cross back over

**retrouver** to find (again); to regain; **se retrouver** to find oneself, each other (again); to meet (by prearrangement)

**réunion** *f.* meeting; reunion

**réussi(e)** *adj.* successful, good

**réussir** (*like* **finir**) (**à**) to succeed (in); to pass (*an exam*)

**réussite** *f.* success
**réutilisable** *adj.* reusable
**réutiliser** to reuse
**revanche** *f.* return; revenge; **en revanche** on the other hand
**rêve** *m.* dream; **une maison de rêve** an ideal house
**réveil** *m.* alarm; **radio-réveil** *m.* clock radio; **réveil-matin** *m.* alarm clock
**se réveiller** to wake up
**réveillon** *m. Christmas Eve dinner*
**révéler ( je révèle, nous révélons)** to reveal
**revendre** to (re)sell
**revenir (***like* **venir)** *irreg.* to return, come back
**rêver (de)** to dream (of)
**révérer ( je révère, nous révérons)** to revere
**réviser** to review
**revoir (***like* **voir)** *irreg.* to see (again); **au revoir** good-bye, see you soon
**révolter** to revolt, rebel
**révolutionnaire** *m., f., adj.* revolutionary
**revue** *f.* review; journal; magazine
**rez-de-chaussée** *m.* ground floor
**Rhin** *m.* Rhine (*river*)
**rhum** *m.* rum
**rhumatismes** *m. pl.* rheumatism
**rhume** *m.* cold (*illness*); **attraper un rhume** to catch a cold
**riche** *adj.* rich
**richesse** *f.* lushness, richness; *pl.* wealth
**rideau** *m.* curtain
**ridicule** *adj.* ridiculous
**ridiculiser** to ridicule
**rien (ne… rien)** *pron.* nothing; **ça ne prouve rien** that doesn't matter, doesn't prove anything; **de rien** you're welcome; **rien de défendu** nothing illegal
**rigoler** *fam.* to laugh; to have fun
**rigolo(te)** *adj.* funny; **c'est rigolo** *fam.* that's funny
**se rincer (nous nous rinçons) les dents** to rinse one's teeth
**rire (***p.p.* **ri)** *irreg.* to laugh
**risque** *m.* risk
**risqué(e)** *adj.* risky
**risquer (de)** to risk
**rituel(le)** *adj.* ritual, religious; *m.* ritual
**rive** *f.* (river)bank
**rivière** *f.* river
**riz** *m.* rice
**robe** *f.* dress
**robinet** *m.* water faucet
**robuste** *adj.* robust, sturdy
**rocher** *m.* rock, crag
**roi** *m.* king; **fête (***f.***) des Rois** Feast of the Magi, Epiphany; **galette (***f.***) des Rois** Twelfth Night cake; **les Rois mages** the Three Wise Men, Magi
**rôle** *m.* role
**romain(e)** *adj.* Roman; **Romain(e)** *m., f.* Roman (*person*)

**roman** *m.* novel; **roman policier** detective novel
**roman(e)** *adj.* Romance; **langue (***f.***) romane** romance language
**romancier/romancière** *m., f.* novelist
**rond(e)** *adj.* round; **rond (***m.***) de fumée** smoke ring
**rondelle** *f.* slice; **couper en rondelles** to slice into rounds
**rosbif** *m.* roast beef
**rose** *f.* rose; *adj.* pink
**roseau** *m.* reed
**rosée** *f.* dew
**rôti(e)** *adj.* roast(ed); *m.* roast; **rôti de bœuf/porc** beef/pork roast
**roue** *f.* wheel
**rouge** *adj.* red; **brûler un feu rouge** to run a red light; **rouge (***m.***) à lèvres** lipstick
**rougeole** *f. s.* measles
**rougeur** *f.* rash, redness
**rougir (***like* **finir)** to blush, turn red
**rouler** to drive; to travel along; to roll (up)
**Roumanie** *f.* Romania
**rouspéter ( je rouspète, nous rouspétons)** *fam.* to resist, protest, grumble
**route** *f.* road, highway; **code (***m.***) de la route** traffic code; **en route** on the way, en route
**routier/routière** *adj.* pertaining to the road; **signalisation (***f.***) routière** system of road signs
**roux/rousse** *adj.* red-haired; *m., f.* redhead
**royal(e)** *adj.* royal; **aigle (***m.***) royal** golden eagle
**royaume** *m.* kingdom
**rubis** *m.* ruby
**rubrique** *f.* headline; newspaper column
**rue** *f.* street; **coin (***m.***) de rue** street corner; **rue piétonne** pedestrian-only street
**ruine** *f.* ruin; decay; collapse; **en ruines** in ruins
**ruisseau** *m.* stream, brook
**ruminer** to ruminate, chew cud
**rupture** *f.* breakup; breakdown
**rural(e)** *adj.* rural
**russe** *adj.* Russian; *m.* Russian (*language*); **Russe** *m., f.* Russian (*person*)
**Russie** *f.* Russia
**rythme** *m.* rhythm
**rythmé(e)** *adj.* rhythmic

**sable** *m.* sand; **château (***m.***) de sable** sand castle
**sablonneux/sablonneuse** *adj.* sandy
**sac** *m.* sack; bag; handbag; **sac à dos** backpack; **sac de couchage** sleeping bag; **sac (de) poubelle** garbage bag
**sacré(e)** *adj.* sacred, holy
**sacrifier** to sacrifice
**saignant(e)** *adj.* rare (*meat*); bleeding
**sain(e)** *adj.* healthy; healthful

**saint(e)** *adj.* holy; **coquilles (***f. pl.***) Saint-Jacques** scallops (*served in shells*); **Saint-Domingue** Saint Domingue (*former name of Haiti*); **Saint-Laurent** *m.* St. Lawrence (*river*); **Saint-Sylvestre** *f.* New Year's Eve; **Saint-Valentin** *f.* Valentine's Day
**sais: je ne sais pas** I don't know
**se saisir (***like* **finir) de** to seize, grab
**saison** *f.* season; **hors saison** off-season
**salade** *f.* salad; lettuce; **salade niçoise** Niçoise salad (*salad with tomatoes, other raw vegetables, tuna, anchovies, boiled potatoes, and hard-boiled eggs*)
**salaire** *m.* salary; paycheck; **Salaire minimum interprofessionnel de croissance (SMIC)** *minimum wage in France*
**salarié(e)** *m., f.* wage earner
**sale** *adj.* dirty
**salé(e)** *adj.* salted, salty
**saler** to salt
**saleté** *f.* dirtiness; dirt; excrement (*euphemism*)
**salle** *f.* room; auditorium; **salle à manger** dining room; **salle d'attente** waiting room; **salle de bain(s)** bathroom; **salle de cinéma** movie theater; **salle de classe (de cours)** classroom; **salle de jeux** game room; **salle d'entraînement** workout room; **salle de séjour** living room, family room
**salon** *m.* (formal) living room; **salon de l'auto** auto show; **salon des jeux** betting, gambling area of casino
**saluer** to greet
**salut!** *interj.* hi!; 'bye!
**salutation** *f.* greeting; closing (*letter*)
**samedi** *m.* Saturday
**sanctuaire** *m.* sanctuary
**sandale** *f.* sandal
**sang** *m.* blood
**sans** *prep.* without; **sans arrêt** incessantly, nonstop; **sans cesse** constantly; **sans que** *conj.* (+ *subj.*) without; **sans quoi** otherwise
**santé** *f.* health
**sapin** *m.* fir (*tree*)
**sarrasin** *m.* buckwheat
**satisfaire (***like* **faire)** *irreg.* to satisfy
**satisfait(e)** *adj.* satisfied
**sauce** *f.* sauce; gravy; salad dressing; **sauce à la crème** cream sauce; **sauce au fromage** cheese sauce; **sauce hollandaise** Hollandaise sauce (*butter, eggs, lemon juice*)
**saucisse** *f.* sausage; sausage link
**saucisson** *m.* hard (dry) sausage, salami
**sauf** *prep.* except
**saumon** *m.* salmon; **terrine (***f.***) de saumon** salmon terrine (*casserole*)
**saut** *m.* jump; **faire un saut en parachute** to do a parachute jump
**sauter** to jump; **faire sauter des crêpes** to flip crêpes
**sauvage** *adj.* wild
**sauvegarde** *f.* protection; **faire la sauvegarde de** to save (*a computer file*)

**sauvegarder** to safeguard, protect
**sauver** to save
**sauvetage** *m.* saving, rescue; **sauvetage des habitats** saving habitats
**savane** *f.* savannah
**savant(e)** *adj.* learned, scholarly
**saveur** *f.* flavor
**savoir** (*p.p.* **su**) *irreg.* to know (how); to find out; **savoir-faire** *m.* ability, know-how; tact
**savon** *m.* soap
**savoureux/savoureuse** *adj.* tasty
**scandale** *m.* scandal
**scandinave** *adj.* Scandinavian
**scénario** *m.* scenario, script
**scène** *f.* stage; scenery; scene; **metteur/metteuse** (*m., f.*) **en scène** stage director; **mise** (*f.*) **en scène** setting, staging (*of a play*)
**science** *f.* science; **sciences** (*pl.*) **humaines** social sciences; **sciences naturelles/sociales** natural/social sciences
**scientifique** *adj.* scientific; *m., f.* scientific researcher
**scolaire** *adj.* pertaining to schools, school, academic; **année** (*f.*) **scolaire** school year; **semaine** (*f.*) **scolaire** school week
**scolarité** *f.* education, schooling; **frais** (*m. pl.*) **de scolarité** school, university tuition
**sculpteur** *m.* sculptor (*male or female*)
**SDF (sans domicile fixe)** *m., f., pl.* homeless (*people*)
**se (s')** *pron.* oneself; himself; herself; itself; themselves; to oneself, etc.; each other
**séance** *f.* meeting, session; **séance d'orientation** orientation meeting
**sec/sèche** *adj.* dry
**sécession** *f.* secession; **guerre** (*f.*) **de Sécession** American Civil War
**sécher** ( **je sèche, nous séchons** ) to dry; to avoid; **sécher un cours** to cut class, play hooky; **se sécher** to dry oneself
**second(e)** *adj.* second; **seconde** *f.* second (*unit of time*); **Seconde Guerre** (*f.*) **mondiale** Second World War
**secondaire** *adj.* secondary; **école** (*f.*) **secondaire** high school
**secours** *m.* help; **au secours!** *interj.* help!
**secret/secrète** *adj.* secret, private
**secrétaire** *m., f.* secretary
**secteur** *m.* sector
**sécurité** *f.* security; safety; **ceinture** (*f.*) **de sécurité** safety belt; **Sécurité sociale (SECU)** *French social security system*
**sédentaire** *adj.* sedentary
**séduire** (*like* **conduire**) *irreg.* to seduce; to attract
**séduisant(e)** *adj.* attractive, seductive, appealing
**seigle** *m.* rye; **pain** (*m.*) **de seigle** rye bread

**sein** *m.* breast, bosom; **allaiter au sein** to breastfeed, nurse; **au sein de** at the heart of
**seize** sixteen
**séjour** *m.* stay, sojourn; **salle** (*f.*) **de séjour** living room, family room
**séjourner** to spend time, stay
**sel** *m.* salt
**sélectionné(e)** *adj.* chosen
**selon** *prep.* according to
**semaine** *f.* week; **la semaine dernière** last week; **la semaine prochaine** next week; **la semaine scolaire** school week
**semblable (à)** *adj.* like, similar (to)
**sembler** to seem; to appear; **ça me semble** it seems to me
**semestre** *m.* semester
**séminaire** *m.* seminary
**Sénégal** *m.* Senegal
**sénégalais(e)** *adj.* Senegalese; **Sénégalais(e)** *m., f.* Senegalese (*person*)
**sens** *m.* meaning; sense; way, direction; **dans les deux sens** in both directions
**sensibilisation** *f.* awareness-raising, consciousness-raising
**sensibiliser** to raise awareness in
**sensiblement** *adv.* appreciably, noticeably
**sentiment** *m.* feeling
**sentimental(e)** *adj.* sentimental; mawkish
**sentir** (*like* **partir**) *irreg.* to feel; to smell; to smell of; **se sentir à l'aise** to feel at ease; **se sentir bien/mal** to feel good/bad
**séparer** to separate; **se séparer** to separate (*couple*)
**sept** seven
**septembre** September
**Sérères** *m. pl.* Sereres (*ethnic group of Senegal*)
**série** *f.* series
**sérieux/sérieuse** *adj.* serious
**serpent** *m.* snake
**serre** *f.* greenhouse; **effet** (*m.*) **de serre** greenhouse effect
**serrer** to tighten; to grip; **se serrer la main** to shake hands
**serveur/serveuse** *m., f.* waiter/waitress
**service** *m.* service; service charge; favor; **service compris** tip included; **station-service** *f.* service station, filling station
**serviette** *f.* table napkin; towel; briefcase
**servir** (*like* **partir**) *irreg.* to serve; to wait on; to be useful; **à quoi ça sert?** what's that/it used for?; **servir à** to be of use in, be used for; **servir de** to serve as, take the place of; **se servir** to help oneself (*to food*); **se servir de** to use
**ses** *adj., pl.* his; her; its; one's
**seul(e)** *adj.* alone; single; only; **tout(e) seul(e)** all alone
**seulement** *adv.* only
**sève** *f.* sap; **sève d'érable** maple tree sap
**sévère** *adj.* severe, stern, harsh
**sexe** *m.* sex
**sexiste** *adj.* sexist
**sexuel(le)** *adj.* sexual

**shampooing** *m.* shampoo; **shampooing démêlant** conditioning shampoo
**short** *m. s.* shorts
**si** *adv.* so; so much; yes (*response to negative*); *conj.* if; whether; **même si** even if; **s'il vous (te) plaît** please
**sida** *m.* AIDS
**sidéen(ne)** *m., f.* person with AIDS
**siècle** *m.* century
**sien(ne) (le/la)** *m., f. pron.* his/hers
**sieste** *f.* nap; **faire la sieste** to take a nap
**sigle** *m.* acronym, abbreviation
**signaler** to point out, draw one's attention to
**signalisation** *f.* system of road signs; **feu** (*m.*) **de signalisation** traffic light
**signataire** *m., f.* signatory, signer
**signe** *m.* sign, gesture; mark; **signe particulier** distinctive characteristic, sign, peculiarity
**signer** to sign
**signet** *m.* bookmark
**signification** *f.* meaning
**signifier** to mean
**SIM: carte** (*f.*) **SIM** SIM card (*smart card inside a cell phone*)
**similitude** *f.* similarity
**simplement** *adv.* simply
**simultanément** *adv.* simultaneously
**sincère** *adj.* sincere
**sinon** *conj.* if not, otherwise, or else
**sirop** *m.* syrup; **sirop d'érable** maple syrup
**sitôt** *adv.* as soon as
**situé(e)** *adj.* situated, located
**se situer** to be situated, located
**sketch** *m.* skit
**ski** *m.* skiing; **skis** *pl.* skis; **faire du ski** to ski; **ski alpin** downhill skiing; **ski nautique** waterskiing; **station** (*f.*) **de ski** ski resort
**skier** to ski
**slip** *m.* men's/women's briefs, underwear
**Slovaquie** *f.* Slovakia
**SMIC (Salaire** [*m.*] **minimum interprofessionnel de croissance)** *minimum wage in France*
**smoking** *m.* tuxedo
**SMS** *m.* text message
**social(e)** *adj.* social; **avantages** (*m. pl.*) **sociaux** benefits ( *job*)
**société** *f.* society; organization; firm
**sociologie** *f.* sociology
**sœur** *f.* sister; **belle-sœur** sister-in-law; **demi-sœur** half-sister; stepsister
**soi (soi-même)** *pron.* oneself
**soie** *f.* silk; **en soie** made of silk
**soif** *f.* thirst; **avoir soif** to be thirsty
**soigner** to take care of; **se soigner** to take care of oneself
**soin** *m.* care; **soins** (*pl.*) **médicaux** medical care
**soir** *m.* evening; **à ce soir** farewell, until this evening; **demain (hier) soir** tomorrow (yesterday) evening; **du soir** in the evening

**soirée** *f.* party; evening; **soirée d'adieu** farewell party

**soixante** sixty

**soixante-dix** seventy

**soja** *m.* soy(a)

**sol** *m.* soil; ground; floor; **sous-sol** *m.* basement, cellar

**solaire** *adj.* solar; **système** (*m.*) **solaire** solar system

**soldat/soldate** *m., f.* soldier

**solde** *f.* balance; remaining goods; **en solde** on sale

**soleil** *m.* sun; **coucher** (*m.*) **du soleil** sunset; **il fait du soleil** it's sunny; **lever** (*m.*) **du soleil** sunrise; **lunettes** (*f. pl.*) **de soleil** sunglasses

**solidaire** *adj.* connected, interdependent; **être solidaire** to show solidarity, stick together

**solidarité** *f.* solidarity; unity; **pacte** (*m.*) **civil de solidarité (PACS)** domestic partnership agreement, civil union (*France*)

**solide** *adj.* sturdy; *m.* solid

**solidifié(e)** *adj.* solidified

**sombre** *adj.* dark, somber

**sommeil** *m.* sleep; **avoir sommeil** to be sleepy

**sommelier/sommelière** *m., f.* wine steward

**sommet** *m.* summit, top

**somnifère** *m.* sleeping pill

**son** *adj., pron. m.* his/her, its; *m.* sound

**sondage** *m.* opinion poll

**sonner** to ring (*a bell*)

**sorbet** *m.* sorbet, sherbet; **boule** (*f.*) **de sorbet** scoop of sorbet

**sorcier/sorcière** *m., f.* sorcerer/witch

**sorte** *f.* sort, kind; manner

**sortie** *f.* going out; evening out; exit

**sortir** (*like* **partir**) *irreg., intr.* to go out, come out; *trans.* to bring, take out

**souci** *m.* worry; **sans souci** *adj.* carefree

**soucieux/soucieuse** *adj.* worried

**soudain** *adv.* suddenly

**souffle** *m.* breath of air

**souffrir** (*like* **ouvrir**) (**de**) *irreg.* to suffer (from)

**souhaiter** to desire, wish for

**souk** *m.* souk (*Arab market*)

**soulager** (**nous soulageons**) to ease, comfort, make feel better

**soulever** (**je soulève**) to lift; **soulever des poids** to lift weights

**souligner** to underline

**soupçonneux/soupçonneuse** *adj.* suspicious

**soupe** *f.* soup; **soupe aux légumes** vegetable soup

**souper** *m.* supper; *v.* to have supper

**soupirer** to sigh

**source** *f.* spring; spa; source

**sourcil** *m.* eyebrow

**souriant(e)** *adj.* smiling

**sourire** (*like* **rire**) *irreg.* to smile; *m.* smile

**souris** *f.* mouse; **chauve-souris** *f.* bat

**sous** *prep.* under, beneath

**sous-marin(e)** *adj.* underwater; **sous-marin** *m.* submarine; **faire de la plongée sous-marine** to go scuba-diving; **vie** (*f.*) **sous-marine** marine life

**sous-sol** *m.* basement, cellar

**sous-titré(e)** *adj.* subtitled

**sous-vêtements** *m. pl.* underwear

**soute** *f.* (baggage) hold; **bagages** (*m. pl.*) **en soute** checked luggage

**soutenir** (*like* **tenir**) *irreg.* to support, aid; to sustain

**souterrain(e)** *adj.* underground

**soutien** *m.* support; **soutien-gorge** *m.* bra, brassiere

**souvenir** *m.* memory, remembrance, recollection; souvenir; **je ne me souviens pas** I don't remember; **se souvenir de** (*like* **venir**) *irreg.* to remember

**souvent** *adv.* often; **aussi souvent que possible** as often as possible

**souverain(e)** *adj.* sovereign; *m., f.* sovereign, monarch

**spaghettis** (*m. pl.*) **à la bolognaise** spaghetti with meat sauce

**spatial(e)** *adj.* spatial, space; **engin** (*m.*) **spatial** spacecraft

**spationaute** *m., f.* astronaut (*from Europe*)

**spécial(e)** *adj.* special; **effets** (*m. pl.*) **spéciaux** special effects

**spécialisé(e)** *adj.* specialized

**se spécialiser** (**en**) to specialize (in)

**spécialité** *f.* specialty; major (*subject*)

**spectacle** *m.* show, performance; spectacle; **arts** (*m. pl.*) **du spectacle** performing arts; **monter un spectacle** to put on (perform) a program

**spectaculaire** *adj.* dramatic, spectacular

**spectateur/spectatrice** *m., f.* spectator; member of the audience

**splendide** *adj.* splendid, magnificent

**spontané(e)** *adj.* spontaneous

**sport** *m.* sport(s); **faire du sport** to do, participate in sports; **voiture** (*f.*) **de sport** sports car

**sportif/sportive** *adj.* athletic; sports-minded; *m., f.* athlete; sportsman/sportswoman; **manifestation** (*f.*) **sportive** sporting event

**stabilité** *f.* stability

**stade** *m.* stadium

**stage** *m.* training course; practicum, internship

**station** *f.* (vacation) resort; station; **station de métro** subway station; **station de ski** ski resort; **station-service** *f.* (*pl.* **stations-service**) service station, filling station

**stationnaire** *adj.* stationary, fixed

**stationnement** (**interdit**) *m.* (no) parking

**stationner** to park

**statistique** *f. s.* statistic(s)

**statut** *m.* status

**steak** *m.* steak; **steak-frites** *s.* steak with French fries

**stéréo** *adj., m., f.* stereo(phonic); **chaîne** (*f.*) **stéréo** stereo system

**stéréotypé(e)** *adj.* stereotyped

**steward** *m.* flight attendant

**stimulant(e)** *adj.* stimulating

**stimuler** to stimulate

**stratégie** *f.* strategy

**stressé(e)** *adj.* stressed

**strict(e)** *adj.* strict; severe

**studieux/studieuse** *adj.* studious

**style** *m.* style; **style de vie** lifestyle

**stylo** *m.* pen, ballpoint

**subir** (*like* **finir**) to undergo; to be subject(ed) to

**subjonctif** *m., gram.* subjunctive (*mood*)

**subliminal(e)** *adj.* subliminal

**substantif** *m., gram.* noun

**subtil(e)** *adj.* subtle

**subventionné(e)** *adj.* subsidized, funded, supported financially

**succès** *m.* success

**succomber** to succumb; to die

**sucre** *m.* sugar; **canne** (*f.*) **à sucre** sugarcane; **sucre d'érable** maple sugar

**sucré(e)** *adj.* sugared, sweetened

**sud** *m.* south; **Amérique** (*f.*) **du Sud** South America; **sud-est** *m.* Southeast; **sud-ouest** *m.* Southwest

**Suède** *f.* Sweden

**sueur** *f.* sweat, perspiration

**suffire** (*like* **conduire**) *irreg.* to suffice; **ça suffit** that's enough

**suffisamment** (**de**) *adv.* sufficiently, enough (of)

**suffisant(e)** *adj.* sufficient

**suffrage** *m.* vote, suffrage

**suggérer** (**je suggère, nous suggérons**) to suggest

**Suisse** *f.* Switzerland; *m., f.* Swiss (*person*); **suisse** *adj.* Swiss

**suite** *f.* continuation; series; result; **à la suite de** following; **tout de suite** immediately

**suivant(e)** *adj.* following

**suivre** (*p.p.* **suivi**) *irreg.* to follow; **suivre les actualités** to keep up with the news; **suivre un cours** to take a class

**sujet** *m.* subject; topic; **au sujet de** concerning

**superbe** *adj.* superb, magnificent

**superficie** *f.* (surface) area

**superficiel(le)** *adj.* superficial

**superflu(e)** *adj.* superfluous

**supérieur(e)** *adj.* superior; upper

**superlatif** *m., gram.* superlative

**supermarché** *m.* supermarket

**supplément** *m.* extra charge, fee, supplement

**supplémentaire** *adj.* additional, extra

**supporter** to tolerate, bear, stand

**sur** *prep.* on, on top of; upon; concerning; about; **sur les bords de** on the banks of

**sûr(e)** *adj.* sure; unerring, trustworthy; safe; **bien sûr** *interj.* yes, of course

**surchargé(e)** *adj.* overloaded, overworked

**surcharger (nous surchargeons)** to overload

**sûrement** *adv.* certainly, surely

**surf** *m.* surfing; **faire du surf** to go surfing

**surface** *f.* surface; **grande surface** large supermarket; superstore; shopping mall

**surfer (sur Internet)** to surf (the Internet)

**surgelé(e)** *adj.* frozen (*food*)

**surmonter** to surmount; overcome

**surnom** *m.* nickname

**surnommé(e)** *adj.* nicknamed

**surpeuplé(e)** *adj.* overpopulated

**surpopulation** *f.* overpopulation

**surprenant(e)** *adj.* surprising

**surprendre** (*like* **prendre**) *irreg.* to surprise

**surpris(e)** *adj.* surprised

**surréaliste** *adj.* surrealist, surrealistic

**surtout** *adv.* above all, chiefly, especially

**surveiller** to watch over

**survivre** (*like* **vivre**) *irreg.* to survive

**suspens** *m. s.* suspense

**syllabe** *f.* syllable

**symbole** *m.* symbol

**symbolique** *adj.* symbolic

**symboliser** to symbolize

**sympathique** (*fam. inv.* **sympa**) *adj.* nice, likeable

**sympathisant(e)** *m., f.* supporter, sympathizer

**symphonie** *f.* symphony

**symphonique** *adj.* symphonic

**symptôme** *m.* symptom

**syndicat** (*m.*) **d'initiative** (*local*) chamber of commerce, tourist office

**systématiquement** *adv.* systematically

**système** *m.* system; **système d'exploitation** operating system (*computer*); **système solaire** solar system

**ta** *adj., f. s.* your

**tabac** *m.* tobacco; tobacco shop; **café-tabac** *m.* café-tobacconist (*government-licensed*)

**tabarnouche** *interj., fam., a mild expletive* (*Q.*)

**table** *f.* table; **débarrasser la table** to clear the table; **mettre la table** to set the table; **se mettre à table** to sit down at the table; **table basse** coffee table; **table de nuit** bedside table

**tableau** *m.* picture; painting; chart; **tableau d'affichage** schedule display board; **tableau (noir)** (black)board, chalkboard

**tache** *f.* stain; spot

**tâche** *f.* task; **tâches** (*pl.*) **ménagères** household tasks

**taille** *f.* size; waist; **de taille moyenne** average height; **de très grande taille** very tall

**tailleur** *m.* woman's suit

**tajine** *f.* tajine (*North African stew*)

**talon** *m.* heel; **chaussures** (*f. pl.*) **à talons plats** flat shoes

**tamarin** *m.* tamarind (*African/South Asian fruit tree*)

**tamponner** to stamp

**tandis que** *conj.* while

**tant** *adv.* so much; so many; **en tant que** as, in (my) capacity as; **tant de** so many, so much; **tant mieux** so much the better; **tant pis** too bad; **tant que** as long as; **tant... que** as much . . . as

**tante** *f.* aunt

**tapenade** *f. purée of chopped olives, capers, and anchovies in olive oil*

**taper** to type; to tap

**tapis** *m.* rug

**taquiner** to tease

**tard** *adv.* late; **dormir tard** to sleep late; **plus tard** later

**tarif** *m.* tariff; fare, price

**tarte** *f.* tart; pie; **tarte aux pommes** apple tart

**tartine** *f. slice of bread with butter*

**tas** *m.* pile, heap

**tasse** *f.* cup

**taux** *m.* level; rate, statistic

**taxi** *m.* taxi; **chauffeur** (*m.*) **de taxi** cab driver

**te (t')** *pron.* you; to you

**technicien(ne)** *m., f.* technician

**technique** *adj.* technical

**technologie** *f.* technology

**technologique** *adj.* technological

**teinture** *f.* dye; color, tint

**tel(le)** *adj.* such; **tel(le) que** such as, like

**télécharger (nous téléchargeons)** to download

**télécommande** *f.* remote (control)

**télégramme** *m.* telegram

**télégraphe** *m.* telegraph

**téléphone** *m.* telephone; **numéro** (*m.*) **de téléphone** telephone number; **parler au téléphone** to talk on the phone; **téléphone fixe** landline; **téléphone mobile (portable)** cellular phone

**téléphoner (à)** to phone, telephone; **se téléphoner** to call one another

**téléphonique** *adj.* telephonic, by phone; **annuaire** (*m.*) **téléphonique** phone book; **cabine** (*f.*) **téléphonique** phone booth; **carte** (*f.*) **(téléphonique) prépayée** prepaid phone card; **répondeur** (*m.*) **téléphonique** telephone answering device

**télé-réalité** *f.* reality TV; **émission** (*f.*) **télé-réalité** reality (television) show

**téléspectateur/téléspectatrice** *m., f.* television viewer

**téléviseur** *m.* television set

**télévision** (*fam.* **télé**) *f.* television

**tellement** *adv.* so; so much

**témoignage** *m.* testimony, account; evidence; **faux témoignage** perjury

**témoin** *m.* witness

**tempe** *f.* temple (*head*)

**tempérament** *m.* temperament; constitution

**température** *f.* temperature

**tempéré(e)** *adj.* temperate (*climate*)

**tempête** *f.* tempest, storm; **lampe-tempête** *f.* hurricane lamp

**temporaire** *adj.* temporary

**temps** *m.* time; weather; *gram.* tense; **depuis combien de temps** since when, how long; **de temps en temps** from time to time; **emploi** (*m.*) **du temps** schedule; **en même temps** at the same time, simultaneously; **gagner (perdre) du temps** to save (waste) time; **passe-temps** *m.* pastime, diversion; **perte** (*f.*) **de temps** waste of time; **quel temps fait-il?** what's the weather like?; **temps libre** leisure time; **tout le temps** always, the whole time

**tendance** *f.* tendency; trend; **avoir tendance à** to have a tendency to

**tendinite** *f.* tendinitis

**tendre** *adj.* tender, sensitive; soft

**tendresse** *f.* tenderness, affection

**tenir** (*p.p.* **tenu**) *irreg.* to hold; to keep; **tenir à** to care about; to be attached to; **tiens-moi au courant** keep me informed/up-to-date; **se tenir** to hold oneself; to behave

**tennis** *m.* tennis; **court** (*m.*) **de tennis** tennis court

**tension** *f.* tension; blood pressure; **niveau** (*m.*) **de tension** stress level

**tentation** *f.* temptation

**tente** *f.* tent

**tenter (de)** to tempt; to try, attempt (to)

**terme** *m.* term

**terminaison** *f.* ending (*of a word*)

**terminé(e)** *adj.* finished, terminated

**terminer** to end; to finish; **se terminer en** to end in

**terminus** *m.* last stop, terminus (*subway, bus, train*)

**terrain** *m.* ground; land; **faire du vélo tout-terrain** to go mountain-biking; **glissement** (*m.*) **de terrain** landslide; **terrain de camping** campground

**terrasse** *f.* terrace, patio

**terre** *f.* land; earth; the planet Earth; **par terre** on the ground; **pomme** (*f.*) **de terre** potato; **terre cuite** clay, terra cotta (*pottery*)

**Terre-Neuve** *f.* Newfoundland

**terrestre** *adj.* land

**terrine** *f.* terrine (*casserole*)

**territoire** *m.* territory; **aménagement** (*m.*) **du territoire** national and regional development

**terroir** *m.* (*local or regional*) soil, land

**tes** *adj., m., f., pl.* your

**tester** to test

**tête** *f.* head; mind; *fam.* face; **avoir mal à la tête** to have a headache; **faire la tête** to sulk; to make faces; **faire une drôle de tête** to make a funny (wry) face; **mal** (*m.*) **de tête** headache

**texte** *m.* text; passage
**texter** to send a text message, to text
**texto** *m.* text message; **envoyer un texto** to text, send a text message
**Thaïlande** *f.* Thailand
**thé** *m.* tea
**théâtre** *m.* theater; **pièce** (*f.*) **de théâtre** (*theatrical*) play
**théboudienne** *m. Senegalese stew of fish, rice, and vegetables*
**thème** *m.* theme
**théorie** *f.* theory
**thérapie** *f.* therapy
**thiof** *m. type of fish from Senegal*
**thon** *m.* tuna
**tien(ne) (le/la)** *m., f., pron., fam.* yours; **les tiens** *m. pl.* your close friends, relatives
**tiens!** *interj.* well, well! (*expression of surprise*)
**tiers** *adj.* third; *m.* one-third
**tigre** *m.* tiger
**timbre(-poste)** *m.* (postage) stamp
**timide** *adj.* shy
**tirer** to pull
**tiret** *m.* hyphen; dash; blank (*line*)
**tisane** *f.* herbal tea
**tisser** to weave
**tissu** *m.* material, fabric, cloth
**titre** *m.* title; degree
**toast** *m.* piece of toast
**toi** *pron.* you; **toi-même** yourself
**toile** *f.* cloth; web; screen; canvas
**toilette** *f.* lavatory; grooming
**toit** *m.* roof
**tomate** *f.* tomato; **jus** (*m.*) **de tomate** tomato juice
**tombée** *f.* close; nightfall; **tombée de la nuit** nightfall
**tomber** to fall; **faire tomber une fièvre** to lower a fever; **laisser tomber** to drop; **tomber amoureux/amoureuse (de)** to fall in love (with); **tomber dans l'escalier** to fall down the stairs; **tomber en panne** to have a (*mechanical*) breakdown; **tomber malade** to become ill
**ton** *adj., m. s.* your
**tondre** to mow; **tondre le gazon** to mow the lawn
**tonne** *f.* ton
**tonnerre** *m.* thunder
**tonton** *m., fam.* uncle
**topographie** *f.* topography
**toque** *f.* **(de cuisinier)** chef's hat
**torche** (*f.*) **électrique** flashlight
**tornade** *f.* tornado
**tort** *m.* wrong; **avoir tort** to be wrong
**tortue** (*f.*) **de mer** (sea) turtle
**tôt** *adv.* early; **plus tôt** earlier
**total(e)** *adj.* total
**touche** *f.* key (*on a keyboard*)
**toucher (à)** to touch; to affect; **toucher sa paie** to get paid; *m.* (sense of) touch
**toujours** *adv.* always; still; **pas toujours** not always

**tour** *f.* tower; *m.* turn; tour; trick; **à ton tour** in turn, your turn; **faire un tour du monde** to go around the world; **Tour** (*m.*) **de France** *annual July bicycle race in and near France*
**tourisme** *m.* tourism
**touriste** *m., f.* tourist
**touristique** *adj.* tourist
**tournage** *m.* film shooting
**tournée** *f.* tour (*musicians, entertainers*)
**tourner** to turn; **tourner un film** to make, shoot a movie; **se tourner vers** to turn towards/to
**tournoi** *m.* tournament
**tourte** *f.* pie (*often meat*) (*Q.*)
**Toussaint** *f.* All Saints' Day (November 1)
**tousser** to cough
**tout(e)** *adj., pron.* (*pl.* **tous, toutes**) all; whole, the whole of; every; each; any; **tout** *adv.* wholly, entirely, quite, very, all; **en tout cas** in any case; **ne... pas du tout** not at all; **tous ensemble** all together; **tous les ans** every year; **tous/toutes les deux** both (of them); **tous les jours** every day; **tous les trois mois** every three months; **tout à coup** suddenly; **tout à fait** completely, entirely; **tout au long de** throughout; **tout de suite** immediately; **tout droit** straight ahead; **toute la journée** all day long; **toutes les deux semaines** every other week; **tout juste** barely, hardly; only just; **tout le monde** everyone; **tout le temps** all the time; **tout près** very near; **tout(e) seul(e)** all alone; **un peu de tout** a little bit of everything
**toutefois** *adv.* however
**toux** *f.* cough
**toxique** *adj.* toxic; **déchets** (*m. pl.*) **toxiques** toxic waste; **échappements** (*m. pl.*) **toxiques** toxic exhaust; **émission** (*f.*) **toxique** toxic emission
**trace** *f.* trace; **garder une trace** to keep a record, trail
**traditionaliste** *adj.* traditionalistic
**traditionnel(le)** *adj.* traditional
**traduire** (*like* **conduire**) *irreg.* to translate
**trafiquant(e)** *m., f.* trafficker
**tragédie** *f.* tragedy
**tragique** *adj.* tragic
**trahir** (*like* **finir**) to betray
**train** *m.* train; **en (par le) train** by train; **être en train de** to be in the process of; **Train à grande vitesse (TGV)** *French high-speed train*
**traîneau** *m.* **(à chiens)** (dog) sled
**traite** *f.* (slave) trade, traffic
**traité** *m.* treaty; treatise
**traitement** *m.* treatment; **prescrire un traitement** to prescribe a treatment
**traiter** to treat; **traiter une maladie** to treat an illness
**traître/traîtresse** *m., f.* traitor
**tranche** *f.* slice (*of meat, cake*); block, slab
**tranquille** *adj.* tranquil, quiet, calm

**tranquillité** *f.* quietness; tranquility
**transatlantique** *adj.* transatlantic
**transférer ( je transfère, nous transférons)** to transfer
**transformateur** *m.* transformer
**transformer** to transform; to change
**transmettre** (*like* **mettre**) *irreg.* to transmit, pass on
**transpiration** *f.* perspiration, sweat
**transport** *m.* transportation; **moyen** (*m.*) **de transport** means of transportation; **transports en commun** public transportation
**travail** *m.* (*pl.* **travaux**) work; project; job; employment; **fête** (*f.*) **du Travail** Labor Day (*May 1*); **travail dirigé (TD)** practicum (*assignment*); **travaux ménagers** housework
**travailler** to work; **travailler dur** to work hard
**travailleur/travailleuse** *m., f.* worker
**travers: à travers** (*prep.*) **(le monde)** throughout (the world)
**traversée** *f.* crossing
**traverser** to cross
**treize** thirteen
**tréma** *m.* dieresis (*two dots above a vowel*)
**trente** thirty
**très** *adv.* very; most; very much; **très bien, merci** very well, thank you
**trésor** *m.* treasure
**tri** *m.* sorting; **faire le tri** to sort
**tribu** *f.* tribe
**tribunal** *m.* court
**tricot** *m.* knit; knitting
**trier** to sort; **trier les déchets** to sort waste products (*for recycling*)
**trimestre** *m.* trimester; (*academic*) quarter
**trinquer** to clink glasses, toast
**triomphal(e)** *adj.* triumphal
**triomphe** *m.* triumph
**triste** *adj.* sad
**troisième** *adj.* third; **personne** (*f.*) **du troisième âge** senior citizen
**se tromper** to be wrong; to be mistaken
**trompette** *f.* trumpet
**trop (de)** *adv.* too much (of), too many (of)
**tropical(e)** *adj.* tropical; **forêt** (*f.*) **tropicale humide** tropical rainforest
**trottoir** *m.* sidewalk
**trou** *m.* hole
**troubler** to disturb
**troupe** *f.* troop
**trouver** to find; to deem; to like; **se trouver** to be; to be located
**truc** *m., fam.* thing; gadget; trick
**tu** *pron., fam.* you
**tuer** to kill
**tuile** *f.* roof tile
**tulipe** *f.* tulip
**Tukrur: empire** (*m.*) **Tukrur** Tukrur empire (*11th-century Senegal*)
**Tunisie** *f.* Tunisia
**tunisien(ne)** *adj.* Tunisian; **Tunisien(ne)** *m., f.* Tunisian (*person*)

**turbot** (*m.*) **à l'oseille** turbot (*type of fish*) with sorrel
**type** *m.* type; *fam.* guy
**typique** *adj.* typical

**un(e)** *art., num., pron.* a/an, one; **l'un(e) l'autre** one another; **un peu** a little
**uni(e)** *adj.* united; close; **États-Unis** *m. pl.* United States
**unifié(e)** *adj.* unified
**uniforme** *m.* uniform (*clothing*)
**union** *f.* union; marriage; **Union européenne (UE)** European Union (EU); **union libre** living together, common-law marriage
**unique** *adj.* only, sole, single
**unir** (*like* **finir**) to unite
**unité** *f.* unity
**univers** *m.* universe
**universel(le)** *adj.* universal
**universitaire** *adj.* of or belonging to the university; **cité** (*f.*) **universitaire** (*fam.* **cité-u**) student residence complex
**urbain(e)** *adj.* urban, city
**urbanisation** *f.* urbanization
**urbanisme** *m.* city planning
**urgence** *f.* emergency; **cas** (*m.*) **d'urgence** emergency; **d'urgence** *adv.* urgently; **numéro** (*m.*) **d'urgence** emergency number
**usage** *m.* use
**usine** *f.* factory
**ustensile** *m.* (kitchen) utensil
**utile** *adj.* useful
**utilisateur/utilisatrice** *m., f.* user
**utilisation** *f.* use
**utiliser** to use, utilize

**vacances** *f. pl.* vacation; **colonie** (*f.*) **de vacances** (*fam.* **colo**) summer camp; **grandes vacances** summer vacation; **partir (aller) en vacances** to leave on vacation
**vacancier/vacancière** *m., f.* vacationer
**vaccin** *m.* vaccine
**vacciner** to vaccinate
**vache** *f.* cow
**vague** *f.* wave (*ocean*)
**vaincu(e)** *adj.* defeated
**vairon** *m.* minnow
**vaisselle** *f. s.* dishes; **faire la vaisselle** to wash, do the dishes; **lave-vaisselle** *m.* (automatic) dishwasher
**val** *m.* valley
**valable** *adj.* valid, good
**Valentin: Saint-Valentin** *f.* Valentine's Day
**valeur** *f.* value; worth
**valide** *adj.* valid
**valider** to authenticate; to ratify
**valise** *f.* suitcase; **faire les valises** to pack (*luggage*)
**vallée** *f.* valley
**valoir** (*p.p.* **valu**) *irreg.* to be worth; **il vaut mieux** it is better
**valoriser** to value

**valse** *f.* waltz
**vanille** *f.* vanilla
**vaniteux/vaniteuse** *adj.* vain, conceited
**vapeur** *f.* steam; **cuire à la vapeur** to steam (*in cooking*); **pommes** (*f.*) **vapeur** steamed potatoes
**variante** *f.* variant, variation
**varier** to vary; to change
**variété** *f.* variety; **variétés** *pl.* variety show
**vaste** *adj.* vast, wide
**vaudou** *m.* voodoo
**veau** *m.* veal; calf; **blanquette** (*f.*) **de veau** veal stew; **escalope** (*f.*) **de veau** veal cutlet
**vedette** *f.* star, celebrity (*male or female*)
**végétalien(ne)** *m., f., adj.* vegan
**végétarien(ne)** *m., f., adj.* vegetarian
**végétation** *f.* vegetation
**véhicule** *m.* vehicle
**véhiculer** to transport
**veille** *f.* the day (evening) before; eve
**veiller** to watch over
**veine** *f.* vein
**vélo** *m.,* bike; **faire du vélo tout-terrain** to go mountain-biking
**velours** *m.* velvet, velours
**vendeur/vendeuse** *m., f.* salesperson
**vendre** to sell; **se vendre** to be sold
**vendredi** *m.* Friday
**venir** (*p.p.* **venu**) *irreg.* to come; **venir de** to have just (*done s.th.*)
**Venise** Venice
**vent** *m.* wind; **faire du vent (il fait du vent)** to be windy (it's windy)
**vente** *f.* sale; selling; **vente en ligne** online sale
**ventilateur** *m.* (**électrique**) (electric) fan
**ventre** *m.* belly, stomach
**verbe** *m.* verb
**verdir** (*like* **finir**) to turn green
**verglas** *m.* black ice
**vérifier** to verify; **vérifier le niveau d'huile** to check the oil (*motor*)
**véritable** *adj.* true; real
**vérité** *f.* truth
**verlan** *m. young people's slang in France*
**verre** *m.* glass; **prendre un verre** to have a drink; **verre à vin** wineglass; **verres** (*pl.*) **de contact** contact lenses
**vers** *prep.* toward(s), to; about
**versant** *m.* side, slope (*of hill, mountain*)
**verser** to pour (in); to dispense, spend
**vert(e)** *adj.* green; **vert** *m.* environmentalist, "green"; *****haricots** (*m. pl.*) **verts** green beans
**vertige** *m.* vertigo, dizziness; **avoir le vertige** to be dizzy
**veste** *f.* jacket; sport coat
**vestiges** *m. pl.* remains, vestiges
**vêtement** *m.* garment; *pl.* clothes, clothing
**vétérinaire** *m., f.* (*fam.* **véto**) veterinarian
**se vêtir** (*like* **finir**) to dress oneself, get dressed
**veuf/veuve** *m.* widower; *f.* widow
**vexer** to hurt, offend

**viande** *f.* meat; **viande hachée** ground meat
**vibreur** *m.* vibrator
**vice-président(e)** *m., f.* vice-president
**victime** *f.* victim (*male or female*)
**victoire** *f.* victory, win
**vide** *adj.* empty
**vidéo** *adj. inv.* video; *f.* video(cassette); **jeu** (*m.*) **vidéo** video game
**vider** to empty; **vider les ordures** to empty the garbage
**vie** *f.* life; **espérance** (*f.*) **de vie** life expectancy; **gagner sa vie** to earn one's living; **mener une vie sédentaire** to lead a sedentary life; **vie sous-marine** marine life
**vieillir** (*like* **finir**) to grow old
**vieillissement** *m.* aging
**vierge** *f.* virgin
**vieux (vieil, vieille)** *adj.* old; **vieux garçon** *m.* bachelor; **vieux jeu** *adj.* old-fashioned
**vif/vive** *adj.* lively, bright; **cuire à feu vif** to cook on high heat; **sur le vif** from/in real life
**vigne** *f.* vine; vineyard; **pied** (*m.*) **de vigne** (grape)vine
**vigueur** *f.* vigor; strength
**villa** *f.* bungalow; single-family house; villa
**villageois(e)** *m., f.* villager
**ville** *f.* city; **centre-ville** *m.* downtown; **en ville** in town, downtown; **plan** (*m.*) **de la ville** city map
**vin** *m.* wine; **cave** (*f.*) **à vins** winery; **coq** (*m.*) **au vin** *chicken cooked in* (*red*) *wine*; **marchand** (*m.*) **de vins** wine merchant; **verre** (*m.*) **à vin** wineglass
**vinaigre** *m.* vinegar
**vingt** twenty
**vingtaine** *f.* about twenty, twenty or so
**vingtième** *adj.* twentieth
**viol** *m.* rape
**violent(e)** *adj.* violent
**violer** to violate, break; to rape
**violet(te)** *adj.* purple, violet; *m.* violet (*color*)
**violon** *m.* violin; **jouer du violon** to play the violin
**Virginie** *f.* Virginia; **Virginie-Occidentale** West Virginia
**virgule** *f.* comma
**virtuel(le)** *adj.* virtual
**virus** *m.* virus; **virus informatique** computer virus
**visage** *m.* face, visage; **se laver le visage** to wash one's face
**vis-à-vis (de)** *prep.* opposite, facing
**visionnaire** *adj.* visionary
**visite** *f.* visit; tour; **rendre visite à** to visit (*people*)
**visiter** to visit (*a place*)
**visiteur/visiteuse** *m., f.* visitor
**visualiser** to visualize
**visuel(le)** *adj.* visual
**vitamine** *f.* vitamin

**vite** *adv.* quickly, fast, rapidly

**vitesse** *f.* speed; **changer de vitesse** to change gears; **dépasser la limite de vitesse** to exceed the speed limit; **levier** (*m.*) **de vitesse** gear shift (*lever*)

**vitre** *f.* pane of glass; car window

**vitrine** *f.* display window, store window; **faire les vitrines** to window-shop, go window-shopping

**vivant(e)** *adj.* living; alive; **bon(ne) vivant(e)** *m., f.* bon vivant, person who enjoys life

**vive...** *interj.* long live . . . , hurray for . . . , three cheers for . . .

**vivre** (*p.p.* **vécu**) *irreg.* to live; **facile (difficile) à vivre** easy (difficult) to get along with

**vocabulaire** *m.* vocabulary

**vœux** *m. pl.* wishes, good wishes; **carte** (*f.*) **de vœux** greeting card

**voie** *f.* way, road; course; lane; railroad track; **par voie de** by means of

**voilà** *prep., adv.* there, there now, there is, there are, that is

**voile** *f.* sail; veil; **faire de la planche à voile** to go windsurfing/sailboarding; **faire de la voile** to sail

**voir** (*p.p.* **vu**) *irreg.* to see; **aller voir** to go visit; **se voir** to imagine oneself, see oneself (one another)

**voisin(e)** *m., f.* neighbor

**voisinage** *m.* neighbors; neighborhood

**voiture** *f.* car, auto; **louer une voiture** to rent a car; **voiture de fonction** company car; **voiture de sport** sports car

**voix** *f.* voice; vote; **à haute voix** out loud, aloud

**vol** *m.* flight; theft; **vol d'identité** identity theft

**volaille** *f.* poultry

**volant** *m.* steering wheel; **volant(e)** *adj.* flying; **objet** (*m.*) **volant non-identifié (OVNI)** unidentified flying object (UFO)

**volatiliser** to vanish

**volcan** *m.* volcano

**volcanique** *adj.* volcanic

**voler** *intr.* to fly; to steal

**volet** *m.* (*window*) shutter

**volley-ball** (*fam.* **volley**) *m.* volleyball

**volontaire** *adj.* voluntary; *m., f.* volunteer; **interruption** (*f.*) **volontaire de grossesse (IVG)** abortion; **se porter volontaire** to volunteer

**volonté** *f.* wish, will

**vomissement** *m.* vomiting

**voter** to vote

**votre** *adj., m., f., s.* your

**vôtre (le/la)** *m., f., pron.* yours

**vouloir** (*p.p.* **voulu**) *irreg.* to wish, want; **je veux bien** I'm willing; **se vouloir** to claim to be; **vouloir dire** to mean

**vous** *pron., m., f.* you; yourself; to you; **chez vous** where you live; **s'il vous plaît** please; **vous-même** yourself

**voyage** *m.* trip; journey; **agence** (*f.*) **de voyages** travel agency; **agent** (*m.*) **de voyages** travel agent; **chèque** (*m.*) **de voyage** traveler's check; **partir en voyage** to leave on a trip; **préparatifs** (*m. pl.*) **de voyage** travel preparations; **voyage de noces** honeymoon, wedding trip

**voyager (nous voyageons)** to travel

**voyageur/voyageuse** *m., f.* traveler

**voyante** *f.* fortune-teller

**voyelle** *f.* vowel

**vrai(e)** *adj.* true, real; **c'est vrai?** is that right/correct?

**vraiment** *adv.* truly, really

**vue** *f.* view; panorama; sight; **point** (*m.*) **de vue** point of view

**wagon** *m.* train car

**wallon(ne)** *adj.* Walloon (*from French-speaking Belgium*)

**Wallonie** *f.* Wallonia (*French-speaking Belgium*)

**waters** *m. pl., fam.* toilets

**week-end** *m.* weekend

**wolof** *m.* Wolof (*language*); **Wolof** *m. pl.* Wolof (*ethnic group of Senegal*)

**y** *pron.* there; (about) it; **il y a** *inv.* there is, there are; ago; **il n'y a pas de** there isn't, there aren't; **j'y pense** I'm thinking about it; **qu'est-ce qu'il y a dans... ?** what's in . . . ?; **y a-t-il... ?** is/are there . . . ?

**yaourt** *m.* yogurt

**yeux** (*m. pl. of* **œil**) eyes; **écarquiller les yeux** to stare wide-eyed; **se cacher les yeux** to cover one's eyes

**Yorubas** *m. pl.* Yorubas (*ethnic group of southwest Africa*)

**zéro** *m.* zero

**zone** *f.* zone; **stationner dans une zone interdite** to park in a no-parking zone

**zut** *interj., fam.* darn

# Index

Abbreviations used in this index are identical to those used in the *Lexique*. Cultural Topics and Vocabulary are listed at the end as separate categories.

## VOCABULARY

# Credits

# About the Authors

***Tracy D. Terrell,*** late of the University of California, San Diego, received his Ph.D. in Spanish Linguistics from the University of Texas at Austin. His extensive research publications are in the area of Spanish dialectology, with a particular focus on the sociolinguistics of Caribbean Spanish. Professor Terrell's publications on second-language acquisition and on the Natural Approach are widely known in the United States.

***Mary Bassett Rogers*** holds her undergraduate and graduate degrees in French from Vanderbilt University. She was a faculty member at Wichita State University for many years, where she taught French and served as coordinator for foreign language education and supervision of student teachers in that field. Rogers is a past president and board member of the Kansas Foreign Language Association and was twice certified as tester for the ACTFL Oral Proficiency Interview. She has given numerous presentations and workshops on second-language teaching and also taught French and second-language pedagogy at Friends University (Kansas), where she was Research Fellow in Second-Language Acquisition. Professor Rogers is co-author of *¡Bravo!,* a Natural Approach program for teaching Spanish in secondary and middle schools.

***Betsy J. Kerr*** is Associate Professor of French at the University of Minnesota, Twin Cities. She received her Ph.D. in French linguistics from Indiana University and has published in the areas of French syntax and pragmatics, specializing in the analysis of spoken French discourse. She is currently interested in applications of corpus linguistics to second language education. At the University of Minnesota, Professor Kerr (formerly Barnes) teaches courses in French language and linguistics and has served as both Director of the Lower Division French Program and Director of Undergraduate Studies in French.

Born and raised in Marseille, ***Guy Spielmann*** (Ph.D., Vanderbilt University) is Associate Professor of French at Georgetown University. He was also Associate Director, then Director of the French School, Middlebury College. He has done research, lectured, and published extensively on second-language acquisition and performing arts in Early Modern Europe. He has also pioneered work in the scholarly and pedagogical use of information technology. Visit *La Page de Guy* at **www.georgetown. edu/spielmann.**

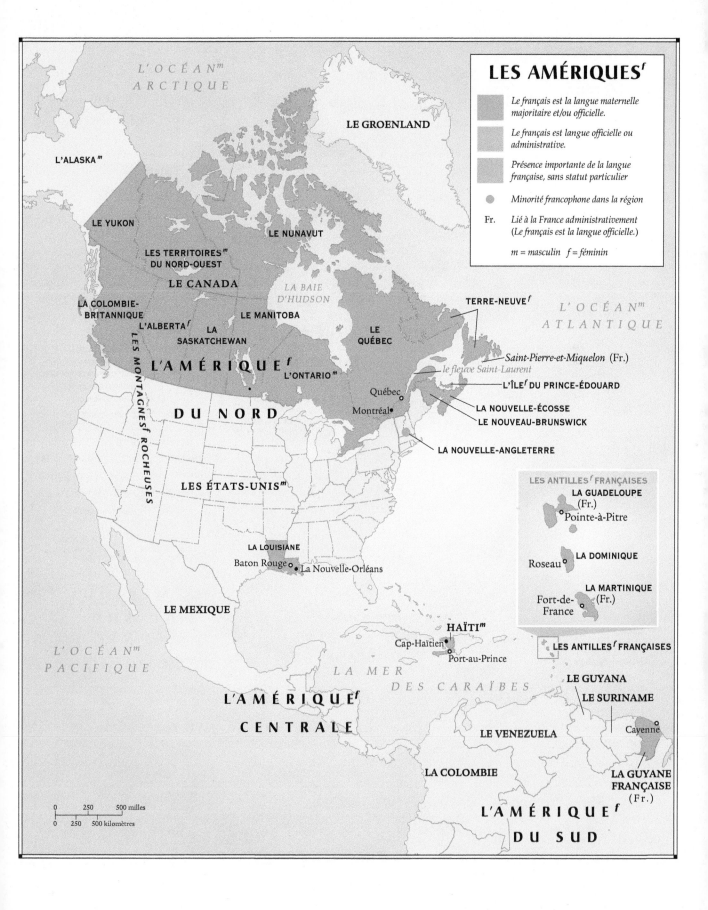

# LES AMÉRIQUES<sup>f</sup>

Le français est la langue maternelle majoritaire et/ou officielle.

Le français est langue officielle ou administrative.

Présence importante de la langue française, sans statut particulier

Minorité francophone dans la région

Fr.   Lié à la France administrativement
(Le français est la langue officielle.)

m = masculin   f = féminin

L'OCÉAN<sup>m</sup> ARCTIQUE

LE GROENLAND

L'ALASKA<sup>m</sup>

LE YUKON

LES TERRITOIRES<sup>m</sup> DU NORD-OUEST

LE NUNAVUT

LE CANADA

LA BAIE D'HUDSON

TERRE-NEUVE<sup>f</sup>

L'OCÉAN<sup>m</sup> ATLANTIQUE

LA COLOMBIE-BRITANNIQUE

L'ALBERTA<sup>f</sup>

LA SASKATCHEWAN

LE MANITOBA

LE QUÉBEC

Saint-Pierre-et-Miquelon (Fr.)

le fleuve Saint-Laurent

L'ÎLE<sup>f</sup> DU PRINCE-ÉDOUARD

L'AMÉRIQUE<sup>f</sup>

L'ONTARIO<sup>m</sup>

Québec

Montréal

LA NOUVELLE-ÉCOSSE

LE NOUVEAU-BRUNSWICK

LES MONTAGNES<sup>f</sup> ROCHEUSES

DU NORD

LA NOUVELLE-ANGLETERRE

LES ÉTATS-UNIS<sup>m</sup>

LES ANTILLES<sup>f</sup> FRANÇAISES

LA GUADELOUPE (Fr.)

Pointe-à-Pitre

LA LOUISIANE

Baton Rouge

La Nouvelle-Orléans

Roseau

LA DOMINIQUE

LA MARTINIQUE (Fr.)

Fort-de-France

LE MEXIQUE

HAÏTI<sup>m</sup>

Cap-Haïtien

Port-au-Prince

LES ANTILLES<sup>f</sup> FRANÇAISES

L'OCÉAN<sup>m</sup> PACIFIQUE

LA MER DES CARAÏBES

LE GUYANA

LE SURINAME

L'AMÉRIQUE<sup>f</sup>

CENTRALE

LE VENEZUELA

Cayenne

LA COLOMBIE

LA GUYANE FRANÇAISE (Fr.)

L'AMÉRIQUE<sup>f</sup>

DU SUD

0   250   500 milles

0   250   500 kilomètres

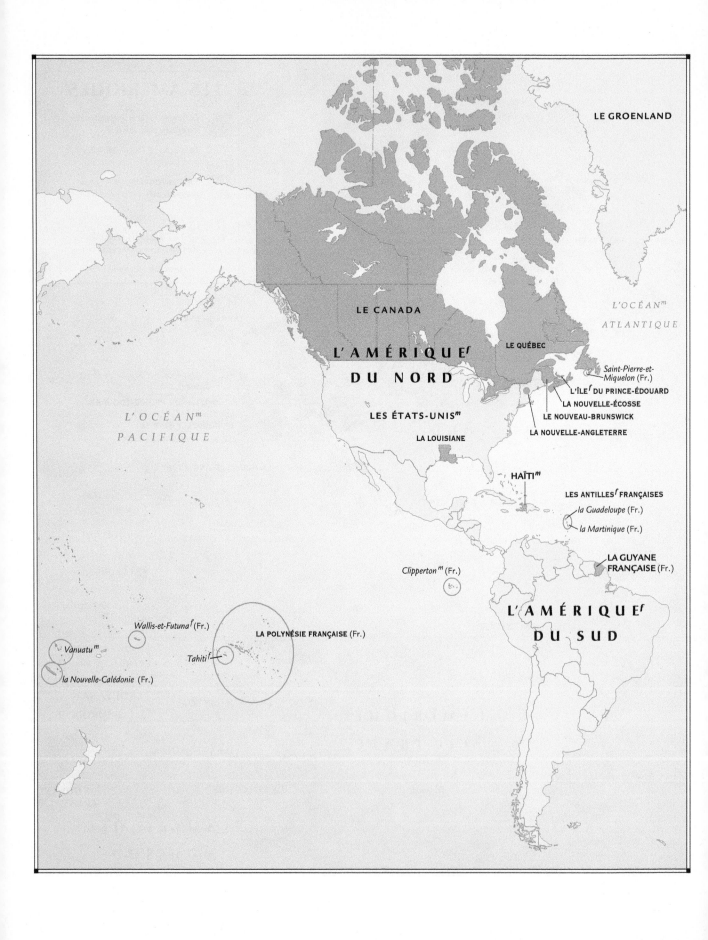

LE GROENLAND

L'OCÉAN^m
ATLANTIQUE

LE CANADA

L'AMÉRIQUE^f
DU NORD

LE QUÉBEC

Saint-Pierre-et-
Miquelon (Fr.)

L'ÎLE^f DU PRINCE-ÉDOUARD

LA NOUVELLE-ÉCOSSE

LE NOUVEAU-BRUNSWICK

LA NOUVELLE-ANGLETERRE

LES ÉTATS-UNIS^m

LA LOUISIANE

L'OCÉAN^m
PACIFIQUE

HAÏTI^m

LES ANTILLES^f FRANÇAISES

la Guadeloupe (Fr.)

la Martinique (Fr.)

LA GUYANE
FRANÇAISE (Fr.)

Clipperton^m (Fr.)

L'AMÉRIQUE^f
DU SUD

Wallis-et-Futuna^f (Fr.)

LA POLYNÉSIE FRANÇAISE (Fr.)

Vanuatu^m

Tahiti^f

la Nouvelle-Calédonie (Fr.)

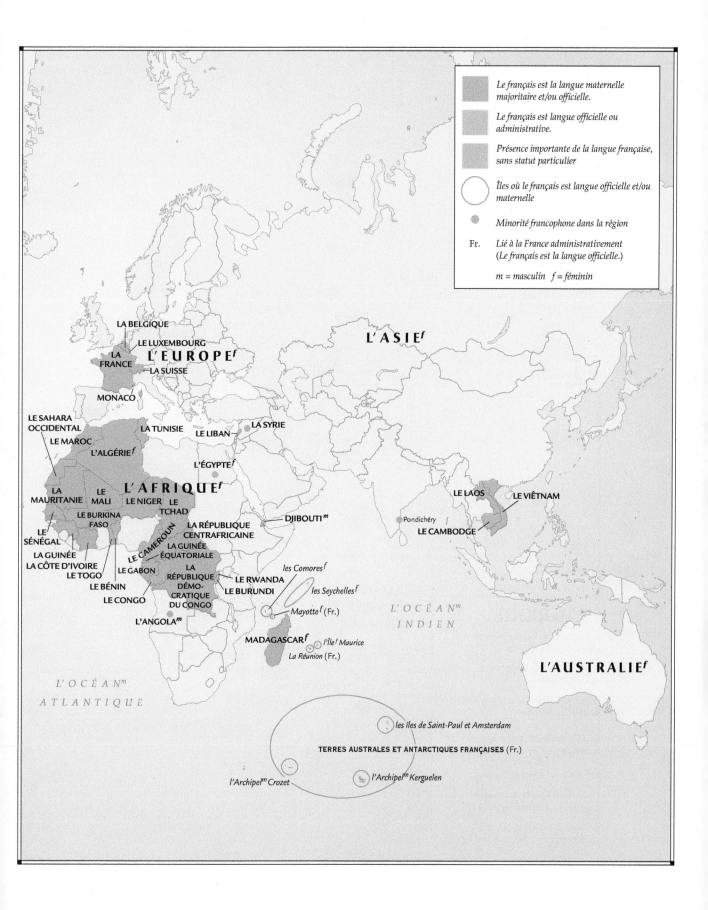

Le français est la langue maternelle majoritaire et/ou officielle.

Le français est langue officielle ou administrative.

Présence importante de la langue française, sans statut particulier

Îles où le français est langue officielle et/ou maternelle

Minorité francophone dans la région

Fr.   Lié à la France administrativement
(Le français est la langue officielle.)

m = masculin   f = féminin

L'ASIE*f*

L'EUROPE*f*

LA BELGIQUE
LE LUXEMBOURG
LA FRANCE
LA SUISSE
MONACO

LE SAHARA OCCIDENTAL
LE MAROC
L'ALGÉRIE*f*
LA TUNISIE
LE LIBAN
LA SYRIE
L'ÉGYPTE

L'AFRIQUE*f*

LA MAURITANIE
LE MALI
LE NIGER
LE TCHAD
LE BURKINA FASO
LE SÉNÉGAL
LA GUINÉE
LA CÔTE D'IVOIRE
LE TOGO
LE BÉNIN
LE CAMEROUN
LA GUINÉE ÉQUATORIALE
LE GABON
LE CONGO
LA RÉPUBLIQUE CENTRAFRICAINE
DJIBOUTI*m*
LA RÉPUBLIQUE DÉMO-CRATIQUE DU CONGO
LE RWANDA
LE BURUNDI
L'ANGOLA*m*

LE LAOS
LE VIÊTNAM
Pondichéry
LE CAMBODGE

les Comores*f*
les Seychelles*f*
Mayotte*f* (Fr.)

L'OCÉAN*m* INDIEN

MADAGASCAR*f*
l'Île*f* Maurice
La Réunion (Fr.)

L'AUSTRALIE*f*

L'OCÉAN*m* ATLANTIQUE

les îles de Saint-Paul et Amsterdam

TERRES AUSTRALES ET ANTARCTIQUES FRANÇAISES (Fr.)

l'Archipel*m* Crozet
l'Archipel*m* Kerguelen

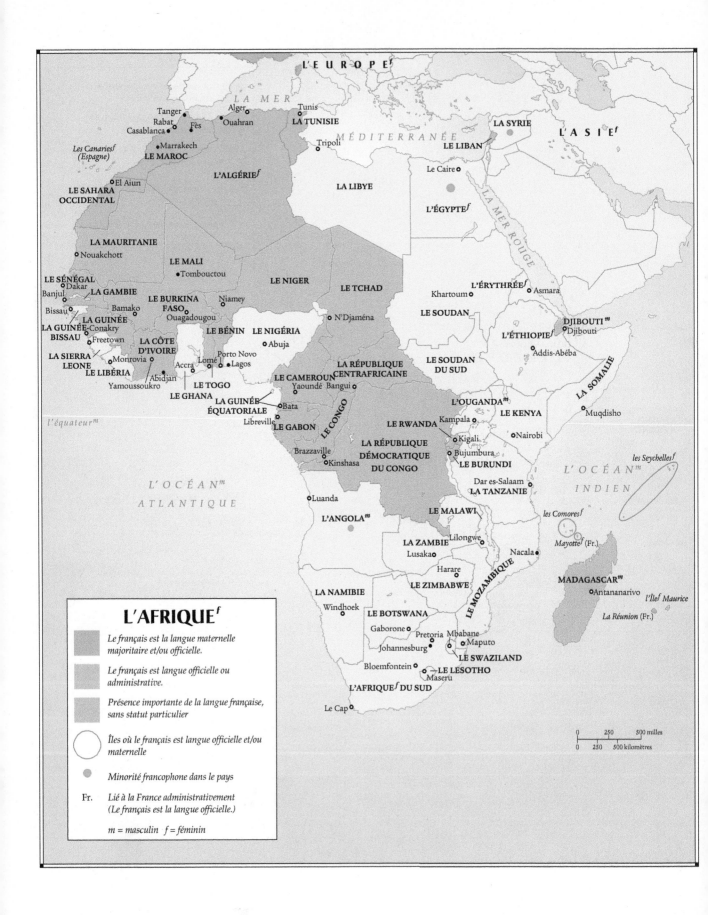

L'EUROPE^f

LA MER

Tanger
Alger • •Tunis
Rabat •Fès LA TUNISIE
Casablanca •Ouahran
•Marrakech
Les Canaries^f
(Espagne) LE MAROC

MÉDITERRANÉE

LA SYRIE
LE LIBAN

L'ASIE^f

Le Caire

L'ÉGYPTE^f

L'ALGÉRIE^f

El Aiun

LA LIBYE

LE SAHARA
OCCIDENTAL

LA MAURITANIE

Nouakchott

LE MALI

•Tombouctou

LE NIGER

LE TCHAD

LA MER ROUGE

LE SÉNÉGAL
Banjul Dakar
Bissau
Bamako
LA GUINÉE-Conakry
BISSAU Freetown
LA SIERRA Monrovia
LEONE
LE LIBÉRIA Abidjan
Yamoussoukro

LA GAMBIE

LE BURKINA
FASO
Ouagadougou
LA GUINÉE

Niamey

LE BÉNIN
LE NIGÉRIA
Abuja
Porto Novo
Accra Lomé •Lagos
LE CAMEROUN
LE TOGO Yaoundé
LE GHANA
LA GUINÉE
ÉQUATORIALE Bata
Libreville
LE GABON

LA CÔTE
D'IVOIRE

N'Djaména

L'ÉRYTHRÉE^f
Khartoum Asmara

LE SOUDAN

DJIBOUTI^m
Djibouti
L'ÉTHIOPIE^f
Addis-Abéba

LA RÉPUBLIQUE
CENTRAFRICAINE
Bangui

LE SOUDAN
DU SUD

LA SOMALIE

LE CONGO
L'OUGANDA^m
LE KENYA
LE RWANDA Kampala
Kigali Muqdisho
Brazzaville LA RÉPUBLIQUE Bujumbura Nairobi
DÉMOCRATIQUE LE BURUNDI
Kinshasa DU CONGO
Dar es-Salaam
LA TANZANIE

l'équateur^m

L'OCÉAN^m
ATLANTIQUE

Luanda

L'ANGOLA^m

les Seychelles^f

L'OCÉAN^m
INDIEN

les Comores^f

LA ZAMBIE
Lusaka

LE MALAWI
Lilongwe

Nacala

Mayotte^f (Fr.)

Harare

MADAGASCAR^m

LA NAMIBIE
Windhoek

LE ZIMBABWE

LE MOZAMBIQUE

Antananarivo
l'Île^f Maurice
La Réunion (Fr.)

LE BOTSWANA
Gaborone
Johannesburg Pretoria Mbabane
Bloemfontein Maputo
Le Cap LE SWAZILAND
LE LESOTHO
Maseru
L'AFRIQUE^f DU SUD

## L'AFRIQUE^f

Le français est la langue maternelle
majoritaire et/ou officielle.

Le français est langue officielle ou
administrative.

Présence importante de la langue française,
sans statut particulier

Îles où le français est langue officielle et/ou
maternelle

Minorité francophone dans le pays

Fr. Lié à la France administrativement
(Le français est la langue officielle.)

m = masculin   f = féminin

0    250    500 milles
0    250    500 kilomètres

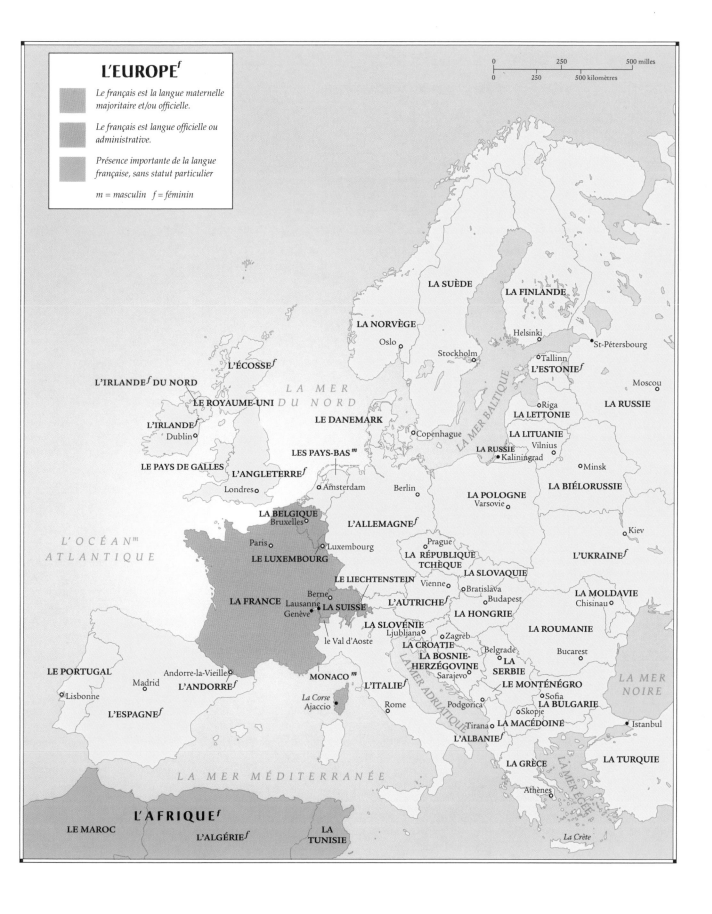

L'EUROPE<sup>f</sup>

- Le français est la langue maternelle majoritaire et/ou officielle.
- Le français est langue officielle ou administrative.
- Présence importante de la langue française, sans statut particulier

*m = masculin   f = féminin*

0        250        500 milles
0        250        500 kilomètres

LA SUÈDE
LA FINLANDE
LA NORVÈGE
Oslo
Helsinki
Stockholm
St-Pétersbourg
L'ÉCOSSE<sup>f</sup>
Tallinn
L'ESTONIE<sup>f</sup>
Moscou
L'IRLANDE<sup>f</sup> DU NORD
LA MER DU NORD
Riga
LA RUSSIE
LE ROYAUME-UNI
LA LETTONIE
L'IRLANDE<sup>f</sup>
LE DANEMARK
LA MER BALTIQUE
LA LITUANIE
Dublin
Copenhague
LA RUSSIE
Vilnius
LE PAYS DE GALLES
LES PAYS-BAS<sup>m</sup>
Kaliningrad
Minsk
L'ANGLETERRE<sup>f</sup>
Berlin
LA POLOGNE
LA BIÉLORUSSIE
Londres
Amsterdam
Varsovie
LA BELGIQUE
Kiev
Bruxelles
L'ALLEMAGNE<sup>f</sup>
L'OCÉAN<sup>m</sup>
Paris
Luxembourg
Prague
L'UKRAINE<sup>f</sup>
ATLANTIQUE
LE LUXEMBOURG
LA RÉPUBLIQUE TCHÈQUE
LE LIECHTENSTEIN
LA SLOVAQUIE
Vienne
Bratislava
LA MOLDAVIE
LA FRANCE
Berne
Budapest
Chisinau
Lausanne
LA SUISSE
L'AUTRICHE<sup>f</sup>
Genève
LA HONGRIE
le Val d'Aoste
LA SLOVÉNIE
LA ROUMANIE
Ljubljana
Zagreb
LE PORTUGAL
Andorre-la-Vieille
MONACO<sup>m</sup>
LA CROATIE
Bucarest
Madrid
L'ANDORRE<sup>f</sup>
LA BOSNIE-HERZÉGOVINE
LA SERBIE
Belgrade
LA MER NOIRE
Lisbonne
La Corse
L'ITALIE<sup>f</sup>
Sarajevo
LE MONTÉNÉGRO
Ajaccio
Rome
Podgorica
Sofia
LA BULGARIE
L'ESPAGNE<sup>f</sup>
Skopje
Istanbul
Tirana
LA MACÉDOINE
LA MER ADRIATIQUE
L'ALBANIE<sup>f</sup>
LA GRÈCE
LA TURQUIE
LA MER MÉDITERRANÉE
Athènes
LA MER ÉGÉE
L'AFRIQUE<sup>f</sup>
La Crète
LE MAROC
L'ALGÉRIE<sup>f</sup>
LA TUNISIE

L'ANGLETERRE *f*

LA MER DU NORD

LES PAYS-BAS *m*

Amsterdam

Londres

*la Tamise*

Dunkerque

Boulogne

Calais

Lille

LA BELGIQUE

Bruxelles

L'ALLEMAGNE *f*

LA MANCHE

NORD-PAS-DE CALAIS

*la Meuse*

Cherbourg

Dieppe

Amiens

LE LUXEMBOURG

Luxembourg

Guernesey

Les Îles *f.* Anglo-Normandes

Jersey

Le Havre

*la Seine*

Rouen

PICARDIE

Reims

Verdun

Caen

HAUTE-NORMANDIE

LORRAINE

ALSACE

Strasbourg

Brest

BASSE-NORMANDIE

Paris

Versailles

ÎLE-DE-FRANCE

*la Marne*

Nancy

*la Moselle*

*le Rhin*

BRETAGNE

Chartres

*la Seine*

CHAMPAGNE-ARDENNE

LES VOSGES *f*

*le Danube*

Rennes

PAYS DE LA LOIRE

Orléans

*la Loire*

Angers

Blois

CENTRE

BOURGOGNE

FRANCHE-COMTÉ

Nantes

Tours

Dijon

Besançon

LE JURA

Berne

LA SUISSE

Poitiers

Bourges

*la Loire*

Lausanne

*le Lac Léman*

L'OCÉAN *m* ATLANTIQUE

La Rochelle

POITOU-CHARENTES

Limoges

Vichy

Genève

*le Rhône*

MONT BLANC 4808m

LE VAL D'AOSTE

LIMOUSIN

Clermont-Ferrand

AUVERGNE

Lyon

RHÔNE-ALPES

*la Gironde*

Bordeaux

*la Dordogne*

St-Étienne

Grenoble

LES ALPES *f*

*la Garonne*

LE MASSIF CENTRAL

*le Rhône*

L'ITALIE *f*

*le Pô*

AQUITAINE

MIDI-PYRÉNÉES

PROVENCE-ALPES-CÔTE D'AZUR

Bayonne

Pau

Toulouse

Nîmes

Avignon

Arles

Aix-en-Provence

Nice

Cannes

MONACO *m*

*l'Ebro*

LES PYRÉNÉES *f*

Montpellier

Carcassonne

Marseille

St-Tropez

L'ESPAGNE *f*

LANGUEDOC-ROUSSILLON

L'ANDORRE *f*

Perpignan

LA MER MÉDITERRANÉE

LA CORSE

Ajaccio

## LA FRANCE

| Altitude | |
|---|---|
| Mètres | Feet |
| 3050 | 10000 |
| 1525 | 5000 |
| 610 | 2000 |
| 305 | 1000 |
| 152,5 | 500 |
| 0 | 0 |

0    50    100    150 MILLES

0   50   100   150   200   250 KILOMÈTRES

*m* = masculin   *f* = féminin

Le français est langue officielle ou administrative.

Présence importante de la langue française, sans statut particulier